PROGRAMME 2019   COLLECTION BARBAZO

MATHÉMATIQUES

Sous la direction d'**Éric Barbazo** et de **Christophe Barnet**

Martial Baheux
Aline Bouget
Nadine Castagnos
Maïna Cigana
Amélie Daniel
Jean-Baptiste Devynck
Dominique Grihon
Benoît Lafargue
Sébastien Maimaran
Anne Malibert
Céline Meunier
Corinne Ondriozola
Sylvie Peducasse
Florence Picart
Sandrine Pollet
Catherine Racadot
Denis Roumilhac
Karine Sermanson
Chloé Ubéra

hachette
ÉDUCATION

Nous remercions **Frédérique Feibel** pour ses précieux conseils et suggestions,
ainsi que tous les enseignants qui ont bien voulu contribuer à la conception de cet ouvrage.

Mise en pages et schémas : Soft Office
Maquette intérieure : Anne-Danielle Naname
Maquette de couverture : Guylaine Moi
Recherche iconographique : Candice Renault
Illustrations : Pascal Baltzer
Relecture : Cécile Chavent
Édition : Alexandre Bertin

⊟ hachette s'engage pour
l'environnement en réduisant
l'empreinte carbone de ses livres.
Celle de cet exemplaire est de :
2100 g éq. CO$_2$
Rendez-vous sur
www.hachette-durable.fr

PAPIER À BASE DE
FIBRES CERTIFIÉES

www.hachette-education.com
© Hachette Livre 2019, 58 rue Jean Bleuzen, 92178 Vanves
ISBN : 978-2-01-395486-0

Votre manuel vous accompagne dans l'apprentissage des mathématiques et la préparation à l'épreuve

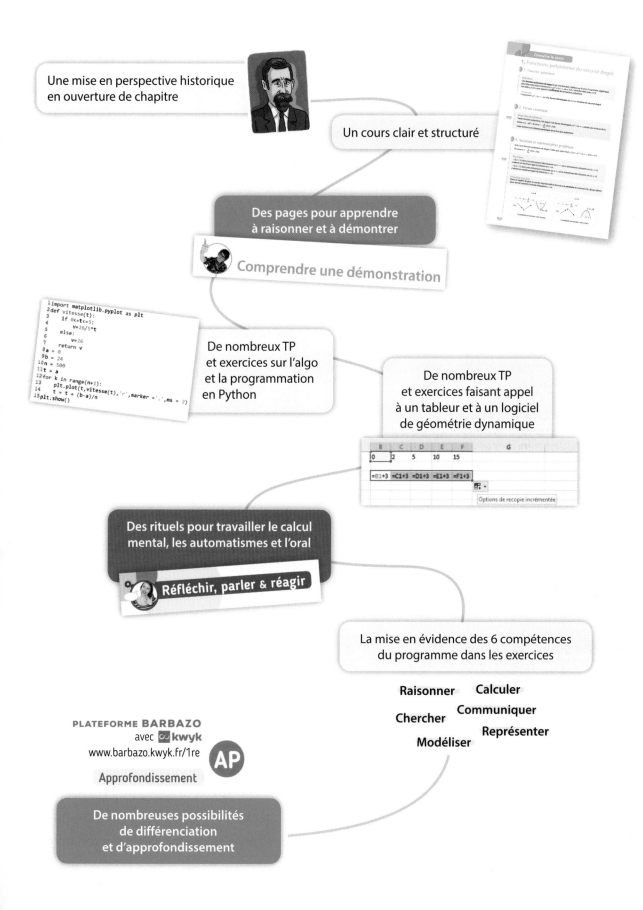

Une mise en perspective historique en ouverture de chapitre

Un cours clair et structuré

Des pages pour apprendre à raisonner et à démontrer

Comprendre une démonstration

De nombreux TP et exercices sur l'algo et la programmation en Python

De nombreux TP et exercices faisant appel à un tableur et à un logiciel de géométrie dynamique

Des rituels pour travailler le calcul mental, les automatismes et l'oral

Réfléchir, parler & réagir

La mise en évidence des 6 compétences du programme dans les exercices

Raisonner   Calculer
Chercher   Communiquer
        Représenter
Modéliser

PLATEFORME **BARBAZO**
avec **kwyk**
www.barbazo.kwyk.fr/1re
AP
Approfondissement

De nombreuses possibilités de différenciation et d'approfondissement

Sommaire

Algèbre

Rabats
- Mémento Python
- Utilisation de Python avec une calculatrice
- Utilisation du tableur
- Utilisation d'un logiciel de géométrie

Les démonstrations signalées par ▸DÉMO en ligne sont présentes sur le site de la collection.

Analyse

Géométrie

Probabilités et statistiques

Suites numériques

Zoomer et voir toujours le même paysage

Helge Von Koch

Helge Von Koch (1870-1924) est un mathématicien suédois qui a donné son nom en 1904 à l'une des premières fractales, le flocon de Von Koch.

Il a décrit ce flocon dans un article intitulé *Sur une courbe continue sans tangente, obtenue par une construction géométrique élémentaire.*

Le flocon de Von Koch est un exemple de courbes appelées fractales (courbes qui possèdent des détails de forme similaire quelle que soit l'échelle à laquelle on les observe).

On présente ci-dessous les premières étapes de la construction du flocon de Von Koch à partir d'un triangle équilatéral de côté 1.

La construction de ce flocon se poursuit de la même façon, étape après étape.

Pour le construire complètement, il faudrait une infinité d'étapes.

Est-il possible de donner le périmètre de la figure obtenue à chaque étape (et pas seulement pour les quatre premières !) ? Et que penser de l'aire du flocon ?

Réviser
ses **GAMMES**

 DIAPORAMA DE GAMMES SUPPLÉMENTAIRES

1 Suites logiques

Recopier et compléter logiquement les suites de nombres suivantes par trois termes.

a. $-8 ; -5 ; -2 ; 1…$

b. $1 ; 2 ; 4 ; 8 ; 16…$

c. $1 ; 2 ; 3 ; 5 ; 8 ; 13…$

d. $1 ; \dfrac{1}{3} ; \dfrac{1}{9} ; \dfrac{1}{27} …$

e. $-2 ; 6 ; -18 ; 54…$

f. $\dfrac{2}{5} ; \dfrac{9}{35} ; \dfrac{4}{35} ; -\dfrac{1}{35} …$

2 Puissances

Recopier et compléter les égalités suivantes.

a. $3^5 \times 3^{-7} = 3^{…}$

b. $2^{-4} \times 2^{…} = 2^9$

c. $\dfrac{10^3}{10^{-9}} = 10^{…}$

d. $\dfrac{10^4}{10^{…}} = 10^{-5}$

3 Une fonction f

Soit f une fonction définie pout tout entier naturel n par :
$$f(n) = 9n^2 - 6n - 5.$$

1. Calculer $f(3), f(25)$ et $f(50)$.

2. Existe-t-il des entiers n tels que $f(n) = -5$?
Si oui, le(s)quel(s) ?

3. Existe-t-il des entiers n tels que $f(n) = -6$?
Si oui, le(s)quel(s) ?

4 Répétitions de motif

Voici une suite de maisons dessinées avec des allumettes.

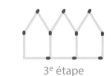

| 1re étape | 2e étape | 3e étape |

• Combien d'allumettes sont nécessaires pour la 6e étape?

5 Suite logique

On construit une suite de nombres en commençant par le nombre -4 et en appliquant le principe :
« Un terme est la somme du triple du terme précédent et de 5. »

• Quel est le 3e terme de cette suite de nombres ?

6 Pourcentages

Recopier et compléter les phrases suivantes.

1. Augmenter une quantité Q de 10 % revient à multiplier Q par …

2. Le prix d'un produit est passé de 100 à 125 €.
Le pourcentage d'augmentation est … %.

3. Le prix d'un produit est passé de 200 à 160 €.
Le pourcentage de diminution est … %.

4. Pour les soldes, le prix d'un produit à 60 € baisse de 15 %. À la fin des soldes, le prix du produit est à nouveau augmenté de 15 %.

Le prix du produit après les soldes est …

5. Un salaire de 1 800 € augmente chaque année de 3 %. Au bout de 3 ans, le salaire est de …

7 Tableau de valeurs

On donne ci-dessous un tableau de valeurs d'une fonction f définie pout tout entier naturel n.

n	0	1	2	3	4	5
$f(n)$	1	2	5	10	17	26

1. Conjecturer une expression de $f(n)$.

2. En admettant la conjecture faite au **1.**, que vaut $f(20)$?

3. En admettant la conjecture faite au **1.**, existe-t-il une ou des valeurs de n telles que $f(n) = 2\,705$?

4. Même question pour $f(n) = 6\,899$.

8 Algorithme

On considère l'algorithme suivant.

$$S \leftarrow 0$$
Pour k allant de 1 à 100 faire
$$S \leftarrow S + k$$

• Que calcule cet algorithme ?

Situation A   Compléter une suite de dessins

Objectif
Définir une suite par une relation de récurrence et par une formule explicite.

On présente ci-dessous deux suites de dessins.

Suite 1

Suite 2

① Recopier les dessins de chaque suite et dessiner les deux dessins suivants.

② Indiquer, pour chaque dessin de chaque suite, le nombre de points nécessaires à sa construction.

③ Sans rien dessiner de plus, déterminer le nombre de points nécessaires pour former le 10ᵉ dessin de chacune de ces deux suites.

Situation B   Modéliser une croissance démographique

Objectif
Introduire les suites arithmétiques.

Bordeaux Métropole, projet :
« Objectif 2030 »
Un million d'habitants en 2030 pour Bordeaux et sa communauté urbaine ? C'est le projet que lance Bordeaux Métropole en partenariat avec l'Institut national de statistiques (Insee).
En 2007, année de référence pour ce projet, Bordeaux Métropole comptait 714 000 habitants.

Le Quatre pages Insee Aquitaine,
septembre 2013.

Un scénario, établi sur la base d'une augmentation constante, prévoit une augmentation de la population de Bordeaux Métropole de 11 800 personnes par an.

① Avec ce scénario, l'« Objectif 2030 » sera-t-il atteint ?

② Proposer un scénario, établi sur la base d'une augmentation constante la plus petite possible qui permette d'atteindre l'« Objectif 2030 ».

Situation **C** — Étudier des placements financiers à intérêts composés `TABLEUR`

Objectif
Introduire les suites géométriques.

Les organismes bancaires peuvent proposer différents types de placements financiers (intérêts simples, intérêts composés…).

1 **a.** Un capital de 1 000 € est placé à intérêts composés au taux annuel de 3 % (cela signifie que le capital augmente de 3 % chaque année).

De quelle somme disposera-t-on au bout d'un an ? Au bout de 2 ans ? Au bout de 5 ans ?

b. On note C_n le capital acquis au bout de n années, exprimer C_{n+1} en fonction de C_n.

2 Un capital de 10 000 € est placé à intérêts composés au taux annuel de 5,2 %. On veut déterminer au bout de combien d'années il atteindra 15 000 €.

On utilise pour cela la feuille de calcul ci-dessous.

	A	B
1	Période (en années)	Capital
2	0	10000
3	1	= ?

Proposer une formule à saisir en B3 qui permette, par recopie vers le bas, de compléter la colonne B.

Déterminer alors le nombre d'années nécessaires.

Situation **D** — Suivre l'évolution de la flore

Objectifs
Modéliser un problème et conjecturer une limite.

La pyrale est une redoutable chenille invasive qui s'attaque aux buis (petits arbres à feuilles pérennes, communs sur le territoire français).
Un massif forestier des Pyrénées en est victime depuis quelque temps. Les agents de l'ONF (Office national des Forêts) ont procédé à des relevés statistiques : chaque année, le nuisible fait disparaître 15 % des buis de ce massif.
Alors que l'on compte 75 000 pieds de buis, l'ONF préconise de replanter 3 000 plants chaque année pour compenser les dégâts de la pyrale en attendant un éventuel traitement contre cette chenille.

1 Si la préconisation de l'ONF n'est pas suivie, quelle conjecture peut-on émettre quant au nombre de buis dans ce massif à long terme ?

2 On considère désormais que la préconisation de l'ONF est suivie.

a. Calculer le nombre de buis dans ce massif un an après cette préconisation, puis deux ans après.

b. Si on note u_n le nombre de buis dans ce massif n années après cette préconisation, expliquer la formule de récurrence $u_{n+1} = 0,85\,u_n + 3\,000$ pour tout entier naturel n.

c. À l'aide de la calculatrice, quelle conjecture peut-on émettre quant au nombre de buis dans ce massif à long terme ?

1. Modes de génération d'une suite

1. Définition d'une suite numérique

Définition

Une **suite numérique** est une fonction $u : n \mapsto u(n)$ définie sur $\mathbb{N}$ (ou seulement pour $n \geqslant k$ avec k entier naturel) et à valeurs dans $\mathbb{R}$.
Le nombre réel $u(n)$, noté u_n (se lit « u indice n »), est appelé le terme de rang n ou le terme général de la suite. On note cette suite (u_n).

Une suite (u_n) peut être représentée graphiquement par le nuage de points de coordonnées $(n ; u_n)$.

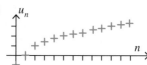

✔ Exemple

La liste 50 ; 25 ; 12,5 ; 6,25… définit les premiers termes de la suite (u_n) telle que $u_0 = 50$, $u_1 = 25$, $u_2 = 12,5$, $u_3 = 6,25$… On dit que 50 est le terme de rang 0 ; 25 est le terme de rang 1 ; 12,5 est le terme de rang 2, etc.

2. Suite définie par une formule explicite $u_n = f(n)$

Définition

Une suite est définie par une **formule explicite** lorsque u_n s'exprime en fonction de l'entier n.
Dans ce cas, on peut calculer chaque terme u_n directement à partir de son rang n.

✔ Exemples

• Pour tout entier naturel n, on donne $u_n = 2n$.
$u_0 = 2 \times 0 = 0$; $u_1 = 2 \times 1 = 2$.
$u_2 = 2 \times 2 = 4$; … ; $u_{20} = 2 \times 20 = 40$.

• Pour tout entier naturel $n \geqslant 1$, on donne $v_n = \sqrt{n-1}$.
• $v_1 = \sqrt{1-1} = 0$ (le premier terme ici est v_1 et non v_0) ; $v_2 = \sqrt{2-1} = 1$; … ; $v_{17} = \sqrt{17-1} = 4$.

3. Suite définie par une relation de récurrence $u_{n+1} = f(u_n)$

Définition

Une suite est définie par une **relation de récurrence** lorsqu'elle est définie par la donnée de :
• son premier terme ;
• une relation qui permet de calculer chaque terme à partir du précédent.
Dans ce cas, pour calculer chaque terme u_n, il faut avoir calculé tous les termes qui le précèdent.

Rang	0	1	2	3	4	5	…	$n-1$	n	$n+1$	…
Terme	$u_0 \rightarrow$	$u_1 \rightarrow$	$u_2 \rightarrow$	$u_3 \rightarrow$	$u_4 \rightarrow$	$u_5 \rightarrow$	$… \rightarrow$	$u_{n-1} \rightarrow$	$u_n \rightarrow$	u_{n+1}	…

✔ Exemples

• On définit la suite (u_n) par $u_0 = 5$ et chaque terme est le triple de son précédent.
$u_0 = 5$; $u_1 = 3u_0 = 3 \times 5 = 15$;
$u_2 = 3u_1 = 3 \times 15 = 45$…

• On définit la suite (v_n) par $v_0 = 3$ et, pour tout entier naturel n, $v_{n+1} = 4v_n - 6$.
$v_0 = 3$; $v_1 = 4v_0 - 6 = 4 \times 3 - 6 = 6$;
$v_2 = 4v_1 - 6 = 4 \times 6 - 6 = 18$…

Remarque

Il existe d'autres modes de génération d'une suite comme par exemple un algorithme ou encore un dénombrement lié à une suite de motifs géométriques.

Exercice résolu 1 Calculer des termes d'une suite

1 Soit la suite (u_n) définie pour tout entier naturel n par : $u_n = 3n^2 - 2n + 1$.

   a. Calculer le terme de rang 5, puis le 10e terme.

   b. Déterminer l'expression en fonction de n des termes u_{n+1} et u_{2n}.

2 Soit la suite (v_n) définie par $v_0 = 1$ et, pour tout entier naturel n, $v_{n+1} = 0{,}5 v_n + 4$. Calculer v_3.

3 Soit la suite (w_n) définie $w_0 = \dfrac{3}{2}$ et, pour tout entier naturel n, $w_{n+1} = 2w_n(1 - w_n) + 2$. Calculer w_2.

∨ Solution commentée

1 a. Le terme de rang 5 est u_5. On remplace n par 5 dans l'expression. $u_5 = 3 \times 5^2 - 2 \times 5 + 1 = 66$;
Le premier terme étant de rang 0, le 10e terme est le terme de rang 9. $u_9 = 3 \times 9^2 - 2 \times 9 + 1 = 226$.
   b. $u_{n+1} = 3(n+1)^2 - 2(n+1) + 1 = 3(n^2 + 2n + 1) - 2n - 2 + 1 = 3n^2 + 6n + 3 - 2n - 1 = 3n^2 + 4n + 2$
$u_{2n} = 3 \times (2n)^2 - 2 \times (2n) + 1 = 3 \times 4n^2 - 4n + 1 = 12n^2 - 4n + 1$

2 Pour obtenir v_3, il faut calculer tous les termes qui le précèdent.
$v_1 = v_{0+1} = 0{,}5 v_0 + 4 = 0{,}5 \times 1 + 4 = 4{,}5$
$v_2 = v_{1+1} = 0{,}5 v_1 + 4 = 0{,}5 \times 4{,}5 + 4 = 6{,}25$
$v_3 = v_{2+1} = 0{,}5 v_2 + 4 = 0{,}5 \times 6{,}25 + 4 = 7{,}125$

3 Pour obtenir w_2, il faut calculer tous les termes qui le précèdent.

$w_1 = 2w_0(1 - w_0) + 2 = 2 \times \dfrac{3}{2}\left(1 - \dfrac{3}{2}\right) + 2 = 3 \times \left(\dfrac{-1}{2}\right) + 2 = \dfrac{-3}{2} + 2 = \dfrac{1}{2}$

$w_2 = 2w_1(1 - w_1) + 2 = 2 \times \dfrac{1}{2}\left(1 - \dfrac{1}{2}\right) + 2 = 1 \times \dfrac{1}{2} + 2 = \dfrac{5}{2}$

> EXERCICE 3 p. 30

Exercice résolu 2 Définir une suite à partir d'un algorithme

On considère les trois fonctions informatiques suivantes programmées en langage Python.

```
1 def terme_u(n):
2     u=1/3
3     for k in range(n):
4         u=1/u-1
5     return u
```

```
1 def terme_v(n):
2     return n**2-2*n+1/n
```

```
1 def terme_w(n):
2     w=5
3     for k in range(1,n+1):
4         w=w+3*(k-1)
5     return w
```

1 Qu'obtient-on lorsqu'on appelle terme_u(3), terme_v(5) et terme_w(4) dans la console ?

2 Préciser les modes de génération des suites associées à chacune de ces trois fonctions.

∨ Solution commentée

1
```
>>> terme_u(3)
-3.0
```
```
>>> terme_v(5)
15.2
```
```
>>> terme_w(4)
23
```

2 La première fonction permet de calculer les termes de la suite (u_n) définie par la relation de récurrence :
$$u_0 = \dfrac{1}{3} \text{ et pour tout entier naturel } n, u_{n+1} = \dfrac{1}{u_n} - 1.$$

La deuxième fonction permet de calculer les termes de la suite (v_n) définie par la formule explicite :
$$\text{Pour tout entier naturel } n, v_n = n^2 - 2n + \dfrac{1}{n}.$$

La troisième fonction permet de calculer les termes de la suite (w_n) définie par la relation de récurrence :
$$w_0 = 5 \text{ et pour tout entier naturel } n, w_{n+1} = w_n + 3n.$$

> EXERCICE 9 p. 30

2. Suites arithmétiques

1. Définition

Définition

Soit u_0 un nombre réel.
Une suite (u_n) de premier terme u_0 est **arithmétique** s'il existe un nombre réel r tel que, pour tout entier naturel n, on a $u_{n+1} = u_n + r$.
Le nombre r est appelé **raison de la suite** (u_n).

Remarque

Une suite (u_n) est arithmétique si, pour passer d'un terme au suivant, on ajoute toujours le même nombre ou encore si la différence $u_{n+1} - u_n$ ne dépend pas de n.

✔ Exemple

Soit la suite (u_n) définie par $u_0 = 3$ et, pour tout entier naturel n, $u_{n+1} = u_n + 5$
On passe d'un terme au suivant en ajoutant 5. Ainsi $u_1 = 8$, $u_2 = 13$, $u_3 = 18 \ldots$
La suite (u_n) est arithmétique de premier terme 3 et de raison 5.

DÉMO
p. 20

Propriété

(u_n) est la suite arithmétique de premier terme u_0 et de raison r
si et seulement si, pour tout entier naturel n, on a $u_n = u_0 + nr$.

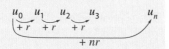

Remarques

● La propriété précédente peut être utilisée avec d'autres termes que u_0 :
$u_n = u_1 + (n-1)r = u_2 + (n-2)r = \ldots$, et de façon générale pour p entier naturel, $u_n = u_p + (n-p)r$.

● De la relation de récurrence $u_{n+1} = u_n + r$, on peut passer à la formule explicite $u_n = u_0 + nr$.
● Pour une suite arithmétique, on a $u_n = f(n)$, où f est la fonction affine définie pour tout réel x par $f(x) = u_0 + xr$. Dans un repère, les points de coordonnées $(n \, ; u_n)$ sont alignés.

✔ Exemple

Soit la suite (u_n) définie par $u_0 = -1$ et, pour tout entier naturel n :
$$u_{n+1} = u_n + 1{,}5.$$
La suite (u_n) est arithmétique de premier terme $u_0 = -1$ et de raison 1,5.
Donc, pour tout entier naturel n, on a $u_n = u_0 + nr = -1 + 1{,}5n$.

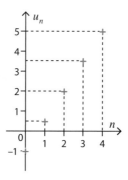

2. Somme des premiers entiers

DÉMO
p. 21

Propriété

Pour tout entier naturel n non nul, on a $1 + 2 + 3 + \ldots + n = \dfrac{n(n+1)}{2}$.

Remarque

Il s'agit de la somme des n premiers termes de la suite arithmétique (u_n) de premier terme $u_0 = 1$ et de raison 1. La formule de la somme de termes consécutifs d'une suite arithmétique quelconque est donnée et démontrée p. 21.

Exercice résolu 1 Reconnaître une suite arithmétique

1 La suite (u_n), définie par $u_n = n^2$ pour tout entier naturel n, est-elle arithmétique ?

2 La suite (v_n), définie par $v_n = n^2 - (n + 1)^2$ pour tout entier naturel n, est-elle arithmétique ?

⌄ Solution commentée

1 On commence par calculer les premiers termes de la suite (u_n) : $u_0 = 0$; $u_1 = 1$; $u_2 = 4$.
On a $u_1 - u_0 = 1$ et $u_2 - u_1 = 3$, donc $u_1 - u_0 \neq u_2 - u_1$.
La suite (u_n) n'est donc pas arithmétique.

2 On commence par calculer les premiers termes de la suite (v_n) :
$$v_0 = 0^2 - (0 + 1)^2 = -1 \text{ ; } v_1 = 1^2 - (1 + 1)^2 = -3 \text{ ; } v_2 = 2^2 - (2 + 1)^2 = -5.$$
Il semble que la suite (v_n) soit arithmétique de raison -2. Pour le prouver, on montre que la différence entre deux termes consécutifs quelconques est égale à -2. Pour tout entier naturel n, on a :
$$v_{n+1} - v_n = [(n + 1)^2 - (n + 2)^2] - [n^2 - (n + 1)^2] = (n^2 + 2n + 1 - n^2 - 4n - 4) - (n^2 - n^2 - 2n - 1)$$
$$v_{n+1} - v_n = (-2n - 3) - (-2n - 1) = -2n - 3 + 2n + 1 = -2.$$
Ainsi, pour tout entier naturel n, $v_{n+1} - v_n = -2$, donc la suite (v_n) est arithmétique de raison -2.
Remarque : On peut également prouver que (v_n) est arithmétique en montrant que $v_n = f(n)$ avec f affine.
$$v_n = n^2 - (n^2 + 2n + 1) = -2n - 1 = f(n) \text{ avec } f \text{ affine.}$$

❯ **EXERCICE** 16 p. 31

Exercice résolu 2 Étudier une suite arithmétique

Soit la suite (u_n) définie par $u_0 = -7$ et, pour tout entier naturel n, $u_{n+1} = u_n + 4$.

1 Donner la formule explicite de u_n. En déduire la valeur de u_{21}.

2 Un terme de la suite vaut-il 2019 ?

⌄ Solution commentée

1 La suite (u_n) est arithmétique de premier terme $u_0 = -7$ et de raison 4.
Donc, pour tout entier naturel n, on a $u_n = u_0 + nr = -7 + 4n$. En particulier, on a $u_{21} = -7 + 4 \times 21 = 77$.

2 On cherche s'il existe un entier naturel n tel que $u_n = 2019$. On résout cette équation par équivalence.
$$u_n = 2019 \Leftrightarrow -7 + 4n = 2019 \Leftrightarrow 4n = 2026 \Leftrightarrow n = \frac{2026}{4} = 506{,}5$$
n doit être un entier naturel, donc aucun terme de la suite n'est égal à 2019.

❯ **EXERCICE** 19 p. 31

Exercice résolu 3 Calculer une somme de termes

On construit une ligne brisée formée de segments perpendiculaires en « spirale ». Le 1er segment a pour longueur 1 cm et chaque segment est plus long de 1 cm que le segment précédent.
• Quelle est la longueur de cette ligne brisée lorsqu'on a tracé 25 segments ?

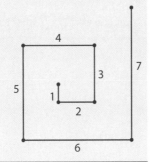

⌄ Solution commentée

$$1 + 2 + 3 + \ldots + 25 = \frac{25(25 + 1)}{2} = \frac{25 \times 26}{2} = 325$$

La ligne brisée constituée de 25 segments mesure 325 cm.

❯ **EXERCICE** 31 p. 32

3. Suites géométriques

1. Définition

Définition

Soit u_0 un nombre réel.
Une suite (u_n) de premier terme u_0 est **géométrique** s'il existe un nombre réel q tel que, pour tout entier naturel n, on a $u_{n+1} = qu_n$.
Le nombre q est appelé **raison de la suite** (u_n).

Remarque

Une suite (u_n) est géométrique si, pour passer d'un terme au suivant, on multiplie toujours par le même nombre.

⌄ Exemple

Soit la suite (u_n) définie par $u_0 = 5$ et, pour tout entier naturel n, $u_{n+1} = 2u_n$.
On passe d'un terme au suivant en le multipliant par 2. Ainsi $u_1 = 10$, $u_2 = 20$, $u_3 = 40…$
La suite (u_n) est géométrique de premier terme 5 et de raison 2.

p. 20

Propriété

(u_n) est la suite géométrique de premier terme u_0 et de raison q si et seulement si, pour tout entier naturel n, on a $u_n = u_0 q^n$.

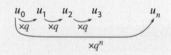

Remarques

● La propriété précédente peut être utilisée avec d'autres termes que u_0 :
$u_n = u_1 \times q^{n-1} = u_2 \times q^{n-2} = …$, et, de façon générale,
pour p entier naturel, $u_n = u_p \times q^{n-p}$.
● De la relation de récurrence $u_{n+1} = qu_n$, on peut passer à la formule explicite $u_n = u_0 q^n$.
Ainsi, pour une suite géométrique, $u_n = f(n)$, où f est une fonction de type « exponentielle » qui sera vue dans un chapitre ultérieur.

⌄ Exemple

Soit la suite (u_n) définie par $u_0 = 2$ et, pour tout entier naturel n, $u_{n+1} = 3u_n$.
La suite (u_n) est géométrique de premier terme $u_0 = 2$ et de raison 3.
Pour tout entier naturel n, on a $u_n = u_0 \times q^n = 2 \times 3^n$.

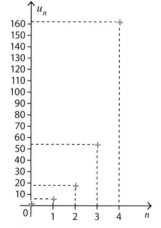

2. Somme des premières puissances d'un réel q

p. 21

Propriété

Pour tout entier naturel n et pour tout réel q différent de 1, on a :
$$1 + q + q^2 + q^3 + … + q^n = \frac{1 - q^{n+1}}{1 - q}.$$

Remarques

● Il s'agit de la somme des $n + 1$ premiers termes de la suite géométrique (u_n) de premier terme $u_0 = 1$ et de raison q différente de 1. La formule de la somme de termes consécutifs d'une suite géométrique quelconque est donnée et démontrée p. 21.
● Lorsque $q = 1$, la somme $1 + q + q^2 + q^3 + … + q^n$ vaut $n + 1$.

Exercice résolu **1** Reconnaître une suite géométrique

1 La suite (u_n) est définie, pour tout entier naturel n, par $u_n = (n + 1)^2$. (u_n) est-elle géométrique ?

2 La suite (v_n) est définie, pour tout entier naturel n, par $v_n = 5 \times 3^{n+2}$. (v_n) est-elle géométrique ?

▼ Solution commentée

1 On commence par calculer les premiers termes de la suite (u_n) : $u_0 = 1$; $u_1 = 4$; $u_2 = 9$.

On a $\dfrac{u_1}{u_0} = 4$ et $\dfrac{u_2}{u_1} = \dfrac{9}{4}$ donc $\dfrac{u_1}{u_0} \neq \dfrac{u_2}{u_1}$ donc la suite (u_n) n'est pas géométrique.

2 On commence par calculer les premiers termes de la suite (v_n) : $v_0 = 45$; $v_1 = 135$; $v_2 = 405$.

Il semble que la suite (v_n) soit géométrique de raison 3. Pour le prouver, on montre que pour tout entier naturel n, v_n s'écrit de la forme $v_n = v_0 \times 3^n$.

$v_n = 5 \times 3^{n+2} = 5 \times 3^n \times 3^2 = 5 \times 9 \times 3^n = 45 \times 3^n$ donc la suite (v_n) est géométrique de raison 3.

> **EXERCICE** 23 p. 31

Exercice résolu **2** Étudier une suite géométrique

Soit la suite (u_n) définie par $u_0 = 6$ et, pour tout entier naturel n, $u_{n+1} = \dfrac{3}{2}u_n$.

1 Donner la formule explicite de u_n. En déduire la valeur exacte puis arrondie à l'unité de u_{11}.

2 Quel est le rang du premier terme qui dépasse 100 ?

▼ Solution commentée

1 La suite (u_n) est géométrique de premier terme $u_0 = 6$ et de raison $\dfrac{3}{2}$. Donc, pour tout entier naturel n, on a

$u_n = u_0 q^n = 6 \times \left(\dfrac{3}{2}\right)^n$. En particulier, $u_{11} = 6 \times \left(\dfrac{3}{2}\right)^{11} = \dfrac{531441}{1024} \approx 519$.

2 Pour tout entier naturel n, $u_n = 6 \times \left(\dfrac{3}{2}\right)^n$. On cherche le plus petit entier n tel que $6 \times \left(\dfrac{3}{2}\right)^n \geqslant 100$.

En calculant les premiers termes à la calculatrice, on trouve $u_1 = 9$; $u_2 = \dfrac{27}{2} = 13,5$; $u_3 = \dfrac{81}{4} = 20,25$;

$u_4 = \dfrac{243}{8} = 30,375$; $u_5 = \dfrac{729}{16} \approx 46$; $u_6 = \dfrac{2187}{32} \approx 68$; $u_7 = \dfrac{6561}{64} \approx 103$.

Donc le plus petit entier n tel que $6 \times \left(\dfrac{3}{2}\right)^n \geqslant 100$ est 7.

> **EXERCICE** 25 p. 32

Exercice résolu **3** Calculer une somme de termes

Sur un échiquier de 64 cases, on place un grain de riz sur la première case, deux grains de riz sur la deuxième, quatre grains de riz sur la troisième, et on continue en doublant à chaque case le nombre de grains de riz.

1 Combien y a-t-il de grains de riz sur la dernière case ?

2 Combien y a-t-il de grains de riz sur l'échiquier ?

▼ Solution commentée

On définit la suite (u_n) ainsi : u_0 désigne le nombre de grains de riz sur la 1re case, u_1 le nombre de grains de riz sur la 2e case, ... On a $u_0 = 1$ et, pour tout entier naturel n, $u_{n+1} = 2u_n$.
La suite (u_n) est donc la suite géométrique de premier terme $u_0 = 1$ et de raison 2.

1 On a donc, pour tout entier naturel n, $u_n = u_0 q^n = 2^n$. En particulier, le nombre de grains de riz sur la 64e case est $u_{63} = 2^{63} = 9\,223\,372\,036\,854\,775\,808 \approx 9 \times 10^{18}$.

2 Pour tout entier naturel n, $1 + 2 + 2^2 + \ldots + 2^n = \dfrac{1 - 2^{n+1}}{1 - 2} = 2^{n+1} - 1$.

Le nombre de grains de riz sur l'échiquier est donc $2^{64} - 1 = 18\,446\,744\,073\,709\,551\,615 \approx 2 \times 10^{19}$.

> **EXERCICE** 35 p. 32

4. Sens de variation d'une suite

1. Définition

Définition

On dit qu'une suite (u_n) définie sur $\mathbb{N}$ est :
- **croissante** si et seulement si, pour tout entier naturel n, $u_{n+1} \geqslant u_n$;
- **décroissante** si et seulement si, pour tout entier naturel n, $u_{n+1} \leqslant u_n$;
- **constante** si et seulement si, pour tout entier naturel n, $u_{n+1} = u_n$.

Remarques

- Pour certaines suites, l'inégalité $u_{n+1} \geqslant u_n$ n'est vraie que pour $n \geqslant p$; on dit que (u_n) est croissante à partir du rang p.
- Lorsqu'une suite est croissante ou décroissante, on dit qu'elle est monotone.
- Pour étudier le sens de variation d'une suite, on pourra étudier le signe de la différence de deux termes consécutifs $u_{n+1} - u_n$.

∨ Exemples

a. 0, 2, 4, 6, … la suite des entiers naturels pairs est une suite croissante, chaque terme est supérieur au précédent.

b. La suite (v_n) définie par $v_n = (-1)^n$ n'est ni croissante ni décroissante. En effet, ses termes d'indices pairs sont égaux à 1 et ses termes d'indices impairs sont égaux à –1.

2. Cas d'une suite arithmétique de raison r

- Si $r > 0$ alors la suite est strictement croissante.   - Si $r < 0$ alors la suite est strictement décroissante.
- Si $r = 0$ alors la suite est constante.

3. Cas particulier de la suite (q^n)

- Si $q > 1$ alors la suite (q^n) est croissante.

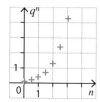

- Si $0 < q < 1$ alors la suite (q^n) est décroissante.

- Si $q < 0$ alors la suite (q^n) n'est pas monotone.

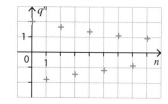

- Si $q = 0$, alors la suite (q^n) est constante, $q^n = 0$ à partir du rang 1.
- Si $q = 1$, alors la suite (q^n) est constante, $q^n = 1$.

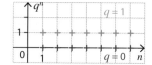

Remarque

Pour une suite géométrique (u_n) de premier terme u_0 et de raison q :
- si u_0 est positif, la suite (u_n) a le même sens de variation que la suite (q^n) ;
- si u_0 est négatif, la suite (u_n) a le sens de variation contraire de celui de la suite (q^n).

Exercice résolu **1** Conjecturer un sens de variation à partir d'une représentation graphique

Conjecturer le sens de variation de chacune des suites représentées ci-dessous.

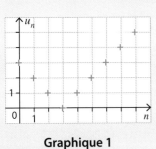

Graphique 1

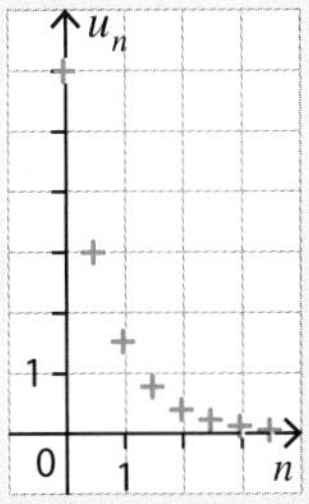

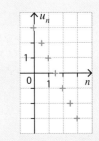

Graphique 2

Graphique 3

✔ Solution commentée

La suite représentée par le graphique 1 semble croissante à partir du rang 3. Les suites représentées par les graphiques 2 et 3 semblent décroissantes.

▶EXERCICE 38 p. 33

Exercice résolu **2** Déterminer un sens de variation

1 La suite (u_n) est définie, pour tout entier naturel n, par $u_n = n^2 + 3n$.
Montrer que (u_n) est croissante.

2 La suite (v_n) est définie, par $\begin{cases} v_0 = 3 \\ v_{n+1} = v_n - n^2 \end{cases}$ pour tout entier naturel n.

Montrer que (v_n) est décroissante.

✔ Solution commentée

1 Pour tout $n \in \mathbb{N}$, $u_{n+1} - u_n = (n+1)^2 + 3(n+1) - n^2 - 3n = n^2 + 2n + 1 + 3n + 3 - n^2 - 3n = 2n + 4 \geqslant 0$.
On en déduit que pour tout $n \in \mathbb{N}$, $u_{n+1} - u_n \geqslant 0$, donc la suite (u_n) est croissante.

2 Pour tout $n \in \mathbb{N}$, $v_{n+1} - v_n = -n^2 \leqslant 0$.
On en déduit que pour tout $n \in \mathbb{N}$, $v_{n+1} - v_n \leqslant 0$, donc la suite (v_n) est décroissante.

▶EXERCICE 41 p. 33

Exercice résolu **3** Déterminer le sens de variation d'une suite arithmétique et d'une suite géométrique

Les suites (u_n) et (v_n) sont définies, par :

$\begin{cases} u_0 = -1 \\ u_{n+1} = u_n - 5, \text{ pour tout entier naturel } n \end{cases}$ et $\begin{cases} v_0 = -2 \\ v_{n+1} = \dfrac{1}{3} v_n, \text{ pour tout entier naturel } n \end{cases}$.

• Déterminer la nature de chaque suite, puis déterminer son sens de variation.

✔ Solution commentée

La suite (u_n) est arithmétique de raison -5. Or -5 est négatif, donc (u_n) est décroissante.

La suite (v_n) est géométrique de raison $\dfrac{1}{3}$. Pour tout entier naturel n, $v_n = -2 \times \left(\dfrac{1}{3}\right)^n$.

Or $0 < \dfrac{1}{3} < 1$ donc $\left(\dfrac{1}{3}\right)^n$ est décroissante. Comme v_0 est négatif, la suite (v_n) est croissante.

▶EXERCICE 42 p. 33

5. Notion intuitive de limite d'une suite

S'intéresser à la limite d'une suite (u_n), c'est étudier le comportement des termes u_n quand on donne à n des valeurs entières aussi grandes que l'on veut, ce qui se dit aussi « quand n tend vers $+\infty$ ». Différents outils (calculatrice, tableur, Python…) fournissent une représentation graphique ou un tableau de valeurs de la suite qui permettent d'émettre différentes conjectures.

1. Limite finie

(u_n) est définie par $u_n = \dfrac{1}{n}$, pour tout entier $n \geqslant 1$.

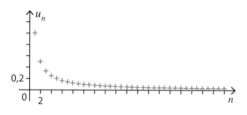

n	100	1 000	100 000
u_n	0,01	0,001	0,000 01

Les termes u_n semblent se rapprocher autant que l'on veut d'une valeur « limite » : 0.
On dit que la suite (u_n) tend vers 0 lorsque n tend vers $+\infty$ et on note $\lim\limits_{n \to +\infty} u_n = 0$.

(v_n) est définie par $v_n = \dfrac{4n-5}{2n+3}$, pour tout entier naturel n.

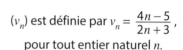

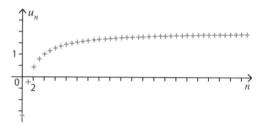

n	100	1 000	100 000
v_n	1,945 8	1,994 5	1,999 9

Les termes u_n semblent se rapprocher autant que l'on veut d'une valeur « limite » : 2.
On dit que la suite (v_n) tend vers 2 lorsque n tend vers $+\infty$ et on note $\lim\limits_{n \to +\infty} v_n = 2$.

2. Limite infinie

(u_n) est définie par $u_n = n^2$ pour tout entier naturel n.

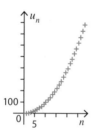

Les termes de la suite semblent devenir aussi grands que l'on veut.
On dit que $\lim\limits_{n \to +\infty} u_n = +\infty$.

(w_n) est la suite arithmétique de premier terme 16 et de raison -2.

	A	B
1	n	w_n
2	0	16
3	10	-4
4	100	-184
5	10000	-19984

Les termes de la suite semblent devenir aussi grands que l'on veut en valeur absolue tout en étant négatifs.
On dit que $\lim\limits_{n \to +\infty} w_n = -\infty$.

3. Pas de limite

Il existe des suites qui n'ont pas de limite, comme la suite (u_n) définie pour tout $n \in \mathbb{N}$ par $u_n = (-1)^n$.

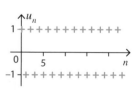

Exercice résolu 1 Conjecturer une limite à l'aide d'un graphique

Conjecturer le comportement de chacune des suites représentées ci-dessous quand n tend vers $+\infty$.

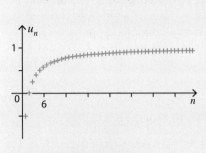

Graphique 1   Graphique 2   Graphique 3

⌄ Solution commentée

1 Les termes de la première suite (u_n) semblent se rapprocher autant que l'on veut de 1.
On conjecture $\lim\limits_{n \to +\infty} u_n = 1$.

2 Les termes de la deuxième suite (v_n) semblent devenir aussi grandes que l'on veut.
On conjecture $\lim\limits_{n \to +\infty} v_n = +\infty$.

3 Les termes de la troisième suite (w_n) semblent se rapprocher autant que l'on veut de 0 en alternant de
signes. On conjecture $\lim\limits_{n \to +\infty} w_n = 0$.

> **EXERCICE** 45 p. 33

Exercice résolu 2 Conjecturer une limite avec un tableur ou un algorithme

Conjecturer le comportement de chaque suite quand n tend vers $+\infty$.

1 pour (u_n), en lisant le tableur.

2 pour (v_n), en programmant l'algorithme suivant et en donnant des valeurs à n de plus en plus grandes.

• La suite (u_n) est définie sur $\mathbb{N}$ par :
$u_0 = -1$ et $u_{n+1} = (u_n)^2 - 1$.

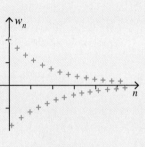

• La suite (v_n) est définie sur $\mathbb{N}$ par :
$v_0 = 3$ et $v_{n+1} = v_n - n^2$.

$v \leftarrow 3$
Pour i allant de 1 à n faire
   $v \leftarrow v - (i-1)^2$
Fin Pour

⌄ Solution commentée

1 La suite (u_n) semble ne prendre que les valeurs 0 et -1 de façon alternée : elle semble ne pas admettre de
limite quand n tend vers $+\infty$.

2 On peut programmer ainsi une fonction en Python.

```
1 def terme_v(n):
2     v=3
3     for k in range(1,n+1):
4         v=v-(k-1)**2
5     return v
```

```
>>> terme_v(100)
-328347
>>> terme_v(10000)
-333283334997
```

Ainsi, $v_{100} = -328\,347$ et $v_{10\,000} \approx -3 \times 10^{11}$ permettent de conjecturer que $\lim\limits_{n \to +\infty} v_n = -\infty$.

> **EXERCICE** 47 p. 33

Comprendre une démonstration

On présente la démonstration des deux propriétés suivantes. La lire attentivement puis répondre aux questions posées.

> • (u_n) est la suite arithmétique de premier terme u_0 et de raison r si et seulement si, pour tout entier naturel n, on a $u_n = u_0 + nr$.
>
> • (u_n) est la suite géométrique de premier terme u_0 et de raison q si et seulement si, pour tout entier naturel n, on a $u_n = u_0 q^n$.

⌄ Démonstration

• Soient (u_n) la suite arithmétique de premier terme u_0 et de raison r et (v_n) la suite définie pour tout entier naturel n par $v_n = u_0 + nr$.
Pour démontrer la propriété, on va montrer que ces deux suites sont identiques.

• On a $v_0 = u_0 + 0 \times r = u_0$. Les deux suites ont le même terme initial.
• De plus, **pour tout entier naturel n**, on a :
$$v_{n+1} = u_0 + (n+1)r = u_0 + nr + r = v_n + r.$$
Les deux suites vérifient la même relation de récurrence.

Donc, **pour tout entier naturel n**, on a $v_n = u_n$.

• Soient (u_n) la suite géométrique de premier terme u_0 et de raison q et (v_n) la suite définie pour tout entier naturel n par $v_n = u_0 q^n$.
Pour démontrer la propriété, on va montrer que ces deux suites sont identiques.

• On a $v_0 = u_0 q^0 = u_0 \times 1 = u_0$. Les deux suites ont le même terme initial.
• De plus, **pour tout entier naturel n**, on a :
$$v_{n+1} = u_0 q^{n+1} = q u_0 q^n = q\, v_n.$$
Les deux suites vérifient la même relation de récurrence.

Donc **pour tout entier naturel n**, on a $v_n = u_n$.

---

1 Dans ces deux démonstrations, la vérification « $v_0 = u_0$ » est-elle nécessaire pour conclure que les suites (v_n) et (u_n) sont identiques ?

2 **a.** Quelle est la relation de récurrence de la suite arithmétique (u_n) de premier terme u_0 et de raison r ?
b. Quelle est la relation de récurrence de la suite géomtrique (u_n) de premier teme u_0 et de raison q ?

3 Aurait-on pu remplacer « **pour tout entier naturel n** » par « il existe un entier naturel n » ?
Expliquer.

Rédiger une démonstration

1 On souhaite démontrer la propriété suivante qui aurait été utilisée pour la première fois par le mathématicien allemand Gauss (1777-1855) dans le cas $n = 100$, alors qu'il n'avait que 7 ans.

> Pour tout entier naturel n non nul, on a $1 + 2 + 3 + \ldots + n = \dfrac{n(n+1)}{2}$.

En utilisant les indications suivantes, rédiger la démonstration de la propriété.
- Poser $S = 1 + 2 + 3 + \ldots + n$ et montrer que $S + S = (1 + n) + (2 + (n-1)) + (3 + (n-2)) + \ldots + (n+1)$.
- En déduire la formule que l'on veut démontrer.

- À l'aide d'un raisonnement similaire, démontrer que si (u_n) est une suite arithmétique de premier terme u_0 et de raison r, alors pour tout entier naturel n, on a :
$$u_0 + u_1 + \ldots + u_n = \frac{(n+1)(u_0 + u_n)}{2} = \frac{(\text{nombre de termes}) \times (1^{\text{er}} \text{ terme} + \text{dernier terme})}{2}.$$

2 On souhaite démontrer la propriété suivante.

> Pour tout entier naturel n et pour tout réel q différent de 1, on a $1 + q + q^2 + q^3 + \ldots + q^n = \dfrac{1 - q^{n+1}}{1 - q}$.

En utilisant les indications suivantes, rédiger la démonstration de la propriété.
- Poser $S = 1 + q + q^2 + q^3 + \ldots + q^n$ avec n entier naturel et q un réel différent de 1.
Calculer et réduire l'expression $(1 - q)S$.
- En déduire la formule que l'on veut démontrer. Était-ce nécessaire de prendre comme hypothèse q différent de 1 ? Expliquer.

- En utilisant cette formule, démontrer que si (u_n) est une suite géométrique de premier terme u_0 et de raison $q \neq 1$, pour tout entier naturel n, on a :
$$u_0 + u_1 + \ldots + u_n = u_0 \frac{1 - q^{n+1}}{1 - q} = 1^{\text{er}} \text{ terme} \times \frac{1 - q^{\text{nombre de termes}}}{1 - q}.$$

Utiliser différents raisonnements

On considère les suites (u_n) et (v_n) définies pour tout entier naturel n par $u_0 = 2$, $u_{n+1} = 3u_n + 2$ et $v_n = u_n + 1$.

1 La suite (u_n) est-elle arithmétique ? Est-elle géométrique ? Justifier.

2 La suite (v_n) est-elle géométrique ? Justifier.

La négation d'une propriété

La négation de « pour tout entier naturel n, la propriété P_n est vraie » est « il existe au moins un entier naturel n tel que la propriété P_n est fausse ».

Apprendre
par le & la texte vidéo

▶ 5 VIDÉOS DE COURS

Modes de génération d'une suite

- Par une formule explicite : $u_n = f(n)$, où f est une fonction.
- Par un premier terme et une relation de récurrence $u_{n+1} = f(u_n)$, où f est une fonction.
- Par un premier terme et un algorithme de calcul des termes.

Sens de variation d'une suite

- (u_n) est croissante $\Leftrightarrow$ pour tout $n \in \mathbb{N}$, $u_{n+1} \geqslant u_n$.
- (u_n) est décroissante $\Leftrightarrow$ pour tout $n \in \mathbb{N}$, $u_{n+1} \leqslant u_n$.
- (u_n) est constante $\Leftrightarrow$ pour tout $n \in \mathbb{N}$, $u_{n+1} = u_n$.

Sommes particulières

- **Somme des premiers entiers**
  Pour tout entier naturel n non nul, on a :
  $$1 + 2 + 3 + \ldots + n = \frac{n(n+1)}{2}.$$

- **Somme des premières puissances d'un réel $q \neq 1$**
  Pour tout entier naturel n, on a :
  $$1 + q + q^2 + q^3 + \ldots + q^n = \frac{1 - q^{n+1}}{1 - q}.$$

Notion de limite d'une suite

En observant les valeurs u_n lorsque n est très grand, on peut conjecturer :

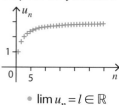

- $\lim\limits_{n \to +\infty} u_n = l \in \mathbb{R}$

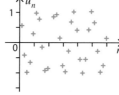

- (u_n) n'a pas de limite.

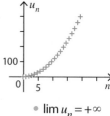

- $\lim\limits_{n \to +\infty} u_n = +\infty$

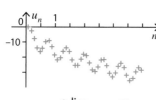

- $\lim\limits_{n \to +\infty} u_n = -\infty$

Suites particulières

- **Suites arithmétiques**
  $$\begin{cases} u_0 \text{ donné} \\ u_{n+1} = u_n + r \end{cases} \Leftrightarrow u_n = u_0 + nr$$

  ou

  $$\begin{cases} u_p \text{ donné} \\ u_{n+1} = u_n + r \end{cases} \Leftrightarrow u_n = u_p + (n-p)r$$

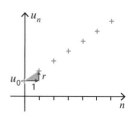

- Si r est positif, (u_n) est croissante.
- Si r est négatif, (u_n) est décroissante.
- Si r est nul, (u_n) est constante.

- **Suites géométriques**
  $$\begin{cases} u_0 \text{ donné} \\ u_{n+1} = qu_n \end{cases} \Leftrightarrow u_n = u_0 \times q^n$$

  ou

  $$\begin{cases} u_p \text{ donné} \\ u_{n+1} = qu_n \end{cases} \Leftrightarrow u_n = u_p \times q^{n-p}$$

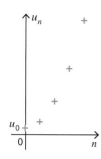

- Si $q > 1$, (q^n) est croissante.
- Si $q = 1$, (q^n) est constante.
- Si $0 < q < 1$, (q^n) est décroissante.
- Si $q = 0$, (q^n) est constante à partir du rang 1.
- Si $q < 0$, (q^n) n'est pas monotone.

Effectuer les exercices ❶ à ❽ et vérifiez vos réponses.
Si nécessaire, révisez les points de cours en texte ou en vidéo.

❶ La suite (u_n) est définie par la formule explicite $u_n = 5 + \sqrt{n}$ et la suite (v_n) est définie par son premier terme $v_0 = 16$ et la relation de récurrence $v_{n+1} = 5 + \sqrt{v_n}$.
1. Calculer à la main u_0, u_1, v_1 et v_2.
2. Déterminer à l'aide d'un tableur ou de la calculatrice les 20 premiers termes des deux suites.
3. Écrire un algorithme qui permet de calculer le terme de rang n de la suite (v_n).

❷ La suite (w_n) est définie par son premier terme $w_0 = -2$ et chaque terme est la somme du rang du terme précédent et du double du terme précédent.
• Calculer w_3.

❸ On considère la suite arithmétique (u_n) de premier terme $u_0 = 48$ et de raison -3.
1. Donner la formule explicite de u_n puis calculer u_{10}.
2. Déterminer l'indice du premier terme négatif.

❹ On considère la suite géométrique (v_n) de premier terme $v_1 = 7$ et de raison 2.
• Donner la formule explicite de v_n puis calculer v_8.

❺ On a constaté que la population d'une petite ville, initialement de 8 500 personnes, diminue de 7 % par an.
1. Quel sera le nombre d'habitants de cette ville au bout de 5 ans ?
2. Si cette évolution perdure, au bout de combien d'années le nombre d'habitants aura-t-il été divisé par 2 ?

❻ Calculer les sommes suivantes.
$S = 18 + 19 + 20 + \ldots + 100$
$S' = 1 - \dfrac{3}{2} + \dfrac{9}{4} - \dfrac{27}{8} + \ldots + \left(\dfrac{3}{2}\right)^{10}$

❼ Étudier le sens de variation de chaque suite ci-dessous.
1. $\begin{cases} u_0 = -10 \\ u_{n+1} = u_n - 5, \text{ pour tout } n \in \mathbb{N}. \end{cases}$

2. $\begin{cases} u_0 = -2 \\ u_{n+1} = 2n + u_n, \text{ pour tout } n \in \mathbb{N}. \end{cases}$

3. $\begin{cases} u_0 = -2 \\ u_{n+1} = \dfrac{u_n}{3}, \text{ pour tout } n \in \mathbb{N}. \end{cases}$

❽ Quelle est, parmi les suites représentées ci-dessous, celle qui semble avoir une limite finie ?

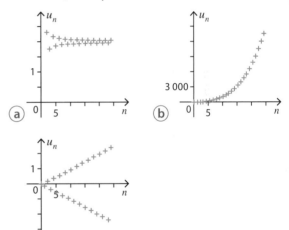

(a) (b) (c)

▶ **CORRIGÉS DES EXERCICES**

Modes de génération des suites ← **2** → Suites arithmétiques

1 **3**

Notion de limite ← **8** → **Suites numériques** → **4** **5** → Suites géométriques

7 **6**

Sens de variation ← → Sommes particulières

TP Algorithmique et programmation en Python

TP ① Pyramide d'allumettes

Objectif
Calculer une somme de termes et un seuil.

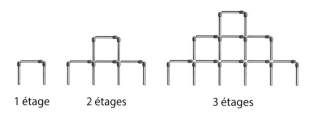

1 étage   2 étages   3 étages

On s'intéresse à des pyramides construites avec des allumettes comme ci-contre.
En poursuivant ainsi, on obtient des pyramides à autant d'étages que l'on souhaite à condition, bien sûr, d'avoir assez d'allumettes.

① On considère la fonction pyramide ci-dessous programmée en langage Python.

a. Compléter le tableau suivant qui donne les différentes valeurs prises par les variables i, S et a au cours de l'exécution de l'instruction pyramide(3).

i	//////////	0	1	2
S	0			
a	3			

```python
def pyramide(n):
    a=3
    S=0
    for i in range(n):
        S=S+a
        a=a+4
    return S
```

b. Que représentent les différentes valeurs prises par la variable a ?

c. À quoi correspond le nombre renvoyé par pyramide(3) ?

② On souhaite connaître le nombre maximal d'étages que l'on peut construire avec 1 000 allumettes.

a. La fonction nb_etages ci-contre renvoie le nombre maximal d'étages que l'on peut construire avec un nombre N d'allumettes.
La compléter puis répondre au problème.

b. Modifier cette fonction de sorte qu'elle renvoie aussi le nombre d'allumettes restantes.

```python
def nb_etages(N):
    n=0
    while pyramide(n) ...:
        n=...
    return...
```

TP ② Atteindre les limites

Objectif
Conjecturer une limite avec les listes et les graphiques.

① a. Quelle est l'expression de la suite (u_n) associée à la fonction terme_u ci-dessous (lignes 1 à 5) ?

b. Copier ou ouvrir le script et l'exécuter.

c. Dans la console, qu'obtient-on en saisissant :

```
>>> terme_u(0)
>>> terme_u(4)
>>> terme_u(9)
```

```python
def terme_u(n):
    u=10
    for i in range(n):
        u=0.5*u+2
    return u

x=[n for n in range(10)]
y=[terme_u(n) for n in range(10)]

import matplotlib.pyplot as plt
plt.scatter(x,y)
plt.show()
```

d. Que contient la variable x (ligne 7) ? Et la variable y (ligne 8) ? (On peut afficher x et y dans la console).

e. Conjecturer le comportement de la suite (u_n) quand n tend vers $+\infty$.

f. Compléter le script précédent avec les lignes 10 à 12 puis l'exécuter. Qu'obtient-on ?

② Afficher la liste puis le graphique des 15 premiers termes des suites suivantes puis conjecturer leur comportement quand n tend vers $+\infty$.

a. (v_n) définie pour tout $n \in \mathbb{N}$ par $v_n = \dfrac{2n^2 + 3}{n + 1}$.

b. (t_n) arithmétique de premier terme -4 et de raison $-\dfrac{1}{2}$.

c. (w_n) définie par $\begin{cases} w_0 = -1,5 \\ w_{n+1} = \sqrt{w_n + 2} \text{ pour tout } n \in \mathbb{N}. \end{cases}$

d. (k_n) géométrique de premier terme 2 et de raison -3.

TP ③ Suite de Syracuse

Objectif
Manipuler les listes.

On appelle suite de Syracuse une suite (u_n) d'entiers naturels définie de la manière suivante :
• le premier terme u_0 est un entier naturel non nul que l'on pourra choisir ;
• pour tout entier naturel n, $u_{n+1} = \dfrac{u_n}{2}$ si u_n est pair ; $u_{n+1} = 3u_n + 1$ sinon.

① **a.** Que remarque-t-on lorsqu'on calcule les premiers termes de la suite de Syracuse en prenant $u_0 = 1$?
b. Le nombre 1 figure-t-il dans la suite de Syracuse de premier terme $u_0 = 10$?
La conjecture de Syracuse (datant de 1928 et non encore démontrée à ce jour) s'énonce ainsi :
« Quel que soit l'entier naturel non nul choisi pour u_0,
le nombre 1 est atteint par un terme de la suite. »
On appelle **temps de vol** de la suite l'indice du premier terme de la suite qui vaut 1.
On appelle **altitude du vol** de la suite la valeur du plus grand terme de la suite.

② Copier le script ci-dessous dans l'éditeur Python.

```python
1  def Syracuse(u):
2      if u%2==0:
3          u=u//2
4      else:
5          u=3*u+1
6      return u
7
8  def Liste_Syracuse(u):
9      L=[u]
10     while u!=1:
11         L.append(Syracuse(u))
12         u=Syracuse(u)
13     return L
```

a. Quel nombre est renvoyé par Syracuse(6) ? Syracuse(7) ?
b. À quel test correspond u%2==0 ?
c. Quel est le rôle de la fonction Syracuse ?

③ **a.** Que retourne l'instruction Liste_Syracuse(14) écrite dans la console ?
b. Que fait l'instruction L.append(Syracuse(u)) ?
c. Est-on sûr que pour tout entier naturel u non nul, Liste_Syracuse(u) renvoie une liste ?

④ On rappelle que len(L) renvoie la longueur de la liste L et max(L) renvoie la plus grande valeur de la liste L.
a. Si $u_0 = 7$, quelle est la durée du vol de la suite et quelle est son altitude ?
b. Écrire un programme qui détermine la plus petite valeur de u_0 qui donne un temps de vol supérieur à 100.
c. Quelle est alors l'altitude de ce vol ?
Déterminer deux autres valeurs de u_0 qui donnent la même altitude.

Boîte à outils

MÉMENTO PYTHON : VOIR RABATS

• Pour désigner une liste de nombres, on utilise des crochets en début et fin de liste et des virgules pour séparer les nombres.
L=[4, 2, 8, 11, 3]

• Les listes peuvent être définies en « compréhension ».
L=[n**2 for n in range(4)] est la liste [0, 1, 4, 9].

TP ④ Comparaison de placements `CALCULATRICE`

Objectif
Utiliser le mode Suite (ou Menu RECUR).

On va comparer deux types de placement d'un capital C_0 au taux annuel de t % :
• le placement à intérêts simples (chaque année, le capital augmente de la valeur constante $C_0 \times \dfrac{t}{100}$).

• le placement à intérêts composés (chaque année, le capital augmente de t %).
On veut placer 1 000 euros sur un compte. Deux placements sont alors proposés :
 – l'un au taux annuel de 8 % à intérêts simples (P1) ;
 – l'autre au taux annuel de 5 % à intérêts composés (P2).

① On note u_n (resp. v_n) la valeur acquise par le capital au bout de n années avec le placement P1 (resp. P2).
Expliquer les formules de récurrence $u_{n+1} = u_n + 80$ et $v_{n+1} = 1{,}05v_n$ pour tout entier naturel n.

② **a.** Utiliser le mode suite (ou Menu RECUR) de la calculatrice afin d'afficher le tableau de valeurs des 11 premiers termes de ces deux suites.
b. Quel est le placement le plus intéressant au bout des 10 premières années ?
c. Déterminer à l'aide de la calculatrice le premier rang n tel que $u_n < v_n$.
Interpréter ce résultat en termes de placement.
d. Représenter graphiquement les 30 premiers termes de ces deux suites, en adaptant au mieux la fenêtre graphique.

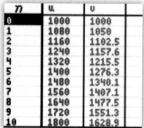

n	u	v
0	1000	1000
1	1080	1050
2	1160	1102.5
3	1240	1157.6
4	1320	1215.5
5	1400	1276.3
6	1480	1340.1
7	1560	1407.1
8	1640	1477.5
9	1720	1551.3
10	1800	1628.9

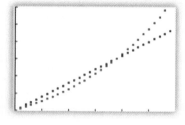

③ **a.** Les suites (u_n) et (v_n) étudiées précédemment sont des suites particulières : comment les nomme-t-on ?
b. Exprimer les termes généraux u_n et v_n en fonction de n.
c. Reprendre la question **2** en utilisant les formules explicites obtenues à la question précédente.

TP ⑤ La suite de Fibonacci

Objectif
Conjecturer une limite.

La suite de Fibonacci est la suite (F_n) définie par $F_0 = 1$, $F_1 = 1$ et pour tout entier naturel n, $F_{n+2} = F_{n+1} + F_n$.

Le nombre $\Phi = \dfrac{\sqrt{5}+1}{2}$ est appelé le nombre d'or.

	A	B	C
1	n	F_n	F_{n+1}/F_n
2	0	1	
3	1	1	
4	2		
5	3		
6	4		
7	5		
8	6		

① Dans la colonne B, calculer les premiers termes de la suite de Fibonacci.

② Pour tout entier naturel n, on note $Q_n = \dfrac{F_{n+1}}{F_n}$.

Dans la colonne C, calculer les premiers termes de la suite (Q_n) et en donner une représentation graphique.
Conjecturer alors son comportement quand n tend vers $+\infty$.
Dans la cellule D1, déterminer une valeur approchée du nombre d'or. Que peut-on constater ?

TP 6 — Étude de trois propositions d'embauche `TABLEUR`

Objectif
Comparer des nombres avec le tableur.

Un jeune actif reçoit trois propositions de rémunération lors de son embauche dans une entreprise le 1er janvier 2019. L'évolution des salaires mensuels nets pour chacune des trois propositions est détaillée ci-dessous.

Proposition A :
1 450 € en 2019, puis augmentation de 40 € chaque année suivante.

Proposition B :
1 250 € en 2019, puis augmentation de 5 % chaque année suivante.

Proposition C :
1 350 € en 2019, puis augmentation de 2 % suivie d'une augmentation de 30 € chaque année suivante.

On note A_n le montant du salaire mensuel net de la proposition A en $2019 + n$, B_n le montant du salaire mensuel net de la proposition B en $2019 + n$, et enfin C_n le montant du salaire mensuel net de la proposition C en $2019 + n$.

	A	B	C	D	E
1	Année	n	A_n	B_n	C_n
2	2019	0	1450	1250	1350
3	2020	1			
4	2021	2			
5	2022	3			
6	2023	4			
7	2024	5			
8	2025	6			
9	2026	7			
10	2027	8			
11	2028	9			
12	2029	10			
13	2030	11			
14	2031	12			
15	2032	13			
16	2033	14			
17	2034	15			
18	2035	16			

① Reproduire la feuille de calcul ci-dessus.

② a. Quelle formule peut-on saisir en C3 qui, par recopie vers le bas, permet d'obtenir la colonne C ?
b. Quelle formule peut-on saisir en D3 qui, par recopie vers le bas, permet d'obtenir la colonne D ?
c. Quelle formule peut-on saisir en E3 qui, par recopie vers le bas, permet d'obtenir la colonne E ?

③ a. Faire apparaître sur la feuille de calcul un graphique comme ci-dessous puis le commenter.
b. Quelle proposition donne le meilleur salaire en 2030 ?
Est-ce que cela veut dire que si le jeune actif change d'entreprise en 2030, c'est cette proposition qu'il doit choisir en 2019 ? Expliquer.

④ Le jeune actif choisit la proposition B. Combien d'années devrait-il rester dans cette entreprise pour que ce choix soit le plus rentable ? On peut utiliser les colonnes F, G et H du tableur pour calculer les sommes totales perçues depuis janvier 2019 pour chacune des trois propositions.

Boîte à outils

Calculatrice
• Pour afficher le tableau de valeurs :
Sur TI : « déf table » et « table ».

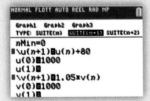

Sur Casio : « SET » et « TABL »

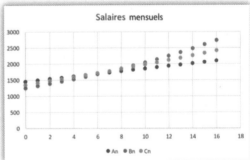

• Pour afficher le graphique :
Sur TI : « fenêtre » et « graphe ».
Sur Casio : « V-Window » et « G-PLT ».

Tableur
• Pour tracer un graphique, sélectionner les cellules contenant les données à représenter, puis dans l'onglet « Insertion » choisir le type de graphique souhaité.

Calcul mental

1 Trouver le terme suivant dans chaque suite de nombres ci-dessous :
1. $1 ; 5 ; 9 ; 13 ; 17 ; \ldots$
2. $2 ; 6 ; 18 ; 54 ; 162 ; \ldots$
3. $2 ; 3 ; 5 ; 8 ; 13 ; \ldots$
4. $4 ; 7 ; 13 ; 25 ; 49 ; \ldots$
5. $2 ; -3 ; \dfrac{9}{2} ; -\dfrac{27}{4} ; \dfrac{81}{8} ; \ldots$

2 On considère la suite définie pour tout entier naturel n par : $u_n = 2n^2 - 3n + 1$.
• Calculer les termes u_3 puis u_{10}, u_{20} et u_{50}.

3 (u_n) est la suite arithmétique (u_n) de premier terme $u_0 = 3$ et de raison -7.
• Calculer u_{10}.

4 (u_n) est la suite arithmétique de premier terme $u_0 = -2$ et de raison $\dfrac{4}{3}$.
• Calculer u_{10}.

5 On considère la suite arithmétique (u_n) telle que $u_2 = 2$ et $u_8 = 20$.
• Calculer sa raison r et son premier terme u_0.

6 (v_n) est la suite géométrique de premier terme $v_0 = 81$ et de raison $-\dfrac{1}{3}$.
• Calculer v_1, v_2 et v_3.

7 (v_n) est la suite géométrique de premier terme $v_1 = 0,01$ et de raison 5.
• Calculer v_3.

8 On considère la suite géométrique (v_n) telle que $v_1 = 50$ et $v_2 = 200$.
• Calculer sa raison q et son premier terme v_0.

9 Calculer les sommes S suivantes.
1. $S = 1 + 2 + 3 + \ldots + 100$
2. $S = 1 + 2 + 3 + \ldots + 19$

DIAPORAMA
CALCUL MENTAL
EN PLUS

Automatismes

10 Donner la relation entre u_{n+1} et u_n sachant qu'à chaque étape :
1. u_n double.
2. u_n augmente de 3,5.
3. u_n augmente de 15 %.
4. u_n diminue de 50.
5. u_n diminue de 3 %.
6. u_n diminue de 12,4 %.

11 Dans chaque cas, indiquer s'il s'agit d'une suite arithmétique ou géométrique, donner la formule explicite et préciser le sens de variation.
1. $\begin{cases} u_0 = 100 \\ u_{n+1} = 4u_n \end{cases}$
2. $\begin{cases} u_0 = -4 \\ u_{n+1} = u_n - 6 \end{cases}$
3. $\begin{cases} u_0 = -2 \\ u_{n+1} = u_n + 0,6 \end{cases}$
4. $\begin{cases} u_0 = -1 \\ u_{n+1} = \dfrac{u_n}{3} \end{cases}$
5. $\begin{cases} u_1 = 3 \\ u_{n+1} = u_n - 5 \end{cases}$
6. $\begin{cases} u_1 = 2500 \\ u_{n+1} = -2u_n \end{cases}$

12 Dans chaque cas, indiquer s'il s'agit d'une suite arithmétique ou géométrique, donner la relation de récurrence et préciser le sens de variation.
1. $u_n = 4 + 0,2n$
2. $u_n = -2 \times 3^n$
3. $u_n = 0,7^n$
4. $u_n = 10 \times \left(\dfrac{4}{3}\right)^n$
5. $u_n = 6n - 1$
6. $u_n = -\dfrac{5}{2^n}$

13 On considère la suite (u_n) définie par $u_0 = 200$ et, pour tout entier naturel n, $u_{n+1} = 1,2u_n$.
1. Quelle est la nature de la suite (u_n) ?
2. Avec une calculatrice ou un tableur, afficher les dix premiers termes de cette suite.
3. Proposer un énoncé d'exercice qui utilise cette suite dans un contexte lié à une évolution en pourcentage.

14 Comment fait-on pour :
1. obtenir les premiers termes d'une suite à la calculatrice ? au tableur ? avec Python ?
2. montrer qu'une suite n'est pas arithmétique ?
3. montrer qu'une suite est arithmétique ?
4. montrer qu'une suite n'est pas géométrique ?
5. montrer qu'une suite est géométrique ?
6. étudier le sens de variation d'une suite ?

15 On considère la suite définie pour tout entier naturel $n \geqslant 1$: $u_n = 2n^2 - 3n$.
• Démontrer que (u_n) est croissante.

16 (u_n) est la suite géométrique de premier terme $u_0 = 5$ et de raison $0,9$.
1. Écrire un algorithme qui calcule la somme des 30 premiers termes de cette suite.
2. Écrire un algorithme qui calcule la somme :
$$u_{10} + u_{11} + \ldots + u_{29}.$$

Préparation d'un oral

Préparer une trace écrite permettant de présenter à l'oral une argumentation indiquant si les propositions suivantes sont vraies ou fausses.

1 Si (u_n) est la suite définie pour tout entier naturel n par $u_0 = -2$ et $u_{n+1} = 2u_n - 3$, alors la suite (v_n) définie pour tout entier naturel n par $v_n = u_n - 3$ est une suite géométrique.

2 Si q est un réel strictement positif, la suite des sommes $S_n = 1 + q + q^2 + q^3 + \dots + q^n$ semble toujours avoir pour limite $+\infty$ quand n tend vers $+\infty$.

3 On dispose d'un capital de 1 000 € que l'on souhaite placer pendant 10 ans. Mieux vaut alors le placer à intérêts annuels simples au taux de 2 % qu'à intérêts annuels composés au taux de 1,8 %.

Travail en groupe 45 min

Constituer des groupes de 4 élèves qui auront chacun un des rôles suivants.
Résoudre tous ensemble la situation donnée. Remettre une trace écrite de cette résolution.

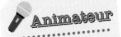

Animateur
- responsable du niveau sonore du groupe
- distribue la parole pour que chacun s'exprime

Rédacteur en chef
- responsable de la trace écrite rédigée par tous les membres du groupe

Ambassadeur
- porte-parole du groupe, seul autorisé à communiquer avec le professeur et, éventuellement, d'autres groupes

Maître du temps
- responsable de l'avancement du travail du groupe
- veille au respect du temps imparti

Une personne a gagné à un jeu et on lui propose de lui verser 300 000 € par jour pendant un mois. En contrepartie, on lui demande peu de chose : le premier jour, elle doit rendre un centime d'euro ; le 2e jour, 2 centimes d'euro ; le 3e jour, 4 centimes d'euro et on double ainsi chaque jour la somme qui précède, jusqu'à la fin du mois.
- La personne a-t-elle intérêt à accepter cette proposition ?

Exposé

▸ voir p. 6

On présente ci-dessous les quatre premières étapes de la construction, à partir d'un triangle équilatéral de côté 1, d'une « figure fractale » appelée le flocon de Von Koch.

étape 1   étape 2   étape 3   étape 4

Après avoir effectué les recherches indiquées, préparer une présentation orale, un poster ou un diaporama.

La construction de ce flocon se poursuit de la même façon, étape après étape. Pour le construire complètement, il faudrait une infinité d'étapes. Faire des recherches sur la notion de « figure fractale » et étudier en particulier celle du flocon de Von Koch (on pourra étudier la suite des périmètres et celle des aires des figures obtenues à chaque étape).

Modes de génération d'une suite

1 Soit (u_n) la suite définie pour tout entier naturel n par $u_n = 2n^2 - 1$.
• Calculer u_0, u_1, u_2 et u_{10}.

2 Soit (u_n) la suite définie pour tout entier naturel $n \geqslant 1$ par $u_n = \dfrac{n+1}{n}$.
• Calculer u_1, u_2, u_3 et u_{10}.

3 Soit (v_n) la suite définie par $v_0 = 3$ et pour tout entier naturel n, $v_{n+1} = 3v_n - 4$.
• Calculer v_1, v_2 et v_3.

4 Soit (w_n) la suite définie par son premier terme $w_0 = 1$ et les autres termes sont obtenus en ajoutant 1 au double du carré du terme précédent.
1. Calculer w_1, w_2 et w_3.
2. Donner la relation entre w_{n+1} et w_n.

5 On considère la suite de triangles rectangles isocèles suivante : le premier triangle a ses côtés de longueur 1, 1 et $\sqrt{2}$ cm. On effectue un agrandissement de rapport 3 pour obtenir le triangle suivant.
1. Construire les trois premiers triangles.
2. Calculer les périmètres p_1, p_2 et p_3 des trois premiers triangles.
Donner la relation entre p_{n+1} et p_n.
3. Calculer les aires a_1, a_2 et a_3 des trois premiers triangles. Donner la relation entre a_{n+1} et a_n.

6 Donner la valeur exacte des cinq premiers termes de chacune des suites proposées.
1. La suite (a_n) est définie comme la suite des décimales de $\sqrt{3}$.
2. La suite (b_n) est définie pour tout entier naturel n par $b_n = (-2)^n$.
3. La suite (c_n) est telle que, pour tout entier naturel n non nul, c_n est l'inverse du nombre n.

7 **1.** Pour chacune des suites ci-dessous, indiquer si elle est définie par une formule explicite ou par une relation de récurrence.
a. $u_n = 3n^2$ pour tout entier naturel n.
b. $v_n = n - 1$ pour tout entier naturel n.
c. $\begin{cases} w_0 = -2 \\ w_{n+1} = w_n - 5 \end{cases}$ pour tout entier naturel n.
d. $x_n = 4$ pour tout entier naturel n.
e. $\begin{cases} t_1 = 1 \\ t_n = \dfrac{1}{2}t_{n-1} \end{cases}$ pour tout entier naturel $n > 1$.
f. $\begin{cases} k_0 = 5 \\ k_{n+1} = 2n + k_n \end{cases}$ pour tout entier naturel n.

2. Pour chacune des suites précédentes, déterminer les trois premiers termes puis le cinquième terme.

8 Calculer les quatre premiers termes des suites définies ci-dessous par une formule explicite.
1. Pour tout entier naturel n, $u_n = -3n^2 - n + 2$.
2. Pour tout entier naturel $n \geqslant 1$, $v_n = \dfrac{2n+3}{n}$.
3. Pour tout entier naturel $n \geqslant 2$, $w_n = \sqrt{n-2}$.

9 `ALGO`

Les algorithmes ci-dessous permettent de calculer le terme de rang n de trois suites.

> $u \leftarrow -4$
> Pour k allant de 1 à n faire
> $\quad u \leftarrow u + 5$

> $v \leftarrow 300$
> Pour k allant de 1 à n faire
> $\quad v \leftarrow 2 \times v$

> $w \leftarrow 0$
> Pour k allant de 1 à n faire
> $\quad w \leftarrow k + 3 \times w$

• Indiquer le premier terme et la relation de récurrence définissant chacune de ces suites.

10 `ALGO`

On considère la suite définie par $u_0 = 1$ et, pour tout entier naturel n, $u_{n+1} = 3u_n - 4$.
1. Cette suite est-elle définie par une formule explicite ou par une relation de récurrence ?
2. Compléter l'algorithme ci-dessous de sorte qu'il calcule le terme de rang n de la suite (u_n).

> $u \leftarrow \dots$
> Pour k allant de $\dots$ à $\dots$ faire
> $\quad u \leftarrow \dots$

11 `ALGO`

1. Calculer les quatre premiers termes des suites définies ci-dessous par une relation de récurrence.
a. $u_0 = 2$, et pour tout $n \in \mathbb{N}$, $u_{n+1} = 2u_n - 3$.
b. $v_0 = 1$, et pour tout $n \in \mathbb{N}$, $v_{n+1} = -v_n(3 - v_n)$.
c. $w_0 = 0{,}5$, et pour tout $n \in \mathbb{N}$, $w_{n+1} = w_n^2 + w_n - 1$.
2. Pour chacune des suites précédentes, écrire un algorithme qui calcule le terme de rang n.

12 `CALCULATRICE`

On considère la suite (a_n) définie par :
$\begin{cases} a_0 = 1 \\ a_{n+1} = \dfrac{10a_n}{a_n + 3} \end{cases}$ pour tout entier naturel n.

• Avec la calculatrice, donner une valeur approchée de a_5 à 10^{-3} près.

13 `TABLEUR`

On considère les suites (u_n) et (v_n) définies pour tout entier naturel n par :

$$u_n = 3 - 7n \text{ et } \begin{cases} v_0 = 6 \\ v_{n+1} = -2v_n + 3. \end{cases}$$

	A	B	C
1	n	u_n	v_n
2	0	3	6
3	1		

• Indiquer les formules à saisir dans les cellules B3 et C3 afin de compléter les colonnes B et C par recopie vers le bas.

14 (u_n) est la suite définie, pour tout entier naturel n, par la formule explicite $u_n = (n+2)^2$.
• Prouver que $u_0 = 4$ puis que, pour tout entier naturel n, $u_{n+1} = u_n + 2n + 5$.

Suites arithmétiques

15 **Calculer, représenter**
1. Pour les suites arithmétiques suivantes dont on donne le premier terme et la raison, exprimer le terme général u_n en fonction de n puis calculer u_8.

a. $u_0 = 5$ et $r = -1$.　　b. $u_0 = -2$ et $r = \dfrac{1}{2}$.

c. $u_0 = 3$ et $r = -\dfrac{5}{4}$.　　d. $u_1 = 1$ et $r = 2$.

2. Dans un repère $(O\,;I,J)$, représenter les neuf premiers termes de chaque suite.

16 Reconnaître parmi les suites définies sur $\mathbb{N}$ ci-dessous celles qui sont arithmétiques et préciser alors leur premier terme et leur raison.

a. $u_n = -2 + 3n$　　b. $u_n = 2n^2 + 3$

c. $u_n = \dfrac{n+5}{2}$　　d. $u_n = 3 - \dfrac{1}{n+1}$

e. $u_n = 2n - 4$　　f. $u_n = n\sqrt{2}$

17 Reconnaître parmi les suites définies ci-dessous celles qui sont arithmétiques et préciser alors leur premier terme, leur raison et leur formule explicite.

a. $\begin{cases} u_0 = -1 \\ u_{n+1} = u_n + 2n \end{cases}$　　b. $\begin{cases} u_1 = 0 \\ u_{n+1} = 2u_n + 1 \end{cases}$

c. $\begin{cases} u_0 = 4 \\ u_{n+1} = 1,5 + u_n \end{cases}$　　d. $\begin{cases} u_1 = -6 \\ u_{n+1} = u_n - 2 \end{cases}$

18 (u_n) est une suite arithmétique telle que $u_0 = 2\,500$ et $u_1 = 2\,365$.
1. Déterminer la relation de récurrence puis la formule explicite de (u_n).
2. `CALCULATRICE` Utiliser la calculatrice pour déterminer le plus petit entier naturel n tel que u_n est négatif.

19 Une suite arithmétique commençant au rang 0 telle que $u_8 = 15$ et $u_{12} = 25$.
• Déterminer sa raison et son premier terme.

20 `PRISE D'INITIATIVE`
Chercher
Une personne qui n'a aucune pratique sportive décide au cours d'un mois de faire chaque jour cinq minutes de sport de plus que le jour précédent.
• Au bout de combien de jours dépassera-t-elle les deux heures quotidiennes de sport ?

21 `ALGO`
On considère la suite arithmétique (u_n) dont chaque terme s'obtient grâce à l'algorithme suivant.

```
1 def suite(n):
2     u=10
3     for k in range(1,n+1):
4         u=u+4
5     return u
```

1. Préciser le premier terme u_0 et la raison.
2. En déduire la formule explicite de u_n.
3. a. En résolvant une inéquation, déterminer le plus petit entier naturel n tel que $u_n \geqslant 1\,000$.
b. Modifier la fonction Python précédente pour qu'elle réponde à la question 3. a.

Suites géométriques

22 1. Pour les suites géométriques suivantes dont on donne le premier terme et la raison, exprimer le terme général u_n en fonction de n puis calculer u_5.

a. $u_0 = 3$ et $q = 2$.　　b. $u_0 = 10$ et $q = \dfrac{1}{2}$.

c. $u_0 = -2$ et $q = -3$.　　d. $u_1 = 2$ et $q = 3$.

2. `CALCULATRICE` À la calculatrice, représenter graphiquement les 10 premiers termes de chaque suite.

23 Reconnaître parmi les suites définies sur $\mathbb{N}$ ci-dessous celles qui sont géométriques et préciser alors leur premier terme et leur raison.

a. $u_n = 4 + n \times 4$　　b. $u_n = 3 \times (-2)^n$

c. $u_n = \dfrac{2^n}{3}$　　d. $u_n = (\sqrt{2})^n$

e. $u_n = 3^{n+2}$　　f. $u_n = 2 \times n^3$

24 Reconnaître parmi les suites définies ci-dessous celles qui sont géométriques et préciser alors leur premier terme, leur raison et leur formule explicite.

a. $\begin{cases} u_0 = 3 \\ u_{n+1} = 2u_n \end{cases}$　　b. $\begin{cases} u_1 = 100 \\ u_{n+1} = \dfrac{u_n}{5} \end{cases}$

c. $\begin{cases} u_0 = -2 \\ u_{n+1} = -u_n \end{cases}$　　d. $\begin{cases} u_1 = 10 \\ u_{n+1} = \dfrac{-1}{u_n} \end{cases}$

25 1. On considère la suite géométrique (u_n) de premier terme $u_0 = 1\ 000$ et de raison 0,2. Déterminer u_7.
2. On considère la suite (v_n) définie par $v_0 = 2$ et tout entier naturel n, $v_{n+1} = -4v_n$.
Déterminer v_5.

26 `CALCULATRICE` `TABLEUR`

(u_n) est une suite arithmétique de premier terme 5 et de raison 2.
(v_n) est une suite géométrique de premier terme 1 et de raison 1,2.
• Déterminer le plus petit entier n tel que $v_n > u_n$ (on peut utiliser la calculatrice ou un tableur).

27 **Développement de bactéries** `ALGO`

Une solution contient cinq bactéries à l'instant $t = 0$. Après l'ajout d'un élément nutritif, le nombre de bactéries augmente de 25 % chaque seconde.
1. Écrire un algorithme qui donne le nombre de bactéries présentes dans la solution au bout de n secondes.
2. Au bout de combien de secondes le nombre de bactéries va-t-il dépasser 20 000 ?

28 `ALGO`

On considère la suite géométrique (u_n) dont chaque terme s'obtient grâce à la fonction Python suivante.

```
1 def suite(n):
2     u=150
3     for k in range(1,n+1):
4         u=2/3*u
5     return u
```

1. Préciser le premier terme u_0 et la raison.
2. En déduire la formule explicite de u_n.
3. a. À la calculatrice, déterminer le plus petit entier naturel n tel que $u_n < 0,01$.
b. Modifier la fonction précédente pour qu'elle réponde à la question 3. a.

29 Dans le graphique suivant, le côté du carré le plus grand vaut 1. À chaque étape, le côté du carré suivant est multiplié par 0,8.

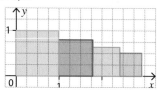

• Quelle est l'aire du carré orange ?

Sommes

30 **Calculer, modéliser**
Calculer les sommes suivantes.
a. $4 + 7 + 10 + \ldots + 64$ b. $50 + 52 + 54 + \ldots + 1\ 002$

31 **Calculer, modéliser**
1. Calculer les sommes suivantes.
a. $1 + 2 + 3 + \ldots + 1\ 000$
b. $501 + 502 + 503 + \ldots + 1\ 000$
2. `ALGO` Retrouver les résultats de la question 1 en programmant l'algorithme suivant après l'avoir complété.

$$S \leftarrow 0$$
Pour k allant de … à … faire
$$S \leftarrow \ldots$$
Fin Pour

32 **Calculer, modéliser**
Calculer les sommes suivantes.
a. $1 + 0,5 + 0,5^2 + \ldots + 0,5^{12}$
b. $1 + 1,5 + 1,5^2 + \ldots + 1,5^8$

33 1. Calculer $1 + 3 + 3^2 + 3^3 + \ldots + 3^{10}$.
2. `ALGO` Retrouver le résultat de la question 1 en programmant l'algorithme suivant après l'avoir complété.

$$S \leftarrow 0$$
Pour k allant de … à … faire
$$S \leftarrow \ldots$$
Fin Pour

34 Une entreprise décide de soutenir une association caritative par des dons mensuels.
Le premier mois, l'entreprise fait un don de 1 €, et chaque mois, elle fait un don de 1 € supplémentaire.
• Quelle somme totale l'association aura-t-elle reçue de l'entreprise au bout de 10 ans ?

35 Une entreprise décide de soutenir une association caritative par des dons mensuels.
Le premier mois, l'entreprise fait un don de 1 centime d'euro, et chaque mois, elle double son don.
• Quelle somme totale l'association aura-t-elle reçue de l'entreprise au bout de 1 an ? au bout de 2 ans ?

36 Au mois de janvier, un constructeur automobile a construit 155 voitures. Sa production augmente de 6 unités par mois tout au long de l'année.
• Calculer le nombre total de voitures fabriquées par ce constructeur sur une année.

37 Une maison est louée depuis exactement 10 ans. La 1re année, le loyer mensuel s'élevait à 900 €. Puis, chaque année suivante, ce montant a augmenté de 1 %.
• Calculer la somme totale (au centime d'euro près) représentant l'ensemble des loyers au cours de ces 10 années.

Sens de variation

38 On a représenté graphiquement ci-dessous les courbes de deux fonctions f et g.

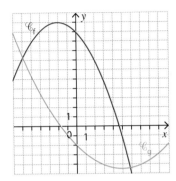

• Conjecturer graphiquement le sens de variation des suites (u_n) et (v_n) définies par $u_n = f(n)$ et $v_n = g(n)$ pour tout entier naturel n.

39 Déterminer le sens de variation des suites définies ci-dessous.

1. $\begin{cases} u_0 = -5 \\ u_{n+1} = u_n + n + 3, \text{ pour tout entier naturel } n \end{cases}$

2. $\begin{cases} v_0 = 1 \\ v_{n+1} = v_n(1 - v_n), \text{ pour tout entier naturel } n \end{cases}$

40 Déterminer le sens de variation des suites définies pour tout entier naturel n par les formules explicites suivantes.

1. $u_n = 2 - 4n$ 2. $v_n = 2n^2 + 3$

3. $w_n = n^2 + 2n$ 4. $t_n = 2^n + 3^n$

41 Déterminer le sens de variation de la suite (u_n) définie par $u_n = n^2 - 8n + 2$ pour tout entier naturel n.

42 Pour les suites arithmétiques suivantes dont on donne le 1er terme et la raison, déterminer le sens de variation.

1. $u_0 = -2$ et $r = 0{,}6$.   2. $v_0 = 1$ et $r = \dfrac{2}{3}$.

3. $w_0 = 5$ et $r = 1 - \sqrt{2}$.   4. $t_0 = -10$ et $r = 10^{-2}$.

43 Pour les suites géométriques suivantes dont on donne le 1er terme et la raison, déterminer le sens de variation.

1. $u_0 = 3$ et $q = 2$.   2. $v_0 = -1$ et $q = \dfrac{4}{5}$.

3. $w_0 = \dfrac{-2}{3}$ et $q = \dfrac{8}{3}$.   4. $t_0 = 0{,}5$ et $q = 10^{-1}$.

44 **Démonstration**
On considère la suite (u_n) définie pour tout entier naturel n par $u_n = q^n$ avec $q > 0$.

1. Étudier le signe de la différence $u_{n+1} - u_n$ en fonction de q.

2. En déduire le sens de variation de la suite (u_n) en fonction de q.

Notion de limite

45 Attribuer à chaque suite dont on donne l'expression du terme général la représentation graphique qui lui correspond, puis conjecturer son comportement quand n tend vers $+\infty$.

1. $u_n = n - 3$

2. $v_n = -2n + 1$

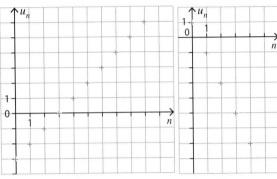

Graphique n°1   Graphique n°2

46 Le graphique ci-dessous est la représentation graphique d'une suite (u_n) définie pour tout entier naturel n.

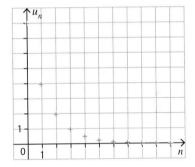

1. La suite (u_n) semble-t-elle admettre une limite ?

2. La suite (u_n) pourrait-elle être arithmétique ou géométrique ?

3. Conjecturer une expression de u_{n+1} en fonction de u_n, et une expression de u_n en fonction de n.

47 [CALCULATRICE] [TABLEUR]

On s'intéresse aux suites (u_n) du type :

$\begin{cases} u_0 \in \mathbb{R} \\ u_{n+1} = 2u_n(1 - u_n) \end{cases}$, pour tout entier naturel n.

Recopier le tableau ci-dessous, puis compléter la 2e ligne à l'aide de conjectures obtenues après avoir fait afficher la liste des 10 premiers termes de la suite correspondante sur la calculatrice ou à l'aide d'un tableur.

u_0	−1	0	0,25	0,5	1	2
$\lim\limits_{n \to +\infty} u_n$						

48 **Raisonner, communiquer**

Dire, dans chacun des cas suivants, en justifiant, si la suite proposée est arithmétique, géométrique ou ni l'un ni l'autre.

1. La suite (a_n) est définie comme la suite des décimales du nombre $\frac{14}{99}$.

2. La suite (b_n) est définie comme la suite des nombres entiers naturels multiples de 3.

3. La suite (c_n) est telle que :
$$\begin{cases} c_0 = 2 \\ c_{n+1} = 5\,c_n \text{ pour tout entier naturel } n. \end{cases}$$

4. La suite (d_n) est définie, pour tout entier naturel n, par $d_n = -4^n$.

5. La suite (e_n) est définie, pour tout entier naturel n, par $e_n = \frac{n}{3} + 1$.

6. La suite (f_n) est telle que :
$$\begin{cases} f_0 = 2 \\ f_{n+1} = 1 - f_n \text{ pour tout entier naturel } n. \end{cases}$$

49 On considère deux suites (u_n) et (v_n) définies pour tout entier naturel n par :
$$u_n = \frac{3 \times 2^n - 4n + 3}{2} \text{ et } v_n = \frac{3 \times 2^n + 4n - 3}{2}.$$

1. Soit (w_n) la suite définie par $w_n = u_n + v_n$.
Montrer que la suite (w_n) est géométrique. Préciser son premier terme et sa raison ainsi que son sens de variation.

2. Soit (t_n) la suite définie par $t_n = u_n - v_n$.
Montrer que la suite (t_n) est arithmétique. Préciser son premier terme et sa raison ainsi que son sens de variation.

50 **Raisonner**

1. CALCULATRICE À la calculatrice, calculer les six premiers termes de la suite (u_n) définie pour tout entier naturel n par :
$$u_n = 2n^6 - 30n^5 + 170n^4 - 450n^3 + 548n^2 - 240n.$$
Quelle conjecture peut-on faire ?

2. Calculer u_6. Que dire de la conjecture précédente ?

51 On considère la suite (u_n) définie par $u_0 = 1$ et, pour tout entier naturel n, $u_{n+1} = -\frac{1}{2}\,u_n + 3$.

1. Calculer u_1, u_2 et u_3.
La suite (u_n) est-elle arithmétique ? Est-elle géométrique ?

2. On pose $v_n = u_n - 2$. Démontrer que la suite (v_n) est géométrique de raison $-\frac{1}{2}$.

3. En déduire l'expression de v_n en fonction de n puis celle de u_n en fonction de n.

4. Déterminer le sens de variation de la suite (u_n).

5. Vers quelle valeur semble tendre u_n lorsque n tend vers $+\infty$?

52 **Raisonner**

On considère les suites ci-dessous.
$$\begin{cases} t_1 = 1 \\ t_n = 5t_{n-1} + 2 \text{ pour tout entier naturel } n \geqslant 2. \end{cases}$$

et $\begin{cases} w_0 = -2 \\ w_{n+1} = n + w_n \text{ pour tout entier naturel } n. \end{cases}$

Pour chacune d'elles :

1. donner le rang et la valeur du premier terme ;

2. calculer les cinq premiers termes ;

3. indiquer si elle est arithmétique, géométrique, ou ni l'un ni l'autre.

53 **Factorielle** ALGO PYTHON

1. Copier le script de la fonction fact ci-dessous dans l'éditeur Python puis compléter le tableau suivant.

```
1 def fact(n):
2     u=1
3     for k in range(1,n+1):
4         u=u*k
5     return u
```

n	0	1	2	3	4	5
fact (n)						

2. Le nombre fact (n) est appelé la factorielle de n, noté $n!$, et se lit « factorielle n » ou « n factorielle ».
Pour tout entier naturel n non nul, écrire le nombre $n!$ sous la forme d'un produit.

3. On considère la suite (u_n) définie pour tout entier naturel n par $u_n = n!$
Proposer une définition de cette suite à l'aide d'une relation de récurrence.

54 **Actualisation d'un capital**

Chercher

On souhaite obtenir un capital de 100 000 € dans 15 ans.

• De quel capital doit-on disposer aujourd'hui sachant qu'on pense le placer à intérêts composés au taux annuel de 3 % ?

55 ALGO PYTHON

(u_n) est la suite définie par $u_0 = 2\,200$ et pour tout $n \in \mathbb{N}$, $u_{n+1} = 0{,}5u_n + 100$.

1. a. Programmer une fonction terme_u qui renvoie le terme de rang n de la suite (u_n).

b. Afficher la liste des 20 premiers termes de la suite (u_n).

2. On pose $v_n = u_n - 200$. Programmer une fonction terme_v qui renvoie le terme de rang n de la suite (v_n) puis affiche la liste des 20 premiers termes de la suite (v_n).

3. Conjecturer alors la nature de la suite (v_n).

4. Démontrer la conjecture précédente.

5. Déterminer u_n en fonction de n.

56 En informatique, on appelle pourcentage de compression, le pourcentage de réduction de la taille en Ko (kilo octets) d'un fichier après compression.

1. Un fichier a une taille initiale de 800 Ko. Après compression, il mesure 664 Ko. Montrer que le pourcentage de compression est de 17 %.

2. On note t_n la taille en Ko du fichier après n compressions successives au pourcentage de compression de 17 %. On a $t_0 = 800$.
a. Exprimer t_{n+1} en fonction de t_n.
b. Exprimer t_n en fonction de n.

3. [CALCULATRICE] En utilisant la calculatrice ou un tableur, déterminer le nombre minimum de compressions successives à effectuer pour que le fichier ait une taille finale inférieure à 50 Ko.

57 **Forage d'un puits**
Modéliser

Un artisan propose de réaliser le forage d'un puits selon le tarif suivant : le 1er mètre foré coûte 100 euros, le 2e coûte 110 euros, le 3e coûte120 euros, … chaque mètre supplémentaire coûtant 10 euros de plus que le précédent.
1. Quel est le coût du 15e mètre foré ?
2. Un particulier veut faire réaliser un forage de 15 mètres dans son jardin. Combien va-t-il payer ?

58 Calculer la somme des 10 premiers termes de la suite :
1. arithmétique de 1er terme 8 et de raison –3.

2. géométrique de 1er terme 64 et de raison 0,5.

3. arithmétique de 1er terme –2 et de raison $\frac{1}{5}$.

4. géométrique de 1er terme –2 et de raison $\frac{1}{5}$.

59 $S = 8 + … + 212$ est la somme de termes consécutifs d'une suite arithmétique (u_n).
On sait que $S = 5\ 720$.
1. Calculer le nombre de termes de cette somme.
2. Quelle est la raison de la suite (u_n) ?

60 **Accroissement naturel**

Le taux d'accroissement naturel (augmentation ou diminution annuelle de la population en pourcentage) de la population française est de 0,55 % par an depuis 1999 selon l'Insee.
On estime également que chaque année, le solde migratoire (différence entre le nombre de personnes qui sont entrées sur le territoire et le nombre de personnes qui en sont sorties au cours de l'année) est d'environ 75 000.
En 2018, le nombre d'habitants en France était de 67,2 millions.
On fait l'hypothèse que l'évolution observée perdure et on note p_n le nombre d'habitants estimé (en millier) en France, l'année 2018 + n, avec n entier naturel.
1. Calculer p_1.
2. Montrer que, pour tout entier naturel n, on a :
$$p_{n+1} = 1{,}0055p_n + 75.$$
3. [TABLEUR] Compléter la feuille de calcul suivante pour estimer le nombre d'habitants en France en 2060.

B3		: $\times$ $\checkmark$ fx	=B2*1,0055+75	
	A	B	C	D
1	Année	Population		
2	2018	67200		
3	2019	67644,6		
4	2020			

4. On pose $u_n = p_n + 13\ 636{,}363\ 64$.
a. Démontrer que $u_{n+1} = 1{,}0055u_n$. Quelle est alors la nature de la suite (u_n) ?
b. Exprimer u_n en fonction de n puis en déduire p_n en fonction de n.
5. Comment vérifier à la calculatrice l'estimation obtenue à la question 3 ?

61 [VRAI OU FAUX]
Raisonner
On considère la suite (u_n) définie par la relation :
$$u_n = 2n^2 - 8n + 6, \text{ pour tout } n \in \mathbb{N}.$$
Indiquer, pour chaque proposition, si elle est vraie ou fausse en justifiant la réponse.
1. Il existe un entier naturel n, tel que $u_n = 0$.
2. Pour tout $n \in \mathbb{N}$, $u_n \leqslant 0$.
3. Pour tout $n \in \mathbb{N}$, $u_n \geqslant 0$.

62 PRISE D'INITIATIVE

On dispose d'un carré de côté 1.

Étape 1	Étape 2	Étape 3
On colorie la moitié du carré.	On colorie la moitié de la partie non colorée.	Et ainsi de suite.

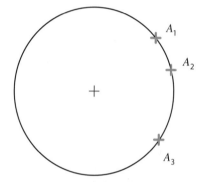

1. À partir de quelle étape, plus de 99 % du carré est colorié ?

2. Peut-on, par cette méthode, arriver à colorier tout le carré initial de côté 1 ? Justifier.

63 **Avec un dénombrement**

$A_1, A_2, A_3, …, A_n$ sont n points d'un cercle.

On note u_n le nombre de segments qui ont pour extrémités deux de ces points.

1. Montrer que $u_1 = 0$, $u_2 = 1$ et $u_3 = 3$.

2. Trouver une relation de récurrence entre u_{n+1} et u_n.

3. En déduire le calcul de u_7.

4. Déterminer une formule explicite pour u_n.

5. On appelle corde, tout segment dont les extrémités sont deux points du cercle. Avec 20 points sur le cercle, combien de cordes peut-on construire ?

6. Combien faut-il de points au minimum pour construire au moins 100 cordes ?

64 **1. a.** Montrer que la suite (u_n), définie par $u_n = 4n - 7$ pour tout entier naturel n, est une suite arithmétique dont on précisera le 1er terme et la raison.

b. En déduire son sens de variation.

2. a. Montrer que la suite (v_n), définie par $v_n = \dfrac{4^{n+1}}{5^{n+1}}$ pour tout entier naturel n, est une suite géométrique dont on précisera le 1er terme et la raison.

b. En déduire son sens de variation.

65 **1.** Déterminer la somme des multiples de 11 inférieurs à 1 000.

2. Déterminer la somme des multiples de 3 inférieurs à 100.

66 Le premier demi-disque a pour rayon 1 cm. On passe d'une figure à l'autre en « enlevant » un demi-disque dont le rayon est la moitié du précédent.

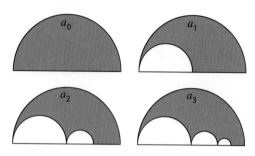

Les aires rouges a_n (en cm^2) où n est le nombre d'étapes, constituent une suite.

1. Rappeler la formule permettant de calculer l'aire d'un demi-disque de rayon R.

2. Calculer a_0, a_1 et a_2.

3. ALGO PYTHON Compléter la fonction `terme_a` ci-dessous de sorte qu'elle renvoie le terme de rang n de la suite (a_n).

```python
from math import*
def terme_a(n):
    rayon=1
    aire_grise=pi/2
    for k in range(n):
        rayon=rayon/2
        aire_grise=aire_grise-...
    return...
```

4. Programmer cette fonction puis conjecturer l'évolution de la suite (a_n) lorsque n tend vers $+\infty$. On pourra se référer au TP2 pour obtenir une représentation graphique de la suite (a_n).

67 ALGO

On considère une suite (u_n) de premier terme $u_0 = 1$. Écrire un algorithme qui détermine à partir de quelle valeur de n la somme des n premiers termes de la suite est supérieure à 10 000 :

a. dans le cas où (u_n) est une suite arithmétique de raison 0,1 ;

b. dans le cas où (u_n) est une suite géométrique de raison 1,01 ;

c. dans le cas où , pour tout entier naturel n, $u_{n+1} = 2u_n + 1$.

68 PRISE D'INITIATIVE ALGO

Une boîte contient 200 allumettes. On les regroupe par paquets de la manière suivante.

| ||| ||||| |||||||

Le premier paquet contient une allumette, le deuxième paquet contient 3 allumettes, le troisième 5 allumettes et ainsi de suite. À la fin, il ne reste plus que 4 allumettes dans la boîte.

• Combien y a-t-il de paquets d'allumettes ?

69 **Consommation pétrolière**

En 2017, la consommation annuelle mondiale de pétrole était de 36 milliards de barils. Malgré les engagements internationaux pour limiter cette consommation, elle a continué d'augmenter, en moyenne de 1,8 % par an. On note u_n la consommation mondiale de pétrole pour l'année $2017 + n$, (où n est un entier naturel), exprimée en milliards de barils sous l'hypothèse qu'une augmentation annuelle de 1,8 % se poursuit. Ainsi $u_0 = 36$.

1. Exprimer, pour tout entier naturel n, u_{n+1} en fonction de u_n.

2. Exprimer, pour tout entier naturel n, u_n en fonction de n.

3. Estimer la consommation mondiale de pétrole pour 2040.

4. TABLEUR On souhaite déterminer à l'aide d'un tableur la consommation mondiale de pétrole totale, de 2017 à 2050. Pour tout entier naturel n, on note $S_n = u_0 + u_1 + u_2 + ... + u_n$.

	A	B	C
1	n	u_n	S_n
2	0	36	36
3	1		
4	2		
5	3		
6	4		

a. Quelle formule, saisie en B3 et recopiée vers le bas, permet d'obtenir les premiers termes de la suite (u_n) ?

b. Quelle formule, saisie en C3 et recopiée vers le bas, permet d'obtenir les premiers termes de la suite (S_n) ?

5. En 2017, on a évalué à 1 697 milliards de barils la quantité totale de pétrole restante (exploité ou non). Que penser de l'avenir énergétique de la planète ?

70 Soit la suite (u_n) définie par :

$$\begin{cases} u_0 = 1 \\ u_{n+1} = \dfrac{u_n}{u_n + 1} \end{cases}$$ pour tout entier naturel n.

1. À l'aide de la calculatrice, conjecturer le sens de variation de cette suite.

2. On admet que tous les termes de cette suite sont positifs. Justifier alors la conjecture obtenue à la question précédente.

71 **Les hypothèses de Malthus**
Modéliser

Thomas Malthus, économiste anglais du début du XIXe siècle, a travaillé sur l'évolution de la population en Angleterre.

En 1800, la population anglaise était de 8,3 millions d'habitants. Bien que très pauvre en majorité, toute la population arrivait tant bien que mal à se nourrir. Thomas Malthus prévoit que cette situation ne pourra pas durer au cours du temps. Il émet les hypothèses suivantes :

• la population en Angleterre augmente chaque année de 2 % ;

• la production agricole anglaise aidée par des avancées techniques, permet de nourrir 400 000 habitants de plus par an.

1. Traduire les hypothèses de Thomas Malthus en choisissant deux suites dont on donnera les éléments caractéristiques (nature, premier terme, raison).

2. En utilisant les hypothèses de Malthus, quelle est la population de l'Angleterre en 1801 et le nombre de personnes pouvant être nourries cette année-là ?

3. CALCULATRICE TABLEUR À l'aide d'un tableur ou d'une calculatrice, afficher les termes des deux suites. Déterminer la première année pour laquelle la population ne peut plus être suffisamment nourrie suivant l'hypothèse formulée par Malthus.

72 **Raisonner**

On considère la suite définie par son premier terme et, pour tout entier naturel n, par :
$$u_{n+1} = u_n^2 - 2u_n - 3.$$

1. Cas où $u_0 = 3$.

a. Calculer u_1, u_2 et u_3.

b. Peut-on dire : « pour tout $n \in \mathbb{N}$, $u_n > 0$ » ? Justifier la réponse.

c. CALCULATRICE Afficher les valeurs des vingt premiers termes sur une calculatrice.

d. Quel résultat affiche la calculatrice pour u_{10} ? Expliquer.

2. Cas où $u_0 = -2$.

Reprendre les questions précédentes.

73 On considère l'algorithme ci-dessous.

$$n \leftarrow 0$$
$$\text{Tant que } (n+1)^2 - 10(n+1) < n^2 - 10n$$
$$\quad n \leftarrow n + 1$$

1. Quelle est la valeur de la variable n à la fin de l'exécution de cet algorithme ?

2. La suite (u_n), définie pour tout entier naturel n par $u_n = n^2 - 10n$, est-elle monotone ?

3. Montrer que la suite (u_n) de la question précédente est croissante à partir du rang 5.

74 **Calculer, raisonner**

(u_n) est la suite définie par $u_0 = 2$ et, pour tout entier naturel n, $u_{n+1} = \dfrac{u_n}{3u_n + 1}$.

On admet que, pour tout entier naturel n, $u_n \neq 0$.
La suite (v_n) est définie pour tout entier naturel n par $v_n = \dfrac{1}{u_n}$.

1. Calculer u_1, u_2 et u_3 puis v_1, v_2 et v_3.
2. Démontrer que la suite (v_n) est arithmétique.
3. En déduire l'expression de v_n en fonction de n puis celle de u_n en fonction de n.

75 Chez les abeilles, le mâle s'appelle le faux-bourdon (fb), il provient d'un œuf non fécondé.
Un œuf fécondé donne naissance à une abeille femelle (af).
Ainsi, une af a deux parents (une af et un fb) alors qu'un fb n'a pas de père. On a représenté ci-dessous l'arbre généalogique d'un fb sur trois générations.

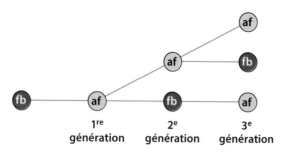

On note a_n le nombre d'ascendants de ce faux bourdon à la n-ième génération.
On a donc $a_1 = 1$, $a_2 = 2$ et $a_3 = 3$.
1. Donner les valeurs des termes a_4, a_5 et a_6.
On peut s'aider de l'arbre généalogique de l'énoncé, que l'on poursuivra.
2. Justifier que, pour tout entier naturel $n \geqslant 1$, on a $a_{n+2} = a_{n+1} + a_n$.
3. En déduire le nombre d'ascendants de ce fb à la 15e génération.

76 **Algorithme de Babylone**
On s'intéresse à une suite de rectangles (R_n), on note L_n la longueur du rectangle R_n et l_n sa largeur. On pose $L_0 = 5$ et $l_0 = 1$. Tous les rectangles R_n ont la même aire, et la longueur de R_{n+1} est la moyenne des dimensions du rectangle R_n.
1. Justifier que, pour tout naturel n, $L_n \times l_n = 5$.
2. Montrer que, pour tout entier naturel n, on a :
$$L_{n+1} = \dfrac{L_n + l_n}{2} \text{ et } l_{n+1} = \dfrac{10}{L_n + l_n}.$$
3. Calculer les dimensions des rectangles R_1 et R_2.
4. **CALCULATRICE** À l'aide de la calculatrice, afficher les 10 premiers termes des suites (L_n) et (l_n).
5. Faire une conjecture sur le comportement des rectangles R_n quand n tend vers $+\infty$.

6. On admet que les suites (L_n) et (l_n) ont la même limite c quand n tend vers $+\infty$ et que la suite $(L_n \times l_n)$ tend vers c^2 quand n tend vers $+\infty$.
Déterminer la valeur exacte de c.
7. En s'inspirant des questions précédentes, proposer un algorithme qui permet d'approcher le nombre $\sqrt{2019}$ par un nombre rationnel à 10^{-6} près.

77 **Carbone 14**
Le carbone 14 est un isotope radioactif naturellement présent dans les organismes vivants. Lorsqu'un organisme vivant meurt, le carbone 14 se désintègre c'est-à-dire que la proportion de carbone 14 présente dans l'organisme diminue régulièrement. Cette diminution est de 1,23 % tous les 100 ans.
1. On appelle demi-vie du carbone 14 le nombre d'années n (exprimé en centaine d'années) qu'il faut attendre pour qu'au moins 50 % de l'isotope soit désintégré.
Montrer que n est le plus petit entier naturel tel que
$$\left(1 - \dfrac{1,23}{100}\right)^n \leqslant 0,50.$$
2. **CALCULATRICE** **TABLEUR** En utilisant un tableur ou la calculatrice, déterminer la demi-vie du carbone 14.
3. Calculer le pourcentage (à 0,1 % près) de carbone 14 présent dans un organisme 2 000 ans après sa mort.
4. On a découvert un organisme dont les 60 % du carbone 14 se sont désintégrés. De quand date environ la mort de cet organisme ?

78 **ALGO** **PYTHON**

Avec des cubes identiques, on construit des pyramides comme indiqué ci-dessous.

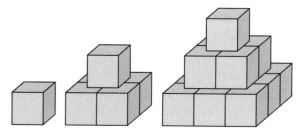

1. Combien de cubes sont nécessaires pour construire une pyramide à 20 étages ? À 30 étages ?
On peut programmer une fonction Python qui, pour un entier N donné, renvoie le nombre de cubes nécessaires pour construire une pyramide à N étages.
2. On dispose de 5 000 cubes.
Quel est le nombre maximal d'étages que l'on peut construire ?
On peut programmer une fonction Python qui, pour un entier K donné, renvoie le nombre maximal d'étages que l'on peut construire avec K cubes ainsi que le nombre de cubes non utilisés.

79 Approfondissement

1. Pour l'achat d'une maison, on contracte à la banque un emprunt de 200 000 € à un taux annuel de 2,5 %. Le remboursement s'effectue en 24 annuités constantes de 11 182,57 € qui servent d'une part à payer les intérêts de la période et d'autre part à rembourser le capital.

a. Observer le tableau d'amortissement ci-dessous. Le reproduire sur un tableur en saisissant les formules adaptées permettant de le remplir rapidement par recopie vers le bas.

	A	B	C	D	E	F
1	Période	Montant	Annuité	Intérêts	Capital	Restant dû
2	1	200 000,00	11 182,57	5 000,00	6 182,57	193 817,43
3	2	193 817,43	11 182,57	4 845,44	6 337,13	187 480,30
4	3	187 480,30	11 182,57	4 687,01	6 495,56	180 984,73
5	4	180 984,73	11 182,57	4 524,62	6 657,95	174 326,78
6	5	174 326,78	11 182,57	4 358,17	6 824,40	167 502,38
7	6	167 502,38	11 182,57	4 187,56	6 995,01	160 507,37
8	7	160 507,37	11 182,57	4 012,68	7 169,89	153 337,48
9	8	153 337,48	11 182,57	3 833,44	7 349,13	145 988,35
10	9	145 988,35	11 182,57	3 649,71	7 532,86	138 455,49
11	10	138 455,49	11 182,57	3 461,39	7 721,18	130 734,31
12	11	130 734,31	11 182,57	3 268,36	7 914,21	122 820,10
13	12	122 820,10	11 182,57	3 070,50	8 112,07	114 708,03
14	13	114 708,03	11 182,57	2 867,70	8 314,87	106 393,16
15	14	106 393,16	11 182,57	2 659,83	8 522,74	97 870,42
16	15	97 870,42	11 182,57	2 446,76	8 735,81	89 134,61
17	16	89 134,61	11 182,57	2 228,37	8 954,20	80 180,40
18	17	80 180,40	11 182,57	2 004,51	9 178,06	71 002,34
19	18	71 002,34	11 182,57	1 775,06	9 407,51	61 594,83
20	19	61 594,83	11 182,57	1 539,87	9 642,70	51 952,13
21	20	51 952,13	11 182,57	1 298,80	9 883,77	42 068,37
22	21	42 068,37	11 182,57	1 051,71	10 130,86	31 937,51
23	22	31 937,51	11 182,57	798,44	10 384,13	21 553,37
24	23	21 553,37	11 182,57	538,83	10 643,74	10 909,64
25	24	10 909,64	11 183,57	272,74	10 910,83	-1,19

b. Pour tout entier naturel n, on note C_n le restant dû au terme de la n-ième période.
Justifier que la suite (C_n) est définie par

$$\begin{cases} C_0 = 200\ 000 \\ C_{n+1} = 1{,}025 C_n - 11\ 182{,}57 \end{cases}$$

2. Observer les fonctions ci-dessous programmées en Python.

```
1 def C(n,A):
2     c=200000
3     for i in range(n):
4         c=1.025*c-A
5     return c
6
7 def annuite(n):
8     A=0
9     while C(n,A)>0:
10         A=A+0.01
11     return A
```

a. Que renvoie la fonction C ?
b. Qu'obtient-on lorsqu'on saisit annuite(24) dans la console ?
3. Déterminer au centime près l'annuité constante A correspondant au remboursement sur 15 ans d'un emprunt de 100 000 € au taux annuel de 3 %.

80 Approfondissement

La tour de Hanoï

Le mathématicien français Édouard Lucas (1842-1891) a inventé un jeu de réflexion mathématique appelé la tour de Hanoï. Ce jeu utilise trois tiges T_1, T_2 et T_3 ainsi que des disques percés de diamètres distincts deux à deux.

Au début du jeu, les disques sont tous empilés sur T_1 dans l'ordre décroissant de leur diamètre, le plus grand disque reposant à la base.

$$T_1 \qquad T_2 \qquad T_3$$

Le but du jeu est de déplacer la « tour » de disques de T_1 à T_3, en respectant les deux règles suivantes :
– on ne déplace qu'un seul disque à la fois, d'une tige à une autre ;
– un disque ne doit jamais être placé au-dessus d'un disque de diamètre inférieur au sien.
Pour tout entier $n \geqslant 1$, on note L_n le nombre minimal de déplacements nécessaires pour transporter une tour de n disques d'une tige à une autre.

1. Déterminer L_1 et L_2.
2. En remarquant que pour pouvoir déplacer le plus grand disque de T_1 à T_3, il faut d'abord avoir déplacé la tour des autres disques de T_1 à T_2, montrer que pour tout entier $n \geqslant 1$, $L_{n+1} = L_n + 1 + L_n$.
3. Déterminer le nombre de disques nécessaires pour que ce jeu dure au moins une heure à raison d'un déplacement de disque par seconde.
4. a. Peut-on transporter une tour de trois disques de T_1 à T_3 en moins de sept déplacements ? Expliquer.
b. Compléter la liste de sept déplacements ci-dessous permettant de transporter une tour de trois disques de T_1 à T_3.
• 1er déplacement : petit disque de T_1 en T_3.
• 2e déplacement : moyen disque de T_1 en T_2.
• 3e déplacement : petit disque de T_3 en T_2.
• 4e déplacement : grand disque de … en …
• 5e déplacement : …
• 6e déplacement : …
• 7e déplacement : …

81 On considère la suite (S_n) définie pour tout entier naturel $n \geqslant 1$ par :

$$S_n = 1 + \left(\frac{1}{2}\right)^1 + \left(\frac{1}{2}\right)^2 + \dots + \left(\frac{1}{2}\right)^{n-1}.$$

• Quelle semble être la limite de la suite (S_n) ?

82 ALGO **Panier bio**

On considère la suite (u_n) définie par $u_0 = 65$ et, pour tout entier naturel n :

$$u_{n+1} = 0{,}8u_n + 18.$$

1. Calculer u_1 et u_2.

2. Pour tout entier naturel n, on pose :

$$v_n = u_n - 90.$$

a. Démontrer que la suite (v_n) est géométrique de raison 0,8. On précisera la valeur de v_0.

b. Démontrer que, pour tout entier naturel n, on a :
$u_n = 90 - 25 \times 0{,}8^n$.

3. On considère l'algorithme ci-dessous.

```
1. u ← 65
2. n ← 0
3. Tant que …
4.      n ← n + 1
5.      u ← 0,8 × u + 18
```

a. Recopier et compléter la ligne 3 de cet algorithme afin qu'il détermine le plus petit entier naturel n tel que $u_n \geqslant 85$.

b. Quelle est la valeur de la variable n à la fin de l'exécution de l'algorithme ?

4. La société Biocagette propose la livraison hebdomadaire d'un panier bio qui contient des fruits et des légumes de saison issus de l'agriculture biologique. Les clients ont la possibilité de souscrire un abonnement de 52 € par mois qui permet de recevoir chaque semaine ce panier bio.

En juillet 2017, 65 particuliers ont souscrit cet abonnement. Les responsables de la société Biocagette font les hypothèses suivantes :

• d'un mois à l'autre, environ 20 % des abonnements sont résiliés ;

• chaque mois, 18 particuliers supplémentaires souscrivent à l'abonnement.

a. Justifier que la suite (u_n) permet de modéliser le nombre d'abonnés au panier bio le n-ième mois qui suit le mois de juillet 2017.

b. Selon ce modèle, la recette mensuelle de la société Biocagette va-t-elle dépasser 4 420 € durant l'année 2018 ? Justifier la réponse.

c. Selon ce modèle, vers quelle valeur semble tendre la recette mensuelle de la société Biocagette ?

D'après Bac Pondichéry 2018

83 TABLEUR CALCULATRICE ALGO **Comparaison d'estimations**

Un journal hebdomadaire est sur le point d'être créé. Une étude de marché aboutit à deux estimations différentes concernant le nombre de journaux vendus :

• 1re estimation : 1 200 journaux vendus lors du lancement, puis une progression des ventes de 2 % chaque semaine suivante.

• 2de estimation : 1 200 journaux vendus lors du lancement, puis une progression régulière de 35 journaux supplémentaires vendus chaque semaine suivante.

On considère les suites (u_n) et (v_n) telles que, pour tout entier naturel $n \geqslant 1$, u_n (resp. v_n) représente le nombre de journaux vendus la n-ième semaine selon la 1re estimation (resp. selon la 2de estimation). Ainsi $u_1 = v_1 = 1\ 200$.

1. Calculer u_2 et v_2.

2. On considère la feuille de calcul ci-dessous.

	A	B	C
1	n	u_n	v_n
2	1	1200	1200
3	2		
4	3		
5	4		

a. Quelle formule, saisie en B3 et recopiée vers le bas, permet d'obtenir les premiers termes de la suite (u_n) ?

b. Quelle formule, saisie en C3 et recopiée vers le bas, permet d'obtenir les premiers termes de la suite (v_n) ?

3. a. Donner la nature de la suite (u_n) puis celle de la suite (v_n).

b. Écrire, pour tout entier naturel $n \geqslant 1$, les expressions de u_n et de v_n en fonction de n.

4. Déterminer, à l'aide de la calculatrice, le premier entier naturel $n \geqslant 1$ tel que :

$$1\ 200 \times 1{,}02^{n-1} > 1\ 200 + 35(n - 1).$$

Interpréter ce résultat.

5. a. Montrer que, pour tout entier naturel $n \geqslant 1$, on a :

$$1 + 1{,}02 + 1{,}02^2 + \dots + 1{,}02^{n-1} = 50 \times (1{,}02^n - 1).$$

b. En déduire le nombre total de journaux vendus en 52 semaines (environ un an) selon la 1re estimation.

6. On rappelle que, pour tout entier naturel n, on a :

$$v_1 + v_2 + \dots + v_n = n\, \frac{v_1 + v_n}{2}.$$

Laquelle des deux estimations prévoit le plus grand nombre total de journaux vendus au cours des 52 premières semaines ?

7. On considère l'algorithme ci-dessous.

```
S ← 1 200
T ← 1 200
n ← 1
Tant que S ⩽ T
    S ← S + 1 200 × 1,02ⁿ
    T ← T + 1 200 + n × 35
    n ← n + 1
```

La valeur de la variable n à la fin de l'exécution de cet algorithme est 55. Interpréter ce résultat.

84 On considère la suite (u_n) définie par $u_1 = 1$ et pour tout entier naturel :

$$n \geq 1, \ u_{n+1} = 2u_n + 1.$$

1. Calculer u_2 et u_3.

2. Recopier puis compléter la fonction informatique suivante programmée en langage Python afin qu'elle renvoie le terme u_n pour $n \geq 1$.

```
1  def terme_u(n):
2      u=...
3      for i in range(...):
4          u=...
5      return u
```

3. Pour tout entier naturel $n \geq 1$, on pose :

$$v_n = u_n + 1.$$

a. Démontrer que la suite (v_n) est géométrique de raison 2.

b. Donner une expression de v_n en fonction de n.

c. En déduire que, pour tout entier naturel $n \geq 1$, on a :

$$u_n = 2^n - 1.$$

4. Déterminer le sens de variation de la suite (u_n).

5. Conjecturer la valeur de $\lim\limits_{n \to +\infty} u_n$.

 85 On s'intéresse à l'ensemble des ascenseurs d'une grande ville en 2017.

Pour chacun d'eux, un contrat annuel d'entretien doit être souscrit.

Deux sociétés d'ascensoristes, notées A et B, se partagent ce marché. En 2017, la société A entretient 30 % de ces ascenseurs.

On estime que chaque année :

• 3 % des ascenseurs entretenus par A seront entretenus par B l'année suivante ;

• 5 % des ascenseurs entretenus par B seront entretenus par A l'année suivante ;

• Les autres ascenseurs ne changeront pas de société d'ascensoristes l'année suivante.

On note a_n la proportion d'ascenseurs entretenus par A et b_n la proportion d'ascenseurs entretenus par B pendant l'année $2017 + n$.

On a donc $a_0 = 0,3$ et $b_0 = 0,7$.

1. a. Calculer a_1. Interpréter le résultat.

b. Démontrer que, pour tout entier naturel n, on a :

$a_{n+1} = 0,97a_n + 0,05b_n$.

c. Quelle relation existe-t-il entre a_n et b_n ?

En déduire que, pour tout enter naturel n,

$a_{n+1} = 0,92a_n + 0,05$.

2. a. Le directeur de la société A constate que, selon cette estimation, la proportion d'ascenseurs entretenus par sa société augmenterait au cours des années et se stabiliserait à 62,5 %.

Indiquer, en le justifiant, lequel des algorithmes ci-après permet de calculer la première année pour laquelle cette proportion dépasse 50 %.

Algorithme 1

$A \leftarrow 0,3$
$N \leftarrow 0$
Tant que $A \leq 0,5$
    $A \leftarrow 0,92 \times A + 0,05$
    $N \leftarrow N + 1$

Algorithme 2

$A \leftarrow 0,3$
$N \leftarrow 0$
Tant que $A > 0,5$
    $A \leftarrow 0,92 \times A + 0,05$
    $N \leftarrow N + 1$

Algorithme 3

$A \leftarrow 0,3$
$N \leftarrow 0$
Tant que $A \leq 0,5$
    $A \leftarrow 0,92 \times A + 0,05$
$N \leftarrow N + 1$

b. Déterminer la valeur de la variable N en fin d'exécution de cet algorithme.

3. Pour tout entier naturel n, on pose $u_n = a_n - 0,625$.

a. Démontrer que la suite (u_n) est une suite géométrique dont on précisera la raison et le premier terme u_0.

b. En déduire que, pour tout entier naturel n, on a :

$a_n = -0,325 \times 0,92^n + 0,625$.

c. Déterminer le sens de variation de la suite (a_n).

d. Vers quelle valeur semble tendre la suite (a_n) lorsque n tend vers $+\infty$.

D'après Bac Amérique du Sud 2018

86 On considère la suite définie par :

$$\begin{cases} u_1 = \dfrac{1}{3} \\ u_{n+1} = \dfrac{n+1}{3n} \, u_n \text{ pour tout entier naturel } n \geq 1. \end{cases}$$

1. Calculer u_2, u_3 et u_4.

2. On pose $v_n = \dfrac{u_n}{n}$ pour tout entier $n \geq 1$.

Montrer que, pour tout entier $n \geq 1$, $v_{n+1} = \dfrac{1}{3}v_n$.

En déduire que la suite (v_n) est une suite géométrique dont on précisera la raison et le premier terme.

3. Montrer que $u_n = n\left(\dfrac{1}{3}\right)^n$ pour tout entier $n \geq 1$.

4. Montrer que $u_{n+1} - u_n = \left(\dfrac{1}{3}\right)^{n+1}(1 - 2n)$ pour tout entier $n \geq 1$. En déduire le sens de variation de la suite (u_n).

5. On considère l'algorithme ci-dessous.

$n \leftarrow 1$
Tant que $n\left(\dfrac{1}{3}\right)^n > $ epsilon
    $n \leftarrow n + 1$

a. Quelle est la valeur de la variable n à la fin de l'exécution de cet algorithme, lorsque epsilon $= 10^{-3}$?

b. Quelle est la valeur de la variable n à la fin de l'exécution de cet algorithme lorsque epsilon $= 10^{-6}$?

c. Vers quelle valeur semble tendre la suite (u_n) lorsque n tend vers $+\infty$?

Exercices AP

87 Gestion d'une tirelire ALGO CALCULATRICE

Thomas possède 20 € dans sa tirelire au 1er juin 2019. À partir de cette date, chaque mois il dépense un quart du contenu de sa tirelire puis y place 20 € supplémentaires. Pour tout entier naturel n, on note u_n la somme d'argent (en €) contenue dans la tirelire de Thomas à la fin du n-ième mois. On a $u_0 = 20$.

Questions Va piano

1. Montrer que la somme d'argent contenue dans la tirelire de Thomas à la fin du 1er mois est de 35 €.
2. Justifier que, pour tout entier naturel n, on a :
$$u_{n+1} = 0{,}75u_n + 20.$$
3. a. Faire afficher sur la calculatrice les 20 premiers termes de la suite (u_n).
b. Selon ce modèle, vers quelle valeur semble tendre la somme d'argent contenue dans la tirelire de Thomas ?

Questions Moderato

On considère l'algorithme suivant.

$U \leftarrow 20$
$N \leftarrow 0$
Tant que $U < 70$ faire
$\quad U \leftarrow 0{,}75 \times U + 20$
$\quad N \leftarrow N + 1$

1. Quelle est la valeur de la variable N à la fin de l'exécution de cet algorithme ?
2. Interpréter le résultat précédent, en rapport avec la somme d'argent contenue dans la tirelire de Thomas.

Questions Allegro

1. Pour tout entier naturel n, on pose $v_n = u_n - 80$.
Montrer que la suite (v_n) est géométrique de raison 0,75.
2. Montrer que, pour tout entier naturel n, on a :
$$u_n = 80 - 60 \times 0{,}75^n.$$
3. En déduire la somme d'argent, au centime près, dans la tirelire de Thomas au 1er juin 2020.
4. Déterminer le sens de variation de la suite (u_n).

88 Une mise en équation

On s'intéresse à la somme $S = 1 + 3 + 5 + 7 + \ldots + 2019$.

Questions Va piano

On considère la suite (u_n) des entiers impairs de premier terme $u_1 = 1$.
1. De quel type de suite s'agit-il ?
2. Donner le terme général de cette suite.
3. a. Déterminer l'entier n tel que :
$$u_n = 2019.$$
b. Écrire la somme S à l'aide de termes de la suite (u_n).

Questions Moderato

1. Recopier et compléter l'algorithme suivant afin qu'il calcule la somme S de l'énoncé.

$S \leftarrow 0$
Pour i allant de 1 à …
$\quad S \leftarrow …$

2. Programmer cet algorithme et donner la valeur de S.

Questions Allegro

Pour tout entier $n \geqslant 1$, on note T_n la somme $1 + 2 + 3 + \ldots + n$.
1. Montrer que :
$$S = T_{2019} - 2T_{1009}.$$
2. En déduire la valeur de S.
3. En vous inspirant des questions précédentes, montrer que, pour tout entier $n \geqslant 1$, on a :
$$1 + 3 + 5 + \ldots + (2n - 1) = n^2.$$

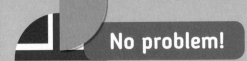

No problem!

 1 His first name is Leonardo

A recursive sequence (a_n) is defined by the following rule:

"Each term is the sum of the previous two terms."

1. Write a formula that describes the recursion rule.

2. Knowing that $a_1 = 1$ and $a_2 = 1$, compute the first six terms of this sequence.

3. This is a really famous sequence from a famous Italian Mathematician, have you ever heard about it?

4. The generic term of a sequence is given by:

$$a_n = \left(\frac{1+\sqrt{5}}{2}\right)^n.$$

Show that this sequence follows the recursive rule given in question **1**.

 2 The New York Marathon

David is getting ready for the New York Marathon (42.195 km) which is to be held on the first Sunday in November.

He runs 10 km every day in August. From September 1st onwards, he runs daily 0.8 km more than the day before.

Let us call d_n the distance travelled each day, with $n = 0$ on August 31st, $n = 1$ on September 1st, $n = 2$ on September 2nd and so on.

1. Compute the first five terms of sequence (d_n).

2. Express d_{n+1} in terms of d_n.

3. Calculate the distance run on September 30th.

4. What day does David run 42 km?

 3 Number of babies born

Estimates are produced for the number of babies born worldwide each year.

The estimates for 2004 and for 2008 were respectively 130,350 and 131,804, given in thousands of births to the nearest thousand.

Assume that successive yearly are in geometric progression.

1. Estimate the annual percentage increase of the number of births.

2. Find the estimates for 2011 (to the nearest thousand) and compare them to the real number that was 131,000 thousand.

3. In 2014 the number of world births reached the pick of 139,000 thousand. Comment this number.

4. Work out the estimated total number of births between 2004 and 2012 inclusive (to the nearest thousand).

 Individual work Dominoes

Make a chain of dominoes placing them end to end, then create your own game.

$u_{n+1} = 2u_n + 1$	My 5th term is 48. My 9th term is 768.	My common ratio is 2.	Multiply by two the n-th term plus one to obtain the $(n + 1)$-th term.	My third term is – 7. My 7th term is – 19.	Sum of the first one hundred integers.

My second term is – 1. My fourth term is – 7.	Each term of the sequence is equal to the double of the previous one plus one.	$u_{n+1} = 2(u_n + 1)$	An arithmetic sequence with a common difference equal to – 3 and a negative first term.	$\dfrac{100 \times 101}{2}$	An arithmetic sequence with a common difference equal to –3 and a positive first term.

2 Fonctions polynômes du second degré

Aller aux racines de l'algèbre et de l'algorithmique

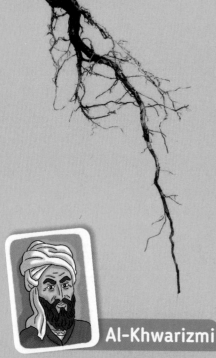

Al-Khwarizmi

Muhammad Al-Khwarizmi est un mathématicien, géographe et astronome perse du IXe siècle, originaire de l'actuel Ouzbékistan.

Le plus célèbre de ses écrits, *Kitâb al-jabr wa al-muqâbala*, que l'on peut traduire par « le livre du rajout et de l'équilibre », fut traduit en latin au XIIe siècle, sous le titre *Algebra*. Traitant de la résolution des équations du second degré, il est considéré comme le premier manuel d'algèbre (le terme vient d'*al-jabr*).

Al-Khwarizmi n'utilise aucune notation littérale, et les résolutions sont décrites en langage « courant » suivant des algorithmes (le terme vient de son nom). L'inconnue est désignée comme *la racine* ou *la chose*, les constantes sont appelées *dirhams*.

Voici la description du calcul de la solution positive de l'équation $x^2 + 10x = 39$.

« Quant aux carrés et aux racines qui égalent le nombre, c'est comme tu dis : un carré et dix de ses racines égalent 39 dirhams. Sa résolution consiste à diviser les racines par 2, on trouve 5 dans ce problème ; au carré on trouvera 25 qu'on ajoute à 39 pour obtenir 64. Tu en prends alors la racine qui est 8. Tu en retranches la moitié du nombre des racines qui était 5, tu trouves 3. C'est la racine du carré que tu cherches. »

Bien que connaissant les nombres négatifs, Al-Khwarizmi ne les accepte pas comme solutions de ses équations. Sa description de la résolution permet-elle, de nos jours, de déterminer une deuxième solution de cette équation ?

DIAPORAMA DE GAMMES SUPPLÉMENTAIRES

1 Équations et inéquations

Pour chaque proposition, dire si elle est vraie ou fausse.

1. -3 est solution de $x^2 + x - 6 = 0$.
2. Si $x = 2$, alors $3x^2 = 7x - 2$.
3. Pour tout x réel, $x^2 - 3x = x - x(4 - x)$.
4. L'opposé de $3x^2 - 6x + 5$ est $-3x^2 + 6x + 5$.
5. Pour tout x réel, $(x - 7)^2 + 51{,}3 > 0$.

2 Résolution graphique

1. Visualiser à l'aide de la calculatrice la représentation graphique de la fonction f définie sur $\mathbb{R}$, par $f(x) = x^2 - x - 12$.

2. Résoudre graphiquement l'équation $f(x) = 0$ et l'inéquation $f(x) > 0$.

3. Vérifier que, pour tout réel x, on a :
$$f(x) = (x + 3)(x - 4).$$

4. Résoudre algébriquement l'équation $f(x) = 0$ et l'inéquation $f(x) > 0$.

3 Racines carrées

Simplifier les écritures suivantes.

1. $\sqrt{8}$
2. $\sqrt{48}$
3. $\sqrt{98}$
4. $\dfrac{-12 + \sqrt{36}}{6}$
5. $\dfrac{6 - \sqrt{27}}{3}$
6. $\dfrac{2 + \sqrt{12}}{2}$

4 Algorithme

Voici deux programmes écrits en Python.

```
1 def f(x):
2     a=(x+3)**2
3     b=-a
4     c=b+4
5     return c
```

```
7  def g(x):
8      a=x+1
9      b=x+5
10     c=-a*b
11     return c
```

1. Taper successivement dans la console $f(0)$ et $g(0)$, $f(-2)$ et $g(-2)$, $f(1)$ et $g(1)$.

2. Que peut-on conjecturer ?

Démontrer cette conjecture.

5 Développer

Développer et réduire les expressions suivantes.

1. $A = x - 3(x - 7)$
2. $B = (3x - 2)^2$
3. $C = (2x - 5)(2x + 5)$

6 Factoriser

Factoriser les expressions suivantes.

1. $A = x^2 - 36$
2. $B = 9x^2 - 25$
3. $C = 1 - 4y^2$
4. $D = (-2x + 1)^2 - 4$
5. $E = 25 - (2x + 5)^2$
6. $F = 7 - (x + 1)^2$
7. $G = (2x - 3)^2 - (x + 1)^2$
8. $H = (3x + 1)^2 - (x - 7)^2$

7 Équations du second degré

1. Résoudre dans $\mathbb{R}$ les équations suivantes.

a. $x^2 = 8$ b. $x^2 = -4$
c. $(x - 1)^2 = 9$ d. $(x - 1)(-3x + 2) = 0$
e. $x^2 + 2x + 1 = 0$ f. $(2x + 3)^2 + 1 = 0$
g. $(2x + 3)^2 - 4 = 0$ h. $(x - 1)^2 - 3 = 0$
i. $x(-7x + 11) = 0$

2. Conjecturer le nombre de solutions d'une équation du second degré.

3. Donner trois équations du second degré ayant pour solutions -1 et 5.

8 Fonction inconnue

On donne ci-contre un extrait de feuille de calcul.
La fonction saisie en colonne B est une fonction f définie sur $\mathbb{R}$ par $f(x) = a(x - x_1)(x - x_2)$.
La variable x est en colonne A.
En utilisant les renseignements fournis par cette feuille, déterminer :

a. les réels x_1 et x_2 ;

b. le réel a.

	A	B
1	-5	-24
2	-4	-10
3	-3	0
4	-2	6
5	-1	8
6	0	6
7	1	0
8	2	-10
9	3	-24
10	4	-42
11	5	-64
12	6	-90
13	7	-120
14	8	-154

Nourrir les dauphins

Objectif
Modéliser une situation.

Dans un bassin, un dauphin nage tranquillement et aperçoit, à l'instant $t = 0$ seconde, un poisson lancé par son soigneur. Il saute, l'attrape 1 seconde plus tard à une hauteur de 1,5 mètre et replonge dans l'eau au bout de 6 secondes.
La trajectoire de son saut est modélisée par la courbe d'une fonction f définie par :
$$f(t) = a(t - t_1)(t - t_2),$$
où a, t_1 et t_2 désignent des réels.
Le niveau du plan d'eau du bassin correspond à l'altitude 0 mètre et $f(t)$ est la hauteur, en mètre, atteinte par le dauphin au bout d'une durée t, en seconde.

• Déterminer l'expression de $f(t)$.

Transformer une fonction `CALCULATRICE`

Objectif
Exploiter les différentes expressions d'une fonction du second degré.

On considère les fonctions f, g et h définies sur $\mathbb{R}$ par :
$$f(x) = x^2 - 2x - 8,$$
$$g(x) = (x - 4)(x + 2)$$
$$\text{et } h(x) = (x - 1)^2 - 9.$$

① **a.** Représenter sur l'écran de la calculatrice, les fonctions f, g et h.
Que peut-on conjecturer ?

b. Démontrer cette conjecture.

c. On appelle $\mathscr{C}$ la représentation graphique de f dans un repère.
Quels renseignements sur $\mathscr{C}$ chacune des écritures de $f(x)$ donne-t-elle ?

② Soit k la fonction définie sur $\mathbb{R}$ par $k(x) = x^2 - 4x - 5$.

a. Conjecturer, à l'aide de la calculatrice, l'écriture factorisée de $k(x)$ et les réels a, α et β tels que
$k(x) = a(x - \alpha)^2 + \beta$.

b. Démontrer cette conjecture.

③ Soit la fonction l définie sur $\mathbb{R}$ par $l(x) = -x^2 + 4x - 3$.

a. Conjecturer, à l'aide de la calculatrice, l'écriture factorisée de $l(x)$ et les réels a, α et β tels que
$l(x) = a(x - \alpha)^2 + \beta$.

b. Démontrer cette conjecture.

④ Soit la fonction m définie sur $\mathbb{R}$ par $m(x) = -2x^2 + 4x - 5$.

a. Conjecturer, à l'aide de la calculatrice, les réels a, α et β tels que $m(x) = a(x - \alpha)^2 + \beta$.

b. Démontrer cette conjecture.

c. Justifier que $m(x)$ ne peut pas s'écrire sous la forme $-2(x - x_1)(x - x_2)$.

Situation **C** Faire varier des paraboles LOGICIEL DE GÉOMÉTRIE

Objectif
Observer l'influence
des coefficients
sur l'existence
des racines
d'un trinôme.

Soit f une fonction définie sur $\mathbb{R}$ par $f(x) = a(x - \alpha)^2 + \beta$ où a, α et β sont des réels avec $a \neq 0$.

(1) **a.** À l'aide d'un logiciel de géométrie dynamique, créer trois curseurs a, α et β puis la représentation graphique de f.

b. Observer la courbe de f et le nombre de solutions de l'équation $f(x) = 0$ lorsqu'on fait varier successivement les paramètres a, α puis β.

c. De quels paramètres dépend l'existence de solutions de l'équation $f(x) = 0$?
Conjecturer une condition sur a et β pour que l'équation $f(x) = 0$ n'admette pas de solution.
Conjecturer une condition pour que l'équation $f(x) = 0$ admette une seule solution.
Enfin, conjecturer une condition pour que l'équation $f(x) = 0$ admette deux solutions.
Justifier ces conjectures.

(2) Soit g une fonction définie sur $\mathbb{R}$ par $g(x) = ax^2 + bx + c$ où a, b et c sont des réels avec $a \neq 0$.

a. Créer trois curseurs a, b et c puis la représentation graphique de g et le nombre $\Delta = b^2 - 4ac$.

b. Observer la représentation graphique de g, le nombre de solutions de $g(x) = 0$ et le réel Δ lorsqu'on fait varier successivement les paramètres a, b puis c.

c. Conjecturer des conditions sur Δ pour que l'équation $g(x) = 0$ n'admette pas de solution, admette une seule solution, admette deux solutions.

Situation **D** Déterminer un bénéfice maximal

Objectifs
Déterminer
et utiliser
une fonction
polynôme de degré 2
pour résoudre
une inéquation.

Un constructeur automobile décide de commercialiser des voitures à bas coût : chaque voiture doit être vendue 6 milliers d'euros.

Sa production q peut varier entre 0 et 100 milliers de voitures. Suite à une étude réalisée, les coûts de production (en million d'euros) sont donnés par la formule suivante :
$C(q) = 0{,}05q^2 + q + 80$ (q exprimé en millier d'unités).

(1) Exprimer, en fonction de q, la recette notée $R(q)$, en million d'euros.

(2) En déduire, en fonction de q, la fonction polynôme du second degré B qui donne le bénéfice réalisé par l'entreprise.

(3) **a.** Vérifier que $B(q) = -0{,}05(q - 50)^2 + 45$.

b. Dans quel intervalle doit se situer la quantité de voitures produites pour réaliser un bénéfice positif ?

(4) Quel est le nombre d'automobiles à produire pour obtenir un bénéfice maximal ?

1. Fonctions polynômes du second degré

1. Fonction polynôme

Définition

Une **fonction polynôme de degré 2** est une fonction f définie sur $\mathbb{R}$ dont l'expression algébrique peut être mise sous la forme $f(x) = ax^2 + bx + c$, où a, b et c sont des réels avec $a \neq 0$.
Les réels a, b et c sont appelés **coefficients** de la fonction polynôme.

Remarque

L'expression $ax^2 + bx + c$ est dite **forme développée** de $f(x)$ ou **trinôme du second degré**.

2. Forme canonique

DÉMO
en ligne

Propriétés et définition

Toute fonction polynôme f de degré 2 de forme développée $ax^2 + bx + c$, admet une écriture de la forme $a(x - \alpha)^2 + \beta$, où $\alpha = -\dfrac{b}{2a}$ et $\beta = f(\alpha)$.

Cette écriture est la **forme canonique** de la fonction polynôme.

3. Variation et représentation graphique

Soit f une fonction polynôme de degré 2 telle que, pour tout x, $f(x) = ax^2 + bx + c$, avec $a \neq 0$.
On pose $\alpha = -\dfrac{b}{2a}$ et $\beta = f(\alpha)$.

Théorème

DÉMO
p. 55

• Si $a > 0$, alors f est strictement décroissante sur $]-\infty \,;\, \alpha]$ et strictement croissante sur $[\alpha \,;\, +\infty[$.
f admet un minimum égal à β atteint en $x = \alpha$.

• Si $a < 0$, alors f est strictement croissante sur $]-\infty \,;\, \alpha]$ et strictement décroissante sur $[\alpha \,;\, +\infty[$.
f admet un maximum égal à β atteint en $x = \alpha$.

Propriété (admise)

Dans un repère du plan, la courbe représentative de f est une **parabole** de sommet $S(\alpha \,;\, \beta)$ qui admet pour axe de symétrie la droite d'équation $x = \alpha$.

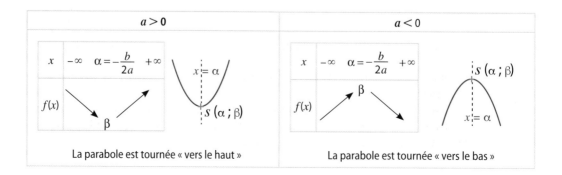

Exercice résolu 1 Déterminer la forme canonique

Déterminer la forme canonique du trinôme $f(x) = -x^2 + 2x - 5$.

✔ Solution commentée

Première méthode

f est une fonction polynôme de degré 2, de coefficients $a = -1$, $b = 2$ et $c = -5$. Son écriture canonique est $-(x - \alpha)^2 + \beta$, avec :

$$\alpha = -\frac{b}{2a} = -\frac{2}{-2} = 1 \quad \text{et} \quad \beta = f(\alpha) = f(1) = -4.$$

Donc pour tout x réel, $f(x) = -(x - 1)^2 - 4$.

Deuxième méthode

On écrit $f(x) = -(x^2 - 2x + 5)$ en factorisant par $a = -1$.
Puis, en remarquant que $x^2 - 2x = (x - 1)^2 - 1$, on obtient $f(x) = -[(x - 1)^2 - 1 + 5] = -(x - 1)^2 - 4$.

> **EXERCICE** 6 p. 64

Exercice résolu 2 Déterminer les variations d'une fonction polynôme de degré 2

Étudier les variations des fonctions f et g définies sur $\mathbb{R}$, par :

$$f(x) = 3 - (x + 2)^2 \text{ et } g(x) = 2x^2 + 4x - 3.$$

✔ Solution commentée

• $f(x) = -(x - (-2))^2 + 3$. On reconnaît la forme canonique de $f(x)$ avec $a = -1$, $\alpha = -2$ et $\beta = 3$.
f est donc strictement croissante sur $]-\infty\,;\,-2]$ et strictement décroissante sur $[-2\,;\,+\infty[$.
La fonction f admet alors un maximum égal à 3, atteint en -2.
• $g(x)$ est de la forme $ax^2 + bx + c$ avec $a = 2$, soit $a > 0$,

donc g admet un minimum en $\alpha = -\dfrac{b}{2a} = -\dfrac{4}{4} = -1$ égal à $g(-1) = -5$.

g est donc strictement décroissante sur $]-\infty\,;\,-1]$ et strictement croissante sur $[-1\,;\,+\infty[$.

> **EXERCICE** 7 p. 64

Exercice résolu 2 Identifier la forme d'une fonction polynôme de degré 2

Sans calculatrice, associer chaque fonction polynôme ci-dessous
à la parabole qui la représente.

$f(x) = -1 + 3\,(x - 3)^2$

$g(x) = -1 - 0{,}25(x - 3)^2$

$h(x) = x^2 - 6x + 7$

$i(x) = (x - 3)(7 - x)$

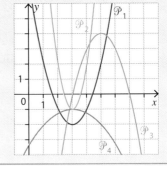

✔ Solution commentée

• La forme canonique de $f(x)$ indique que f admet un minimum ($a > 0$), égal à -1 atteint en 3.
  Elle est représentée par $\mathcal{P}_2$.
• La forme canonique de $g(x)$ indique que g admet un maximum ($a < 0$), égal à -1 atteint en 3.
  Elle est représentée par $\mathcal{P}_4$.
• L'écriture factorisée de $i(x)$ indique que ses racines sont 3 et 7, donc que sa représentation graphique
  coupe l'axe des abscisses aux points de coordonnées $(3\,;\,0)$ et $(7\,;\,0)$. On reconnaît la parabole $\mathcal{P}_3$.
• Par élimination, la fonction h est représentée par la courbe $\mathcal{P}_1$.

> **EXERCICE** 1 p. 64

2. Factorisation d'un trinôme et résolution de l'équation $ax^2 + bx + c = 0$ avec $a \neq 0$

1. Factorisation

Définition

Soit f une fonction polynôme du second degré, définie sur $\mathbb{R}$ par $f(x) = ax^2 + bx + c$, $a \neq 0$.
On appelle **discriminant** de f le réel, noté Δ, défini par $\Delta = b^2 - 4ac$.

✔ Exemples

$f(x) = 3x^2 + x - 2$;
f a pour discriminant $\Delta = 1^2 - 4 \times 3 \times (-2) = 1 + 24 = 25$.

Théorème

DÉMO
p. 54

Soit $f(x) = ax^2 + bx + c$, $a \neq 0$, un trinôme du second degré.

- Si $\Delta > 0$, alors $f(x) = a(x - x_1)(x - x_2)$, où $x_1 = \dfrac{-b + \sqrt{\Delta}}{2a}$ et $x_2 = \dfrac{-b - \sqrt{\Delta}}{2a}$.

- Si $\Delta = 0$, alors $f(x) = a(x - x_0)^2$, où $x_0 = -\dfrac{b}{2a}$.

- Si $\Delta < 0$, alors $f(x)$ ne peut pas s'écrire comme le produit de deux polynômes du 1er degré.

2. Résolution de l'équation $ax^2 + bx + c = 0$ avec $a \neq 0$

Théorème et définition

Une **équation du second degré** est une équation de la forme $ax^2 + bx + c = 0$, où a, b et c sont des réels et $a \neq 0$.

- Si $\Delta > 0$, alors l'équation $ax^2 + bx + c = 0$ admet deux solutions réelles distinctes :

$$x_1 = \frac{-b + \sqrt{\Delta}}{2a} \text{ et } x_2 = \frac{-b - \sqrt{\Delta}}{2a}.$$

- Si $\Delta = 0$, alors l'équation $ax^2 + bx + c = 0$ admet une unique solution réelle $x_0 = -\dfrac{b}{2a}$.

- Si $\Delta < 0$, alors l'équation $ax^2 + bx + c = 0$ n'admet pas de solution réelle.

Remarque

Les solutions de l'équation $ax^2 + bx + c = 0$, si elles existent, sont appelées les **racines du trinôme** $ax^2 + bx + c$.

3. Somme et produit des racines

Propriété

DÉMO
p. 66

Soient x_1 et x_2 les racines d'un polynôme du second degré $ax^2 + bx + c$, où a, b et c sont des réels et $a \neq 0$.
On a $x_1 + x_2 = -\dfrac{b}{a}$ et $x_1 \times x_2 = \dfrac{c}{a}$.

✔ Exemples

Le polynôme du second degré $P(x) = -x^2 + 2x + 3$ a pour discriminant $\Delta = 2^2 - 4 \times (-1) \times 3 = 16$.
$P(x)$ admet donc deux racines réelles x_1 et x_2.
On a alors $x_1 + x_2 = \dfrac{-2}{-1} = 2$ et $x_1 x_2 = \dfrac{3}{-1} = -3$.

Exercice résolu | 1 | Déterminer les solutions d'une équation du second degré

Résoudre les équations suivantes.

1 $x^2 - 3x + 1 = 0$ **2** $x^2 + x + 1 = 0$ **3** $0,3x^2 - 3x + 7,5 = 0$

∨ Solution commentée

1 On calcule le discriminant Δ. On a $a = 1$, $b = -3$ et $c = 1$.

$\Delta = b^2 - 4ac = (-3)^2 - 4 \times 1 \times 1 = 9 - 4 = 5$

$\Delta > 0$, donc l'équation admet deux solutions réelles distinctes :

$$x_1 = \frac{-b + \sqrt{\Delta}}{2a} = \frac{3 + \sqrt{5}}{2 \times 1} = \frac{3 + \sqrt{5}}{2} \text{ et}$$
$$x_2 = \frac{-b - \sqrt{\Delta}}{2a} = \frac{3 - \sqrt{5}}{2 \times 1} = \frac{3 - \sqrt{5}}{2}.$$

2 On calcule le discriminant Δ. On a $a = 1$, $b = 1$ et $c = 1$.

$\Delta = b^2 - 4ac = 1^2 - 4 \times 1 \times 1 = 1 - 4 = -3$

$\Delta < 0$, donc l'équation n'admet pas de solution réelle.

3 On calcule le discriminant Δ. On a $a = 0,3$, $b = -3$ et $c = 7,5$.

$\Delta = b^2 - 4ac = (-3)^2 - 4 \times 0,3 \times 7,5 = 9 - 9 = 0$

$\Delta = 0$, donc l'équation admet une unique solution réelle $x_0 = -\dfrac{b}{2a} = -\dfrac{-3}{2 \times 0,3} = \dfrac{3}{0,6} = 5.$

> **EXERCICE** 21 p. 66

Exercice résolu | 2 | Factoriser un trinôme du second degré

Déterminer les racines éventuelles et en déduire, si possible, une expression factorisée des trinômes du second degré suivants.

1 $f(x) = 3x^2 - 2x + 2$ **2** $g(x) = -2x^2 + 5x + 3$ **3** $h(x) = 18x^2 - 12x + 2$

∨ Solution commentée

1 $\Delta = b^2 - 4ac = (-2)^2 - 4 \times 3 \times 2 = 4 - 24 = -20$

$\Delta < 0$, donc $f(x)$ ne peut pas être factorisé.

2 $\Delta = b^2 - 4ac = 5^2 - 4 \times (-2) \times 3 = 25 + 24 = 49$

$\Delta > 0$, donc $g(x)$ peut être factorisé sous la forme $a(x - x_1)(x - x_2)$, où $x_1 = \dfrac{-b + \sqrt{\Delta}}{2a}$ et $x_2 = \dfrac{-b - \sqrt{\Delta}}{2a}$.

Or $x_1 = \dfrac{-b + \sqrt{\Delta}}{2a} = \dfrac{-5 + 7}{2 \times (-2)} = \dfrac{2}{-4} = -\dfrac{1}{2}$ et $x_2 = \dfrac{-b - \sqrt{\Delta}}{2a} = \dfrac{-5 - 7}{2 \times (-2)} = \dfrac{-12}{-4} = 3.$

On substitue les valeurs dans l'expression factorisée ci-dessus :

$$g(x) = -2\left(x - \left(-\frac{1}{2}\right)\right)(x - 3) = -2\left(x + \frac{1}{2}\right)(x - 3) = (-2x - 1)(x - 3)$$

3 $\Delta = b^2 - 4ac = (-12)^2 - 4 \times 18 \times 2 = 144 - 144 = 0$

$\Delta = 0$, donc $h(x)$ peut être factorisé sous la forme $h(x) = a(x - x_0)^2$, où $x_0 = -\dfrac{b}{2a} = -\dfrac{-12}{2 \times 18} = \dfrac{12}{36} = \dfrac{1}{3}.$

On substitue la valeur dans l'expression factorisée ci-dessus : $h(x) = 18\left(x - \dfrac{1}{3}\right)^2.$

> **EXERCICE** 18 p. 65

Exercice résolu | 3 | Détecter les racines d'un polynôme du second degré

Soit le polynôme $f(x) = 5x^2 - 4x - 1$.

• Trouver une racine dite « évidente » de $f(x)$ et en déduire la deuxième racine.

∨ Solution commentée

$5 \times 1^2 - 4 \times 1 - 1 = 0$, donc 1 est racine évidente de $f(x)$.

Soit x_2 la deuxième racine.

$1 \times x_2 = \dfrac{c}{a} = -\dfrac{1}{5}$, donc $x_2 = -\dfrac{1}{5}.$

> **EXERCICE** 24 p. 66

3. Signe d'un trinôme du second degré

Théorème

▶ DÉMO
p. 68

Soit f une fonction polynôme du second degré, définie sur $\mathbb{R}$ par $f(x) = ax^2 + bx + c$, avec $a \neq 0$.
- Si $\Delta > 0$, alors $f(x)$ s'annule en x_1 et x_2 et est du signe de a sur $]-\infty\,;x_1[\cup \,]x_2\,;+\infty[$, où x_1 et x_2 sont les racines ($x_1 < x_2$).
- Si $\Delta = 0$, alors $f(x)$ s'annule en son unique racine x_0 et est du signe de a sur $\mathbb{R} \setminus \{x_0\}$.
- Si $\Delta < 0$, alors $f(x)$ est du signe de a sur $\mathbb{R}$.

Illustration graphique

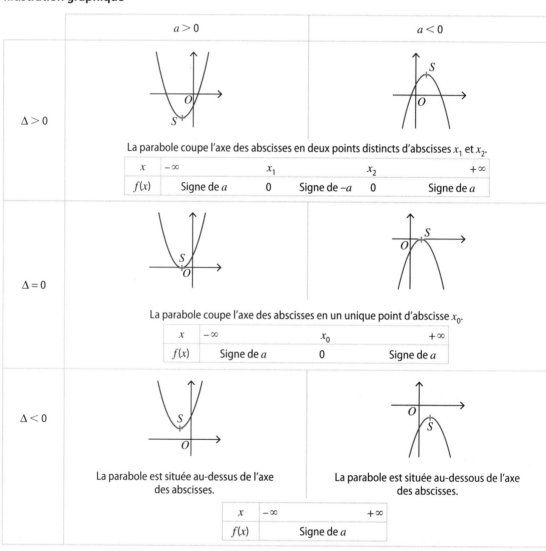

$\Delta > 0$ — La parabole coupe l'axe des abscisses en deux points distincts d'abscisses x_1 et x_2.

x	$-\infty$		x_1		x_2		$+\infty$
$f(x)$		Signe de a	0	Signe de $-a$	0	Signe de a	

$\Delta = 0$ — La parabole coupe l'axe des abscisses en un unique point d'abscisse x_0.

x	$-\infty$		x_0		$+\infty$
$f(x)$		Signe de a	0	Signe de a	

$\Delta < 0$ — La parabole est située au-dessus de l'axe des abscisses. / La parabole est située au-dessous de l'axe des abscisses.

x	$-\infty$		$+\infty$
$f(x)$		Signe de a	

Remarque

On peut retenir ce théorème sous la forme :
Le trinôme $ax^2 + bx + c$ est du signe de $-a$ entre les racines quand elles existent ou du signe de a sauf entre les racines quand elles existent.

∨ Exemple

Le polynôme $(1 - x)(3x - 2)$ a pour racines 1 et $\dfrac{2}{3}$. Le coefficient a est le coefficient de x^2.
On a $a = -3 < 0$.
Le trinôme est du signe de $-a$ donc positif sur l'intervalle $\left[\dfrac{2}{3}\,;1\right]$ et du signe de a donc négatif sur
$\left]-\infty\,;\dfrac{2}{3}\right] \cup [1\,;+\infty[$.

Exercice résolu **1** **Étudier le signe d'un trinôme du second degré**

Dresser le tableau de signes des fonctions f et g définies ci-dessous et les représenter graphiquement avec la calculatrice pour contrôler les résultats.

1 $f(x) = -3x^2 - 5x + 2$ **2** $g(x) = 2x^2 - 4x + 2,4$

Solution commentée

1 $\Delta = b^2 - 4ac = (-5)^2 - 4 \times (-3) \times 2 = 25 + 24 = 49$

$\Delta > 0$, donc le trinôme $f(x)$ admet deux racines réelles distinctes :

$x_1 = \dfrac{-b + \sqrt{\Delta}}{2a} = \dfrac{5 + 7}{2 \times (-3)} = \dfrac{12}{-6} = -2$ et $x_2 = \dfrac{-b - \sqrt{\Delta}}{2a} = \dfrac{5 - 7}{2 \times (-3)} = \dfrac{-2}{-6} = \dfrac{1}{3}$.

$a < 0$, donc on obtient le tableau de signes suivant.

x	$-\infty$		-2		$\dfrac{1}{3}$		$+\infty$
$f(x)$		$-$	0	$+$	0	$-$	

Sur la calculatrice, on constate qu'effectivement la parabole coupe l'axe des abscisses aux points d'abscisses -2 et $\dfrac{1}{3}$ et est au-dessus de cet axe sur $\left]-2 ; \dfrac{1}{3}\right[$.

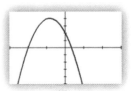

2 $\Delta = b^2 - 4ac = (-4)^2 - 4 \times 2 \times 2,4 = 16 - 19,2 = -3,2$

$\Delta < 0$, donc le trinôme $g(x)$ est du signe de a (ici $a = 2$) sur $\mathbb{R}$.

On obtient le tableau de signes suivant.

x	$-\infty$	$+\infty$
$f(x)$		$+$

Sur la calculatrice, on constate qu'effectivement la parabole est située strictement au-dessus de l'axe des abscisses.

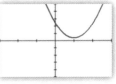

> EXERCICE 34 p. 67

Exercice résolu **2** **Résoudre une inéquation du second degré**

Résoudre les inéquations suivantes.

1 $(2x + 1)(3 - x) > 0$ **2** $-2x^2 + 5x \leqslant 4$ **3** $(x - 4)^2 \leqslant (-5x + 2)^2$

Solution commentée

1 Le trinôme $(2x + 1)(3 - x)$ admet deux racines $-\dfrac{1}{2}$ et 3.

Le coefficient de x^2 est $a = -2$, donc l'ensemble des solutions de l'inéquation est $\left]-\dfrac{1}{2} ; 3\right[$.

2 L'inéquation $-2x^2 + 5x \leqslant 4$ est équivalente à $-2x^2 + 5x - 4 \leqslant 0$.

$\Delta = b^2 - 4ac = 5^2 - 4 \times (-2) \times (-4) = 25 - 32 = -7$

$\Delta < 0$, alors le trinôme $-2x^2 + 5x - 4$ est du signe de a (ici $a = -2$) sur $\mathbb{R}$, donc l'ensemble des solutions de l'inéquation est $\mathbb{R}$.

3 L'inéquation $(x - 4)^2 \leqslant (-5x + 2)^2$ est équivalente à $(x - 4)^2 - (-5x + 2)^2 \leqslant 0$.

On reconnaît une identité remarquable : $(x - 4)^2 - (-5x + 2)^2$ est de la forme $A^2 - B^2$.

On obtient ainsi :

$(x - 4)^2 - (-5x + 2)^2 \leqslant 0 \Leftrightarrow [x - 4 - (-5x + 2)][x - 4 + (-5x + 2)] \leqslant 0$

$\Leftrightarrow (6x - 6)(-4x - 2) \leqslant 0$.

Le trinôme $(6x - 6)(-4x - 2)$ admet deux racines 1 et $-\dfrac{1}{2}$ (les valeurs qui annulent chacun des deux facteurs).

Le coefficient de x^2 est $a = -24$, donc l'ensemble des solutions de l'inéquation est $\left]-\infty ; -\dfrac{1}{2}\right] \cup [1 ; +\infty[$.

> EXERCICE 36 p. 67

Comprendre une démonstration

On présente la démonstration de la propriété suivante. La lire attentivement puis répondre aux questions posées.

On considère l'équation du second degré $ax^2 + bx + c = 0$ où a, b et c sont des réels et $a \neq 0$.
On pose $\Delta = b^2 - 4ac$.

- Si $\Delta > 0$, alors l'équation admet deux solutions réelles distinctes :
$$x_1 = \frac{-b + \sqrt{\Delta}}{2a} \text{ et } x_2 = \frac{-b - \sqrt{\Delta}}{2a}.$$
- Si $\Delta = 0$, alors l'équation admet une unique solution réelle $x_0 = -\frac{b}{2a}$.
- Si $\Delta < 0$, alors l'équation n'admet pas de solution réelle.

⌄ Démonstration

On démontre dans le cas où $\Delta > 0$.
La forme canonique du polynôme du second degré $ax^2 + bx + c$ est :
$$a(x - \alpha)^2 + \beta = a\left(x + \frac{b}{2a}\right)^2 - \frac{b^2 - 4ac}{4a} = a\left(x + \frac{b}{2a}\right)^2 - \frac{\Delta}{4a} = a\left(\left(x + \frac{b}{2a}\right)^2 - \frac{\Delta}{4a^2}\right)$$

$ax^2 + bx + c = a\left[\left(x + \frac{b}{2a}\right)^2 - \left(\frac{\sqrt{\Delta}}{2a}\right)^2\right]$ comme $\Delta > 0$, $\Delta = \left(\sqrt{\Delta}\right)^2$ et $4a^2 = (2a)^2$ \hfill (1)

Donc $ax^2 + bx + c = 0 \Leftrightarrow a\left[\left(x + \frac{b}{2a}\right)^2 - \left(\frac{\sqrt{\Delta}}{2a}\right)^2\right] = 0$ \hfill (2)

$\Leftrightarrow \left(x + \frac{b}{2a}\right)^2 - \left(\frac{\sqrt{\Delta}}{2a}\right)^2 = 0$, car $a \neq 0$ \hfill (3)

$\Leftrightarrow \left(x + \frac{b}{2a} - \frac{\sqrt{\Delta}}{2a}\right)\left(x + \frac{b}{2a} + \frac{\sqrt{\Delta}}{2a}\right) = 0$ \hfill (4)

$\Leftrightarrow x + \frac{b}{2a} - \frac{\sqrt{\Delta}}{2a} = 0$ ou $x + \frac{b}{2a} + \frac{\sqrt{\Delta}}{2a} = 0$ \hfill (5)

$\Leftrightarrow x = -\frac{b}{2a} + \frac{\sqrt{\Delta}}{2a}$ ou $x = -\frac{b}{2a} - \frac{\sqrt{\Delta}}{2a}$ \hfill (6)

L'équation a donc deux solutions distinctes : $x_1 = \frac{-b + \sqrt{\Delta}}{2a}$ et $x_2 = \frac{-b - \sqrt{\Delta}}{2a}$.

1 Rappeler l'expression de α et β en fonction des coefficients a, b et c.

2 Expliquer comment on est passé de l'expression de la ligne (3) à l'expression de la ligne (4).

3 Quelle propriété mathématique a-t-on utilisée pour passer de la ligne (4) à la ligne (5) ?

4 Pourquoi a-t-on pu écrire chaque solution sous la forme d'une seule fraction ?

5 Terminer les cas $\Delta = 0$ et $\Delta < 0$.

Rédiger une démonstration

 On souhaite démontrer la propriété suivante.

> Soit f une fonction polynôme de degré 2 définie sur $\mathbb{R}$ par $f(x) = ax^2 + bx + c$, avec $a \neq 0$.
> On pose $\alpha = -\dfrac{b}{2a}$ et $\beta = f(\alpha)$.
> Si $a > 0$: f est strictement décroissante sur $]-\infty\,;\alpha]$ et strictement croissante sur $[\alpha\,;+\infty[$.

En utilisant les indications suivantes, rédiger la démonstration.
- Écrire la forme canonique de la fonction f en fonction de α et β.
- Considérer deux nombres réels u et v appartenant à $]-\infty\,;\alpha]$ tels que $u \leqslant v$.
- Comparer $u - \alpha$ et $v - \alpha$.
- Comparer alors $(u - \alpha)^2$ et $(v - \alpha)^2$ en justifiant précisément.
- En déduire une comparaison de $f(u)$ et $f(v)$ et conclure.
- Reprendre la démonstration avec deux nombres réels u et v appartenant à $[\alpha\,;+\infty[$ tels que $u \leqslant v$.
- Conclure.

 On souhaite démontrer la propriété suivante.

> Soit f une fonction polynôme du second degré, définie sur $\mathbb{R}$ par $f(x) = ax^2 + bx + c$, avec $a \neq 0$.
> Si $\Delta < 0$, alors $f(x)$ est du signe de a sur $\mathbb{R}$.

En utilisant les indications suivantes, rédiger la démonstration.
- Écrire la forme canonique de la fonction f en fonction de a, b et Δ.
- Conclure sur le signe de $f(x)$.

Utiliser différents raisonnements

Pour chaque affirmation ci-dessous, dire si elle est vraie ou fausse. Justifier la réponse.

 Un trinôme qui a un discriminant positif admet au moins une racine dans $\mathbb{R}$.

 Si a et c sont de signes contraires, alors le trinôme $ax^2 + bx + c$ admet deux racines.

 Deux trinômes qui ont les mêmes racines sont égaux.

Contre-exemple

Un contre-exemple permet de montrer qu'une proposition mathématique est fausse en donnant un exemple pour lequel la proposition n'est pas vérifiée.

Expression d'une fonction polynôme du second degré

- Une fonction polynôme de degré 2 est une fonction définie sur $\mathbb{R}$.
- Sa forme développée est :
$$ax^2 + bx + c, \text{ avec } a \neq 0.$$
- Sa forme canonique est :
$$a(x - \alpha)^2 + \beta,$$
où $\alpha = -\dfrac{b}{2a}$ et $\beta = f(\alpha)$.

Variation et représentation graphique

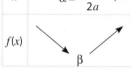

La parabole est tournée « vers le haut ».

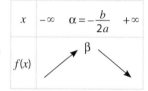

La parabole est tournée « vers le bas ».

Résolution d'équation de degré 2
Factorisation éventuelle et signe d'un trinôme

Discriminant $\Delta = b^2 - 4ac$	Équation $f(x) = 0$	Factorisation de $f(x)$	Signe de $f(x)$	Représentation graphique $a > 0$	$a < 0$
$\Delta < 0$	Pas de solution dans $\mathbb{R}$	Ne se factorise pas dans $\mathbb{R}$	Du signe de a pour tout réel x		
$\Delta = 0$	Une seule solution dans $\mathbb{R}$ $-\dfrac{b}{2a}$	Pour tout réel x $f(x) = a\left(x + \dfrac{b}{2a}\right)^2$	Du signe de a pour tout réel x, et s'annule en $-\dfrac{b}{2a}$		
$\Delta > 0$	Deux solutions réelles $x_1 = \dfrac{-b + \sqrt{\Delta}}{2a}$ $x_2 = \dfrac{-b - \sqrt{\Delta}}{2a}$ Somme $S = -\dfrac{b}{a}$ Produit $P = \dfrac{c}{a}$	Pour tout réel x $f(x) = a(x - x_1)(x - x_2)$	Du signe de a sauf entre les racines		

Effectuer les exercices ❶ à ⓫ et vérifier les réponses.
Si nécessaire, réviser les points de cours en texte ou en vidéo.

❶ Parmi les expressions algébriques des fonctions suivantes, déterminer celles qui sont des fonctions polynômes du second degré.

a. $x^2 - x$
b. $x^3 + x^2 + x + 11$
c. $-7x + 4$
d. $x(x + 2)$
e. $x^2 - (x + 2)^2$
f. $(3x + 5)^2 - 25$
g. $\dfrac{1}{x^2 + 2}$
h. $\left(3 + \sqrt{x}\right)^2$

❷ Donner la forme canonique des fonctions f et g définies par :
$$f(x) = 2x^2 + 4x - 7 \text{ et } g(x) = -x^2 + 3x.$$

❸ Dans un repère $(O\,;\vec{i},\vec{j})$ du plan, la parabole ci-dessous représente une fonction polynôme du second degré f.

• Déterminer la forme canonique de $f(x)$.

❹ On donne ci-dessous le tableau de variation d'une fonction polynôme du second degré f.

On sait de plus que $f(-1) = 0$.
• Déterminer une expression de $f(x)$.

❺ Dresser le tableau de variation des fonctions f et g définies sur $\mathbb{R}$ par :
$$f(x) = x^2 - 2x + 7 \text{ et } g(x) = 4 - (x + 3)^2.$$

❻ Résoudre dans $\mathbb{R}$ les équations suivantes.
1. $x^2 - 4x - 12 = 0$
2. $-4x^2 + 4x - 1 = 0$
3. $x^2 - x + 1 = 0$

❼ Donner, si possible, la forme factorisée des fonctions f et g définies par :
$$f(x) = 4x^2 + x + 1 \text{ et } g(x) = 2x^2 - 2x - 1.$$

❽ f est une fonction polynôme de degré 2 qui vérifie les conditions suivantes :
• $f(x) = 0$ a pour solutions -2 et 1 ;
• $f(-1) = -2$.
• Déterminer une expression de $f(x)$.

❾ Résoudre l'équation $6x^2 + 5x - 1 = 0$ après en avoir déterminé une racine évidente.

❿ Étudier le signe de $f(x)$ et de $g(x)$.
$$f(x) = 5x^2 - 2x + 1$$
$$g(x) = -2x^2 - 7x + 9$$

⓫ Résoudre dans $\mathbb{R}$ les inéquations suivantes.
$$(-2x + 7)(x + 11) \geqslant 0 \text{ et } 3x^2 - 5x + 2 > 0.$$

▶ **CORRIGÉS DES EXERCICES**

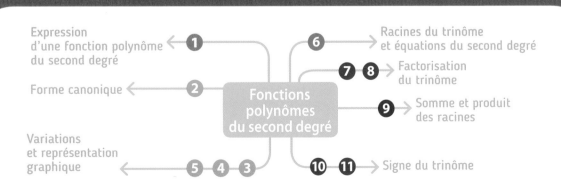

TP **1** **Intersection de courbes avec l'axe des abscisses**

Objectif
Utiliser un discriminant dans une instruction conditionnelle.

1 Écrire en langage naturel, un programme qui teste si la représentation graphique d'une fonction polynôme du second degré coupe ou non l'axe des abscisses.

2 Le traduire en langage Python et le programmer.

3 Le tester avec les fonctions f, g, h, k, l et m définies sur $\mathbb{R}$, par :

$$f(x) = \frac{7}{3}x^2 + x + 1 ; \qquad\qquad g(x) = x^2 + x + \frac{1}{4} ;$$
$$h(x) = 5x^2 - 4x - 1 ; \qquad\qquad k(x) = 3x^2 + 20x - 7 ;$$
$$l(x) = x^2 + (\sqrt{5} + 1)x - 2\sqrt{5} ; \quad m(x) = 5x^2 + (10^{12} - 10^{-12})x - 1.$$

4 Confirmer ou infirmer les résultats donnés par le programme et préciser les abscisses des points d'intersection (quand ils existent) de la courbe et de l'axe des abscisses.

TP **2** **Une seconde marche aléatoire**

Objectif
Représenter une marche aléatoire.

Soient f la fonction définie sur $\mathbb{R}$ par $f(x) = -x^2 + 4x - 3$ et $\mathscr{C}$ sa représentation graphique dans un repère orthonormé.
On souhaite évaluer l'aire $\mathscr{A}_{\mathscr{D}}$ du domaine $\mathscr{D}$ délimité par la courbe de f et l'axe des abscisses par la méthode de Monte-Carlo décrite ci-dessous. On choisit un point M au hasard appartenant au rectangle $ABCD$ contenant le domaine $\mathscr{D}$.
On admet que la probabilité p qu'un point M appartienne au domaine $\mathscr{D}$ est égale au quotient de l'aire $\mathscr{A}_{\mathscr{D}}$ par l'aire du rectangle $\mathscr{A}_{ABCD}$.

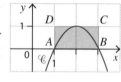

1 Exprimer $\mathscr{A}_{\mathscr{D}}$ en fonction de p.

2 Pour évaluer p, on simule l'expérience aléatoire qui consiste à choisir n points au hasard dans le rectangle $ABCD$. Pour n suffisamment grand, la fréquence des points M qui sont dans le domaine $\mathscr{D}$ est une valeur approchée de p.

Soit un point $M(x ; y)$ choisi dans le rectangle $ABCD$.

a. Donner un encadrement de x et un encadrement de y.

b. La fonction random ( ) de Python renvoie un nombre aléatoire dans l'intervalle $[0 ; 1[$.

Déterminer les coefficients a et b pour que x = a random ( )+b appartienne à l'intervalle souhaité.

Compléter le programme suivant écrit en Python afin qu'il affiche la fréquence des points M appartenant au domaine $\mathscr{D}$ en fonction de n.

```
1 from random import *
2 def aire(n):
3     c=0
4     for i in range (1,...):
5         x=...*random()+...
6         y=...
7         if ...:
8             c=...
9     return ...
```

3 Tester ce programme et évaluer $\mathscr{A}_{\mathscr{D}}$.

TP ❸ L'algorithme de Héron

Objectif
Écrire un programme avec une boucle for pour déterminer le comportement d'une suite.

Soit a un entier naturel. On définit la suite (u_n) par $u_0 = a$ et, pour tout entier naturel n,

$$u_{n+1} = \frac{1}{2}\left(u_n + \frac{a}{u_n}\right).$$

① **a.** Écrire une fonction en Python, nommée u, qui calcule les termes de cette suite, n et a étant choisis par l'utilisateur.

b. Tester la fonction pour $a = 2$ et $n = 10$.

Que remarque-t-on ?

c. Modifier cet algorithme pour qu'il affiche une valeur approchée de $\sqrt{a}$ à 10^{-n} près, n et a étant choisis par l'utilisateur. Le programmer et le tester pour $a = 5$ et $n = 3$.

② Soit le polynôme $f(x) = x^2 + 2x - 4$.

a. Donner la forme canonique de $f(x)$.

b. Modifier l'algorithme de la question 1 c pour calculer des valeurs approchées des racines de $f(x)$ à 10^{-3} près.

TP ❹ Les lunules d'Hippocrate

Objectif
Écrire un programme avec une boucle while.

Soient un demi-cercle $\mathscr{C}$ de centre O, de diamètre $[AB]$, avec $AB = 8$ cm et M un point mobile sur le segment $[AB]$. On construit les deux demi-disques $\mathscr{D}_1$ et $\mathscr{D}_2$ de diamètre $[AM]$ et $[MB]$. On pose $x = AM$.

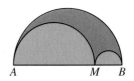

① Déterminer l'expression de l'aire de la surface rose en fonction de la position du point M.

② Compléter la fonction suivante écrite en langage Python afin qu'elle détermine la position du point M pour laquelle l'aire de la surface rose est égale à la moitié de l'aire du demi-disque de diamètre $[AB]$.

```
1  from math import pi
2  def lunule():
3      x=0
4      a=0
5      while a!=...:
6          x=x+0.1
7          a=...
8      return x
```

③ Existe-t-il une position du point M pour laquelle l'aire de la surface rose est égale à trois quarts de l'aire du demi-disque de diamètre $[AB]$?

④ Retrouver ces résultats par le calcul.

Boîte à outils

MÉMENTO PYTHON : VOIR RABATS

• La boucle Tant que s'écrit de la manière suivante.

Tant qu'une condition est vérifiée faire instruction

```
while condition:
    instruction
```

• Calculer une racine $\sqrt{x}$, s'écrit de la manière suivante.

```
sqrt(x)
```

• Tester si a est différent de b.

```
a!=b
```

• La fonction random renvoie aléatoirement un nombre décimal compris entre 0 et 1.

```
random()
```

TP **5** À la plage LOGICIEL DE GÉOMÉTRIE

Objectif
Résoudre
un problème
d'optimisation.

Un maître-nageur veut délimiter en bord d'océan une zone de baignade rectangulaire à l'aide d'une ligne de flotteurs qui mesure 32 mètres.

1 Conjecturer à l'aide d'un logiciel de géométrie dynamique les dimensions du rectangle afin que son aire soit maximale.

2 Démontrer cette conjecture.

TP **6** Quand les paramètres s'en mêlent LOGICIEL DE GÉOMÉTRIE

Objectif
Résoudre
des équations
et inéquations avec
des paramètres.

Soient la parabole $\mathcal{P}$ d'équation $y = x^2$ et la droite $\mathcal{D}$ d'équation $y = mx + m$, où m est un réel.

1 **a.** Dans un logiciel de géométrie dynamique, créer un curseur m variant de –10 à 10 avec un incrément de 0,1 puis la droite $\mathcal{D}$ et la parabole $\mathcal{P}$.
b. Conjecturer, suivant les valeurs du réel m, l'existence des points d'intersection de $\mathcal{D}$ et $\mathcal{P}$ ainsi que la position relative de ces deux courbes.

2 Démontrer ces conjectures.

TP **7** Équidistance LOGICIEL DE GÉOMÉTRIE

Objectif
Déterminer un
ensemble
de points.

Soient une droite $\mathcal{D}$ et un point F non situé sur la droite $\mathcal{D}$.
On se propose de déterminer l'ensemble des points du plan équidistants de $\mathcal{D}$ et de F.

1 **a.** À l'aide d'un logiciel de géométrie dynamique, construire une droite $\mathcal{D}$ et un point F.
Construire aussi un point H sur la droite $\mathcal{D}$ et la droite $\mathcal{T}$ perpendiculaire à $\mathcal{D}$ en H.
b. Construire un point M appartenant à la droite $\mathcal{T}$ équidistant de F et H et, en utilisant le mode *Trace*, conjecturer l'ensemble des points M lorsque H décrit la droite $\mathcal{D}$.

2 Démonstration : on se place dans un repère orthonormé $(O\,;\vec{i},\vec{j})$ tel que $\mathcal{D}$ est la droite $(O\,;\vec{i})$ et le point F est sur la droite $(O\,;\vec{j})$. Soit $M\,(x\,;y)$ un point quelconque du plan.
a. Établir une relation liant x et y pour que M soit équidistant de F et de $\mathcal{D}$.
b. En déduire la nature de l'ensemble géométrique des points M équidistants de $\mathcal{D}$ et F.

Rappel : la distance d'un point M à une droite d est la distance MH où H est le projeté orthogonal de M sur d.

| TP | 8 | **Aire sous la courbe avec la méthode des trapèzes** TABLEUR |

Objectif
Déterminer l'aire sous une courbe.

On a tracé ci-dessous la courbe représentative, sur l'intervalle [1 ; 3], de la fonction polynôme du second degré, définie par $f(x) = 3x^2 - 6x + 4$.

On propose ici une méthode pour déterminer une valeur approchée de l'aire du domaine délimité par la courbe de f, l'axe des abscisses et les droites d'équation $x = 1$ et $x = 3$.

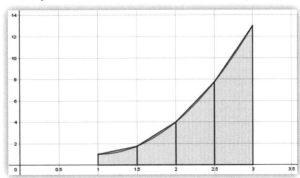

(1) **a.** Observer la construction des trapèzes.

b. Indiquer le calcul à effectuer pour obtenir la somme des aires de ces quatre trapèzes. En déduire une valeur approchée de l'aire.

c. On donne ci-dessous cette somme dans une feuille de calcul.

La colonne C contient l'aire des trapèzes successifs.

La colonne D contient les aires cumulées des trapèzes.

Quelles formules peut-on saisir dans les cellules A3, B2, C2, D2 et D3 ? Réaliser cette feuille de calcul.

	A	B	C	D
1	x	f(x)	aire des trapèzes	aire cumulée
2	1	1	0,6875	0,6875
3	1,5	1,75	1,4375	2,1250
4	2	4	2,9375	5,0625
5	2,5	7,75	5,1875	10,2500
6	3	13		

(2) À présent on décide de partager le segment [1 ; 3] en n intervalles de même longueur (où n est un entier naturel). On obtient n trapèzes.

a. Modifier la feuille de calcul de façon à obtenir la somme des aires des trapèzes pour $n = 10$, puis $n = 100$ et enfin $n = 1\ 000$.

b. Conjecturer la valeur de l'aire du domaine délimité par la courbe de f, l'axe des abscisses et les droites d'équation $x = 1$ et $x = 3$.

Boîte à outils

Logiciel de géométrie

• Créer un curseur nommé a en utilisant l'icône [a•2] puis régler les paramètres du curseur.

Tableur

• Élever le contenu de la cellule A2 au carré :

=A2^2

Réfléchir, parler & réagir

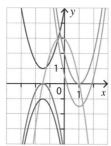

1 Soit f la fonction polynôme du second degré définie par $f(x) = 2x^2 + x - 3$ et soit $\mathscr{P}$ la parabole représentant cette fonction.
1. Déterminer les coordonnées des points d'intersection de $\mathscr{P}$ et des axes du repère.
2. Déterminer les coordonnées du sommet de $\mathscr{P}$.

2 Soit g la fonction polynôme du second degré définie par $g(x) = (x + 1)^2 - 9$.
1. Donner la forme factorisée puis la forme développée de $g(x)$.
2. Utiliser la forme la plus adaptée pour :
a. résoudre l'équation $g(x) = 0$;
b. donner le minimum de la fonction g sur $\mathbb{R}$;
c. donner l'image de 0 par la fonction g.

3 Résoudre $(5 - 2x)(x + 1) > 0$.

4 Justifier que le trinôme $3x^2 - 10x + 3$ admet deux racines inverses l'une de l'autre, et préciser leur signe.

5 Factoriser le trinôme $x^2 + 4x - 5$, après avoir détecté une racine évidente.

6 On donne deux fonctions f et g polynômes du second degré définies par :
$$f(x) = (6 - 2x)(x + 1)$$
$$\text{et } g(x) = 2x^2 + 4x - 3$$
et leurs courbes représentatives.
• Associer chaque fonction à sa courbe, puis déterminer les coordonnées des points marqués.

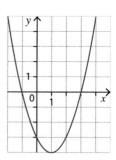

DIAPORAMA
CALCUL MENTAL
EN PLUS

7 Les six courbes représentées sur le dessin ci-dessous sont les représentations graphiques de fonctions polynômes du second degré de la forme $x \mapsto ax^2 + bx + c$.

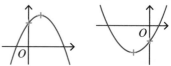

• Indiquer la courbe qui correspond à chacun des cas suivants.
a. $\Delta > 0$ et $a < 0$.
b. $\Delta < 0$ et $a > 0$.
c. $\Delta = 0$ et $a < 0$.

8 Dresser le tableau de variation des fonctions définies sur $\mathbb{R}$ par :
a. $f(x) = -3(x - 2)^2 + 4$
b. $g(x) = 4x - x^2$
c. $h(x) = (x - 1)(x + 7)$

9 [QCM] Donner la (ou les) réponse(s) correcte(s) parmi les trois proposées.
1. Soit f la fonction définie par $f(x) = -3x^2 - 5x + 8$.
a. $f(x)$ admet deux racines de signes différents.
b. Une factorisation de $f(x)$ est $-3(x - 1)\left(x + \dfrac{8}{3}\right)$.
c. Une factorisation de $f(x)$ est $(1 - x)(3x + 8)$.
2. Soit la fonction g définie sur $\mathbb{R}$ par :
$$g(x) = 5 - (1 + 7x)^2.$$
a. $g(x)$ est positif pour tout x réel.
b. $g(x)$ ne se factorise pas dans $\mathbb{R}$.
c. g admet un maximum positif sur $\mathbb{R}$.

10 La courbe $\mathscr{C}$ ci-contre représente une fonction polynôme du second degré f.
Compléter :
a. $f(x) = (x - \ldots)(x - \ldots)$
b. $f(x) = (x - \ldots)^2 + \ldots$
c. $f(x) = x^2 + \ldots x + \ldots$

Préparation d'un oral

Préparer une trace écrite permettant de présenter à l'oral une argumentation indiquant si les propositions sont vraies ou fausses.

1 Soit f la fonction définie sur $\mathbb{R}$ par $f(x) = (3x - 1)(x + 7)$.
$f(\pi - \sqrt{2})$ est un réel positif.

2 Soit f une fonction polynôme de degré 2 telle que $f(-1) = f(4)$ et admettant pour minimum -3.
$f(0,9) < f(0,95)$

Travail en groupe

45 min

Constituer des groupes de 4 élèves qui auront chacun un des rôles suivants.
Résoudre tous ensemble la situation donnée. Remettre une trace écrite de cette résolution.

Animateur
- responsable du niveau sonore du groupe
- distribue la parole pour que chacun s'exprime

Rédacteur en chef
- responsable de la trace écrite rédigée par tous les membres du groupe

Ambassadeur
- porte-parole du groupe, seul autorisé à communiquer avec le professeur et, éventuellement, d'autres groupes

Maître du temps
- responsable de l'avancement du travail du groupe
- veille au respect du temps imparti

Les principaux éléments de l'Airbus A380 sont transportés sur des barges naviguant sur la Garonne jusqu'aux usines de Toulouse où ils sont assemblés. La barge *Le Breuil* passe alors sous le pont de Pierre à Bordeaux.

La barge a pour largeur 14 mètres et passe à marée basse sous la 9e arche. La partie parabolique de cette arche possède une flèche de 6 mètres. Les piliers qui soutiennent la partie parabolique sont à découvert sur 4 mètres à marée basse. L'ouverture de la 9e arche est de 20 mètres.

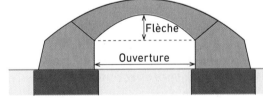

1. Des éléments de l'avion sont entreposés dans un conteneur de forme parallélépipédique de largeur 14 mètres posé au fond de la barge, fond que l'on suppose se trouver au niveau de l'eau. Sachant qu'on laisse une marge de sécurité de 50 cm, quelle doit être la hauteur maximale du conteneur pour passer sous l'arche sans encombre ?

2. Un article du journal *Sud-Ouest* indique que des éléments du fuselage de l'A380 mesurant 8 mètres de haut franchissent le pont de Pierre. Sachant qu'on laisse une marge de sécurité de 50 cm, quelle est la largeur maximale de ces éléments ?

Exposé

voir p. 44

Après avoir effectué les recherches indiquées, préparer une présentation orale, un poster ou un diaporama.

Le mathématicien Al-Khwarizmi valide son algorithme de résolution de l'équation $x^2 + 10x = 39$ par une méthode géométrique. Elle consiste à découper un carré en plusieurs parties comme indiqué sur la figure ci-contre. Cette méthode s'appelle la « complétion du carré ».
Faire des recherches sur cette méthode et résoudre l'équation.

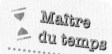

	5	x
5	25	$5x$
x	$5x$	x^2

Fonctions polynômes

1 On donne trois formes d'une même fonction polynôme.

Forme 1 : $f(x) = 3\left(x - \dfrac{1}{2}\right)^2 - \dfrac{27}{4}$

Forme 2 : $f(x) = 3(x + 1)(x - 2)$

Forme 3 : $f(x) = 3x^2 - 3x - 6$

1. Comment appelle-t-on chacune de ces formes ?

2. Vérifier que ces trois formes sont égales.

3. Dire pour chaque affirmation si elle est vraie ou fausse et justifier la réponse à l'aide de l'une des formes précédentes de $f(x)$.

a. −6 est l'image de 0 par f.

b. L'équation $f(x) = 0$ admet exactement deux solutions.

c. $-\dfrac{27}{4}$ est le minimum de la fonction.

d. $f\left(\dfrac{1}{6}\right) = f\left(\dfrac{5}{6}\right)$

2 La parabole ci-dessous tracée dans un repère orthonormé, représente une fonction polynôme du second degré f.

• Utiliser le graphique pour déterminer la forme factorisée de $f(x)$.

3 La parabole ci-dessous représente une fonction polynôme du second degré f.

• Utiliser le graphique pour déterminer la forme canonique de $f(x)$.

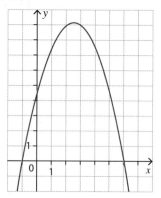

4 **1.** Dresser le tableau de variation d'une fonction polynôme du second degré f, sachant que sa courbe représentative :

• est tournée vers le bas ;

• admet pour axe de symétrie, la droite d'équation $x = -2$;

• a son sommet sur l'axe des abscisses.

2. Proposer trois expressions de $f(x)$.

5 **Chercher, raisonner**

Sans utiliser la calculatrice, associer chaque fonction ci-dessous à la courbe qui lui correspond.

a. $f(x) = x^2 - 2x - 3$ **b.** $g(x) = x^2 + 2x - 3$

c. $h(x) = x^2 + 2x + 3$ **d.** $i(x) = -x^2 + 2x - 3$

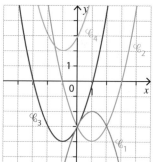

6 Soit f la fonction polynôme du second degré définie sur $\mathbb{R}$ par $f(x) = 3x^2 - x + 7$.

• Déterminer la forme canonique de $f(x)$.

7 Dresser le tableau de variation de la fonction f dans chacun des cas suivants.

1. $f(x) = 100 - 2(x - 50)^2$

2. $f(x) = -\dfrac{1}{4} + 3(x + 1)^2$

3. $f(x) = 0{,}6(x + 0{,}2)^2$

4. $f(x) = -2 - 6x^2 + \dfrac{1}{3}x$

5. $f(x) = x^2 + 7$

8 Une fonction polynôme du second degré g est telle que $g(0) = g(6)$ et admet pour minimum −2.

• Dresser son tableau de variation.

9 Le bénéfice (en millier d'euros) d'une entreprise est modélisé par la fonction f définie sur $[0 ; 3]$, par $f(x) = -2x^2 + 5x - 2$, où x représente le nombre d'objets fabriqués et vendus, en centaine.

1. Donner les formes factorisée et canonique de $f(x)$.

2. En exploitant la forme la plus appropriée de $f(x)$, donner :

a. les quantités d'objets fabriqués et vendus pour lesquelles le bénéfice est positif ;

b. le bénéfice maximal ;

c. les quantités d'objets fabriqués et vendus sachant que l'entreprise a perdu 2 000 €.

10 Une entreprise fabrique des produits qu'elle commercialise. Le coût de fabrication, en euro, de q produits (q exprimé en centaine) est donné par une fonction polynôme du second degré C dont on ne connaît pas les coefficients.

On sait que le coût maximal est égal à 2 000 € pour une fabrication de 1 000 produits et que les coûts fixes sont nuls. Les coûts fixes correspondent au coût de fabrication lorsqu'aucun produit n'est fabriqué.

• Déterminer l'expression de $C(q)$.

11 Plongeon

Un plongeon du haut d'une falaise est modélisé par un arc de para-bole qui, dans le repère ci-contre, est la représentation graphique de la fonction f définie sur $[0 ; +\infty[$ par $f(x) = -0{,}2x^2 + 0{,}8x + 15{,}4$.

$f(x)$ désigne ainsi la hauteur, en mètre, du plongeur assimilé à un point, par rapport au niveau de la mer en fonction de la distance horizontale x parcourue, exprimée en mètre.

Grâce à un logiciel de calcul formel, on a obtenu les résultats ci-dessous.

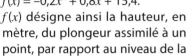

```
1 forme_canonique(-0.2x^2+0.8x+15.4)
              -0.2*(x-2.0)² + 16.2          M
2 factoriser(-0.2x^2+0.8x+15.4)
              -0.2*(x-11.0)*(x+7.0)          M
```

En exploitant la forme la plus appropriée de $f(x)$, répondre aux questions suivantes.

1. Quelle est la hauteur de la falaise ?

2. À quelle distance de la falaise le plongeur trouve-t-il la surface de l'eau ?

3. Quelle est la hauteur maximale atteinte par le plongeur ?

12 ‖ LOGICIEL DE GÉOMÉTRIE ‖

Une carte de vœux de forme rec-tangulaire, de dimensions 6 cm par 10 cm, comporte un carré et un rec-tangle colorés comme sur la figure.

Meilleurs Vœux

Comme ces cartes de vœux seront imprimées en grande quantité, on souhaite que la partie blanche soit la plus grande possible afin de minimi-ser la quantité d'encre pour la partie colorée.

1. Réaliser la figure à l'aide d'un logiciel de géométrie dynamique et conjecturer alors les dimensions du carré et du rectangle colorés qui répondent au problème.

2. Démontrer cette conjecture.

13 La parabole $\mathscr{C}$ donnée ci-dessous a pour équation :
$$y = -x^2 + 11x - 18.$$

Le point M appartient à $\mathscr{C}$.

• Où placer le point M pour que l'aire du triangle ABM soit maximale ?

14 On modélise la trajectoire d'un ballon qui entre dans le panier lors d'un lancer franc au basket.

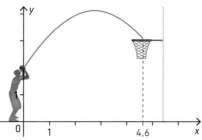

Cette trajectoire est un arc de parabole d'équation :
$$y = -0{,}3x^2 + 1{,}6x + 2.$$
On note f la fonction définie sur $\mathbb{R}^+$ par :
$$f(x) = -0{,}3x^2 + 1{,}6x + 2,$$
où x et $f(x)$ sont exprimés en mètre.

1. Donner la forme canonique de $f(x)$.

2. Quelle hauteur maximale le ballon atteint-il ?

3. Sachant que la ligne de lancer franc est à 4,6 mètres du pied du panier, quelle est la hauteur du panier ?

Factorisation

15 Les courbes ci-contre sont les courbes représentatives de fonctions polynômes de degré 2.

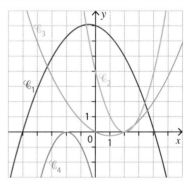

• Retrouver la forme factori-sée de chaque fonction.

16 f est une fonction polynôme de degré 2 qui vérifie les conditions suivantes :

• 0 admet pour antécédents 4 et 5 ;

• l'image de 1 par f est 24.

• Déterminer $f(x)$ sous forme factorisée.

17 Calculer, raisonner

Soit f la fonction définie sur $\mathbb{R}$ par $f(x) = x^2 - 6x - 7$.

1. Déterminer les formes factorisée et canonique de $f(x)$.

2. En utilisant la forme la plus adaptée et en justifiant :

a. comparer $f(-5{,}5)$ et $f(-4{,}5)$;

b. résoudre dans $\mathbb{R}$, $f(x) = -7$;

c. résoudre dans $\mathbb{R}$, $f(x) = -16$;

d. résoudre dans $\mathbb{R}$, $f(x) \geqslant 0$.

18 Factoriser, si possible, les fonctions polynômes du second degré suivantes.

1. $f(x) = \dfrac{1}{2}x^2 - 4x + 8$ **2.** $f(x) = 0{,}01x^2 + 0{,}8x - 4{,}25$

3. $f(x) = \dfrac{1}{2}x^2 - \dfrac{2}{3}x + 1$ **4.** $f(x) = 2x^2 + x\sqrt{2} - 1$

19 CALCULATRICE

Soit f la fonction définie sur $]-\infty\,;1[\,\cup\,]1\,;+\infty[$ par:

$$f(x) = \frac{-2x^2 + 7x - 5}{x - 1}.$$

• Tracer la représentation graphique de f et expliquer le phénomène.

Équations

20 Résoudre dans $\mathbb{R}$ les équations suivantes sans utiliser le discriminant.
1. $-5x^2 + 4 = 0$
2. $-x^2 + 6x = 0$
3. $(x - 1)^2 - (x - 1)(x - 2) = 0$
4. $x^2 - 16 + 2(x - 4) = 0$
5. $(x + 1)^2 - (2x - 3)^2 = 0$
6. $(2x + 3)(x - 7) = -21$
7. $4x^2 - 1 = (2x - 1)(x - 3)$
8. $9 + 4(x - 2)^2 = 0$

21 Résoudre dans $\mathbb{R}$ les équations suivantes.
1. $-2x^2 + x - 1 = 0$ 2. $2x^2 - 2x - 1 = 0$

3. $5x^2 - 2x + 1 = 0$ 4. $2x^2 + 4 = -6x$

5. $x(2x - 1) = 1$ 6. $x^2 = -5x - 1$

7. $-x + 3x^2 - 1 = 0$ 8. $x(8 - x) + 1 = 0$

9. $2x^2 + 6x + \dfrac{9}{2} = 0$ 10. $x^2 + 2\sqrt{3}x + 3 = 0$

11. $-3x^2 + x = -\dfrac{1}{4}$ 12. $2x(5 + 2x) = 9 - 2x$

22 ALGO PYTHON

1. Écrire un algorithme en langage naturel qui renvoie les solutions de l'équation $ax^2 + bx + c = 0$, avec a, b et c réels et $a \neq 0$, lorsqu'elles existent.
2. Le traduire en langage Python.
3. Le programmer et le tester sur les équations de l'exercice précédent.

23 Démonstration

Soit $f(x) = ax^2 + bx + c$ un polynôme du second degré admettant deux racines x_1 et x_2.

1. Démontrer que $x_1 + x_2 = -\dfrac{b}{a}$ et $x_1 x_2 = \dfrac{c}{a}$.

2. Dire pour chaque affirmation si elle est vraie ou fausse et justifier la réponse.
a. Si $b = 0$, alors l'équation $f(x) = 0$ admet deux solutions opposées.
b. Si $a = c$, alors l'équation $f(x) = 0$ admet deux solutions inverses l'une de l'autre.

24 Soit $f(x) = 3x^2 + 5x + 2$.
1. Donner une racine évidente de $f(x)$.
2. En déduire la seconde racine et factoriser $f(x)$.

25 ALGO

1. Soient u et v deux réels.
a. Développer le produit $(x - u)(x - v)$.
b. En déduire que les réels u et v sont les racines du polynôme $x^2 - Sx + P$ où $S = u + v$ et $P = uv$.
2. Existe-t-il deux nombres réels u et v :
a. dont le produit est 6 et la somme 4 ?
b. dont le produit est 6 et la somme 8 ?
3. Écrire en langage naturel un algorithme qui permet de déterminer deux entiers dont la somme et le produit sont deux réels fixés et entrés par l'utilisateur.

26 Existe-t-il un rectangle d'aire 40 et de périmètre 40 ? Si oui, donner ses dimensions.

27 Déterminer deux nombres réels dont la somme est 15 et le produit est 4.

28 Modéliser

Le champ d'un agriculteur est un rectangle deux fois plus long que large. Si l'on ajoute 5 mètres à sa longueur et 20 mètres à sa largeur, on obtient une parcelle rectangulaire dont l'aire est un hectare, soit 10 000 m^2.
• Quelle est la superficie de ce champ ?

29 VRAI OU FAUX

Soit $f(x) = ax^2 + bx + c$ l'expression d'une fonction polynôme du second degré. Dire pour chaque affirmation si elle est vraie ou fausse et justifier la réponse.
a. Si $b = 0$ et si a et c sont de même signe, alors l'équation $f(x) = 0$ n'admet pas de solution dans $\mathbb{R}$.
b. Si $c = 0$, alors l'équation $f(x) = 0$ admet une seule solution dans $\mathbb{R}$.
c. Si l'équation $f(x) = 0$ admet deux solutions opposées, alors $b = 0$.

30 Carpe koï

On souhaite attraper une carpe koï qui ne sort de sa cachette que pour manger.
On a établi que sa trajectoire est un arc de parabole d'équation $y = -x^2 + 4x - 4$.

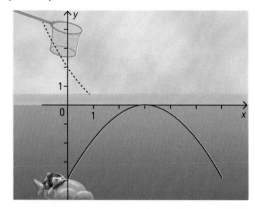

L'épuisette suit la parabole d'équation $y = x^2 - 4x + 2$.
• Est-il possible d'atteindre la carpe ? Le cas échéant, combien de fois est-ce possible ?

31 **Lancer de micro-fusée**
Modéliser
Un collégien lance une micro-fusée depuis le sol d'un champ, fusée dans laquelle il a installé un altimètre. Il procède aux réglages pour un lancement afin de déterminer au bout de combien de secondes doit sortir le parachute qui ralentira la chute. Il dispose des informations suivantes : la micro-fusée effectue une trajectoire parabolique, elle atteint une altitude maximale de 180 mètres au bout de 6 secondes. Le parachute doit sortir à 100 m d'altitude, lors de la phase de descente.
• Combien de secondes après le décollage la trappe du parachute doit-elle s'ouvrir ?

32 **LOGICIEL DE GÉOMÉTRIE** **Cadre photo**
Chercher, raisonner
On veut encadrer une photographie de dimensions 8 cm × 15 cm. On souhaite un cadre rectangulaire de largeur constante tout autour de la photographie, et de sorte que l'aire du cadre soit égale à l'aire de la photographie elle-même.
On souhaite déterminer la largeur de ce cadre.
1. Réaliser une figure à l'aide d'un logiciel de géométrie dynamique et conjecturer une valeur approchée de cette largeur.
2. Déterminer la valeur exacte de cette largeur.

Signe

33 **CALCULATRICE**
On a représenté, sur l'écran d'une calculatrice, une fonction f de degré 2 définie sur $\mathbb{R}$.

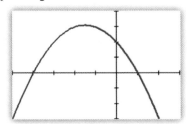

• En sachant que, sur chaque axe, une graduation correspond à une unité, lire graphiquement le signe de $f(x)$.

34 Étudier le signe des fonctions dans chacun des cas suivants.
1. $f : x \mapsto 2x^2 + 5x + 4$
2. $g : x \mapsto 4x^2 - 7x + 3$
3. $h : x \mapsto x^2 + x + \dfrac{1}{4}$
4. $i : x \mapsto 2x^2 - 2x - 1$
5. $j : x \mapsto -7x^2 + 12x - 6$
6. $k : x \mapsto 4x^2 - 2,4x + 0,36$

35 Résoudre dans $\mathbb{R}$ les inéquations suivantes sans utiliser le discriminant.
1. $(4x + 1)(x + 3) > 0$
2. $2x \geqslant 1 + x^2$
3. $4 + (2x - 5)^2 \leqslant 0$
4. $-5(x + 1)^2 \geqslant 0$
5. $x^2 < x$
6. $x^2 - \sqrt{3}x > 0$

36 Résoudre dans $\mathbb{R}$ les inéquations suivantes.
1. $x^2 - 0,4x + 0,04 \leqslant 0$
2. $-x^2 + 5x < 7$
3. $\dfrac{2}{3}x^2 \geqslant 4x - 6$
4. $11x^2 + 16x - 9 < 10x + 8$

37 **VRAI OU FAUX**
Dire pour chaque affirmation si elle est vraie ou fausse et justifier la réponse.
1. $x^2 > 4$ si et seulement si $x > 2$.
2. $x^2 - 2x - 2 < 0$ si et seulement si $x \in \left]1 - \sqrt{3}\,;1 + \sqrt{3}\right[$.
3. L'inéquation $-x^2 + x - 1 < 0$ n'a pas de solution dans $\mathbb{R}$.
4. Pour tout nombre réel x, $2x^2 - 12x + 18 > 0$.

38 **CALCULATRICE**
Dans un repère, soient $\mathcal{P}$ la parabole représentant la fonction carré (notée f) et $\mathcal{D}$ la droite représentant la fonction affine g définie par $g(x) = -x + 2$.
1. Représenter les deux courbes sur la calculatrice et conjecturer leur position relative.
2. Étudier le signe du polynôme $f(x) - g(x)$ puis valider ou infirmer les conjectures de la question **1.**

39 Dans un repère, on considère les fonctions polynômes du second degré dont les expressions sont données ci-dessous.
$f_1(x) = -x^2 + 3x + 2$ et $f_2(x) = 3x^2 - 3x + 1$.
$f_3(x) = -x^2 - 4x + 2$ et $f_4(x) = 2x^2 - x + 5$.
1. Représenter sur la calculatrice les courbes des fonctions f_1 et f_2 et conjecturer leur position relative.
2. Étudier le signe du polynôme $f_1(x) - f_2(x)$ puis valider ou infirmer les conjectures de la question **1.**
3. Reprendre les questions **1** et **2** avec les fonctions f_3 et f_4.

40 **Chercher, raisonner**
Un verrier souhaite tailler une vitre. Il utilise un carré de verre de 3 mètres de côté. Dans le carré, il découpe un rectangle de largeur x et deux triangles rectangles isocèles comme sur la figure ci-contre.

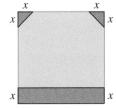

Il souhaite que la vitre obtenue ait une aire supérieure à 5 m².
• Comment doit-il choisir les dimensions de sa découpe ?

41 Déterminer la forme canonique des fonctions dont les expressions sont les suivantes.

1. $f(x) = x^2 + 2x + 9$ 2. $f(x) = -x^2 - 6x + 7$
3. $f(x) = 2x^2 - 8x + 9$ 4. $f(x) = 3x^2 + 9x - 1$
5. $f(x) = -5x^2 + 7x + 4$

42 Démontrer le **théorème** énoncé ci-dessous.

> Soit f une fonction polynôme du second degré, définie sur $\mathbb{R}$ par $f(x) = ax^2 + bx + c$, $a \neq 0$.
> • Si $\Delta > 0$, alors $f(x)$ est du signe de a sur $]-\infty\,;\,x_1\,[\cup]x_2\,;\,+\infty[$ où x_1 et x_2 sont les racines $(x_1 < x_2)$.
> • Si $\Delta = 0$, alors $f(x)$ s'annule en son unique racine x_0 et est du signe de a sur $\mathbb{R} \setminus \{x_0\}$.
> • Si $\Delta < 0$, alors $f(x)$ est du signe de a sur $\mathbb{R}$.

43 Résoudre dans $\mathbb{R}$ les équations suivantes.

1. $\dfrac{2x}{x^2+1} = 3$

2. $\dfrac{3}{x} - \dfrac{1}{2x-1} = 2$

3. $\dfrac{3}{x^2} - \dfrac{1}{2x} = 1$

44 Résoudre dans $\mathbb{R}$ les équations suivantes.

1. $(x-1)(x^2 - 5x + 6) = 0$

2. $\dfrac{-x^2 + 5x - 7}{2x+5} = 0$

3. $x^3 - x^2 + 4x = 0$

45 Résoudre dans $\mathbb{R}$ les inéquations suivantes.

1. $\dfrac{x}{2x^2+3} < -1$

2. $\dfrac{3x}{x+1} \geqslant 5x$

3. $\dfrac{1}{4x} + \dfrac{2}{3-x} > 3$

46 Résoudre dans $\mathbb{R}$ les inéquations suivantes.

1. $(x-1)(x^2 - 5x + 6) > 0$

2. $\dfrac{-x^2 + 5x - 7}{2x+5} \leqslant 0$

3. $x^3 - x^2 + 4x \geqslant 0$

47 Soient deux réels S et P.
• Démontrer qu'il existe deux réels dont la somme est S et le produit P si et seulement si $S^2 \geqslant 4P$.

48 Existe-t-il un couple d'entiers consécutifs dont le produit est égal au double de la somme ?

49 Soit p un nombre réel et soit l'équation (E) :
$$-2x^2 + 5x = p.$$
• Déterminer les valeurs de p pour lesquelles :
a. (E) n'admet aucune solution dans $\mathbb{R}$.
b. (E) admet une seule solution dans $\mathbb{R}$.
c. (E) admet deux solutions dans $\mathbb{R}$.

50 **Équations bicarrées**
On veut résoudre l'équation suivante, appelée équation bicarrée.
(E) : $x^4 - 9x^2 + 14 = 0$.
1. On pose $X = x^2$.
Écrire l'équation (E) en fonction de X.
2. Résoudre l'équation en X.
3. En déduire les solutions de (E).
4. Appliquer cette méthode pour résoudre les équations bicarrées suivantes.
a. $-2x^4 + 7x^2 - 5 = 0$
b. $x^4 + x^2 - 20 = 0$
c. $2x^4 - 13x^2 - 7 = 0$
d. $\sqrt{2}x^4 - 4\sqrt{2}x^2 + \dfrac{8}{\sqrt{2}} = 0$

51 `ALGO`
Écrire, en langage naturel, un algorithme qui permet de résoudre une équation bicarrée.

52 Soit f la fonction définie sur $\mathbb{R}$ par :
$$f(x) = ax^2 + bx + c$$
et telle que $f(0) = \dfrac{9}{2}, f(2) = 0$ et $f(-3) = \dfrac{39}{4}$.
• Déterminer les réels a, b et c.

53 `CALCULATRICE`
Soit f la fonction définie sur $\mathbb{R} \setminus \{-3\}$ par :
$$f(x) = \dfrac{x-1}{x+3}$$
et soit g la fonction définie sur $\mathbb{R}$ par $g(x) = -x - 5$.
1. À l'aide de la calculatrice graphique, conjecturer la position relative des courbes de f et de g.
2. Valider ou invalider les résultats par le calcul.

54 Dans un repère, on donne les courbes d'équations :
$$y = x - 1 \text{ et } y = \dfrac{1}{x-1}.$$
• Quelle est la position relative de ces deux courbes ?

55 Dans un repère, on considère la droite $\mathcal{D}$ d'équation $y = x + 1$ et le cercle $\mathcal{C}$ d'équation $x^2 + y^2 = 5$.
• Déterminer les coordonnées des éventuels points d'intersection de $\mathcal{C}$ et $\mathcal{D}$.

56 Soient un repère du plan et m un réel.
• Déterminer les valeurs de m pour lesquelles la droite $\mathcal{D}_m$ d'équation $y = mx + 7$ ne coupe pas la parabole $\mathcal{P}_m$ d'équation $y = mx^2 + 7x + 11$.

57 Soit f la fonction définie par $f(x) = \dfrac{x^2}{x^2 - x + 1}$.
1. Justifier que f est définie sur $\mathbb{R}$.
2. Montrer que, pour tout x réel, $0 \leqslant f(x) < 2$.

58

Soit $\mathcal{P}$ la parabole d'équation $y = ax^2 + bx + c$, avec a, b et c réels et $a \neq 0$, et S son sommet.

1. À l'aide d'un logiciel de géométrie dynamique, conjecturer la nature de la courbe décrite par le point S lorsque b varie.

2. Démontrer cette conjecture.

59

Raisonner

Soit m un réel.

On cherche à déterminer le nombre de solutions réelles de l'équation (E) : $4mx^2 - 4(m+2)x + 2m + 1 = 0$.

1. À l'aide d'un logiciel de géométrie dynamique, émettre une conjecture quant au nombre de solutions de l'équation (E) en fonction des valeurs de m.

2. a. Résoudre (E) pour $m = 0$.

b. Soit $m \neq 0$. Exprimer le discriminant de l'équation (E) en fonction de m.

Étudier son signe et répondre alors au problème posé.

3. L'équation (E) peut-elle admettre deux racines opposées ?

60

Florent propose le jeu suivant à Manu :

« Pense à deux nombres. Donne-moi la somme, puis le produit de ces deux nombres. »

Manu propose : « La somme de ces deux nombres est 56 et leur produit 663. »

Après un petit moment, Florent répond : « Tu as pensé à 17 et 39. »

Manu conclut : « Exact ! »

• Expliquer comment Florent a trouvé la solution.

61 **Voitures moins chères**

Un constructeur automobile décide de commercialiser des automobiles à bas coût : chaque voiture doit être vendue 6 000 euros. Sa production q peut varier entre 0 et 100 000 voitures. Suite à une étude réalisée, les coûts de production sont donnés par la formule suivante : $C(q) = 0,05q^2 + q + 80$ (q exprimé en millier et $C(q)$ exprimé en millier d'euros).

On appelle coût fixe le coût que supporte l'entreprise même si la production est nulle.

1. Quel est le coût fixe supporté par cette entreprise de construction automobile ?

2. Déterminer la quantité à partir de laquelle le coût de production est supérieur à 200 000 €.

3. À combien s'élève la recette pour une telle production ?

4. Exprimer, en fonction de q, la recette notée $R(q)$, en millier d'euros.

5. En déduire la fonction polynôme du second degré qui donne les bénéfices réalisés par l'entreprise.

6. Dans quel intervalle doit se situer la quantité de voitures produites pour réaliser un bénéfice ?

7. Quel est le nombre d'automobiles à produire pour obtenir un bénéfice maximal et quel est ce bénéfice ?

62 **Lancer de javelot**

Une athlète lance un javelot à l'instant $t = 0$.

La hauteur $h(t)$, en mètre, à l'instant t, en seconde, du centre de gravité est :

$$h(t) = -\frac{1}{2}t^2 + 8t + 2.$$

La hauteur est mesurée à partir du sol.

1. À quel instant le javelot est-il au plus haut ?

2. Le javelot atteindra-t-il une hauteur de 32 m ? À quels instants ?

3. Le javelot atteindra-t-il une hauteur de 35 m ?

4. À quel instant le javelot touchera-t-il le sol ?

63 Un projectile est lancé d'une hauteur de 2 mètres avec une vitesse initiale v_0 exprimée en m·s^{-1}. On néglige les frottements de l'air, le projectile n'est soumis qu'à une seule force, son poids ; son mouvement est parabolique et dépend de v_0.

La hauteur du projectile en mètre est :

$$h(t) = -\frac{1}{2}gt^2 + v_0 t + 2,$$

avec h fonction du temps, g l'intensité de la pesanteur terrestre et t la durée en seconde.

On prend $g = 10$ m·s^{-2} dans la suite de l'exercice.

1. Pour quelle(s) valeur(s) de v_0 le projectile atteindra-t-il une hauteur de 4 m au moins ?

2. Pour quelle(s) valeur(s) de v_0 le projectile ne touchera-t-il pas terre avant 2,5 secondes ?

3. Pour quelle(s) valeur(s) de v_0 le projectile atteindra-t-il une hauteur de 4 m au moins et ne touchera-t-il pas terre avant 5 secondes ?

64 **Modéliser**

Un fermier veut délimiter une zone rectangulaire dans son enclos pour isoler une poule et ses poussins des autres volatiles. Il possède un grillage de 460 cm de longueur.

Enclos pour poussins

Mur

• En supposant qu'il utilise un des murs de la ferme pour matérialiser l'enclos, quelle surface maximale peut-il prévoir pour la poule et ses poussins ?

65 Déterminer tous les triplets d'entiers consécutifs dont le produit est égal à la somme.

66 Soit x un nombre réel.
Dans un repère orthonormé, on donne $A(2\,;1)$, $B(x\,;3)$ et $C(-1\,;3)$.
• Pour quelle(s) valeur(s) de x le triangle ABC est-il rectangle en B ?

67 PRISE D'INITIATIVE
Modéliser, raisonner
Existe-t-il des triangles rectangles et isocèles dont l'hypoténuse mesure trois unités de longueur de plus que l'un des autres cotés ?

68 PRISE D'INITIATIVE
Communiquer
Soit ABC un triangle tel que $AB = 12$ et tel que la hauteur issue de C coupe $[AB]$ en H avec $CH = 6$ et $AH = 8$.
Pour chaque point M du segment $[AH]$ on construit le rectangle $MNPQ$ comme sur la figure ci-dessous.

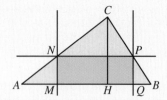

• Déterminer la position du point M pour laquelle l'aire du rectangle $MNPQ$ est maximale et calculer cette aire.

69 Palais Güell
Modéliser

Les portes d'entrée du palais Güell, construit à Barcelone par Gaudi, ont une forme que l'on peut modéliser par une parabole (c'est en réalité un arc caténaire, non modélisable en classe de Première). Paul veut connaître leur hauteur. Il mesure la largeur au sol (4 mètres) ; en se plaçant sur le seuil à 0,5 mètre d'une extrémité, il constate que sa tête frôle l'arche (Paul mesure 1,75 m).
• Calculer la hauteur de l'arche.

70 Mme Leroy place 5 000 euros de capital sur un compte rémunéré à x % la première année. La deuxième année, le taux de rémunération augmente de 1 % et Mme Leroy réalise sur ces deux années un bénéfice de 335,32 euros.
• Quelle était la valeur du taux de rémunération initial x ?

71 PRISE D'INITIATIVE
Fin 2018, suite aux très bons résultats de l'entreprise, le directeur décide de distribuer une prime exceptionnelle de 39 000 euros à répartir équitablement entre les salariés.
Cinq cadres dirigeants de l'entreprise, s'estimant suffisamment rémunérés, refusent cette prime. Ainsi, chaque employé de l'entreprise touche 13 euros de plus que prévu.
• Quel est le nombre de salariés de l'entreprise et quel est le montant de la prime qu'ils devaient percevoir initialement ?

72 LOGICIEL DE GÉOMÉTRIE
Modéliser
Un prospectus a la forme d'un carré $ABCD$ de côté 6 cm.

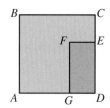

La partie consacrée aux illustrations doit être un rectangle $DGFE$ respectant la condition $CE = GD$ et dont l'aire est comprise entre 6 cm^2 et 7 cm^2.
1. Réaliser la figure à l'aide d'un logiciel de géométrie dynamique et conjecturer une réponse au problème posé.
2. Démontrer cette conjecture.

73 PRISE D'INITIATIVE
Une fusée à eau est lancée depuis le deuxième étage d'un immeuble à 10,8 mètres de hauteur avec une vitesse initiale de 19,2 m$\cdot$s^{-1}.
La fonction h, telle que $h(t) = -\dfrac{1}{2}at^2 + v_0t + h_0$, modélise l'altitude de la fusée en fonction du temps t exprimé en seconde.
$h(t)$ est exprimée en mètre, l'accélération a est estimée à 9,6 m$\cdot$s^{-2}, et h_0 est l'altitude en mètre à laquelle est lancée la fusée.
Une seconde fusée est lancée du même endroit avec une vitesse initiale et une accélération constante, différentes des précédentes. On constate que cette fusée met 1 seconde de plus pour revenir à l'altitude de départ et touche le sol 1 seconde plus tard que la première fusée.
• Quelles sont les vitesse et accélération de cette deuxième fusée ?

74 LOGICIEL DE GÉOMÉTRIE

Dans un repère $(O\,;\vec{i},\vec{j})$ du plan, on considère le point $F(1\,;2)$, un point M mobile sur l'axe des abscisses d'abscisse a, avec $a > 0$ et le point N sur la droite (FM) d'abscisse nulle.

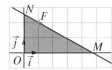

On cherche à déterminer l'ensemble E des points M tels que $Aire_{OMN} > 6$.
1. Réaliser la figure à l'aide d'un logiciel de géométrie dynamique.
Pour cela, utiliser les outils

Curseur :  et Aire :
2. Conjecturer l'ensemble E puis démontrer cette conjecture.

75 **Modéliser**

$ABCD$ est un carré de côté 4. Étant donné un point M mobile sur le côté $[AB]$, on construit le carré $AMPQ$ comme indiqué sur la figure ci-dessous.

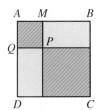

• Où placer le point M pour que l'aire hachurée soit inférieure ou égale à 3 ?

76 La courbe $\mathcal{C}$ donnée ci-dessous représente la fonction polynôme f définie par $f(x) = -x^2 + 2x$.
Le point M a pour coordonnées $(x\,;0)$ où $x \in [0\,;1]$.

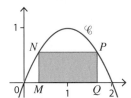

1. Déterminer les coordonnées des trois sommets du rectangle autres que M.
2. Démontrer que le périmètre du rectangle $MNPQ$ est inférieur à 4.

77 On appelle F l'ensemble des polynômes $p_c(x) = 3x^2 - x + c$, où c est un entier de l'intervalle $[-5\,;5]$.
1. Quel est le nombre d'éléments de F ?
2. Combien existe-t-il d'éléments de F strictement positifs sur $\mathbb{R}$?
3. Confirmer ou infirmer la phrase : « $p_c(x)$ admet deux racines distinctes si et seulement si c est négatif ou nul. »

78 PRISE D'INITIATIVE
Modéliser

La distance à vol d'oiseau entre Bordeaux et Paris est de 500 km. Un avion parcourt cette distance à une vitesse constante V.
Un pilote a reçu des informations de la tour de contrôle indiquant qu'à son départ de Bordeaux, l'avion aura un vent favorable et constant d'une vitesse de 30 km·h^{-1} (sur l'ensemble de son trajet aller). Pour son vol retour, le vent sera défavorable et d'une vitesse de 30 km·h^{-1} (sur l'ensemble de son trajet retour). Le pilote sait qu'il lui faudra deux heures de vol au total pour réaliser cet aller-retour.
• Quelle est la vitesse de l'avion sur chaque parcours ?

79 LOGICIEL DE GÉOMÉTRIE

$ABCD$ est un carré de côté 8 unités. On définit, sur les côtés de $ABCD$, les sommets d'un quadrilatère $EFGH$ tel que $DE = CF = BG = AH = x$ unités de longueur, comme l'indique la figure ci-dessous.

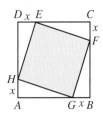

On cherche à déterminer la valeur de x pour laquelle l'aire du quadrilatère jaune est minimale.
1. Réaliser la figure à l'aide d'un logiciel de géométrie dynamique. Définir, en particulier, un curseur qui fera varier la position des points E, F, G et H. Émettre une conjecture sur la nature du quadrilatère jaune et sur la réponse au problème posé.
2. Démontrer cette conjecture.

80 Est-il vrai que, parmi tous les rectangles de périmètre 20, celui qui a l'aire la plus grande est un carré ?

81 LOGICIEL DE GÉOMÉTRIE
Modéliser

$ABCD$ est un rectangle de longueur $AB = 10$ cm et de largeur $AD = 6$ cm.
On inscrit un parallélogramme $MNPQ$ dans le rectangle $ABCD$ tel que : $M \in [AD]$ et $DM = DQ = BN = BP$.

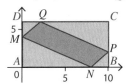

1. Conjecturer, avec un logiciel de géométrie dynamique, la position du point M pour que l'aire du parallélogramme $MNPQ$ soit maximale.
2. Conjecturer la position du point M pour que l'aire du parallélogramme $MNPQ$ soit égale à 30 cm^2.
3. Démontrer ces conjectures.

82 Résoudre dans $\mathbb{R}$ les inéquations suivantes.

1. $\dfrac{-2x}{x+2} \leqslant \dfrac{3x+2}{x-1}$

2. $\dfrac{3-x}{2-x} \leqslant \dfrac{x+2}{2x-1}$

83 Résoudre dans $\mathbb{R}$ les inéquations suivantes.

1. $(x^2 + 4x - 5)(-x^2 + 5x - 7) > 0$

2. $\dfrac{x^2 - 10x + 25}{-5x^2 - 3x + 8} \leqslant 0$

3. $(-x^2 - 5x + 6)(-3x^2 + 5x + 2) \geqslant 0$

4. $(-x^2 + 10x - 25)(4x^2 + 12x + 9) > 0$

84 Approfondissement

Résoudre les systèmes suivants où x et y sont des réels.

1. $\begin{cases} x + y = 2 \\ xy = -3 \end{cases}$ **2.** $\begin{cases} x + y = -7 \\ xy = 18 \end{cases}$

85 Approfondissement

Résoudre les systèmes suivants où x et y sont des réels non nuls.

1. $\begin{cases} \dfrac{1}{x} + \dfrac{1}{y} = 4 \\ xy = 1 \end{cases}$ **2.** $\begin{cases} x^2 + y^2 = 20 \\ xy = -2 \end{cases}$

86 Résoudre dans $\mathbb{R}$ les équations suivantes, en utilisant un changement de variable judicieux.

1. $x - 3\sqrt{x} - 2 = 0$ **2.** $\dfrac{1}{x^2} + \dfrac{3}{x} + 2 = 1$

87 Soit un repère du plan.

La droite $\mathscr{D}$ d'équation $y = 2x + 1$ et la courbe $\mathscr{C}$ d'équation $y = \sqrt{x + 3}$ sont-elles sécantes ?

88 **Courbe de Lorenz**

1. Soit f la fonction définie sur $[0\,;1]$ par :
$$f(x) = 0{,}96x^2 + 0{,}04x.$$
Une courbe de Lorenz peut modéliser, par exemple, la répartition des salaires dans une entreprise : x représente le pourcentage cumulé des personnes ayant les plus faibles salaires par rapport à l'effectif de l'entreprise ; $f(x)$ représente le pourcentage de la masse salariale de l'entreprise, c'est-à-dire la somme de tous les salaires. On suppose que la courbe représentative de f est une courbe de Lorenz.

a. Calculer $f(0{,}5)$ et interpréter le résultat.

b. Déterminer le pourcentage de la masse salariale totale affectée aux 10 % des salariés les mieux payés dans l'entreprise.

c. Calculer le pourcentage des salariés les moins bien payés dont la masse des salaires représente 50 % de la masse salariale totale.

Arrondir au pourcentage entier.

2. Que peut-on dire d'une entreprise dont la répartition des salaires serait modélisée par la courbe de la fonction g définie sur $[0\,;1]$ par $g(x) = x$?

89 **Pour une meilleure écoute…**

Une entreprise produit et commercialise des casques audios au prix unitaire de 120 €.

On note x le nombre de dizaines de casques produits avec $0 \leqslant x \leqslant 16$.

Le coût total de production, en millier d'euros, de ces x dizaines d'unités est donné par :
$$C(x) = 0{,}08x^2 + 0{,}2x + 0{,}48.$$

1. L'entreprise a vendu 160 casques. A-t-elle réalisé un bénéfice ?

2. Quel est le nombre de casques produits lorsque le coût de production est égal à 15 480 € ?
Quel est alors le montant du bénéfice réalisé par l'entreprise ?

3. Déterminer le nombre de casques que l'entreprise doit produire et vendre pour que sa production soit rentable.

4. **CALCULATRICE** À l'aide d'une calculatrice, conjecturer le nombre de casques que l'entreprise doit produire et vendre pour réaliser un bénéfice maximal. Préciser sa valeur puis démontrer la conjecture.

90 **Une équation de degré 4 particulière**

On veut résoudre dans $\mathbb{R}$ l'équation (E) :
$$x^4 + x^3 + x + 1 = 0.$$

1. Vérifier que 0 n'est pas solution de (E).

2. On pose $X = x + \dfrac{1}{x}$.

Montrer que l'équation (E) est équivalente à l'équation :
$$(\text{E}') : X^2 + X - 2 = 0.$$

3. Résoudre (E') puis résoudre l'équation (E).

4. Par un raisonnement similaire, résoudre l'équation
$(\text{E}_1) : x^4 - x^3 + 3x^2 - x + 1 = 0$.

Montrer que cette équation est équivalente à l'équation $(\text{E}_1') : X^2 - X + 1 = 0$ et la résoudre.

91 Approfondissement

1. Démontrer que, pour tous réels a et b, on a :
$$a^3 - b^3 = (a - b)(a^2 + ab + b^2).$$

2. **Étude d'un cas particulier**

Soit le polynôme de degré 3, $f(x) = 3x^3 - 7x^2 + 6x - 8$.

a. En écrivant $f(2) = 3 \times 2^3 - 7 \times 2^2 + 6 \times 2 - 8$, démontrer que $f(x) - f(2)$ s'écrit sous la forme du produit de $(x - 2)$ par un polynôme du second degré.

b. Calculer $f(2)$.

c. En déduire une factorisation de $f(x)$.

d. Déterminer les racines de $f(x)$.

3. **Étude du cas général**

Soit un polynôme de degré 3, $f(x) = ax^3 + bx^2 + cx + d$, avec a, b, c et d quatre réels et $a \neq 0$.

a. Soit α un réel quelconque. Exprimer $f(\alpha)$ en fonction de α puis démontrer que $f(x) - f(\alpha)$ s'écrit sous la forme du produit de $(x - \alpha)$ par un polynôme de degré 2.

b. En déduire que α est une racine du polynôme $f(x)$ si et seulement si $f(x)$ peut-être factorisé par $(x - \alpha)$.

92 **Raisonner**

1. Déterminer les réels b tels que l'équation :
$$3x^2 + bx + 4 = 0$$
admette une unique solution, que l'on déterminera.

2. Choisir deux réels b et c pour que l'équation $3x^2 + bx + c = 0$ admette deux solutions réelles distinctes.

3. On suppose $a > 0$.

a. Déterminer une condition suffisante pour que l'équation $ax^2 + bx + c = 0$ admette deux solutions réelles distinctes.

b. Cette condition est-elle nécessaire ?

4. Déterminer l'ensemble des réels c tels que l'équation $2x^2 - x + c = 0$ n'admette pas de solution réelle.

5. Pour quelles valeurs de a l'équation $x^3 + ax^2 + x = 0$ admet-elle deux solutions distinctes ?

93 Déterminer l'ensemble de définition des fonctions :
$$f : x \mapsto \sqrt{x^2 - 2x - 1}$$
$$\text{et } g : x \mapsto \frac{1}{-x^2 + 3x + 2}.$$

94 `LOGICIEL DE GÉOMÉTRIE`

Le plan est muni d'un repère. On considère la parabole $\mathcal{P}$ d'équation $y = x^2$ et le point $A(0 ; 1)$.

Une droite $\mathcal{D}_m$ de coefficient directeur m passe par le point A et coupe la parabole $\mathcal{P}$ en deux points que l'on nomme B et C. Soit I le milieu de $[BC]$.

1. À l'aide d'un logiciel de géométrie dynamique, tracer la parabole et placer le point $A(0 ; 1)$.

Définir un curseur m et tracer la droite $\mathcal{D}_m$.

À l'aide du mode *Trace*, conjecturer l'ensemble auquel appartient le point I quand m varie.

2. a. Montrer que les abscisses des points B et C vérifient l'équation $x^2 - mx - 1 = 0$.

b. Combien de solutions cette équation admet-elle ?

3. Exprimer les coordonnées de I en fonction des solutions de l'équation précédente.

4. Démontrer la conjecture émise.

95 Soit f la fonction définie sur $\mathbb{R}$ par :
$$f(x) = x^2 + 3x + 1.$$
On appelle $\mathcal{P}$ sa courbe représentative dans un repère du plan.

1. a. Dresser le tableau de variation de f.

b. Discuter, suivant les valeurs de m, le nombre de solutions de l'équation $f(x) = m$.

2. Déterminer les coordonnées des points d'intersection de $\mathcal{P}$ et de l'axe des abscisses.

3. Pour tout réel p, on considère la droite $\mathcal{D}_p$ d'équation $y = x - p$.

Déterminer le nombre de points d'intersection de $\mathcal{D}_p$ et de $\mathcal{P}$ suivant les valeurs de p.

4. Pour tout réel q, on considère la droite Δ_q d'équation $y = qx$.

Déterminer pour quelles valeurs de q la parabole P et la droite Δ_q n'ont pas de point commun.

96 `LOGICIEL DE GÉOMÉTRIE` **Courbe de Bézier**

Dans le plan rapporté à un repère $(O ; \vec{i}, \vec{j})$, on donne les points $A(0 ; 6)$, $B(2 ; 0)$ et $C(4 ; 6)$.

Soit t un réel de l'intervalle $[0 ; 1]$.

On définit les points G, H et M par $\overrightarrow{AG} = t\overrightarrow{AB}$; $\overrightarrow{BH} = t\overrightarrow{BC}$ et $\overrightarrow{GM} = t\overrightarrow{GH}$.

Le but de l'exercice est d'étudier l'ensemble des points M quand t décrit l'intervalle $[0 ; 1]$.

1. Réaliser la figure avec un logiciel de géométrie dynamique, puis faire apparaître l'ensemble décrit par le point M lorsque t varie.

Sur quelle courbe semble se déplacer le point M ?

2. a. Déterminer, en fonction de t, les coordonnées des points G, H et M.

b. Valider ou invalider la conjecture et préciser l'équation de la courbe sur laquelle se déplace le point M.

Les courbes de Bézier ont été introduites par l'ingénieur français Pierre Bézier, qui travaillait chez Renault dans les années 1960. Elles répondent au problème suivant : comment représenter facilement avec un logiciel de CAO (conception assistée par ordinateur) des formes complexes (aile d'avion, pièce de voiture, fontes de caractères…) en ne rentrant qu'un nombre fini de contraintes. En termes plus mathématiques, on souhaite construire des courbes à partir d'un nombre fini de points de contrôles, sans recherche d'équation.

97 **Approfondissement**

On considère l'équation (E) : $x^3 - 7x + 6 = 0$.

1. Montrer que $x_0 = 1$ est une solution de l'équation (E).

2. Déterminer les réels a, b et c tels que :
$$x^3 - 7x + 6 = (x - 1)(ax^2 + bx + c).$$

3. En déduire la résolution de l'équation (E).

4. Reprendre les questions **1**, **2** et **3** avec l'équation :
$$8x^3 - 10x^2 + x + 1 = 0.$$

98 **Modéliser**

Un agriculteur possède un champ en forme de triangle rectangle au bord de la rivière. Il souhaite poser une clôture sauf sur le côté qui jouxte la rivière et il sait que $AB = 50$ m.

• Quelles longueurs minimale et maximale de clôture doit-il acheter ?

99 ALGO PYTHON

On s'intéresse à la propagation d'une maladie dans une ville de 130 000 habitants.
La fonction f définie sur $[0 ; 40]$ par :
$$f(t) = -30t^2 + 1\,200t + 4\,000$$
modélise le nombre de personnes touchées par la maladie t jour(s) après le début de l'épidémie.
1. Déterminer le nombre de personnes touchées par la maladie au bout de 15 jours de suivi de la propagation.
2. Le conseil municipal a décidé de fermer les crèches de la ville dès que plus de 10 % de la population sont touchés par la maladie. Pendant combien de jours les crèches ont-elles été fermées ?

100 On donne les définitions suivantes.
• Fonction d'offre : elle exprime le prix de vente d'un objet en fonction de la quantité susceptible d'être fabriquée.
• Fonction de demande : elle exprime le prix d'achat d'un objet en fonction de la quantité susceptible d'être achetée.
• Prix et quantité d'équilibre : c'est une situation où, pour un prix donné, les quantités offertes sont égales aux quantités demandées.
Les fonctions d'offre O et de demande D d'un téléphone sont données, en euro, par les formules :
$$O(x) = 20 - \frac{10\,212}{x - 120} \text{ et } D(x) = -2x + 250,$$
où $x \in [20 ; 70]$ et représente le nombre de milliers de téléphones.
1. Déterminer la quantité et le prix d'équilibre.
2. Déterminer les quantités pour lesquelles l'offre est supérieure à la demande.

101 ALGO PYTHON **Prolifération bactérienne**

Un scientifique étudie la prolifération d'un certain type de bactéries. Il modélise le nombre de bactéries comme une fonction du temps t exprimé en heure, définie par $N(t) = 3t^2 + 69t + 150$.
1. Au bout de combien de temps le nombre initial de bactéries aura-t-il augmenté de 150 % ? Au bout de combien de temps le nombre initial de bactéries aura-t-il été multiplié par 10 ?
2. Écrire un algorithme en langage Python qui permet de connaître au bout de combien de temps le nombre initial de bactéries aura dépassé un certain nombre donné par l'utilisateur.

102 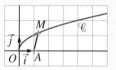 PRISE D'INITIATIVE

On considère la courbe représentative de la fonction racine carrée, notée $\mathscr{C}$, dans un repère orthonormé $(O ; \vec{i}, \vec{j})$. On note M un point de $\mathscr{C}$ d'abscisse x et $A(1 ; 0)$.

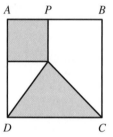

• Démontrer qu'il existe un seul point M de $\mathscr{C}$ tel que la distance MA soit minimale.

103 **Modéliser**
$ABCD$ est un carré de côté 8. Soit P un point mobile sur le segment $[AB]$.

1. Déterminer la position du point P sur le segment $[AB]$ telle que l'aire de la surface bleue soit minimale.
2. Où doit-on placer le point P pour que la surface bleue occupe 75 % de la surface du carré ?
3. Est-il possible que l'aire de la surface bleue soit égale au quart de l'aire du carré ?

104

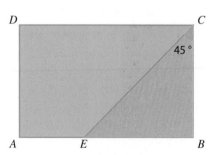

$ABCD$ est un rectangle tel que $AB = 8$.
1. Le trapèze $AECD$ et le triangle BCE peuvent-ils avoir la même aire ?
2. Déterminer les dimensions du rectangle pour que l'aire du trapèze soit maximale.

105 1. Existe-t-il une fonction polynôme de degré 2 vérifiant
$$\begin{cases} f(0) = 3 \\ f(-2) = 1 \\ f(2) = 1 \end{cases} ?$$

2. Existe-t-il une fonction polynôme de degré 2 vérifiant
$$\begin{cases} g(0) = 1 \\ g(1) = 2 \\ g(2) = 11 \end{cases} ?$$

106 **Feu d'artifice**

À l'occasion d'un festival pyrotechnique, un artificier se prépare à lancer des fusées à partir d'une plate-forme située à 8 mètres de hauteur. Il dispose de deux types de fusée, notés A et B.

Partie A

La hauteur, en mètre, atteinte par les fusées de type A en fonction de leur temps de vol x, en dixième de seconde, est modélisée par la courbe ci-dessous.

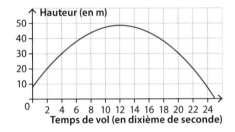

Répondre aux deux questions suivantes avec la précision permise par le graphique.

1. Quelle hauteur atteindra la fusée après 4 secondes de vol ?

2. Pour des raisons de sécurité, la fusée doit exploser à une altitude supérieure à 40 mètres. Déterminer l'intervalle de temps auquel doit appartenir x pour satisfaire à cette contrainte.

Partie B

On modélise la hauteur, en mètre, atteinte par les fusées de type B en fonction de leur temps de vol x, en dixième de seconde, par la fonction f définie pour tout réel x appartenant à l'intervalle [0 ; 20] par $f(x) = -0,5x^2 + 10x + 8$.

Comme dans le cas des fusées de type A, l'explosion des fusées de type B doit avoir lieu lorsque celles-ci sont situées à une altitude supérieure ou égale à 40 mètres.

1. Déterminer l'intervalle dans lequel doit se trouver x pour satisfaire à cette contrainte.

2. Pour des raisons de sécurité, l'artificier souhaite faire exploser ses fusées de type B lorsque celles-ci seront à leur hauteur maximale.

Quel temps de vol avant l'explosion doit-il alors programmer ?

D'après Bac, Centres étrangers, juin 2017

107 **Modéliser, raisonner**

$ABCD$ est un rectangle tel que $AB = 5$ et $AD = 2$ et M un point mobile sur le segment [DC].

• Le triangle AMB peut-il être rectangle en M ?

108 `ALGO` `PYTHON`

Soit un segment [AB] de longueur 10 et un point M mobile sur ce segment.

1. Déterminer la position du point M pour que la somme des aires des disques de diamètre [AM] et [BM] soit minimale.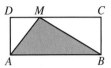

2. Déterminer la position du point M pour que la somme des aires des disques de diamètre [AM] et [BM] soit égale à la moitié de l'aire du disque de diamètre [AB].

3. Compléter l'algorithme suivant écrit en langage naturel qui détermine, au dixième près, la plus petite longueur du segment [AM] pour laquelle la somme des aires des disques de diamètre [AM] et [BM] est inférieure ou égale à 60.

```
x ← 0
y ← …
Tant que …
    x ← x + 0,1
    …
Afficher …
```

109 `ALGO` `PYTHON`

On donne l'algorithme suivant.

```
a ← 1
b ← 2
Tant que b − a > 0,01
    x ← (a + b) / 2
    Si x² < x + 1
        a ← x
    Sinon
        b ← x
Afficher x
```

1. a. Quelle est la condition pour que l'algorithme s'arrête ?

b. Quel est le rôle de cet algorithme ?

c. Traduire cet algorithme en langage Python et l'écrire dans un éditeur Python.

Quelle est alors la valeur de x obtenue ?

2. Calculer la valeur exacte de la solution positive de l'équation $x^2 = x + 1$.

Ce nombre est le nombre d'or.

110 Une trajectoire parabolique dépendant d'un paramètre

Si on néglige toutes les forces à l'exception du poids, un projectile lancé du sol à une vitesse v (en m·s^{-1}) en faisant un angle de α radians avec l'horizontale, suit une trajectoire parabolique d'équation :

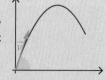

$$y = -\frac{g}{2v^2} \times (1 + \tan^2(\alpha)) \times x^2 + \tan(\alpha) \times x,$$

où x désigne la distance horizontale parcourue par le projectile (en m) et y la hauteur du projectile en fonction de cette distance horizontale parcourue (en m).

De plus, $g = 9{,}8$ m·s^{-2} désigne l'accélération de la pesanteur terrestre.

Dans la suite, ce projectile désigne une fusée artisanale lancée à une certaine vitesse qui suit une trajectoire parabolique d'équation $y = -0{,}02(1 + k^2)x^2 + kx$, où k est un réel strictement positif dépendant de α.

On s'interroge sur la hauteur maximale atteinte par la fusée et sa distance horizontale maximale parcourue.

▼

Questions Va piano

Cas où $k = 3$.

1. Déterminer la hauteur maximale atteinte par la fusée dans le cas où $k = 3$.

2. Déterminer la distance horizontale maximale parcourue par la fusée, toujours dans le cas où $k = 3$.

▼

Questions Moderato

ALGO PYTHON

1. Déterminer la hauteur maximale atteinte par la fusée en fonction de k.

2. Déterminer la distance horizontale maximale parcourue par la fusée en fonction de k.

▼

Questions Allegro

1. Montrer que la hauteur maximale atteinte par la fusée est inférieure ou égale à 12,5 m.

2. Montrer que la fusée ne peut parcourir une distance horizontale de plus de 25 m.

111 Réaliser un bénéfice

Un artisan fabrique des objets. Il ne peut pas en produire plus de 70 par semaine et toute la production est vendue. Le coût de production, en millier d'euros, de x dizaines d'objets est modélisé par la fonction C définie sur $[0\,;7]$ par $C(x) = 0{,}1x^2 + 0{,}2x + 0{,}3$; chaque objet est vendu 80 €.

▼

Questions Va piano

1. CALCULATRICE Représenter sur la calculatrice, la fonction C ainsi que la fonction recette R.

2. Utiliser le graphique pour déterminer les quantités d'objets que l'artisan doit produire et vendre pour réaliser un bénéfice.

3. Évaluer graphiquement le bénéfice maximal qu'il peut réaliser.

▼

Questions Moderato

On nomme B la fonction définie sur $[0\,;7]$ qui modélise le bénéfice, en millier d'euros, réalisé par la production et la vente de x dizaine(s) d'objets.

1. Donner l'expression de $B(x)$.

2. Déterminer par le calcul les quantités d'objets que l'artisan doit produire et vendre pour réaliser un bénéfice.

▼

Questions Allegro

1. Déterminer le bénéfice maximal que cet artisan peut réaliser.

2. En raison d'un investissement supplémentaire de 100 €, l'artisan décide d'augmenter le prix de vente de chaque objet afin de conserver la valeur du bénéfice maximal déterminée à la question 1. Calculer ce prix de vente.

No problem!

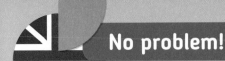

1. What a nice high school!

Meline and Emmeline draw the roof of their school sports-hall (framed in red) thanks to a geometry software.
Thanks to the architect's plan drawn to scale they use three parabolas and a segment line passing throw the following points: $A(3 ; 4)$, $B(4,5 ; 3)$, $C(6,5 ; 2,5)$, $D(8,5 ; 3)$, $E(9,5 ; 3,5)$ and $F(12,5 ; 3,5)$.
We denote f_1, f_2, f_3 and g the functions with graphs $\mathscr{P}_1$, $\mathscr{P}_2$, $\mathscr{P}_3$, et $\mathscr{D}$.

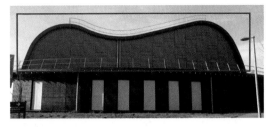

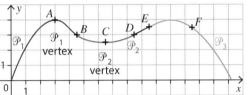

1. Emeline thinks that function f_1 can be written like this: $f_1(x) = ax(x - 6)$. Find the value of a.
2. Help Meline to choose the right statement for function f_2 among those statements:
a. $-0,125(x - 6,5)^2 - 2,5$ **b.** $-0,125(x + 6,5)^2 - 2,5$
c. $0,125(x - 6,5)^2 + 2,5$ **d.** $-0,125(x - 6,5)^2 + 2,5$
3. Thanks to points D and E, find the expression of function g.
4. Points F and E belong to $\mathscr{P}_3$ and the vertex of this parabola has the same ordinate as the $\mathscr{P}_1$ vertex. Find the expression for function f_3.
5. Using all the functions you've found and a geometry software, draw a sketch of the sports-hall roof.

2. Matching

For each parabola give the sign of a and the number of roots.

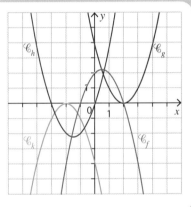

Individual work   Crosswords

1. One of the three ways to write a quadratic function.
2. To write a number or an expression as a product of its factors.
3. A function of the coefficients of a polynomial equation whose value gives information about the roots of the polynomial.
4. The path of a projectile under the influence of gravity follows a curve of this shape.
5. Containing one or more squared variables.
6. My abscissa is $-\dfrac{b}{2a}$.
7. A value of an unknown quantity satisfying a given equation.

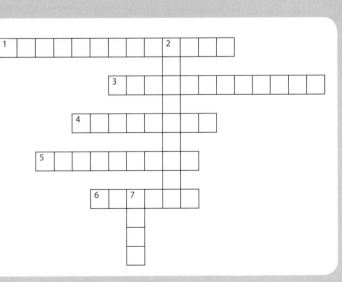

3 Fonctions trigonométriques

Ressources du chapitre disponibles ici :
www.lycee.hachette–education.com/barbazo/1re ou

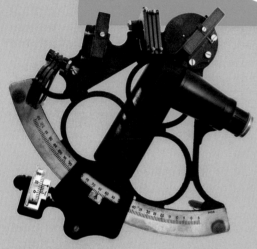

Prendre le bon angle avec les fonctions trigonométriques

Regiomontanus

Regiomontanus est le surnom de l'Allemand Johannes Müller, probablement le mathématicien le plus influent du XVe siècle. Astronome, il écrit *De triangulis omnimodis* qui donne à la trigonométrie, non plus un simple rôle utile à l'astronomie mais une place importante à l'étude des côtés, angles et aires des triangles.

La mort subite de Regiomontanus l'a empêché de publier son traité de trigonométrie, ce délai de publication a grandement affaibli son influence parmi ses contemporains.

On présente ci-dessous un exemple des problèmes que l'on rencontre dans l'ouvrage de Regiomontanus.

« Si la base d'un triangle et l'angle opposé sont connus, et si la hauteur sur la base ou l'aire est donnée, alors les côtés peuvent être trouvés. »

Regiomontanus disposait du cosinus, du sinus et de la tangente. Traduire l'énoncé du problème précédent par une figure, puis donner des valeurs arbitraires aux grandeurs connues avant de déterminer une valeur approchée des côtés.

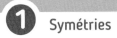

DIAPORAMA
DE GAMMES
SUPPLÉMENTAIRES

❶ Symétries

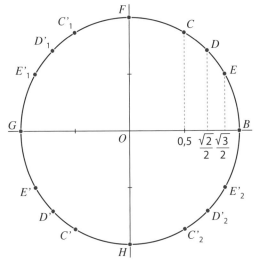

Donner les abscisses de tous les points de la figure ci-dessus en utilisant les symétries implicites.

❷ Écritures fractionnaires

Calculer et donner le résultat sous la forme d'une fraction irréductible.

a. $\dfrac{\pi}{2} + \dfrac{\pi}{4}$
b. $\dfrac{\pi}{3} - \dfrac{\pi}{6}$

c. $\pi - \dfrac{2\pi}{3}$
d. $\dfrac{\pi}{4} + \dfrac{\pi}{3}$

e. $\dfrac{5\pi}{4} - \dfrac{3\pi}{2}$
f. $-\dfrac{3\pi}{4} + \pi$

g. $\dfrac{3\pi}{4} + \dfrac{\pi}{8}$
h. $-\pi - \dfrac{\pi}{5}$

❸ Droites graduées

Reproduire les axes gradués ci-dessous et placer approximativement sur chacun d'eux les nombres suivants.

a. π
b. 3
c. $\dfrac{\pi}{3}$

d. $\dfrac{\pi}{2}$
e. -2π
f. $-\dfrac{\pi}{6}$

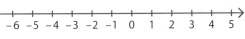

❹ Nature des triangles

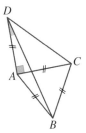

a. Quelle est la nature des triangles ADC, ABC et ABD ?

b. Quelle est la mesure en degré de l'angle $\widehat{ADB}$?

❺ Cosinus et sinus

Sur la figure ci-contre, ABC est un triangle rectangle en B.

a. Indiquer l'hypoténuse.

b. Indiquer le côté adjacent à l'angle $\widehat{CAB}$.

c. Indiquer le côté opposé à l'angle $\widehat{CAB}$.

d. Comment calcule-t-on $\cos(\widehat{CAB})$?

e. Comment calcule-t-on $\sin(\widehat{CAB})$?

❻ Cercle particulier

Dans un repère orthonormé $(O\,;\,I,\,J)$, on considère le cercle de centre O et de rayon 1, un point A sur le cercle, et le point B sur l'axe des abscisses tel que le triangle OAB soit rectangle isocèle en B.

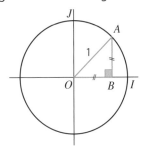

1. Calculer la longueur OB en utilisant le théorème de Pythagore.

2. Quelle est, en degré, la mesure de l'angle $\widehat{BOA}$?

3. En déduire la valeur exacte de $\cos(45°)$ et $\sin(45°)$.

Situation 1 Piste de course

Objectif
Introduire le repérage sur le cercle trigonométrique.

Une course se déroule sur une piste circulaire de rayon 1 hm (hectomètre) et de centre O.
Le départ se fait toujours au point A. Le coureur se déplace sur la piste, toujours dans le sens indiqué et parcourt une distance égale à la longueur de l'arc $\overarc{AM}$, qui correspond à un angle au centre de α degrés, comme indiqué ci-contre.

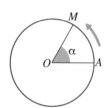

① Recopier et compléter le tableau suivant, où M est la position d'un coureur sur la piste correspondant à l'angle, en degré, et L est la longueur exacte, en hectomètre, parcourue depuis le départ (c'est-à-dire la longueur de l'arc $\overarc{AM}$).
On rappelle que le périmètre P d'un cercle de rayon R est $P = 2\pi R$.

Angle en degré	180	360	90	45	60	210
Position de M						
Longueur L en hm	$\pi \times 1$	...	...	...	...	...

② Si un coureur a fait, à partir de A, trois tours de piste, puis arrive en B (figure ci-contre), quelle est la longueur L parcourue ? Quelle est la mesure de l'angle correspondant en degré ?

③ Un coureur parti de A a parcouru la distance $\dfrac{11\pi}{2}$ hm sur la piste : où est-il arrivé ?

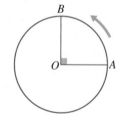

Situation 2 Tourner pour chercher un signe

Objectif
Étudier le signe du sinus et du cosinus d'un nombre réel.

On se place dans un repère orthonormé $(O ; I, J)$. Le cercle ci-contre a pour centre l'origine O du repère et pour rayon 1 unité.
On note M un point mobile qui se déplace sur le cercle en partant du point I dans le sens trigonométrique. On note α une mesure en radian de l'angle $\widehat{IOM}$.

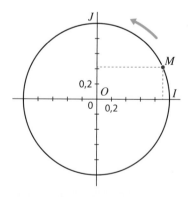

① Quel est le point-image du réel $\alpha + 2\pi$? En déduire une comparaison entre $\cos(\alpha + 2\pi)$ et $\cos(\alpha)$, d'une part, et $\sin(\alpha + 2\pi)$ et $\sin(\alpha)$, d'autre part.

② Donner le signe de l'abscisse de M au cours du déplacement. En déduire le signe de $\cos(\alpha)$.

③ Donner le signe de l'ordonnée de M au cours du déplacement. En déduire le signe de $\sin(\alpha)$.

Situation 3 Unités de mesure d'un angle CALCULATRICE

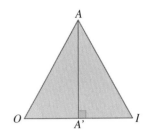

Objectif
Introduire le radian.

On considère un triangle OIA équilatéral.
On suppose que $OA = 1$.

(1) Quelle est la mesure en degré de l'angle $\widehat{IOA}$?

(2) Soit A' le pied de la hauteur issue de A.

   a. Déterminer la mesure en degré de l'angle $\widehat{AA'O}$.

   b. Quelle est la longueur du segment $[OA']$? En déduire que $AA' = \dfrac{\sqrt{3}}{2}$.

(3) En utilisant la définition du sinus et du cosinus vue en classe de Troisième, retrouver les valeurs de cos(60°) et sin(60°).

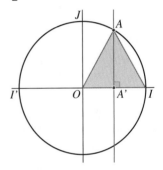

(4) On place le triangle OIA dans le cercle trigonométrique, comme indiqué sur la figure ci-contre. On note I' le point diamétralement opposé à I.

   a. Quelle est la mesure, en degré, de l'angle $\widehat{IOI'}$?

   b. Recopier et compléter le tableau de proportionnalité suivant.

Angle en degré	$\widehat{IOI'} = \dots$	$\widehat{IOA} = \dots$
Longueur de l'arc de cercle	$\overset{\frown}{II'} = \dots$	$\overset{\frown}{IA} = \dots$

(5) La valeur $\dfrac{\pi}{3}$ est une nouvelle mesure de l'angle $\widehat{IOA}$, exprimée en une nouvelle unité appelée le radian.
En utilisant les résultats de la question **3**, déterminer $\cos\left(\dfrac{\pi}{3}\right)$ et $\sin\left(\dfrac{\pi}{3}\right)$.

(6) Régler la calculatrice en mode radian à l'aide des instructions ci-dessous et vérifier les valeurs $\cos\left(\dfrac{\pi}{3}\right)$ et $\sin\left(\dfrac{\pi}{3}\right)$.

Casio	TI

Casio

• Entrer dans le menu

• Taper les instructions SHIFT MENU *(SET UP)*

• Dans le menu Angle, choisir l'unité degrés ou radians à l'aide des flèches

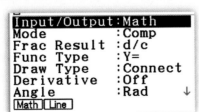

TI

• Entrer dans le menu **mode**

• Choisir RADIAN ou DEGRE à l'aide des flèches.

1. Lecture sur le cercle trigonométrique

1. Le cercle trigonométrique

Définition

Dans un repère orthonormé $(O\,;I,J)$, le cercle de centre O et de rayon 1 parcouru de I vers J dans le sens inverse des aiguilles d'une montre est appelé le **cercle trigonométrique**.

On note I le point de coordonnées $(1\,;0)$, et J le point de coordonnées $(0\,;1)$, ainsi que I' et J' les symétriques respectifs de I et J par rapport à O.

sens trigonométrique ou sens direct

2. Longueur d'un arc

Propriété (admise)

Sur le cercle trigonométrique, la longueur de l'arc de cercle $\overset{\frown}{IM}$ (exprimée dans l'unité de longueur du repère) est proportionnelle à la mesure de l'angle $\widehat{IOM}$ exprimée en degré.

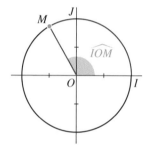

Mesure de $\widehat{IOM}$ en degré	360	180	90	270
Longueur de l'arc $\overset{\frown}{IM}$	2π	π	$\dfrac{\pi}{2}$	$\dfrac{3\pi}{2}$

3. Radian

Définition

Soit U le point du cercle trigonométrique tel que l'arc $\overset{\frown}{IU}$ ait pour longueur 1 unité (exprimée dans l'unité de longueur du repère).
On définit un radian (noté 1 rad) comme étant la mesure de l'angle $\widehat{IOU}$.

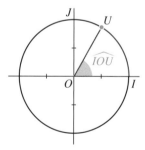

Propriété (admise)

Les mesures d'un angle en degré, d'une part, et en radian, d'autre part, sont proportionnelles.
On en déduit le tableau de conversion suivant.

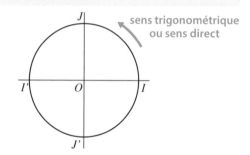

Mesure en degré	30	45	60	90	180	1	$\dfrac{180}{\pi}$
Mesure en radian	$\dfrac{\pi}{6}$	$\dfrac{\pi}{4}$	$\dfrac{\pi}{3}$	$\dfrac{\pi}{2}$	π	$\dfrac{\pi}{180}$	1

$\times \dfrac{180}{\pi}$ $\times \dfrac{\pi}{180}$

⌄ Exemples

- L'arc $\overset{\frown}{IJ}$ a pour longueur $\dfrac{\pi}{2}$. La mesure en degré de l'angle $\widehat{IOJ}$ est égale à 90°. La mesure en radian de l'angle $\widehat{IOJ}$ est égale à $\dfrac{\pi}{2}$.

Exercice résolu 1 — Déterminer la longueur d'un arc

Déterminer la longueur des arcs $\widehat{IA}$, $\widehat{IB}$ et $\widehat{IC}$ sur ce cercle de centre O et de rayon 1.

∨ Solution commentée

La longueur du cercle est égale à 2π, ce qui correspond à un angle de 360°. Longueur d'arc et angle au centre sont des grandeurs proportionnelles, on obtient donc les résultats suivants en utilisant par exemple l'égalité des produits en croix.

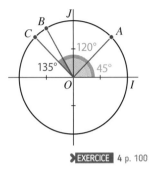

Mesure de l'angle en degré	45	120	135
Longueur de l'arc	$\dfrac{\pi}{4}$	$\dfrac{2\pi}{3}$	$\dfrac{3\pi}{4}$

❯ EXERCICE 4 p. 100

Exercice résolu 2 — Convertir des angles en radian

Convertir en radian les mesures d'angles de mesures suivantes données en degré.

1. 30° 2. 0° 3. 150° 4. 210° 5. 225°

∨ Solution commentée

On utilise un tableau de proportionnalité sachant que 360° correspondant à 2π radians.

Mesure de l'angle en degré	30	0	150	210	225
Mesure de l'angle en radian	$\dfrac{\pi}{6}$	0	$\dfrac{5\pi}{6}$	$\dfrac{7\pi}{6}$	$\dfrac{5\pi}{4}$

❯ EXERCICE 2 p. 100

Exercice résolu 3 — Convertir des angles en degré

Convertir en degré, les angles de mesures suivantes données en radian.

1. $\dfrac{3\pi}{2}$ 2. $\dfrac{2\pi}{5}$ 3. $\dfrac{3\pi}{4}$ 4. $\dfrac{7\pi}{3}$ 5. $\dfrac{\pi}{8}$

∨ Solution commentée

On utilise un tableau de proportionnalité.

Mesure de l'angle en radian	$\dfrac{3\pi}{2}$	$\dfrac{2\pi}{5}$	$\dfrac{3\pi}{4}$	$\dfrac{5\pi}{12}$	$\dfrac{\pi}{8}$
Mesure de l'angle en degré	270	72	135	75	22,5

❯ EXERCICE 3 p. 100

2. Enroulement de la droite des réels

1. Point-image d'un réel

Dans un repère orthonormé $(O ; I, J)$, on considère le cercle trigonométrique et la tangente $\mathcal{D}$ au cercle au point I. On définit sur cette droite un repère d'origine I comme indiqué sur la figure ci-contre.
On imagine que la droite $\mathcal{D}$ s'enroule autour du cercle.

Propriété (admise)

• Pour tout nombre réel α, le point d'abscisse α sur $\mathcal{D}$ coïncide avec un unique point M du cercle trigonométrique.
M s'appelle **le point-image** de α sur le cercle trigonométrique.
• Réciproquement, à tout point M du cercle trigonométrique correspondent une infinité de valeurs qui peuvent être considérées comme les abscisses de points de la droite $\mathcal{D}$.
Si α est l'abscisse d'un de ces points sur $\mathcal{D}$, tous les autres points de $\mathcal{D}$ ont pour abscisses :
$$\alpha + 2\pi, \quad \alpha + 4\pi, \ldots, \quad \alpha - 2\pi, \alpha - 4\pi, \ldots$$

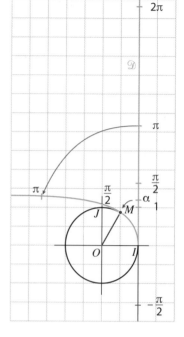

⌄ Exemples

• Soit $\alpha = \pi$. Comme le cercle trigonométrique est de rayon 1, son périmètre vaut 2π. Le point-image de π sur le cercle trigonométrique est donc le point I', point symétrique de I par rapport à O, car la longueur de l'arc $\widehat{II'}$ est π.
• Au point J correspond une infinité de valeurs qui sont les abscisses de la forme $\frac{\pi}{2}$, $\frac{\pi}{2} + 2\pi$, $\frac{\pi}{2} + 4\pi$, …, $\frac{\pi}{2} - 2\pi$, $\frac{\pi}{2} - 4\pi$, … de points de la droite $\mathcal{D}$.

2. Points-images remarquables du cercle trigonométrique

Propriété (admise)

Sur le cercle trigonométrique, les points I, A, B, C et J sont appelés points remarquables et sont définis par :

• $\widehat{IOI} = 2k\pi$, k entier relatif

• $\widehat{IOA} = \frac{\pi}{6} + 2k\pi$, k entier relatif

• $\widehat{IOB} = \frac{\pi}{4} + 2k\pi$, k entier relatif

• $\widehat{IOC} = \frac{\pi}{3} + 2k\pi$, k entier relatif

• $\widehat{IOJ} = \frac{\pi}{2} + 2k\pi$, k entier relatif

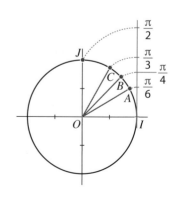

Exercice résolu **1** Se repérer sur le cercle trigonométrique

Le cercle ci-contre est le cercle trigonométrique partagé en huit arcs de même longueur.

• Pour chacun des points A et B du cercle, donner deux réels dont il est le point-image.

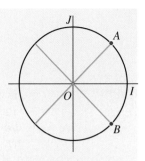

Solution commentée

Pour aller de I à A dans le sens trigonométrique, on parcourt un arc de longueur un huitième de la longueur du cercle.

A est donc le point-image du nombre $\frac{\pi}{4}$.

Pour déterminer un autre réel dont A est le point-image, il suffit d'ajouter ou de retrancher 2π.

Par exemple, $\frac{\pi}{4} - 2\pi = \frac{\pi}{4} - \frac{8\pi}{4} = -\frac{7\pi}{4}$. A est le point-image du réel $-\frac{7\pi}{4}$ en parcourant le cercle dans le sens contraire du sens trigonométrique.

B est le point-image du réel $-\frac{\pi}{4}$ en parcourant le cercle dans le sens contraire du sens trigonométrique.

Pour déterminer un autre réel dont B est le point-image, il suffit d'ajouter ou de retrancher 2π.

Par exemple : $-\frac{\pi}{4} + 2\pi = \frac{7\pi}{4}$.

> **EXERCICE** 6 p. 100

Exercice résolu **2** Placer des points sur le cercle trigonométrique

On a placé sur le cercle trigonométrique trois points-images de trois nombres.

• Reproduire le cercle et placer les points $E\left(\frac{3\pi}{4}\right)$ et $F\left(-\frac{4\pi}{3}\right)$.

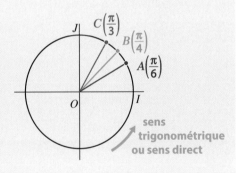

Solution commentée

B est le point-image de $\frac{\pi}{4}$. Lorsqu'on reporte deux fois l'arc $\overset{\frown}{OB}$ à partir de I, on arrive sur J, le point-image de $\frac{2\pi}{4}$. On reporte une fois encore l'arc $\overset{\frown}{OB}$ pour obtenir le point-image de $\frac{3\pi}{4}$, soit E.

C est le point-image de $\frac{\pi}{3}$. On reporte quatre fois à partir de I l'arc $\overset{\frown}{OC}$ dans le sens contraire du sens trigonométrique. Le point obtenu est le point-image de $-\frac{4\pi}{3}$, soit le point F.

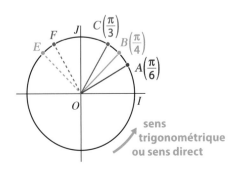

> **EXERCICE** 10 p. 100

3. Sinus et cosinus d'un nombre réel

1. Définitions

Définitions

Soit α un nombre réel et soit M le point-image de α sur le cercle trigonométrique. Dans le repère $(O ; I, J)$:
- l'abscisse de M est appelée le **cosinus** de α, noté $\cos(\alpha)$;
- l'ordonnée de M est appelée le **sinus** de α, noté $\sin(\alpha)$;
- le point M a pour coordonnées $M(\cos(\alpha) ; \sin(\alpha))$.

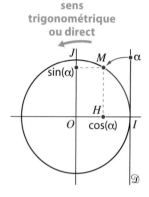

⌄ Exemple

Le réel $\dfrac{\pi}{2}$ a pour point-image $J(0 ; 1)$. Donc $\cos\left(\dfrac{\pi}{2}\right) = 0$ et $\sin\left(\dfrac{\pi}{2}\right) = 1$.

Propriétés

> DÉMO
> p. 90

Pour tout réel α, on a :
- $-1 \leqslant \cos(\alpha) \leqslant 1$ et $-1 \leqslant \sin(\alpha) \leqslant 1$.
- $\cos^2(\alpha) + \sin^2(\alpha) = 1$

$(\cos(\alpha))^2$ peut se noter $\cos^2(\alpha)$.

2. Valeurs remarquables du sinus et du cosinus

Certaines valeurs remarquables de $\cos(\alpha)$ et $\sin(\alpha)$ sont à connaître pour des valeurs de α données. Elles correspondent à des positions remarquables du point M sur le cercle trigonométrique.

> DÉMO
> p. 90
> et 91

- I est le point-image de 0.
- M_1 est le point-image de $\dfrac{\pi}{6}$.
- M_2 est le point-image de $\dfrac{\pi}{4}$.
- M_3 est le point-image de $\dfrac{\pi}{3}$.
- J est le point-image de $\dfrac{\pi}{2}$.

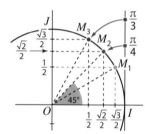

α	0	$\dfrac{\pi}{6}$	$\dfrac{\pi}{4}$	$\dfrac{\pi}{3}$	$\dfrac{\pi}{2}$
Angle en degré	0	30	45	60	90
$\cos(\alpha)$	1	$\dfrac{\sqrt{3}}{2}$	$\dfrac{\sqrt{2}}{2}$	$\dfrac{1}{2}$	0
$\sin(\alpha)$	0	$\dfrac{1}{2}$	$\dfrac{\sqrt{2}}{2}$	$\dfrac{\sqrt{3}}{2}$	1

3. Lien avec le sinus et le cosinus dans un triangle rectangle

On considère le cercle trigonométrique et la tangente $\mathscr{D}$ au cercle.

Pour tout nombre $\alpha \in \left]0 ; \dfrac{\pi}{2}\right[$, d'image M, on considère le point H de l'axe des abscisses tel que (MH) est perpendiculaire à (OI).
On a :

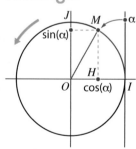

- $\cos(\alpha) = $ abscisse de $M = \dfrac{OH}{OM} = \dfrac{\text{côté adjacent}}{\text{hypoténuse}} = \cos(\widehat{HOM})$
- $\sin(\alpha) = $ ordonnée de $M = \dfrac{HM}{OM} = \dfrac{\text{côté opposé}}{\text{hypoténuse}} = \sin(\widehat{HOM})$

Exercice résolu 1 Utiliser le cercle trigonométrique

Donner, sans calculatrice, le signe des nombres réels suivants.

1 $a = 1 - \cos\left(\dfrac{\pi}{5}\right)$ **2** $b = -\sin\left(\dfrac{\pi}{7}\right) - 1$

Solution commentée

1 On sait que $-1 \leqslant \cos\left(\dfrac{\pi}{5}\right) \leqslant 1$. On utilise la deuxième inégalité :

$\cos\left(\dfrac{\pi}{5}\right) \leqslant 1$ donc $1 - \cos\left(\dfrac{\pi}{5}\right) \geqslant 0$. $1 - \cos\left(\dfrac{\pi}{5}\right)$ est donc un réel positif.

2 On sait que $-1 \leqslant \sin\left(\dfrac{\pi}{7}\right) \leqslant 1$. On utilise la première inégalité :

$-1 \leqslant \sin\left(\dfrac{\pi}{7}\right)$ donc $-1 - \sin\left(\dfrac{\pi}{7}\right) \leqslant 0$. $-1 - \sin\left(\dfrac{\pi}{7}\right)$ est donc un réel négatif.

> **EXERCICE** 22 p. 101

Exercice résolu 2 Déterminer des valeurs du sinus et du cosinus

En utilisant le cercle trigonométrique, déterminer les valeurs exactes des cosinus et sinus de $-\dfrac{\pi}{4}$.

Solution commentée

On place les images de ces réels sur le cercle trigonométrique.
Le point-image de $-\dfrac{\pi}{4}$ est le point N.

N est le symétrique par rapport à l'axe des abscisses du point M image de $\dfrac{\pi}{4}$.

On sait que M a pour coordonnées $M\left(\dfrac{\sqrt{2}}{2}; \dfrac{\sqrt{2}}{2}\right)$. Donc $N\left(\dfrac{\sqrt{2}}{2}; \dfrac{-\sqrt{2}}{2}\right)$.

Donc $\cos\left(-\dfrac{\pi}{4}\right) = \dfrac{\sqrt{2}}{2}$ et $\sin\left(-\dfrac{\pi}{4}\right) = -\dfrac{\sqrt{2}}{2}$.

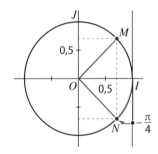

> **EXERCICE** 13 p. 101

Exercice résolu 3 Utiliser les valeurs remarquables du sinus et du cosinus

Calculer les expressions suivantes et donner le résultat sous la forme d'une fraction.

1 $A = \cos\left(\dfrac{\pi}{3}\right) - \sin\left(\dfrac{\pi}{3}\right)$ **2** $B = \cos\left(\dfrac{\pi}{4}\right) + \sin\left(\dfrac{3\pi}{4}\right)$

Solution commentée

En utilisant le cercle trigonométrique, et avec les valeurs remarquables
à connaître, on trouve que :

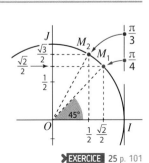

1 $\cos\left(\dfrac{\pi}{3}\right) = \dfrac{1}{2}$; $\sin\left(\dfrac{\pi}{3}\right) = \dfrac{\sqrt{3}}{2}$; donc $A = \dfrac{1}{2} - \dfrac{\sqrt{3}}{2} = \dfrac{1 - \sqrt{3}}{2}$.

2 $\cos\left(\dfrac{\pi}{4}\right) = \dfrac{\sqrt{2}}{2}$; $\sin\left(\dfrac{3\pi}{4}\right) = \dfrac{\sqrt{2}}{2}$; donc $B = \dfrac{\sqrt{2}}{2} + \dfrac{\sqrt{2}}{2} = \dfrac{2\sqrt{2}}{2} = \sqrt{2}$.

> **EXERCICE** 25 p. 101

4. Fonctions sinus et cosinus

1. Définition

Définition

La **fonction sinus**, notée sin, est la fonction définie sur $\mathbb{R}$ par $x \mapsto \sin(x)$.
La **fonction cosinus**, notée cos, est la fonction définie sur $\mathbb{R}$ par $x \mapsto \cos(x)$.
Leurs courbes représentatives sont appelées des **sinusoïdes**.

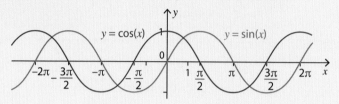
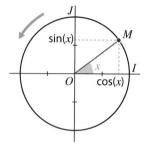

Remarque

Pour tout x réel, $-1 \leqslant \sin(x) \leqslant 1$ et $-1 \leqslant \cos(x) \leqslant 1$.

2. Périodicité et parité

Définition

Une fonction trigonométrique f définie sur $\mathbb{R}$ est **périodique de période** T si et seulement si, pour tout réel x, $f(x + T) = f(x)$.

Propriété

Pour tout x réel, on a $\sin(x + 2\pi) = \sin(x)$ et $\cos(x + 2\pi) = \cos(x)$.
On dit que les fonctions sinus et cosinus sont 2π – périodiques.

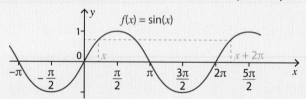

Propriété

Pour tout x réel, on a :
- $\sin(-x) = -\sin(x)$: on dit que la fonction sinus est impaire ;
- $\cos(-x) = \cos(x)$: on dit que la fonction cosinus est paire.

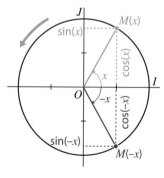

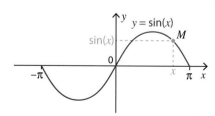
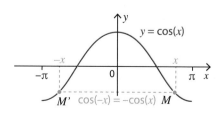

La courbe de la fonction sinus est donc symétrique par rapport à 0.

La courbe de la fonction cosinus est donc symétrique par rapport à l'axe des ordonnées.

Exercice résolu 1 Utiliser la courbe représentative de la fonction cosinus

En utilisant la courbe représentative de la fonction cosinus, résoudre graphiquement l'équation $\cos(x) = 0,8$ sur l'intervalle $[0 ; 2\pi]$. Donner les valeurs approchées des solutions au dixième.

∨ Solution commentée

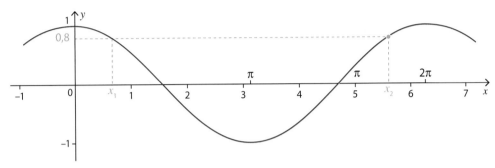

On trace la droite d'équation $y = 0,8$.
Les solutions sont les abscisses des points d'intersection de la droite avec la courbe représentative de la fonction cosinus.
On trouve deux valeurs approchées : $x_1 \approx 0,6$ et $x_2 \approx 5,6$.

> EXERCICE 28 p. 102

Exercice résolu 2 Étudier la périodicité d'une fonction trigonométrique

On considère la fonction trigonométrique définie sur $\mathbb{R}$ par $f(x) = \sin(x) + \cos(x)$.

• Démontrer que la fonction f est périodique de période 2π.

∨ Solution commentée

Pour tout réel x, on calcule $f(x + 2\pi)$.
$f(x + 2\pi) = \sin(x + 2\pi) + \cos(x + 2\pi) = \sin(x) + \cos(x)$ car les fonctions sinus et cosinus sont périodiques de période 2π.
On a donc $f(x + 2\pi) = f(x)$ pour tout x réel. La fonction f est périodique de période 2π.

> EXERCICE 33 p. 102

Exercice résolu 3 Montrer qu'une fonction est paire ou impaire

On considère la fonction f définie pour tout réel x par $f(x) = \sin(x) + x$.

1 Montrer que la fonction est impaire.

2 Qu'en déduit-on pour sa courbe représentative dans un repère orthonormé ?

∨ Solution commentée

1 On calcule $f(-x) = \sin(-x) + (-x) = -\sin(x) - x$ car la fonction sinus est impaire.
On a alors $f(-x) = -(\sin(x) + x) = -f(x)$ pour tout x réel.
La fonction f est impaire.

2 La courbe représentative de la fonction f est symétrique par rapport à l'origine O du repère.

> EXERCICE 33 p. 102

Comprendre une démonstration

On présente la démonstration de la propriété suivante. La lire attentivement puis répondre aux questions posées.

On a $\cos\left(\dfrac{\pi}{3}\right) = \dfrac{1}{2}$ et $\sin\left(\dfrac{\pi}{3}\right) = \dfrac{\sqrt{3}}{2}$.

▼ Démonstration

- On considère le point A image de $\dfrac{\pi}{3}$ sur le cercle trigonométrique (cercle de rayon 1).

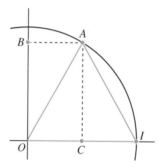

Le triangle AOI est par conséquent un triangle équilatéral.
Soit C le milieu de $[OI]$. La droite (AC) est une hauteur du triangle.
Donc OC est l'abscisse de A.

On en déduit que $\cos\left(\dfrac{\pi}{3}\right) = \dfrac{1}{2}$.

- D'après le théorème de Pythagore, dans le triangle OAC rectangle en C, on a :
$OA^2 = OC^2 + AC^2 \Leftrightarrow AC^2 = OA^2 - OC^2$.

On trouve donc $AC^2 = 1 - \left(\dfrac{1}{4}\right) = \dfrac{3}{4}$.

On en déduit $AC = \dfrac{\sqrt{3}}{2}$, car AC est une longueur, donc est un réel positif.

Comme $AC = OB$, l'ordonnée du point A est $\dfrac{\sqrt{3}}{2}$.

On a donc $\sin\left(\dfrac{\pi}{3}\right) = \dfrac{\sqrt{3}}{2}$.

1 Quelle est la mesure de l'angle $\widehat{IOA}$ en degré ? en radian ?

2 Expliquer pourquoi le triangle AOI est équilatéral.

3 Expliquer pourquoi C est le milieu du segment $[OI]$.

4 Expliquer pourquoi $AC = OB$.

Rédiger une démonstration

1 On souhaite démontrer la propriété suivante.

On a $\cos\left(\dfrac{\pi}{4}\right) = \dfrac{\sqrt{2}}{2}$ et $\sin\left(\dfrac{\pi}{4}\right) = \dfrac{\sqrt{2}}{2}$.

En utilisant les indications suivantes, rédiger une démonstration de la propriété.

Le point A est l'image de $\dfrac{\pi}{4}$ sur le cercle trigonométrique.

- Déterminer la mesure de l'angle $\widehat{BOA}$ en degré, puis en radian.
- Montrer que le triangle BOA est rectangle et isocèle en B.
- Conclure en utilisant le théorème de Pythagore.

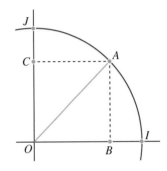

2 On souhaite démontrer la propriété suivante.

Pour tout nombre réel x, on a $\cos^2(x) + \sin^2(x) = 1$.

En utilisant les indications suivantes, rédiger une démonstration de la propriété.
Soit M un point-image du réel x sur le cercle trigonométrique.

- Exprimer la longueur HM à l'aide de $\sin(x)$.
- Exprimer la longueur OH à l'aide de $\cos(x)$.
- Que vaut la longueur OM ?
- Utiliser le théorème de Pythagore dans le triangle OHM pour conclure.

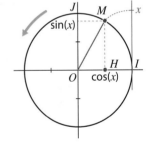

Utiliser différents raisonnements

Dire si la proposition suivante est vraie ou fausse en justifiant la réponse.

Pour tout $x \in\ ]-\pi\ ;\pi]$, on a :

$$x \in \left\{ -\dfrac{\pi}{4} ; \dfrac{\pi}{4} \right\} \Leftrightarrow \cos(x) = \dfrac{\sqrt{2}}{2} \Leftrightarrow \cos^2(x) = \dfrac{1}{2}$$

Démontrer des équivalences

Pour démontrer plusieurs équivalences, il faut s'assurer que chaque équivalence est vraie.

Pour démontrer une équivalence $P \Leftrightarrow Q$, on démontre dans un premier temps $P \Rightarrow Q$ puis dans un second temps $Q \Rightarrow P$.

Cercle trigonométrique

Cercle de centre O et de rayon 1.

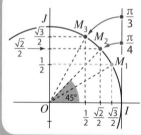

sens trigonométrique
ou sens direct

Mesure des arcs et radians

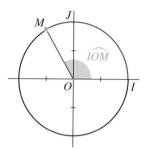

Mesure de $\widehat{IOM}$ en degré	360	180	90	270
Longueur de l'arc $\widehat{IM}$	2π	π	$\dfrac{\pi}{2}$	$\dfrac{3\pi}{2}$

Le radian

Mesure en degré	180	1	$\dfrac{180}{\pi}$
Mesure en radian	π	$\dfrac{\pi}{180}$	1

$\times \dfrac{180}{\pi}$ $\times \dfrac{\pi}{180}$

Valeurs remarquables

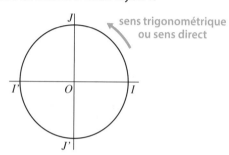

α	0	$\dfrac{\pi}{6}$	$\dfrac{\pi}{4}$	$\dfrac{\pi}{3}$	$\dfrac{\pi}{2}$
Angle en degré	0	30	45	60	90
$\cos(\alpha)$	1	$\dfrac{\sqrt{3}}{2}$	$\dfrac{\sqrt{2}}{2}$	$\dfrac{1}{2}$	0
$\sin(\alpha)$	0	$\dfrac{1}{2}$	$\dfrac{\sqrt{2}}{2}$	$\dfrac{\sqrt{3}}{2}$	1

Sinus, cosinus d'un nombre réel

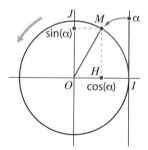

- $-1 \leqslant \cos(\alpha) \leqslant 1$
- $-1 \leqslant \sin(\alpha) \leqslant 1$
- $\cos^2(\alpha) + \sin^2(\alpha) = 1$

Enroulement de la droite des réels

M est le point-image du réel α. À tout point M du cercle correspondant une infinité de valeurs $\alpha + 2k\pi$.

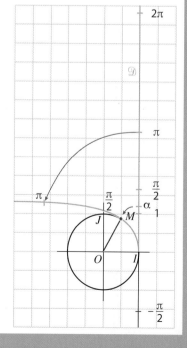

Fonctions cosinus et sinus

- sinus : $\mathbb{R} \to \mathbb{R}$
  $x \mapsto \sin(x)$
- La fonction sinus est **impaire**.
- Elle a pour période 2π :
  $\sin(x + 2\pi) = \sin(x)$

- cosinus : $\mathbb{R} \to \mathbb{R}$
  $x \mapsto \cos(x)$
- La fonction cosinus est **paire**.
- Elle a pour période 2π :
  $\cos(x + 2\pi) = \cos(x)$

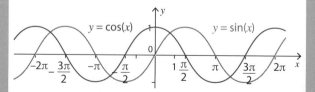

Effectuer les exercices ❶ à ❹ et vérifier les réponses.
Si nécessaire, réviser les points de cours en texte ou en vidéo.

❶ 1. Déterminer la longueur des arcs $\overset{\frown}{IA}$ et $\overset{\frown}{IB}$.

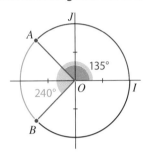

2. Placer sur le cercle trigonométrique les points-images des nombres réels suivants.

a. $\dfrac{\pi}{6}$ b. $-\dfrac{\pi}{4}$ c. $\dfrac{7\pi}{4}$

❷

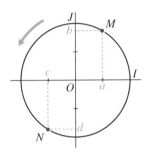

Le point M est l'image d'un réel α et le point N celle du réel β.
Indiquer la lettre correspondant à :
• $\cos(\alpha)$;   • $\cos(\beta)$;
• $\sin(\alpha)$;   • $\sin(\beta)$.

❸

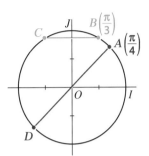

Les points B et C sont symétriques par rapport à l'axe des ordonnées.
Les points A et D sont symétriques par rapport à O.
1. Donner la valeur des nombres suivants.

a. $\cos\left(\dfrac{\pi}{3}\right)$ b. $\sin\left(\dfrac{\pi}{4}\right)$ c. $\sin\left(\dfrac{\pi}{3}\right)$

2. Donner ensuite la valeur des nombres suivants.

a. $\cos\left(\dfrac{2\pi}{3}\right)$ b. $\sin\left(\dfrac{-3\pi}{4}\right)$ c. $\sin\left(\dfrac{5\pi}{3}\right)$

❹ 1. On considère la fonction f définie pour tout réel x par $f(x) = \sin(x) - \cos(x)$.
Montrer que la fonction n'est ni paire ni impaire.
2. On considère la fonction g définie pour tout réel x par $g(x) = \cos(x) + x^2$.
Montrer que la fonction g est paire.

❯ CORRIGÉS
DES EXERCICES

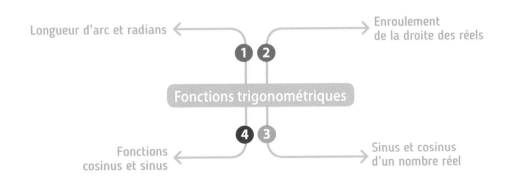

TP 1 Construction du cercle trigonométrique

Objectif
Utiliser les fonctions trigonométriques.

On considère la fonction cercle suivante.

```python
import matplotlib.pyplot as plt
from math import pi,cos,sin

def cercle(n):
    for i in range(n+1):
        angle=2*i*pi/n
        X=cos(angle)
        Y=sin(angle)
        plt.plot(X,Y,"b.")
    plt.axis("equal")
    plt.show()
```

1 Recopier et tester la fonction pour $n = 6$. Qu'obtient-on ?

2 Que calcule-t-on à la ligne 6 ?

3 Combien de mesures d'angles calcule-t-on avec l'instruction de la ligne 5 ?

4 Quelle instruction faut-il écrire dans la console pour afficher une approximation du cercle trigonométrique ?

5 Recopier et compléter la fonction cercle2 ci-dessous pour qu'elle affiche le cercle avec les quarts en couleur comme indiqué sur la figure ci-dessous.

```python
import matplotlib.pyplot as plt
from math import pi,cos,sin

def cercle2(n):
    for i in range(n+1):
        angle=2*i*pi/n
        X=cos(angle)
        Y=sin(angle)
        if 0<X<1 and 0<Y<1:
            plt.plot(X,Y,"g.")
        elif ...:
            ...
        ...
            ...
        ...
            ...
    plt.axis("equal")
    plt.show()
```

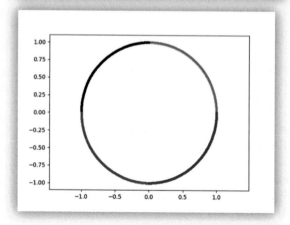

TP ② Étudier un polygone régulier

Objectif
Utiliser
des listes.

Dans un repère $(O ; I, J)$, on considère le polygone régulier à n côtés $A_0 A_1 A_2 \ldots A_{n-1}$, avec $A_0 = I$. Pour tout entier i compris entre 0 et $n-1$, on note α_i l'angle $\widehat{IOA_i}$.

① On souhaite déterminer les coordonnées des points A_i.

a. Expliquer pourquoi $\alpha_i = \dfrac{2i\pi}{n}$.

b. Quelles sont les relations entre les coordonnées des points A_i et l'angle α_i ?

c. Recopier et compléter la fonction coordonnees_polygone ci-contre, qui prend en argument le nombre de sommets du polygone et renvoie la liste des abscisses et des ordonnées de chaque sommet, et la tester avec $n = 6$.

```
1  from math import pi,sin,cos
2  def coordonnees_polygone(n):
3      LX=[]
4      LY=[]
5      p=0
6      for i in range(n):
7          angle=2*i*pi/n
8          LX.append(...)
9          LY.append(...)
10     return LX,LY
```

② On souhaite maintenant calculer le périmètre des polygones précédents.

a. À l'aide des coordonnées des points A_0 et A_1, déterminer la distance A_0A_1 en fonction de n.

b. En déduire la valeur du périmètre du polygone en fonction de n.

c. Écrire une fonction p_polygone(n) qui renvoie le périmètre du polygone régulier à n côtés.

③ On a écrit la fonction ci-dessous.

```
def archimede(n):
    p=p_polygone(n)
    LX,LY=coordonnées_polygone(n)
    LX.append(LX[0])
    LY.append(LY[0])
    plt.plot(LX,LY,"r")
    plt.axis("equal")
    plt.title('Le demi-périmètre du polygone est '+str(p/2))
    plt.show()
```

Tester cette fonction pour différentes valeurs de n.
Vers quel nombre se rapproche le demi-périmètre du polygone lorsque n augmente ?
Expliquer le résultat.

Boîte à outils

MÉMENTO PYTHON : VOIR RABATS

• Pour tracer le nuage de points, on utilise la bibliothèque :
`import matplotlib.pyplot as plt`

• Pour créer un nuage de points où les abscisses des points sont dans la liste X et les ordonnées dans la liste Y : `plt.plot(X,Y)`

• Pour afficher un point :
en vert, on écrit « g. » ; en noir, on écrit « k. » ; en rouge, on écrit « r. » et en bleu, on écrit « b. ».

• Pour ouvrir la fenêtre et afficher la courbe :
`plt.show()`

• Pour créer une liste vide : L = [ ]

• Pour ajouter « objet » à la fin de la liste L : L.append(objet)

TP ③ Vers un nombre connu TABLEUR

Objectif
Déterminer une valeur approchée en utilisant le tableur.

On considère la formule suivante, où n est un entier naturel : $a_n = n \times \sin\left(\dfrac{\pi}{n}\right) \times \cos\left(\dfrac{\pi}{n}\right)$.

On a entré les premiers éléments dans une feuille de calcul ci-dessous.

	B2	▾	f_x =A2*COS(PI()/A2)*SIN(PI()/A2)
	A	**B**	**C**
1	n	a_n	
2	1	-1,22515E-16	
3			

① En recopiant vers le bas les colonnes A et B, conjecturer la valeur exacte du nombre réel pour lequel a_n est une valeur approchée.

② Déterminer, avec le tableur, la plus petite valeur de l'entier n tel que a_n soit une valeur approchée à 0,1 près du réel trouvé à la question 1.

③ Représenter, à l'aide du tableur, les premiers termes de la suite sous la forme d'un nuage de points

TP ④ Une suite de cosinus TABLEUR CALCULATRICE

Objectif
Résoudre une équation trigonométrique.

Les mesures des angles sont exprimées en radian.
Dans la cellule A1, on a calculé la valeur de cos(1). Dans la cellule A2, on a calculé cos(cos(1)) puis dans la cellule A3 cos(cos(cos(1))) et ainsi de suite.

	A
1	0,54030231
2	0,85755322
3	0,65428979
4	0,79348036

① Réaliser les calculs au tableur en arrondissant les valeurs à 10^{-8} près.
Quelle formule faut-il entrer dans la cellule A2 puis recopier vers le bas pour obtenir les différents résultats ?

② Afficher les résultats successifs jusqu'à obtenir une valeur qui ne change pas.
Quelle est la valeur obtenue ?

③ Choisir un nombre différent de 1 dans la cellule A1 et réitérer le processus précédent.
Que peut-on conjecturer ?

④ Tracer sur la calculatrice la courbe de la fonction cosinus et la droite d'équation $y = x$.
Déterminer, avec la calculatrice, les coordonnées de leur point d'intersection. Quelle valeur retrouve-t-on ?

TP 5 Des angles associés (LOGICIEL DE GÉOMÉTRIE)

Objectif
Utiliser le cercle trigonométrique pour déterminer des angles associés.

Dans un repère orthonormé $(O \,; I, J)$, on trace le cercle trigonométrique et on considère un point M appartenant à ce cercle.

① Réaliser la figure suivante à l'aide d'un logiciel de géométrie.

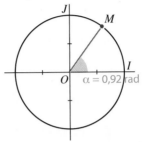

t est un curseur compris entre -2π et 2π avec un incrément de 0,01. Dans la barre de saisie, entrer les formules « $x = \cos(t)$ » puis « $y = \sin(t)$ » et créer l'angle $\widehat{IOM}$ en radian.
Que représente la valeur 0,92 ?

② On souhaite maintenant conjecturer certaines formules trigonométriques.
On représente le point M' correspondant au point-image du nombre $\pi + t$.

Pour cela, on utilise le bouton [⊙• Rotation] et on trace le point M', image de M par la rotation d'angle π dans le sens trigonométrique. Lire les coordonnées de M' et les comparer avec celles de M, puis conjecturer les relations entre $\cos(t)$ et $\cos(\pi + t)$ ainsi que celles entre $\sin(t)$ et $\sin(\pi + t)$.

③ De même, conjecturer à l'aide du logiciel de géométrie, les valeurs suivantes en fonction de $\cos(t)$ et $\sin(t)$ et compléter le tableau ci-dessous.

On peut utiliser [☑○• Boîte de sélection des objets à Afficher/Cacher] pour rendre la figure plus lisible.

$\cos(-t) =$	$\cos(\pi - t) =$	$\cos(\pi + t) =$	$\cos\left(\dfrac{\pi}{2} + t\right) =$	$\cos\left(\dfrac{\pi}{2} - t\right) =$
$\sin(-t) =$	$\sin(\pi - t) =$	$\sin(\pi + t) =$	$\sin\left(\dfrac{\pi}{2} - t\right) =$	$\sin\left(\dfrac{\pi}{2} + t\right) =$

Boîte à outils

Logiciel de géométrie

• Pour créer un curseur : [a=2] et compléter la boîte de dialogue.

• Pour créer l'arc $\widehat{IM}$: [•⌒]

• Pour régler les angles en radians :
[Options ⚙ Avancé ...]

Tableur

• Écrire une formule mathématique en tapant « = » dans la cellule : [=   ]

• Écrire le nombre π : [PI()   ]

• Recopier des formules vers le bas : on sélectionne le petit carré en bas à droite de la cellule et on étire vers le bas :

| 2 | 1 | -1,22515E-16 |

Réfléchir, parler & réagir

Calcul mental

1 Calculer et donner le résultat sous la forme d'une écriture fractionnaire.

a. $\dfrac{\pi}{3} + \dfrac{\pi}{4}$

b. $\dfrac{5\pi}{6} + \dfrac{\pi}{6}$

c. $\dfrac{2\pi}{3} - \dfrac{4\pi}{3}$

d. $\dfrac{\pi}{4} - \dfrac{\pi}{3}$

2 **1.** Par combien faut-il multiplier $\dfrac{\pi}{6}$ si l'on veut obtenir 2π ?

2. Par combien faut-il multiplier $\dfrac{\pi}{6}$ si l'on veut obtenir 6π ?

3. Par combien faut-il multiplier $\dfrac{\pi}{4}$ si l'on veut obtenir 2π ?

3 On sait que $\sqrt{2} \approx 1{,}41$ et $\sqrt{3} \approx 1{,}73$.
• Donner une valeur approchée à 0,1 près des nombres $\dfrac{\sqrt{2}}{2}$ et $\dfrac{\sqrt{3}}{2}$.

4 **1.** Quelle est la longueur du cercle trigonométrique ?
2. Quelle est la longueur d'un quart du cercle trigonométrique ?
3. Quelle est la longueur du cercle trigonométrique parcouru trois fois intégralement ?

5 **QCM**

Donner la seule réponse correcte parmi les trois proposées.

1. La valeur exacte de $\cos\left(\dfrac{11\pi}{4}\right)$ est :

ⓐ $\dfrac{\sqrt{2}}{2}$ ⓑ $-\dfrac{\sqrt{2}}{2}$ ⓒ $-\dfrac{1}{2}$

2. La valeur exacte de $\cos\left(\dfrac{13\pi}{6}\right)$ est :

ⓐ $-\dfrac{1}{2}$ ⓑ $\dfrac{\sqrt{3}}{2}$ ⓒ $\dfrac{1}{2}$

3. La valeur exacte de $\cos\left(\dfrac{25\pi}{2}\right)$ est :

ⓐ 0 ⓑ 1 ⓒ -1

4. La valeur exacte de $\cos\left(\dfrac{144\pi}{3}\right)$ est :

ⓐ 0 ⓑ 1 ⓒ -1

6 En utilisant la périodicité des fonctions sinus et cosinus, calculer la valeur exacte de :
a. $\cos\left(\dfrac{\pi}{3} + 2\pi\right)$

b. $\sin\left(\dfrac{\pi}{4} - 2\pi\right)$

c. $\cos\left(-\dfrac{\pi}{6} + 2\pi\right)$

d. $\sin\left(\dfrac{2\pi}{3} - 4\pi\right)$

> **DIAPORAMA**
> **CALCUL MENTAL**
> **EN PLUS**

Automatismes

7 À partir de la figure ci-dessous, associer chaque point à la mesure d'angle qui lui correspond.

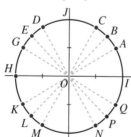

Point		Mesure d'angle
P	• •	$-\dfrac{5\pi}{6}$
H	• •	$\dfrac{-4\pi}{3}$
D	• •	$\dfrac{5\pi}{2}$
K	• •	$\dfrac{-\pi}{4}$
J	• •	$\dfrac{3\pi}{3}$

8 **VRAI OU FAUX**

Préciser si chacune de ces affirmations est vraie ou fausse. Justifier la réponse par un dessin.

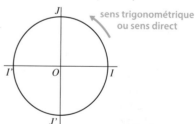

sens trigonométrique ou sens direct

1. Pour tout $x \in [0 ; \dfrac{\pi}{2}]$, $\sin(x) \geqslant 0$.

2. Pour tout $x \in [\dfrac{\pi}{2} ; \pi]$, $\cos(x) \geqslant 0$.

3. Pour tout $x \in [-\dfrac{\pi}{2} ; 0]$, $\sin(x) \geqslant 0$.

4. Pour tout $x \in [\pi ; \dfrac{3\pi}{2}]$, $\sin(x) \leqslant 0$ et $\cos(x) \leqslant 0$.

9 **1.** Exprimer $\sin(x + 2\pi)$ en fonction de $\sin(x)$.
2. Exprimer $\cos(x + 2\pi)$ en fonction de $\cos(x)$.
3. Exprimer $\sin(-x)$ en fonction de $\sin(x)$.
4. Exprimer $\cos(-x)$ en fonction de $\cos(x)$.

Préparation d'un oral

Préparer une trace écrite permettant de présenter à l'oral une argumentation indiquant si les propositions suivantes sont vraies ou fausses.

1 Le point-image du réel $\frac{\pi}{2}$ sur le cercle trigonométrique est aussi image du réel $\frac{11\pi}{2}$.

2 La valeur de $\sin\left(\frac{-5\pi}{2}\right)$ est égale à 0.

3 Le nombre $a = \cos\left(\frac{\pi}{3}\right) - \sin\left(\frac{2\pi}{3}\right) + \cos\left(\frac{-\pi}{6}\right)$ est égal à $-\frac{1-\sqrt{3}}{2}$.

4 Si $\cos(x) = 0$, alors $\sin(x) = 1$.

5 La fonction sinus est négative sur $[-\pi\,;0]$.

Travail en groupe

⏱ 45 min

Constituer des groupes de 4 élèves qui auront chacun un des rôles suivants.
Résoudre tous ensemble la situation donnée. Remettre une trace écrite de cette résolution.

Animateur
- responsable du niveau sonore du groupe
- distribue la parole pour que chacun s'exprime

Rédacteur en chef
- responsable de la trace écrite rédigée par tous les membres du groupe

Ambassadeur
- porte-parole du groupe, seul autorisé à communiquer avec le professeur et, éventuellement, d'autres groupes

Maître du temps
- responsable de l'avancement du travail du groupe
- veille au respect du temps imparti

- Chercher sur Internet les mille premières décimales du nombre π.
- Déterminer la fréquence des chiffres 0 à 9 dans la suite des mille décimales trouvées.
- Combien connaît-on actuellement de décimales du nombre π ? Sont-elles périodiques, c'est-à-dire peut-on prévoir la décimale d'un rang à l'avance ?
- Chercher des caractéristiques particulières sur les décimales du nombre π.

▶ voir p. 206

Exposé

La technique de la triangulation plane ci-dessous a été employée par Delambre et Méchain pour mesurer un arc de méridien.
On part d'un point A situé sur le méridien à mesurer. On veut mesurer la portion du méridien notée AD.
On construit un réseau de points sur le terrain, situés à divers endroits comme le sommet d'une colline, le haut d'une tour ou de tout autre endroit accessible, de telle sorte à constituer des triangles rectangles.
On mesure les angles de tous les triangles rectangles avec un goniomètre.
On mesure sur le terrain une grandeur facilement accessible (par exemple $FC = 7,68$ km).

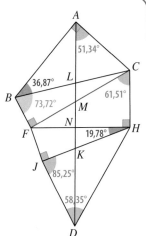

Après avoir effectué les recherches indiquées, préparer une présentation orale, un poster ou un diaporama.

On utilise une formule des sinus suivante dans un triangle quelconque, par exemple dans le triangle ALC : $\dfrac{AL}{\sin(\widehat{C})} = \dfrac{AC}{\sin(\widehat{L})}$.
Déterminer une valeur approchée de la longueur AD en km.

Le radian

1 Recopier et compléter le tableau suivant.

Mesure en degré	90	210	...	...	15	...
Mesure en radian	...	...	$\dfrac{2\pi}{5}$	$\dfrac{5\pi}{6}$		$\dfrac{55\pi}{2}$

2 Convertir en radian les mesures d'angles exprimées en degré.

a. 150°　　b. 12°　　c. 40°　　d. 195°

3 Convertir en degré les mesures d'angles exprimées en radian.

a. $\dfrac{2\pi}{9}$　　　b. $\dfrac{7\pi}{24}$　　　c. $\dfrac{5\pi}{12}$

4 Sur le cercle trigonométrique, placer le point M image de $\dfrac{9\pi}{4}$ et le point N image de $-\dfrac{7\pi}{3}$.

• Quelle est la longueur du « petit » arc de cercle d'extrémités M et N ?

5 Placer sur le cercle trigonométrique les points images des réels.

a. $\dfrac{2\pi}{3}$　　b. $-\dfrac{3\pi}{4}$　　c. $\dfrac{17\pi}{6}$　　d. $\dfrac{5\pi}{2}$

Enroulement de la droite numérique

6

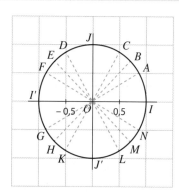

1. Sur le cercle ci-dessus, quels sont les points-images des réels suivants ?

a. $-\pi$　　b. $\dfrac{\pi}{2}$　　c. $-\dfrac{\pi}{2}$　　d. 4π　　e. -3π.

2. Sur le cercle ci-dessus, quels sont les points-images des réels suivants ?

a. $\dfrac{\pi}{6}$　　　b. $\dfrac{\pi}{4}$　　　c. $\dfrac{\pi}{3}$

3. En déduire les points-images des nombres réels ci-dessous.

a. $\dfrac{\pi}{6}+\pi$　　b. $\dfrac{\pi}{3}+2\pi$　　c. $\dfrac{5\pi}{4}$　　d. $\dfrac{13\pi}{3}$

4. Donner cinq nombres réels qui ont D comme point-image.

7 VRAI OU FAUX

Pour chaque proposition, dire si elle est vraie ou fausse en justifiant la réponse.

1. Les nombres $\dfrac{\pi}{2}$ et $\dfrac{5\pi}{2}$ ont le même point-image sur le cercle trigonométrique.

2. Les nombres $-\dfrac{\pi}{4}$ et $\dfrac{7\pi}{4}$ ont le même point-image sur le cercle trigonométrique.

3. Les nombres $\dfrac{5\pi}{2}$ et $-\dfrac{7\pi}{2}$ ont le même point-image sur le cercle trigonométrique.

4. Les nombres $\dfrac{2\pi}{3}$ et $-\dfrac{\pi}{3}$ ont le même point-image sur le cercle trigonométrique.

8 **1.** Placer sur le cercle trigonométrique le point-image du nombre $\dfrac{\pi}{3}$.

2. Donner deux nombres réels, l'un positif, l'autre négatif, qui ont ce même point pour point-image.

9 Associer entre eux les réels de la 1ʳᵉ et de la 2ᵉ ligne qui ont le même point-image sur le cercle trigonométrique.

• π　• $\dfrac{\pi}{2}$　• $-\dfrac{\pi}{4}$　• 12π　• $-\dfrac{7\pi}{4}$　• $\dfrac{3\pi}{2}$　• $\dfrac{\pi}{3}$　• $\dfrac{7\pi}{6}$

• 2π　• $\dfrac{7\pi}{4}$　• $-\dfrac{5\pi}{6}$　• $\dfrac{7\pi}{3}$　• 3π　• $\dfrac{\pi}{4}$　• $\dfrac{5\pi}{2}$　• $-\dfrac{5\pi}{2}$

10 **1.** Tracer un cercle trigonométrique en prenant comme unité 3 cm.

2. Placer les points-images des réels suivants.

• $\dfrac{3\pi}{2}$;　• $-\dfrac{5\pi}{2}$;　• 5π ;　• -6π ;　• $\dfrac{2\pi}{3}$;　• $\dfrac{11\pi}{6}$;　• $-\dfrac{7\pi}{4}$

11 Le cercle suivant est le cercle trigonométrique partagé en huit parts égales.

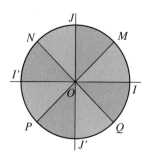

• Pour chacun des points I, M, J, N, I', P, J' et Q, déterminer un réel dont il est le point-image.

12 Indiquer, en justifiant la réponse, si les deux réels de chaque couple ont le même point-image sur le cercle trigonométrique.

1. $\dfrac{18\pi}{5}$ et $\dfrac{3\pi}{5}$　　　**2.** $-\dfrac{7\pi}{3}$ et $\dfrac{7\pi}{3}$

3. $\dfrac{5\pi}{6}$ et $-\dfrac{19\pi}{6}$　　　**4.** $-\dfrac{7\pi}{4}$ et $\dfrac{17\pi}{4}$

Cosinus et sinus d'un nombre réel

13 Sans utiliser une calculatrice, donner la valeur exacte des nombres suivants.

1. $\sin\left(\dfrac{\pi}{3}\right)$ **2.** $\cos\left(\dfrac{5\pi}{6}\right)$ **3.** $\sin\left(\dfrac{7\pi}{4}\right)$

4. $\cos\left(\dfrac{2\pi}{3}\right)$ **5.** $\cos\left(\dfrac{19\pi}{3}\right)$ **6.** $\sin\left(\dfrac{25\pi}{6}\right)$

14 On considère le cercle trigonométrique ci-contre.
1. De quelle couleur est un point du cercle qui a une abscisse négative et une ordonnée positive ?
2. De quelle couleur est le point image de $-\dfrac{\pi}{6}$?
3. De quelle couleur est le point image de $-\dfrac{2\pi}{3}$?

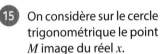

15 On considère sur le cercle trigonométrique le point M image du réel x.
1. Reproduire le cercle.
2. Placer sur le cercle les points N et P images des réels $x+\dfrac{\pi}{2}$ et $x+\pi$.

3. En utilisant le cercle, donner la valeur de $\cos\left(x+\dfrac{\pi}{2}\right)$, $\sin\left(x+\dfrac{\pi}{2}\right)$, $\cos(x+\pi)$ et $\sin(x+\pi)$ en fonction de $\sin(x)$ et $\cos(x)$.

16 `CALCULATRICE`
Communiquer
1. Le résultat ci-contre, affiché sur la calculatrice est-il une valeur exacte ? Justifier la réponse.

> ```
> sin (π÷4)
>            0.0137073546
> ```

2. Le résultat ci-contre, affiché sur la calculatrice est-il une valeur exacte ? Justifier la réponse.

> ```
> cos (-2π÷3)
>                    -1/2
> ```

17 **Raisonner, communiquer**
1. Peut-on trouver une valeur de x telle que : $\cos(x) = 1,4$? Justifier la réponse.
2. a. Tracer un cercle trigonométrique.
b. Placer sur l'axe des cosinus le nombre 0,8.
c. Peut-on trouver une ou plusieurs valeurs de x telles que $\cos(x) = 0,8$? On peut s'aider du cercle trigonométrique.
d. `CALCULATRICE` En utilisant la calculatrice, donner une valeur approchée au dixième de x telle que $\cos(x) = 0,8$.

18 `PRISE D'INITIATIVE`
1. A-t-on $\sin(x+y) = \sin(x) + \sin(y)$ pour tous nombres réels x et y ?
2. A-t-on $\cos(x+y) = \cos(x) + \cos(y)$ pour tous nombres réels x et y ?

19 **1.** Rappeler la définition de la tangente de l'angle aigu $\widehat{CBA}$ dans un triangle ABC rectangle en A, vue en classe de troisième.

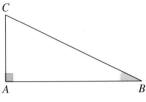

2. On suppose que $\widehat{CBA} = 25°$.
Recopier et compléter le tableau de proportionnalité suivant.

Angle en degré	180	25
Angle en radian		

3. `CALCULATRICE` À l'aide de la calculatrice réglée en mode radian, déterminer une valeur approchée de $\tan\left(\dfrac{5\pi}{36}\right)$ au centième près.

20 **1.** Quelle est la valeur d'un angle en radian dont la mesure appartient à l'intervalle $]-\pi\,;\pi]$ et dont le cosinus vaut $-\dfrac{\sqrt{3}}{2}$ et le sinus vaut 0,5 ?
2. Quelle est la valeur du cosinus d'un angle en radian situé dans $\left[\dfrac{\pi}{2}\,;\pi\right]$ dont le sinus vaut 0,2 ?

21 Donner la valeur exacte des nombres suivants.

a. $\cos(2014\pi)$ **b.** $\sin\left(\dfrac{125\pi}{2}\right)$

c. $\cos\left(\dfrac{55\pi}{3}\right)$ **d.** $\sin\left(\dfrac{-95\pi}{4}\right)$

22 Donner la valeur exacte des deux expressions suivantes.
$$A = \sqrt{2}\sin\left(\dfrac{\pi}{4}\right) + \sqrt{3}\cos\left(\dfrac{\pi}{6}\right)$$
$$B = \sin\left(\dfrac{\pi}{6}\right) - \cos\left(\dfrac{\pi}{2}\right)$$

23 Calculer les expressions suivantes.
$$A = \cos\left(\dfrac{\pi}{3} - 3\pi\right) - \sin\left(\pi + \dfrac{\pi}{6}\right) + \sin\left(\dfrac{\pi}{2} - \dfrac{\pi}{3}\right)$$
$$B = \cos\left(6\pi - \dfrac{\pi}{4}\right) + \sin\left(\dfrac{\pi}{4} + \pi\right) - \cos\left(\dfrac{\pi}{4} + \dfrac{\pi}{2}\right)$$

24 On admet le résultat suivant :
$$\cos\left(\dfrac{\pi}{5}\right) = \dfrac{\sqrt{5}+1}{2}.$$
• En déduire la valeur exacte de $\sin\left(\dfrac{\pi}{5}\right)$.

25 Simplifier le plus possible les expressions suivantes.
$$A = \cos(0) + \cos\left(\dfrac{\pi}{2}\right) + \cos(\pi) + \cos\left(\dfrac{3\pi}{2}\right)$$
$$B = \cos\left(\dfrac{\pi}{6}\right) + \cos\left(\dfrac{\pi}{3}\right) + \cos\left(\dfrac{2\pi}{3}\right) + \cos\left(\dfrac{5\pi}{6}\right)$$

26 ALGO PYTHON

1. Le résultat ci-dessous affiché dans la console de Python est-il une valeur exacte ? Justifier la réponse.

```
>>> from math import pi,sin
>>> sin(pi/4)
0.7071067811865475
```

2. Déduire de la question précédente une valeur approchée de $\sin\left(-\dfrac{3\pi}{4}\right)$.

3. En utilisant la console Python, calculer une valeur approchée de $\cos\left(\dfrac{5567\pi}{4}\right)$.

27 PRISE D'INITIATIVE

Existe-t-il des réels a et b tels que $\cos(a + b) = \cos(a - b)$?

Fonctions sinus et cosinus

28

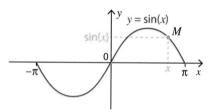

1. À l'aide de la courbe de la fonction sinus tracée ci-dessus, résoudre graphiquement les équations suivantes dans l'intervalle $]-\pi\,;\pi]$:
a. $\sin(x) = 0,5$ **b.** $\sin(x) = 1$ **c.** $\sin(x) = 0$
2. Retrouver les résultats précédents à l'aide du cercle trigonométrique.

29 **1.** À l'aide de la courbe de la fonction cosinus tracée ci-dessous, résoudre graphiquement les inéquations suivantes sur $]-\pi\,;\pi]$.
a. $\cos(x) \geqslant 0$ **b.** $\cos(x) < 0,5$ **c.** $\cos(x) \leqslant 1$

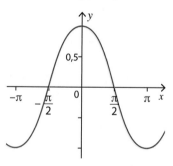

2. Retrouver les résultats précédents à l'aide du cercle trigonométrique.

30 PRISE D'INITIATIVE

Résoudre l'équation $\cos(x) = -\dfrac{\sqrt{2}}{2}$:

a. sur l'intervalle $[0\,;\pi]$;
b. sur l'intervalle $]-\pi\,;\pi]$.

31 À l'aide du cercle trigonométrique, résoudre dans $]-\pi\,;\pi]$ les inéquations suivantes.

a. $\cos(x) \geqslant \dfrac{\sqrt{3}}{2}$ **b.** $\sin(x) < -\dfrac{1}{2}$ **c.** $2\cos(x) - \sqrt{2} \leqslant 0$

32 Chacune des courbes tracées ci-dessous est la représentation graphique d'une fonction.
• Dans chaque cas, conjecturer la périodicité et la parité des fonctions.

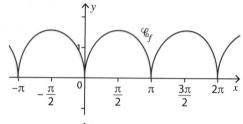

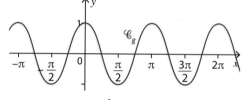

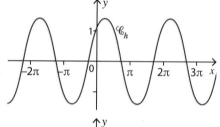

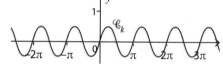

33 On considère la fonction définie par :
$$f(x) = \dfrac{2}{2 + \cos x}.$$
1. Déterminer l'ensemble de définition de f.
2. Montrer que la fonction f est paire.
3. Montrer que la fonction f est périodique et de période 2π.

34 On considère la fonction définie sur $\mathbb{R}$ par :
$$f(x) = \sin(2x) + \cos(x)\sin(x).$$
1. Montrer que la fonction f est périodique et de période π.
2. Déterminer la parité de la fonction f.

35 CALCULATRICE

On considère la fonction définie sur $\mathbb{R}$ par :
$$f(x) = \cos(2x) - \cos(x).$$
1. En utilisant la calculatrice, conjecturer la période de la fonction f.
2. Démontrer le résultat précédent.
3. Déterminer la parité de la fonction f.

36
1. Tracer un cercle trigonométrique.
2. Placer sur le cercle les points images des réels donnés.

a. $A(\pi)$ b. $B\left(-\dfrac{\pi}{2}\right)$ c. $C\left(-\dfrac{\pi}{3}\right)$

d. $D\left(\dfrac{5\pi}{4}\right)$ e. $E\left(\dfrac{15\pi}{6}\right)$ f. $F\left(-\dfrac{11\pi}{3}\right)$

3. Déterminer le sinus et le cosinus de chaque réel précédent.

37 VRAI OU FAUX

Dire si les égalités suivantes sont vraies ou fausses et justifier par un dessin.

1. $\cos\left(\dfrac{\pi}{3}\right) = \cos\left(\dfrac{2\pi}{3}\right)$ 2. $\sin\left(\dfrac{\pi}{4}\right) = \sin\left(-\dfrac{\pi}{4}\right)$

3. $\cos\left(\dfrac{3\pi}{2}\right) = \sin(\pi)$ 4. $\sin\left(\dfrac{\pi}{6}\right) = -\cos\left(\dfrac{2\pi}{3}\right)$

38 **Modéliser, communiquer**

1. Déterminer deux entiers consécutifs a et b tels que 1 appartienne à $\left[\dfrac{\pi}{a} ; \dfrac{\pi}{b}\right]$.

2. Placer approximativement sur un cercle trigonométrique le point C, point image du nombre 1.

39 Compléter les tableaux suivants par lecture graphique sur le cercle trigonométrique.

1.

x	$\dfrac{\pi}{4}$	$-\dfrac{\pi}{4}$	$\dfrac{3\pi}{4}$	$\dfrac{7\pi}{4}$	$\dfrac{9\pi}{4}$
$\cos(x)$					
$\sin(x)$					

2.

x	$\dfrac{\pi}{6}$	$-\dfrac{\pi}{6}$	$\dfrac{3\pi}{6}$	$\dfrac{7\pi}{6}$	$\dfrac{9\pi}{6}$
$\cos(x)$					
$\sin(x)$					

40
1. Placer sur le cercle trigonométrique les points images des nombres réels suivants.

$$\dfrac{\pi}{6} ; \dfrac{\pi}{4} ; \dfrac{\pi}{3} ; -\dfrac{\pi}{4} ; \dfrac{5\pi}{6} ; \dfrac{4\pi}{3} ; \dfrac{3\pi}{4}.$$

2. Rappeler les valeurs des cosinus et sinus des réels $\dfrac{\pi}{6}, \dfrac{\pi}{4}$ et $\dfrac{\pi}{3}$.

3. En utilisant des symétries, déterminer les nombres suivants.

$$\sin\left(-\dfrac{\pi}{4}\right) ; \cos\left(\dfrac{5\pi}{6}\right) ; \cos\left(\dfrac{4\pi}{3}\right) ; \sin\left(\dfrac{3\pi}{4}\right)$$

41 CALCULATRICE

Donner un encadrement d'amplitude 10^{-3} du nombre $\cos(5)$ avec la calculatrice réglée en mode radian.

42 PRISE D'INITIATIVE

1. Donner trois valeurs telles que l'égalité $\sin(2x) = 2\sin(x)$ soit vraie.
2. Est-elle vraie pour tout réel x ?

43 VRAI OU FAUX

Dire si les propositions suivantes sont vraies ou fausses en justifiant la réponse.

1. Pour tout nombre réel x, on a $-1 \leqslant \cos(x) \leqslant 1$.

2. Il existe un unique nombre réel x qui vérifie $\sin(x) = 0$.

3. Il existe un unique nombre réel a qui vérifie $\cos\left(\dfrac{\pi}{3}\right) = a$.

4. Pour tout réel x, on a $\cos(x) = \sin(x)$.

44 Le secteur angulaire ci-dessous a un angle $\widehat{BCA}$ égal à 70° et un rayon égal à 5 cm.

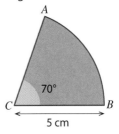

1. Quelle est son aire ?
2. Quel est son périmètre ?

45 **Calculer, raisonner**

1. Soit x un nombre réel appartenant à l'intervalle $[0 ; \pi]$ tel que $\cos(x) = 0,15$.
a. Réaliser un dessin.
b. Quelle est la valeur exacte de $\sin(x)$?

2. Soit x un nombre réel appartenant à l'intervalle $\left[-\dfrac{\pi}{2} ; \dfrac{\pi}{2}\right]$ tel que $\sin(x) = -0,4$.
a. Réaliser un dessin.
b. Quelle est la valeur exacte de $\cos(x)$?

46 Donner les valeurs exactes des nombres réels suivants.

a. $\cos\left(\dfrac{11\pi}{3}\right)$ b. $\sin\left(-\dfrac{5\pi}{4}\right)$

c. $\sin\left(\dfrac{7\pi}{6}\right)$ d. $-\cos\left(-\dfrac{15\pi}{4}\right)$

e. $\sin(14\pi)$ f. $\cos\left(\dfrac{13\pi}{2}\right)$

47 Sur le cercle trigonométrique, placer le point M image de $\dfrac{17\pi}{6}$ et le point N image de $\dfrac{13\pi}{4}$.
• Quelle est la longueur du « petit » arc de cercle d'extrémités M et N ?

48 CALCULATRICE

Déterminer la valeur exacte des nombres suivants et vérifier les résultats à l'aide de la calculatrice.

1. $A = \cos\left(\dfrac{\pi}{3}\right) - \cos\left(\dfrac{2\pi}{3}\right) - \cos\left(\dfrac{4\pi}{3}\right) + \cos\left(\dfrac{5\pi}{3}\right)$

2. $B = \cos\left(\dfrac{\pi}{3}\right) \times \cos\left(\dfrac{2\pi}{3}\right) \times \cos\left(\dfrac{4\pi}{3}\right) \times \cos\left(\dfrac{5\pi}{3}\right)$

3. $C = \sin\left(-\dfrac{3\pi}{4}\right) - \sin\left(-\dfrac{\pi}{4}\right) - \sin\left(\dfrac{\pi}{4}\right) + \sin\left(\dfrac{3\pi}{4}\right)$

49 Sur le cercle trigonométrique ci-dessous, on s'intéresse aux points situés sur la partie rouge.
Soit x un réel associé à un de ces points en rouge.

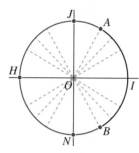

• Déterminer le signe de $\cos(x)$ et $\sin(x)$ en fonction de la position du point image associé au réel x.

50 Soit x un nombre réel dont le point image sur le cercle trigonométrique est noté M comme indiqué sur la figure ci-dessous.

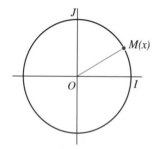

1. Reproduire le cercle trigonométrique et placer le point N image de $x + \pi$. Quelle est la position relative de N par rapport à M ?
2. En déduire $\cos(x + \pi)$ en fonction de $\cos(x)$ et $\sin(x + \pi)$ en fonction de $\sin(x)$.
3. Reprendre les mêmes questions avec le point P, point image de $-x$.
4. Reprendre les mêmes questions avec le point Q, point image de $x + \dfrac{\pi}{2}$.

51 **1.** On donne $\cos(x) = -0{,}8$ et $\dfrac{\pi}{2} \leqslant x \leqslant \pi$.
Déterminer $\sin(x)$.

2. On donne $\sin(x) = \dfrac{2}{3}$ et $0 \leqslant x \leqslant \dfrac{\pi}{2}$.
Déterminer $\cos(x)$.

3. On donne $\cos(x) = 0{,}6$ et $\dfrac{3\pi}{2} \leqslant x \leqslant 2\pi$.
Déterminer $\sin(x)$.

52 Exprimer à l'aide de $\sin(x)$ et $\cos(x)$ les expressions suivantes.
1. $\sin(-x) + \cos(-x)$
2. $\sin(-x) - \sin(\pi + x)$
3. $\cos(\pi - x) + \cos(3\pi + x)$
4. $\sin\left(x + \dfrac{\pi}{2}\right) - 3\cos\left(-\dfrac{\pi}{2} - x\right) - 4\sin(\pi - x)$.

53 CALCULATRICE **Signal sinusoïdal**

Un signal sinusoïdal est caractérisé par la formule $g(t) = G \sin(\omega t + \phi)$, où t désigne le temps en seconde. La nature du signal peut correspondre à une pression (son), à un déplacement (corde qui vibre), à une quantité d'électrons en déplacement (courant électrique) ou encore à une onde électromagnétique.
G est l'amplitude du signal, appelée aussi valeur de crête. ω est la pulsation de la grandeur, exprimée en $\text{rad} \cdot \text{s}^{-1}$. ϕ est la phase à l'origine et est exprimée en radian.
Le nombre $\omega t + \phi$ est la phase instantanée et est exprimée en radian.
Par exemple, si on mesure une pression sonore, l'unité du signal est le décibel (db). Les précédentes grandeurs sont inchangées.
1. Exprimer la fonction g d'un signal sonore dont l'amplitude vaut 15 db, la pulsation 2 $\text{rad} \cdot \text{s}^{-1}$ et la phase $\dfrac{\pi}{6}$ rad ?
2. Quelle est, au bout d'une durée de 120 s, la valeur (en db) du signal sonore ?
3. Montrer que la fonction g est périodique de période π.
4. Tracer à l'aide de la calculatrice la courbe représentative de la fonction g.
5. g est-elle paire ? impaire ? Justifier la réponse.

54 ALGO PYTHON

En Inde aux VIe et VIIe siècles, la trigonométrie a connu une grande avancée théorique, en particulier grâce au mathématicien Bhaskara I, qui a proposé la formule suivante pour calculer une valeur approchée du sinus d'un angle a donné en degré :
$$\sin(a) = \frac{4 \times (180 - a) \times a}{40\,500 - (180 - a) \times a}$$
1. Écrire une fonction sinus en Python qui calcule le sinus d'un angle a exprimé en degré avec la formule ci-dessus.
2. Écrire une fonction compare qui calcule l'erreur entre la valeur de $\sin(a)$ calculée avec la formule de Bhaskara I et la valeur de $\sin(a)$ calculée avec la fonction sinus de l'ordinateur.

55 1. a. Résoudre l'équation $\frac{\sqrt{2}}{2}x^2 - \sqrt{2}x - \frac{\sqrt{2}}{2} = 0$.

b. Résoudre l'équation $\frac{1}{2}x^2 - \sqrt{3}x - \frac{1}{2} = 0$.

c. Résoudre l'équation $x^2 - 1 = 0$.

2. Soit a un réel. Résoudre l'équation :
$\sin(a)x^2 - 2\cos(a)x - \sin(a) = 0$.

3. En quoi cette dernière équation généralise les équations de la question **1**.

56 Résoudre l'équation $\sin(3x) = \frac{1}{2}$ dans $]-\pi ; \pi]$.

57 1. Montrer que 1 est racine du polynôme :
$$2X^3 - 17X^2 + 7X + 8.$$

2. Vérifier que $(X-1)(2X^2 - 15X - 8) = 2X^3 - 17X^2 + 7X + 8$.

3. Résoudre dans $\mathbb{R}$ l'équation :
$$2\sin^3(x) - 17\sin^2(x) + 7\sin(x) + 8 = 0.$$

58 `PRISE D'INITIATIVE`

On considère la figure suivante constituée d'un demi-cercle de rayon 5 cm.

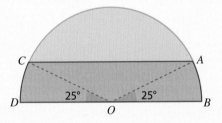

1. Laquelle des surfaces rouge ou verte a l'aire la plus grande ?

2. Cela est-il vrai quel que soit le rayon du cercle ?

59 **Sinus et cosinus de $\frac{\pi}{12}$**

Dans un carré $ABCD$ de côté a, on trace le triangle équilatéral DMC.

I et J sont les milieux respectifs de $[DC]$ et $[AB]$.

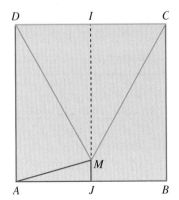

1. Montrer que $\widehat{MAJ}$ a pour mesure $\frac{\pi}{12}$.

2. Calculer IM, MJ puis AM en fonction du côté a.

3. En déduire les valeurs exactes de $\cos\left(\frac{\pi}{12}\right)$ et de $\sin\left(\frac{\pi}{12}\right)$.

60 `ALGO` `PYTHON`

Lorsqu'un angle a une mesure x (exprimée en radian) estimée proche de 0, on peut avoir une assez bonne approximation de la valeur de $\cos(x)$ en utilisant le polynôme du second degré $f(x) = 1 - \frac{x^2}{2}$. On a alors :
$$\cos(x) \approx 1 - \frac{x^2}{2}$$

1. On appelle erreur d'approximation la différence
$\cos(x) - \left(1 - \frac{x^2}{2}\right)$.

Écrire une fonction erreur en Python qui calcule l'erreur d'approximation pour une valeur de x donnée.

2. Quelle est la valeur de l'erreur pour $x = 0,1$ et pour $x = 0,001$.

3. On admet que, pour tout réel x, on a :
$$\cos(x) \geqslant f(x)$$

On donne le script suivant.

```
5 x=0
6 while erreur(x)<0.01:
7     x=x+0.1
```

a. Recopier le programme dans un éditeur Python.

b. Quelle est la valeur de la variable x après l'exécution de ce programme ?

c. Expliquer le rôle de ce programme.

4. Modifier le programme précédent pour pouvoir choisir la précision de l'erreur.

61 **Une rampe d'accès**

La figure ci-dessous est le dessin en perspective d'une rampe d'accès pour véhicules.

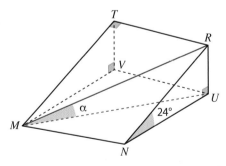

$MN = 8$ m ; $NU = 10$ m ; $MNRT$ et $MNUV$ sont des rectangles. L'angle $\widehat{UNR}$ mesure 24°.

1. Calculer la valeur exacte de RN et donner une valeur approchée au cm près.

2. En utilisant le triangle MNR, calculer la valeur exacte de MR et une valeur approchée au cm près.

3. Calculer la longueur exacte de MU.
En donner une valeur approchée au cm près.

4. Déduire de la question **3** une valeur approchée de $\cos(\alpha)$ à 10^{-1} près.

5. Donner une valeur approchée de l'angle α au degré près.

62 La valeur exacte de $\cos\left(\dfrac{\pi}{12}\right)$ est $\dfrac{\sqrt{2}+\sqrt{6}}{4}$.

1. Calculer la valeur exacte de $\sin\left(\dfrac{\pi}{12}\right)$.

2. À l'aide du cercle trigonométrique, en déduire les valeurs exactes de $\cos\left(\dfrac{11\pi}{12}\right)$ et de $\sin\left(\dfrac{11\pi}{12}\right)$.

63 La valeur exacte de $\cos\left(\dfrac{\pi}{8}\right)$ est $\dfrac{\sqrt{2+\sqrt{2}}}{2}$.

1. Calculer la valeur exacte de $\sin\left(\dfrac{\pi}{8}\right)$.

2. En déduire les valeurs exactes du cosinus et du sinus des réels $\dfrac{7\pi}{8}$ et $\dfrac{5\pi}{8}$.

3. On considère l'expression :
$$A = \cos\left(\dfrac{9\pi}{8}\right) - 3\sin\left(\dfrac{5\pi}{8}\right) + 2\cos\left(\dfrac{7\pi}{8}\right).$$

Déterminer une écriture de A en fonction de $\cos\left(\dfrac{\pi}{8}\right)$ et $\sin\left(\dfrac{\pi}{8}\right)$.

64 `QCM`

Pour chacune des propositions, donner la bonne réponse sans justifier.

1. $\cos\left(\dfrac{3\pi}{4}\right)$ a pour valeur :

ⓐ $\dfrac{\sqrt{2}}{2}$ ⓑ $-\dfrac{\sqrt{2}}{2}$ ⓒ $-\dfrac{\sqrt{3}}{2}$

2. Si $\sin(\alpha) = \dfrac{1}{2}$ alors $\sin(\pi - \alpha)$ vaut :

ⓐ $\dfrac{1}{2}$ ⓑ $-\dfrac{1}{2}$ ⓒ $-\dfrac{\sqrt{3}}{2}$.

3. Si $\sin(\alpha) = \dfrac{1}{2}$ et $\alpha \in \left[\dfrac{\pi}{2}; \pi\right]$ alors $\cos(\alpha)$ vaut :

ⓐ $\dfrac{\sqrt{3}}{2}$ ⓑ $-\dfrac{1}{2}$ ⓒ $-\dfrac{\sqrt{3}}{2}$

4. L'équation $\cos(x) = -1$ a pour solution :
ⓐ $x = k\pi, k \in \mathbb{Z}$;   ⓑ $x = \pi + 2k\pi, k \in \mathbb{Z}$;
ⓒ $x = x = \dfrac{\pi}{2} + 2k\pi, k \in \mathbb{Z}$.

5. L'équation $\sin(x) = 1$ a pour solution :
ⓐ $x = k\pi, k \in \mathbb{Z}$;   ⓑ $x = \pi + 2k\pi, k \in \mathbb{Z}$;
ⓒ $x = \dfrac{\pi}{2} + 2k\pi, k \in \mathbb{Z}$.

65 On considère l'égalité suivante :
$(\cos(x) + 2\sin(x))^2 + (2\cos(x) - \sin(x))^2 = 5$.

1. L'égalité est-elle vraie pour $x = \dfrac{\pi}{2}$?

Pour $x = \dfrac{\pi}{4}$?

2. Démontrer que cette égalité est vraie pour tout nombre réel x.

66 1. Résoudre dans $[0 ; 2\pi[$ l'inéquation :
$$\cos(x) \geqslant -\dfrac{\sqrt{3}}{2}.$$

2. Résoudre dans $]-\pi ; \pi]$, l'équation $4\sin^2(x) - 3 = 0$.

67 $IBCDEF$ est un hexagone régulier noté $\mathscr{H}$ inscrit dans le cercle trigonométrique.

1. Déterminer les valeurs exactes des coordonnées des sommets de $\mathscr{H}$ dans le repère $(O ; I, J)$.

2. Quelle est la mesure en degrés de l'angle $\widehat{IOB}$?

3. En déduire la nature du triangle IOB.

4. Déterminer le périmètre puis l'aire de $\mathscr{H}$.

5. Quel serait le périmètre d'un hexagone régulier inscrit dans un cercle de rayon 5 cm ?

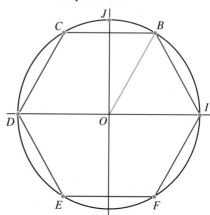

68 `CALCULATRICE`

On considère la fonction f définie pour tout réel x par $f(x) = 2\cos(x) - 1$.

1. Démontrer que la fonction f est périodique. Quelle est sa période ?

2. a. À l'aide de la calculatrice, conjecturer la parité de f.
b. Prouver la conjecture précédente.

3. Démontrer que, pour tout réel x, $-3 \leqslant f(x) \leqslant 1$.

4. Déterminer graphiquement le nombre de solutions de l'équation $f(x) = -2$ dans l'intervalle $[0 ; 2\pi]$.

5. Résoudre dans l'intervalle $[0 ; 2\pi]$ l'équation $f(x) = -2$ et comparer avec le résultat précédent.

69 1. ABC est un triangle isocèle en A, tel que $AB = AC = a$ et $\widehat{BAC} = \alpha$ (en radian).
H est le pied de la hauteur issue de A dans le triangle ABC.

Démontrer que $BC = 2a\sin\left(\dfrac{\alpha}{2}\right)$.

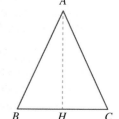

2. Dans un orthonormé $(O ; I, J)$, on considère le cercle trigonométrique et le point M associé au réel $\dfrac{\pi}{4}$.

a. Déterminer les coordonnées de M dans le repère $(O ; I, J)$.

b. Calculer IM.

c. En déduire la valeur exacte de $\sin\left(\dfrac{\pi}{8}\right)$ puis celle de $\cos\left(\dfrac{\pi}{8}\right)$.

70 [ALGO] [PYTHON] [CALCULATRICE]

1. a. Comparer les nombres $\frac{22}{7}$ et π en utilisant la calculatrice.
b. Montrer que $\frac{179}{57}$ est une meilleure approximation de π que $\frac{22}{7}$.

2. On veut déterminer toutes les fractions $\frac{N}{D}$ telles que $\frac{N}{D}$ soit une meilleure approximation de π que $\frac{22}{7}$ pour tous les entiers N et D compris entre 1 et 1 000.
On a écrit le script ci-dessous.

```
1 from math import pi
2 EcartMax=22/7-pi
3 for N in range(1,1001):
4     for D in range(1,1001):
5         if abs(N/D-pi)<EcartMax:
6             print(N,D)
```

a. Expliquer pourquoi il y a deux boucles bornées for.
b. Expliquer l'instruction conditionnelle de la ligne 5 et l'utilisation de la fonction abs (valeur absolue).
3. Modifier le script pour qu'il renvoie le nombre de fractions qui répondent au problème.

71 [CALCULATRICE]
On construit un polygone régulier à n côtés inscrit dans un cercle de rayon 1.

1. Combien de triangles identiques au triangle AOB reproduit ci-contre ont été construits ?
2. Quelle est la mesure de l'angle α ?
3. Quelle est la nature du triangle AOB ?
4. Montrer que l'aire du triangle AOB est :

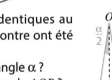

$$\sin\left(\frac{\pi}{n}\right) \times \cos\left(\frac{\pi}{n}\right).$$

On pourra s'aider de la figure ci-contre.
5. Quelle est alors l'aire a_n du polygone ?
6. [CALCULATRICE] À l'aide de la calculatrice, reproduire puis compléter le tableau suivant.

n	a_n
6	
12	
20	
50	
100	

7. Vers quelle valeur semble tendre l'aire du polygone lorsque n devient grand ?
Interpréter ce résultat.

72 [CALCULATRICE] **Charge d'un condensateur**
On considère le circuit électrique ci-contre comprenant :
● un condensateur dont la capacité, exprimée en farad, a pour valeur C ;
● une bobine dont l'inductance, exprimée en henry, a pour valeur L ;
● un interrupteur.

Le temps t est exprimé en seconde.
À l'instant $t = 0$, on ferme l'interrupteur et le condensateur se décharge dans le circuit.
On appelle $q(t)$ la valeur de la charge, exprimée en coulomb, du condensateur à l'instant t.
On admet que la fonction q est définie pour tout réel $t \geqslant 0$ par :

$$q(t) = \frac{1}{200}\sin\left(200t + \frac{\pi}{4}\right).$$

1. Calculer $q\left(t + \frac{\pi}{100}\right)$. En déduire que la fonction q est périodique.
2. Montrer que la fonction q n'est ni paire ni impaire.
3. On a tracé la courbe représentative de la fonction q sur l'intervalle $\left[0 ; \frac{\pi}{100}\right]$.

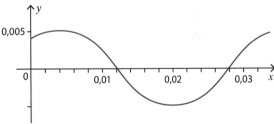

Conjecturer les variations de la fonction q sur cet intervalle. Interpréter le résultat.
4. Quelle était la charge du condensateur à l'instant 0 ?

73 À l'aide d'un cercle trigonométrique, donner toutes les valeurs possibles de x vérifiant les conditions données.
1. $\cos(x) = \frac{1}{2}$ et $\sin(x) = \frac{-\sqrt{3}}{2}$, avec $x \in [-\pi ; \pi[$.
2. $\cos(x) = \frac{\sqrt{2}}{2}$ et $\sin(x) = \frac{\sqrt{2}}{2}$, avec $x \in [-\pi ; \pi[$.
3. $\cos(x) = -\frac{\sqrt{3}}{2}$ et $\sin(x) = \frac{-1}{2}$, avec $x \in [-\pi ; 3\pi]$.
4. $\cos(x) = 0$ et $\sin(x) = -1$, avec $x \in [-2\pi ; 3\pi]$.

74 Résoudre dans $\mathbb{R}$ les équations suivantes :
1. $2\cos^2(x) + 9\cos(x) + 4 = 0$
2. $2\sin^2(x) + 9\sin(x) + 4 = 0$

75 Résoudre dans $]-\pi ; \pi]$ l'équation $\cos(3x) = \frac{1}{2}$.

Exercices **AP**

76 **Déterminer le cosinus connaissant le sinus et inversement**

On considère le cercle trigonométrique dans un repère $(O \,; I, J)$.

On note a et b deux réels tels que $a \in \left[0 \,; \dfrac{\pi}{2}\right]$ et $b \in \left[-\pi \,; -\dfrac{\pi}{2}\right]$, avec :

$$\cos(a) = \frac{1}{4} \quad \text{et} \quad \sin(b) = -0,3.$$

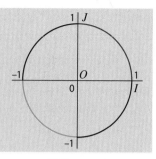

Questions Va piano

1. Dessiner un cercle trigonométrique.

2. Placer le nombre $\dfrac{1}{4}$ sur l'axe des cosinus.

3. Construire le point image du réel a.

4. Reprendre les mêmes questions pour le réel b.

Questions Moderato

1. Construire le point image du réel a. Quel est le signe de $\sin(a)$?

2. En utilisant le théorème de Pythagore, calculer $\sin(a)$.

3. CALCULATRICE À l'aide de la calculatrice, déterminer une valeur approchée de a arrondie au dixième.

Questions Allegro

1. Calculer $\cos(b)$.

2. Soit x un réel quelconque tel que $\sin(x) = 0,3$.

a. À combien de points images sur le cercle trigonométrique le réel x peut-il correspondre ?

b. Déterminer toutes les valeurs possibles du réel x.

77 **La formule des sinus**

On considère un triangle quelconque ABC.

On note $\widehat{A}$ l'angle $\widehat{BAC}$, $\widehat{B}$ l'angle $\widehat{CBA}$ et $\widehat{C}$ l'angle $\widehat{ACB}$, comme indiqué sur la figure ci-contre.

On note également $a = BC$, $b = AC$ et $c = AB$.

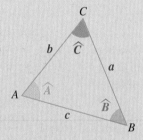

On admet la formule suivante pour tout triangle, appelée formule des sinus :

$$\frac{\sin(\widehat{A})}{a} = \frac{\sin(\widehat{B})}{b} = \frac{\sin(\widehat{C})}{c}.$$

Questions Va piano

1. Vérifier que la formule des sinus est vraie dans le cas où ABC est un triangle équilatéral.

2. On donne à présent $\widehat{A} = 45°$, $a = 5$ cm et $\widehat{B} = 30°$.

Déterminer les valeurs de $\widehat{C}$ et de c.

Questions Moderato

1. On suppose que le triangle est rectangle isocèle en B et que $AB = 4$ cm.

Déterminer les nombres a, b et c.

2. Vérifier la formule des sinus pour ce triangle.

Questions Allegro

1. On donne $\widehat{A} = 34°$, $a = 4$ cm et $\widehat{B} = 60°$.

Déterminer $\widehat{C}$, b et c.

2. On donne $\widehat{A} = 60,3°$, $a = 5$ cm, $b = 5,75$ cm et $c = 3$ cm.

Déterminer $\widehat{B}$ et $\widehat{C}$.

1 Unit circle

A unit circle is a circle whose radius is equal to one. The centre of the circle is the origin O of the coordinate axes.
1. Draw a unit circle. This circle crosses the x-axis in points A and B (x_A is positive.)
2. Plot one point M on this circle. Let's define the angle $\theta = \widehat{AOM}$.
What is the relationship between the sine and cosine of θ and the coordinates of point M?

2 Target

1. Plot on this unit circle points B, E and D such as $EBCD$ is a square.
2. Give in radian the angles associated to each of these points.

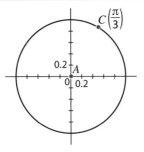

3 Matching

Four graphs, A, B, C and D are shown below. Match the graphs with each of the following equations.

1. $\frac{1}{2}\cos(x)$ **2.** $\sin\left(x + \frac{\pi}{6}\right)$

3. $\cos\left(x + \frac{\pi}{3}\right)$ **4.** $\sin(4x)$

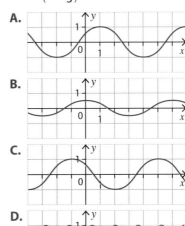

4 A trigonometric function

Let's consider the function defined for any real number by $f(x) = x + \sin(x)$.
1. Sketch the graph of this function in a rectangular coordinate system.
2. Using the graph, solve the equation $f(x) = 0,5$.
3. Prove that $f(x) \leqslant x + 1$ for all real x.

 Individual work   Dominoes

Make a chain of dominoes placing them end to end. Then create your own game.

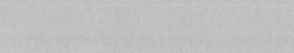

$\cos(x + \pi)$	$\cos\left(\frac{\pi}{3}\right)$	$\cos(x)$	$\cos(\pi - x)$	$-\cos(x)$	1
$\frac{1}{2}$	$\sin\left(\frac{\pi}{2} + x\right)$	$\cos^2(x) + \sin^2(x)$	$\cos(2x)$	$2\cos^2(x) - 1$	$-\cos(x)$

4 Dérivation locale

Approcher les courbes au plus près

Isaac Newton et Gottfried Leibniz

Au XVIIᵉ siècle, grâce à l'émergence de la géométrie analytique, l'étude des courbes rejoint ce que nous appelons aujourd'hui l'étude des fonctions. **Isaac Newton** et **Gottfried Leibniz**, pour résoudre entre autres des problèmes de tangentes à une courbe, développent dans la seconde moitié du XVIIᵉ siècle, chacun de leur côté, une nouvelle mathématique, très fructueuse mais très controversée à l'époque, qui utilise des infiniment petits et même des quantités qualifiées alors d'« évanouissantes ». Ce sont les prémices du calcul infinitésimal ou calcul différentiel.

La notion de tangente est apparue très tôt en géométrie. Euclide (IIIᵉ siècle avant J.-C.) en donne une définition dans le livre III des *Éléments*.

> 2. Vne ligne droite est dite toucher le cercle, laquelle touchant le cercle, si elle est continuée ne le coupe point.
>
> Comme la ligne droite A B sera dite toucher le cercle B D E en B, si elle l'y touche, en sorte qu'étant prolongée vers C, elle ne le coupe point, ains demeure totalement dehors iceluy cercle. Mais d'autant que la ligne droite GD atteint le mesme cercle au point D, en telle sorte qu'estant prolongée iusques à F, elle coupe le cercle, & tombe dedans iceluy, elle ne sera pas dite toucher le cercle, mais le couper.

Euclide, *Les Éléments*, livre III, traduction de D. Henrion, 1676

Archimède (vers –287 à –212) est le premier à déterminer une tangente à une autre courbe qu'un cercle.

> La tangente à une courbe définie dans ce chapitre correspond-elle à la tangente à un cercle définie par Euclide ci-dessus ?

Réviser ses GAMMES

1 Fonction affine

On considère la fonction affine f telle que :
$$f(2) = 3 \text{ et } f(4) = -1.$$
• En notant $f(x) = mx + p$, déterminer m puis p.

2 Coefficients directeurs

Déterminer le coefficient directeur des droites suivantes.

1. $\mathcal{D}_1$, droite passant par $A\,(5 ; 2)$ et $B\,(-3 ; 1)$.
2. $\mathcal{D}_2$, droite passant par $C\left(\dfrac{1}{2} ; \dfrac{3}{4}\right)$ et $D\left(-1 ; \dfrac{1}{2}\right)$.
3. $\mathcal{D}_3$, droite passant par $E\left(-\sqrt{7} ; \dfrac{1}{3}\right)$ et $F\left(1+\sqrt{3} ; \dfrac{1}{3}\right)$.

3 Équations de droites

Déterminer, par lecture graphique, les équations réduites des droites d_1, d_2, d_3 et d_4 du graphique ci-dessous.

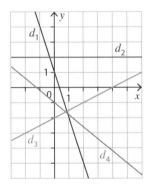

4 Calculs d'images

Pour chacune des fonctions suivantes, donner l'expression de $f(1 + h)$, où h est un réel tel que $f(1 + h)$ existe.

a. $f(x) = 2x^2 - 5x + 1$

b. $f(x) = \dfrac{x-1}{x+2}$

c. $f(x) = \sqrt{5x - 2}$

d. $f(x) = \dfrac{3}{5x^2 + 1}$

5 Limite en 0

On considère la fonction f définie sur $\mathbb{R}$ par :
$$f(x) = 3x + 1.$$

1. Recopier et compléter le tableau suivant à l'aide de la calculatrice.

h	0,1	0,01	0,001	10^{-4}
$f(h)$				

2. Que peut-on dire des images lorsque les antécédents sont proches de zéro ?

6 Fonctions par morceaux

On effectue un test de vol sur un drone. Le drone se déplace en ligne droite depuis sa base et peut faire du vol stationnaire. Le graphique ci-dessous donne la distance le séparant de sa base.

1. Quelle a été sa vitesse, en $\text{km} \cdot \text{h}^{-1}$, sur les intervalles de temps [0 ; 1,5], [1,5 ; 2] et [2 ; 4] ?

2. Quelle a été la vitesse moyenne sur l'ensemble du parcours ?

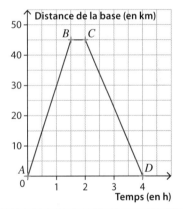

7 Coefficient directeur

On considère la fonction f définie sur $\mathbb{R}$ par $f(x) = -x^2 + 2x + 2$ dont la courbe représentative est donnée ci-contre. A et B sont deux points de la courbe.

• Déterminer le coefficient directeur de la droite (AB).

Situation 1 — **Déterminer un taux de variation**

Objectif
Introduire le taux
de variation.

Une entreprise fabrique des pièces automobiles. Elle peut en produire jusqu'à 1 000 par jour. Le coût de fabrication de ces pièces dépend du nombre de pièces fabriquées.

On modélise le coût total de fabrication par une fonction C telle que $C(x)$ représente le coût (en euro) de fabrication pour x pièces créées.

On suppose que $C(x) = 100\sqrt{x} + 500$ et on considère la courbe représentative de la fonction C donnée ci-contre.

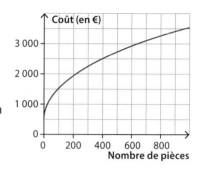

① **a.** Calculer le coût de fabrication de 0 pièce, puis de 400 pièces.

b. On définit **le taux de variation** du coût de fabrication entre 0 et 400 pièces fabriquées par :

$$\frac{C(400) - C(0)}{400 - 0}.$$

Calculer ce taux.

c. Comparer ce taux à celui de l'augmentation de 400 à 900 pièces fabriquées.

Interpréter.

② En économie, on utilise un indicateur, appelé **coût marginal**, qui se définit comme le coût de fabrication d'une unité supplémentaire après avoir déjà fabriqué x unités.

On note $C_m(x)$ le coût marginal en euro et $C_m(x) = C(x + 1) - C(x)$.

a. Calculer le coût marginal, arrondi au centime, pour 200 pièces fabriquées.

b. Calculer le coût marginal, arrondi au centime, pour 800 pièces fabriquées.

c. Comparer ces deux valeurs.

Situation 2 — **Gravir une côte**

Objectif
Introduire la pente
d'une tangente.

La course de côte en moto consiste à suivre un parcours avec des dénivelés importants.
Une portion du profil du circuit est donnée par la courbe ci-contre représentée dans un repère.

① Parmi les points figurant sur la courbe, quel est celui qui présente la plus forte pente ? la plus faible ?

② Dans le repère ci-contre, une unité horizontale représente 10 m et une unité verticale 1 m.

Une pente de 15 % signifie que lorsqu'on avance horizontalement de 100 m, on monte de 15 m.

Déterminer la pente au niveau des points B, E, F et L.

③ Un participant déclare que la pente est deux fois plus forte au point L qu'au point E. Que peut-on penser de ce propos ?

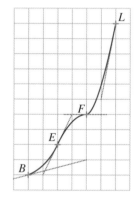

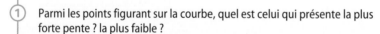

Situation 3 **Étudier la chute libre**

Objectif
Introduire
le nombre dérivé.

On dit qu'un corps est en chute libre lorsqu'il est lâché sans vitesse initiale depuis un point et qu'il n'est soumis qu'à son poids (on néglige le frottement de l'air).
Le corps parcourt alors en t (seconde) une distance que l'on peut approcher par $d(t) = 5t^2$ (en mètre).

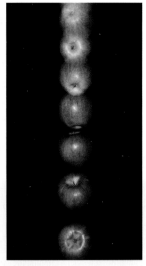

> La vitesse moyenne v d'un objet ayant parcouru une distance d (en m) en un temps t (en s)
> est donnée par $v = \dfrac{d}{t}$ avec v en m·s^{-1}.

① **a.** Recopier et compléter le tableau suivant.

t	0	0,5	1	1,5	2	3	4	5
$d(t)$								

b. À l'aide du tableau précédent, construire la représentation graphique $\mathscr{C}$ de la fonction d sur l'intervalle [0 ; 5] dans un repère orthogonal d'unités 2 cm pour 1 s en abscisses et 1 cm pour 10 m en ordonnées.

c. Calculer la vitesse moyenne entre les instants 1 et 5, puis entre 1 et 3 et enfin entre 1 et 2.

d. Comment interprétér ces résultats sur le graphique de la courbe $\mathscr{C}$?

② **a.** Recopier et compléter le tableau ci-dessous.

	Entre 0,9 s et 1 s	Entre 0,99 s et 1 s	Entre 0,999 s et 1 s	Entre 1 s et 1,001 s	Entre 1 s et 1,01 s	Entre 1 s et 1,1 s
Vitesse moyenne						

b. Comment interpréter graphiquement ces valeurs ?

③ **a.** Soit h un réel non nul.

Calculer la vitesse moyenne entre les instants $t = 1$ et $t = 1 + h$.

b. « La vitesse instantanée à l'instant $t = 1$ est de 10 m·s^{-1}. »

Expliquer cette affirmation.

④ En utilisant un raisonnement analogue, déterminer la vitesse instantanée à l'instant $t = 3$ s.

Situation 4 **Prendre la tangente… ou pas**

Objectif
Déterminer
la tangente à une
courbe.

On considère la fonction f définie sur $\mathbb{R}$ par :
$$f(x) = x^2 + x + 1,$$
sa représentation graphique $\mathscr{C}_f$ et le point $A(0 ; -1)$.

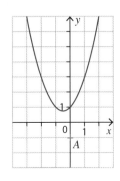

① La tangente à la courbe $\mathscr{C}_f$ au point B d'abscisse 1 passe-t-elle par le point A ?

② Existe-t-il une ou plusieurs tangentes à $\mathscr{C}_f$ passant par l'origine du repère ?

1. Taux de variation

Définition

Soient f une fonction définie sur un intervalle I, et a et b deux nombres réels distincts appartenant à I.

On appelle **taux de variation de f entre a et b**, le nombre $\dfrac{f(b)-f(a)}{b-a}$.

Graphiquement, dans un repère $(O\,;\vec{i},\vec{j})$, si A est le point de la courbe représentative de f d'abscisse a et B le point d'abscisse b, la droite (AB) sécante à la courbe représentative de f a pour pente (ou coefficient directeur) le taux de variation $\dfrac{f(b)-f(a)}{b-a}$.

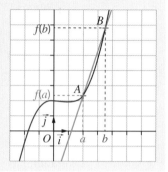

✔ Exemple

Soit f la fonction cube définie sur $\mathbb{R}$ par $f(x)=x^3$.

Le taux de variation de f entre 1 et 3 est $\dfrac{f(3)-f(1)}{3-1}=\dfrac{27-1}{2}=13$.

Remarque

Dans d'autres disciplines, en Physique par exemple, si $y=f(x)$, on utilise la notation $\dfrac{\Delta y}{\Delta x}$ pour désigner un taux de variation.

Selon le contexte, si $x=f(t)$, le taux de variation s'écrit $\dfrac{\Delta x}{\Delta t}$; si $q=f(t)$, on écrit $\dfrac{\Delta q}{\Delta t}$.

Propriété

» DÉMO en ligne

Soit f une fonction affine définie sur $\mathbb{R}$ par $f(x)=mx+p$.
Le taux de variation de f entre deux nombres distincts est constant, égal à m.

✔ Exemple

Le taux de variation de la fonction affine f définie sur $\mathbb{R}$ par $f(x)=3x-1$ est 3.

En effet, pour tous réels a et b distincts, on a :
$$\dfrac{f(b)-f(a)}{b-a}=\dfrac{3b-1-(3a-1)}{b-a}=\dfrac{3b-3a}{b-a}=\dfrac{3(b-a)}{b-a}=3.$$

Propriétés

» DÉMO p. 119

Soient f une fonction définie sur un intervalle I, et a et b deux nombres réels distincts appartenant à I.
- Si f est croissante sur I, alors le taux de variation de f entre a et b est positif.
- Si f est décroissante sur I, alors le taux de variation de f entre a et b est négatif.

Remarque

Les réciproques des propriétés précédentes sont fausses.

✔ Exemple

Soit f la fonction carré définie sur $\mathbb{R}$ par $f(x)=x^2$.
f est décroissante sur $]-\infty\,;0]$ donc le taux de variation entre -4 et -2 est négatif.

✔ Contre-exemple

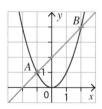

$$\dfrac{f(2)-f(-1)}{2-(-1)}=\dfrac{4-1}{3}=1$$

Le taux de variation de f entre -1 et 2 est strictement positif, or la fonction f n'est pas croissante sur l'intervalle $[-1\,;2]$.

Exercice résolu | 1 | Calculer un taux de variation

On considère la fonction carré définie, sur $\mathbb{R}$, par $f(x) = x^2$.

1 Déterminer le taux de variation de f entre 0 et 1.

2 Déterminer le taux de variation de f entre 1 et 3.

3 Interpréter graphiquement ces résultats.

⌄ Solution commentée

1 Le taux de variation de f entre 0 et 1 se calcule ainsi :

$$\frac{f(1) - f(0)}{1 - 0} = \frac{1 - 0}{1} = 1.$$

2 Le taux de variation de f entre 1 et 3 se calcule ainsi :

$$\frac{f(3) - f(1)}{3 - 1} = \frac{9 - 1}{2} = 4.$$

3 Graphiquement, on peut remarquer que ces taux de variation correspondent aux coefficients directeurs respectifs des droites (OA) et (AB) où : $O(0\,;f(0))$, $A(1\,;f(1))$ et $B(3\,;f(3))$.

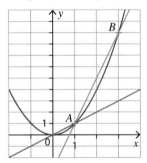

> **EXERCICE** 2 p. 128

Exercice résolu | 2 | Estimer graphiquement un taux de variation

Un médicament est administré à un patient. Le graphique suivant indique la concentration du médicament dans le sang (en milligramme par litre) au cours du temps t (en heure).

1 Déterminer graphiquement la concentration du médicament au bout de 1 heure puis au bout de 9 heures.

2 **a.** Estimer graphiquement le taux de variation de la concentration entre 1 heure et 2 heures.

b. Estimer graphiquement le taux de variation de la concentration entre 9 heures et 10 heures.

3 Décrire l'évolution de la concentration au cours du temps.

⌄ Solution commentée

1 Au bout de 1 heure, la concentration est d'environ 5 mg·L^{-1}. Au bout de 9 heures, elle est d'environ 1,1 mg·L^{-1}.

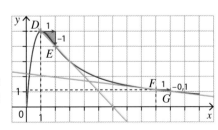

2 **a.** Pour estimer graphiquement le taux de variation, on trace la sécante (DE) à la courbe passant par les points d'abscisse 1 et 2. On lit ensuite une valeur approchée de son coefficient directeur. Ici, on estime le taux de variation entre 1 h et 2 h à environ -1 mg·L^{-1} par heure.

b. Par la même méthode, on estime le taux de variation de la concentration entre 9 h et 10 h à $-0,1$ mg·L^{-1} par heure.

3 En observant l'allure de la courbe, on peut dire que la concentration augmente pendant la première heure puis diminue ensuite. En comparant les taux de variation, on peut dire que la diminution est 10 fois plus rapide entre 1 h et 2 h qu'entre 9 h et 10 h.

> **EXERCICE** 6 p. 128

2. Nombre dérivé d'une fonction en un point

1. Point de vue algébrique

Définition

Soit f une fonction définie sur un intervalle I et a un nombre appartenant à I. Soit h un nombre réel non nul tel que $a + h$ appartient à I.

On dit que f est dérivable en a lorsque le taux de variation $\dfrac{f(a+h)-f(a)}{h}$ tend vers un unique nombre réel lorsque h tend vers zéro.

Ce nombre limite est appelé **nombre dérivé de f en a.** On le note $f'(a)$.

Remarque

Une fonction peut ne pas être dérivable en un réel a.

Les fonctions $x \mapsto \sqrt{x}$ et $x \mapsto |x|$ ne sont pas dérivables en 0.

DÉMO
p. 118
et 119

2. Tangente à une courbe

Soit f une fonction définie sur un intervalle I, a un nombre appartenant à I et h un nombre réel non nul tel que $a + h$ appartient à I. Soit A le point de la courbe représentative de f d'abscisse a et H le point de la courbe représentative de f d'abscisse $a + h$.

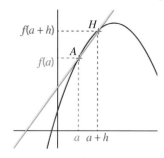 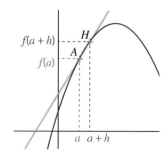 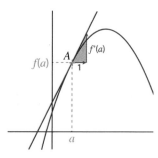

h se rapproche de zéro

Lorsque h tend vers zéro, le point H se rapproche du point A et la sécante (AH) de coefficient directeur

$\dfrac{f(a+h)-f(a)}{h}$ se rapproche d'une position limite (en rouge sur le dessin). Si f est dérivable en a,

$\dfrac{f(a+h)-f(a)}{h}$ tend vers $f'(a)$ lorsque h tend vers 0. On admet alors que ce nombre dérivé est le coefficient directeur de la droite qui correspond à la position limite de (AH).

Définition

Soient f une fonction dérivable en un réel a et A le point de coordonnées $A(a\,;f(a))$.
La **tangente à la courbe** représentative de f au point d'abscisse a est la droite de coefficient directeur $f'(a)$ passant par A.

DÉMO
p. 119

Propriété

Soient f une fonction dérivable en un réel a et A le point de coordonnées $A(a\,;f(a))$.
La tangente à la courbe représentative de f au point A a pour équation réduite $y = f'(a)(x - a) + f(a)$.

Remarque

Localement, la courbe représentative de f au voisinage du point A est presque confondue avec sa tangente. Autrement dit, lorsque $x \approx a$, on a $f(x) \approx f'(a)(x - a) + f(a)$.

Exercice résolu | 1 | Calculer un nombre dérivé

On considère la fonction f définie sur $\mathbb{R}^*$ par :

$$f(x) = 1 + \frac{3}{x}.$$

• Montrer que f est dérivable en 5 et donner la valeur de $f'(5)$.

⌄ Solution commentée

Pour étudier la dérivabilité de f en 5, on calcule le taux de variation de f entre 5 et $5 + h$ ($h \neq -5$ et $h \neq 0$).

$$\frac{f(5+h) - f(5)}{h} = \frac{\left(1 + \frac{3}{5+h}\right) - \left(1 + \frac{3}{5}\right)}{h} = \frac{\frac{-3h}{5(5+h)}}{h} = \frac{-3h}{5(5+h)} \times \frac{1}{h} = \frac{-3}{5(5+h)}$$

Lorsque h tend vers zéro, $5 + h$ tend vers 5, $5(5 + h)$ tend vers 25 et donc le taux de variation tend vers le nombre réel $\frac{-3}{25}$.

La fonction f est donc dérivable en 5 avec $f'(5) = -\frac{3}{25}$.

▶ EXERCICE 7 p. 128

Exercice résolu | 2 | Étudier la dérivabilité d'une fonction

On considère la fonction f définie sur $\mathbb{R}$ par :

$$f(x) = x^2 + 4x - 3.$$

❶ Montrer que la fonction f est dérivable en tout réel a et exprimer $f'(a)$ en fonction de a.

❷ En déduire $f'(3)$.

⌄ Solution commentée

❶ Pour étudier la dérivabilité de f en a, on calcule le taux de variation de f entre a et $a + h$:

$$\begin{aligned}
\frac{f(a+h) - f(a)}{h} &= \frac{(a+h)^2 + 4(a+h) + 3 - (a^2 + 4a - 3)}{h} \\
&= \frac{a^2 + 2ah + h^2 + 4a + 4h + 3 - (a^2 + 4a - 3)}{h} \\
&= \frac{2ah + h^2 + 4h}{h} \\
&= 2a + 4 + h.
\end{aligned}$$

Lorsque h tend vers zéro, le taux de variation tend vers le nombre réel $2a + 4$.
La fonction f est donc dérivable en tout réel a avec $f'(a) = 2a + 4$.

❷ $f'(3) = 2 \times 3 + 4 = 10$

▶ EXERCICE 61 p. 134

Exercice résolu | 3 | Déterminer l'équation d'une tangente

La fonction f est définie sur $\mathbb{R}$ par $f(x) = x^2 + 3x - 7$. On admet que $f'(3) = 9$.

❶ Donner l'équation de la tangente à la courbe de f au point d'abscisse 3.

❷ Le point $S(10\,;80)$ appartient-il à cette droite ?

⌄ Solution commentée

❶ $f(3) = 3^2 + 3 \times 3 - 7 = 11$. On a aussi $f'(3) = 9$. On obtient donc $y = 9(x - 3) + 11$. L'équation est $y = 9x - 16$.

❷ Un point appartient à la tangente si et seulement si ses coordonnées vérifient l'équation réduite établie à la question 1.
$9 \times 10 - 16 = 74$
Or $80 \neq 74$, donc les coordonnées de S ne vérifient pas l'équation,
donc S n'appartient pas à la tangente.

▶ EXERCICE 30 p. 131

Comprendre une démonstration

On présente la démonstration de la propriété suivante. La lire attentivement puis répondre aux questions posées.

> La fonction racine carrée est la fonction définie pour tout réel x positif par $f(x) = \sqrt{x}$.
> La fonction racine carrée n'est pas dérivable en 0.

⌄ Démonstration

Soit f la fonction racine carrée définie sur $\mathbb{R}^+$ par :

$$f(x) = \sqrt{x}.$$

Sa représentation graphique de f dans un repère orthonormé est donnée ci-dessous.

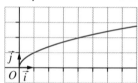

Soit h un réel strictement positif.
Pour étudier la dérivabilité de f en 0, on détermine le taux de variation de f entre 0 et $0 + h$:

$$\frac{f(0+h) - f(0)}{h} = \frac{\sqrt{h} - 0}{h}$$
$$= \frac{\sqrt{h}}{h}$$
$$= \frac{\sqrt{h}}{\sqrt{h} \times \sqrt{h}}$$
$$= \frac{1}{\sqrt{h}}.$$

Lorsque h tend vers 0 par valeurs positives, le nombre $\sqrt{h}$ tend vers 0 en étant positif.
Donc l'inverse de $\sqrt{h}$ tend vers $+\infty$.

On en déduit que lorsque h tend vers 0, le taux de variation de la fonction entre 0 et h tend vers $+\infty$.
Ainsi, le taux de variation ne tend pas vers un nombre réel.
La fonction racine carrée n'est pas dérivable en 0.

1 Expliquer comment, à l'aide de la représentation graphique de f, on peut conjecturer que cette fonction n'est pas dérivable en 0.

2 Expliquer pourquoi on considère un réel h positif.

3 Expliquer pourquoi lorsque h tend vers 0, l'inverse de $\sqrt{h}$ tend vers $+\infty$.
On peut remplir pour cela le tableau suivant.

h	0,5	0,1	0,01	0,001	0,000 1	10^{-6}	10^{-8}
$\dfrac{1}{\sqrt{h}}$							

Rédiger une démonstration

 On souhaite démontrer la propriété suivante.

> Soit f une fonction dérivable en un réel a.
> Au point d'abscisse a, la tangente à la courbe représentative de f a pour équation :
> $$y = f'(a) \times (x - a) + f(a).$$

En utilisant les indications suivantes, rédiger la démonstration de la propriété.
- La tangente est une droite dont l'équation réduite est de la forme $y = mx + p$.
- Exprimer la valeur du coefficient directeur de cette droite en fonction de a.
- En remarquant que le point A de coordonnées $(a \,; f(a))$ appartient à cette droite, exprimer en fonction de a son ordonnée à l'origine.
- Conclure.

 On souhaite démontrer la propriété suivante.

> La fonction valeur absolue n'est pas dérivable en 0.

Soit f la fonction valeur absolue définie sur $\mathbb{R}$ par $f(x) = |x|$.
Sa représentation graphique dans un repère orthonormé est donnée ci-contre.
En utilisant les indications suivantes, rédiger la démonstration de la propriété.

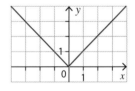

- Montrer que le taux de variation de f entre 0 et $0 + h$, où $h \neq 0$, est égal à $\dfrac{|h|}{h}$.

- Pour h strictement positif, déterminer le taux de variation entre 0 et $0 + h$.

- Pour h strictement négatif, déterminer le taux de variation entre 0 et $0 + h$.

Utiliser différents raisonnements

Soient une fonction f définie sur un intervalle I et deux nombres distincts a et b appartenant à I.

 Montrer que, si f est croissante sur I, alors le taux de variation de f entre a et b est positif.

 De façon analogue, montrer que, si f est décroissante sur I, alors le taux de variation de f entre a et b est négatif.

Montrer une implication

Une implication est une propriété qui s'écrit :
$$P \Rightarrow Q.$$
Cela signifie :
si P est vraie, alors Q est vraie.

Taux de variation

Soient une fonction f définie sur un intervalle I et deux nombres distincts a et b appartenant à I.
Le **taux de variation de** f **entre** a **et** b est le nombre :
$$\frac{f(b) - f(a)}{b - a}.$$

Interprétation graphique

A est le point d'abscisse a de la courbe représentative de f et B le point d'abscisse b.

La droite (AB), appelée sécante à la courbe représentative de f, a pour pente le taux de variation :
$$\frac{f(b) - f(a)}{b - a}.$$

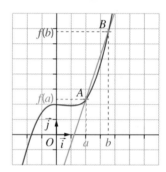

Taux de variation et variation

Soient une fonction f définie sur un intervalle I et deux nombres distincts a et b appartenant à I.

● Si f est croissante sur I, alors le taux de variation de f entre a et b est positif.

● Si f est décroissante sur I, alors le taux de variation de f entre a et b est négatif.

Tangente

Soient une fonction f dérivable en un réel a et le point A de coordonnées $(a \,; f(a))$.

● La **tangente à la courbe** représentative de f au point A d'abscisse a est la droite passant par A et de coefficient directeur $f'(a)$.

Nombre dérivé

Soient une fonction f définie sur un intervalle I et un nombre a appartenant à I.
Soit h un nombre réel non nul tel que $a + h$ appartient à I.

On dit que f **est dérivable en** a lorsque le taux de variation $\dfrac{f(a + h) - f(a)}{h}$ tend vers un unique nombre réel lorsque h tend vers zéro.

Ce nombre limite est appelé **nombre dérivé de** f **en** a.
On le note $f'(a)$.

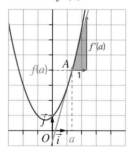

● Équation de la tangente :
$$y = f'(a)(x - a) + f(a).$$

Effectuer les exercices ❶ à ❻ et vérifier les réponses.
Si nécessaire, réviser les points de cours en texte ou en vidéo.

❶ On considère la fonction f définie sur $\mathbb{R}$ par :
$$f(x) = x^2 + 2x - 1.$$

1. Déterminer le taux de variation de f entre 0 et 1.

2. Déterminer le taux de variation de f entre 1 et 3.

❷ On considère la fonction f définie sur $\mathbb{R}$ représentée graphiquement ci-dessous.

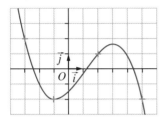

1. Déterminer graphiquement :

a. le taux de variation de f entre −3 et −1 ;

b. le taux de variation de f entre −1 et 5.

2. Sans les déterminer, justifier le signe des taux de variation de f :

a. entre −1 et 2 ;

b. entre 3 et 5.

❸ On considère la fonction f définie sur $\mathbb{R}$ par :
$$f(x) = x^2 + 2x - 1.$$

1. a. Déterminer le taux de variation de f entre 2 et $2 + h$.

b. Que devient ce taux quand h tend vers 0 ?

c. En déduire la valeur de $f'(2)$.

2. En utilisant la méthode de la question 1, montrer que f est dérivable en −1 et donner la valeur de $f'(-1)$.

❹ On considère la fonction f définie sur $\mathbb{R}$ par :
$$f(x) = 3x^2 - 4.$$

1. Montrer que la fonction f est dérivable en tout réel a et exprimer $f'(a)$ en fonction de a.

2. En déduire $f'(1)$.

❺ La courbe représentative de la fonction f définie sur $\mathbb{R}$ et trois de ses tangentes ont été tracées.

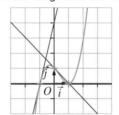

1. Déterminer graphiquement $f(1)$, $f(0)$ et $f(-1)$.

2. Déterminer graphiquement $f'(1)$, $f'(0)$ et $f'(-1)$.

❻ On considère la fonction f définie sur $\mathbb{R}$ par :
$$f(x) = \frac{1+x}{x^2+1}.$$

On admet que $f'(1) = -\frac{1}{2}$ et $f'(0) = 1$.

1. Déterminer l'équation réduite de la tangente au point d'abscisse 1 de la courbe représentative de f.

2. Déterminer l'équation réduite de la tangente au point d'abscisse 0 de la courbe représentative de f.

▶ CORRIGÉS
DES EXERCICES

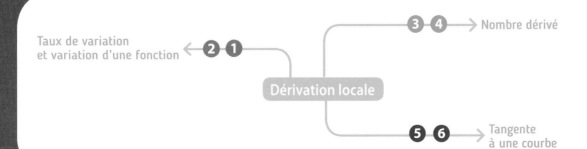

TP Algorithmique et programmation en Python

TP 1 Nombre dérivé à gauche et à droite

Objectif
Analyser le résultat
d'un algorithme.

On considère la fonction carré f définie sur $\mathbb{R}$ par $f(x) = x^2$.

① **a.** Écrire une fonction en Python qui renvoie le taux de variation de f entre a et $a + h$, avec a et h donnés.

b. Quelles valeurs choisir en arguments afin de déterminer une valeur approchée de $f'(4)$?

② Certaines calculatrices déterminent le nombre dérivé à l'aide d'une méthode décrite par la fonction en Python ci-dessous.

a. Recopier ou ouvrir ce script et tester cette fonction pour différentes valeurs de a et de précision.

b. Expliquer la méthode utilisée.

c. Modifier la fonction pour vérifier le nombre dérivé affiché par ce type de calculatrice en 0 pour la fonction qui à tout réel x associe $|x|$. Que penser du résultat ?

```python
def moyenne(a,precision):
    ecart=1
    i=1
    nd=0
    while ecart>=precision and i>1e-10:
        vg=((a-i)**2-a**2)/(-i)
        vd=((a+i)**2-a**2)/i
        ecart=abs(vd-vg)
        i=i/10
        nd=(vd+vg)/2
    return nd
```

TP 2 Test de médicament

Objectif
Travailler
sur des listes.

Lors du test d'un nouveau médicament, on modélise la présence du médicament injecté dans le sang par intra-veineuse par la fonction f définie sur $[0\,;10]$ par $f(t) = \dfrac{2}{1+t}$, où t est exprimé en h et $f(t)$ est exprimé en mg.
On admet que le médicament se diffuse presque instantanément dans le sang lors de son introduction et on considère que le médicament produit un effet si l'organisme en assimile au moins $0{,}01\ \text{mg} \cdot \text{h}^{-1}$.

① **a.** On a écrit le programme ci-contre.
Recopier ou ouvrir ce programme.
Qu'obtient-on ?

b. Expliquer l'allure de la courbe obtenue. Comment modifier le script pour obtenir une courbe plus régulière ?

c. Que représentent les coefficients directeurs des sécantes à la courbe correspondant aux segments obtenus ?

```python
import matplotlib.pyplot as plt
def f(t):
    return 2/(1+t)
a=0
b=10
n=5
h=(b-a)/n
abs=[a+i*h for i in range (n+1)]
ord= [f(t) for t in abs]
plt.plot(abs,ord,'b')
plt.show()
```

② **a.** Écrire une fonction en Python qui renvoie la liste des coefficients directeurs des sécantes pour un pas donné.

b. Obtenir cette liste pour un pas de 2 h. Puis pour un pas de 0,5 h.

c. Interpréter les valeurs des éléments de la liste dans le contexte de l'exercice.

TP ③ Méthode de Newton-Raphson

Objectif
Déterminer
une valeur approchée
d'un nombre réel
avec un algorithme.

Soit f la fonction définie par :
$$f(x) = x^2 - 2 \text{ pour } 1 \leqslant x \leqslant 2$$
et $\mathscr{C}_f$ sa courbe représentative dans un repère orthonormé.
L'équation $f(x) = 0$ a pour unique solution $\sqrt{2}$.
On va utiliser une méthode pour calculer une valeur approchée de la solution de cette équation $f(x) = 0$.

① Déterminer l'équation de la tangente T_0 à $\mathscr{C}_f$ au point d'abscisse $x_0 > 1$.

② Démontrer que l'abscisse x_1 du point d'intersection de l'axe des abscisses et T_0 vérifie $x_1 = x_0 - \dfrac{f(x_0)}{f'(x_0)}$.

On réitère ce procédé en remplaçant x_0 par x_1 pour obtenir une abscisse x_2 puis ainsi de suite.

③ On considère $x_0 = 2$.
Calculer x_1 et x_2.

④ Recopier ou ouvrir le script suivant puis le compléter.

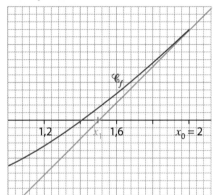

```python
1  def f(x):
2      return x**2-2
3
4  def nombre_dérivé(f,a):
5      h=1e-10
6      return(f(a+h)-f(a))/h
7
8  def méthode_Newton(n):
9      x=2
10     for i in range(n):
11         x=x-...
12     return ...
```

⑤ Déterminer une valeur approchée de $\sqrt{2}$ obtenue après 10 étapes.
La comparer avec la valeur affichée par sqrt(2).

Boîte à outils

MÉMENTO PYTHON : VOIR RABATS

• Pour déterminer le nombre de subdivisions d'un intervalle avec un pas donné, on utilise la partie entière.

La commande en Python est `floor` et se trouve dans la bibliothèque math.

On commence le programme par
`from math import floor`

• Pour déterminer une racine carrée, on utilise la commande `sqrt`. Elle se trouve dans la bibliothèque math.

On commence le programme par
`from math import sqrt`

• Notation scientifique : 3×10^5 s'écrit : `3e-05`

TP ④ Sécantes et tangentes `LOGICIEL DE GÉOMÉTRIE`

Objectif
Travailler
sur la position limite
d'une sécante.

On considère la fonction f définie sur $\mathbb{R}$ par $f(x) = -\dfrac{1}{4}x^2 + x + 3$.

① Dans un logiciel de géométrie dynamique, tracer la représentation graphique de f.

② Placer sur la courbe le point A, d'abscisse 0 ainsi qu'un point B quelconque distinct de A puis tracer la droite (AB). Afficher la pente de la droite (AB).

③ Rapprocher le point B du point A. En déduire une conjecture sur la valeur du nombre dérivé de f en 0.

④ Tracer la tangente à la courbe représentative de f. Confirme-t-elle la conjecture ? Argumenter.

⑤ Reprendre la démarche précédente au point d'abscisse 2 puis au point d'abscisse 6.

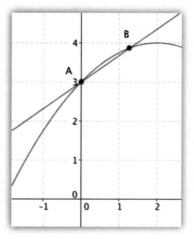

TP ⑤ Calcul formel de taux de variation `LOGICIEL DE GÉOMÉTRIE`

Objectif
Comprendre
le lien entre taux
de variation
et nombre dérivé.

① On considère la fonction cube :

$$f : x \mapsto x^3 \text{ définie sur } \mathbb{R}.$$

a. À l'aide d'un logiciel de géométrie, définir la fonction f et déterminer le taux de variation de f entre 1 et $1 + h$ où h est un nombre réel.
En déduire le nombre dérivé de f en 1.

b. Déterminer, s'il existe, le nombre dérivé de f en 3. Puis en -2.

c. De façon générale et en utilisant le calcul formel, déterminer le taux de variation de f entre a et $a + h$.
En déduire le nombre dérivé de f en a réel.

d. Vérifier l'expression à l'aide du calcul formel.

② On considère maintenant la fonction racine carrée :

$$g : x \mapsto \sqrt{x} \text{ définie sur } [0\,;+\infty[.$$

a. Avec le calcul formel, déterminer le taux de variation de g entre 2 et $2 + h$ où h est un nombre réel positif.
Permet-il de conclure ?

b. Déterminer directement $g'(2)$ à l'aide du calcul formel.

c. On veut retrouver par le calcul la valeur de $g'(2)$ trouvée par calcul formel.
Calculer $(\sqrt{h+2} - \sqrt{2})(\sqrt{h+2} + \sqrt{2})$ et en déduire une simplification du taux de variation.
Conclure.

d. De façon générale, déterminer le nombre dérivé de g en $a \in\ ]0\,;+\infty[$ puis vérifier à l'aide du calcul formel.

TP 6 Approximation affine et évolutions successives

Objectif
Travailler
sur l'équation
de la tangente.

Un journaliste affirme que deux hausses successives des prix de x % donnent au final une hausse des prix d'environ $2x$ %.
On veut vérifier ses propos.

① Point de vue numérique TABLEUR

a. Rappeler comment déterminer le taux d'évolution global T de deux évolutions successives de même taux t.

b. Reproduire la ligne 1 du tableau ci-dessous puis remplir la colonne A constituée de 100 taux d'évolution.
On prendra un incrément de 0,01 jusqu'à la cellule A101.

	A	B	C	D	E
1	Taux d'évolution t	Coefficient multiplicateur sur une période	Coefficient multiplicateur global sur deux périodes	Taux global sur deux périodes	Double du taux t
2	0,01	1,01			
3	0,02	1,02			
4					

c. Quelles formules doit-on entrer dans les cellules B2, C2, D2 et E2 pour compléter les colonnes B, C, D et E jusqu'à la ligne 101 par recopie vers le bas ?

d. Compléter ainsi le tableau jusqu'à la ligne 101.

e. Que peut-on en déduire sur les propos du journaliste ?

② Point de vue graphique LOGICIEL DE GÉOMÉTRIE

On considère la fonction f définie sur $\mathbb{R}$ par $f(x) = x^2$.

a. Ouvrir un logiciel de géométrie dynamique et tracer la représentation graphique de f.

b. Placer sur cette courbe le point A d'abscisse 1 puis tracer la tangente à la courbe représentative de f.
Lire l'équation réduite de cette tangente puis montrer que son équation peut aussi s'écrire sous la forme $y = 1 + 2(x - 1)$.

c. En notant $h = x - 1$ et en développant $(1 + h)^2$, faire le lien avec ce qui a été observé à la question précédente.

Boîte à outils

Logiciel de géométrie dynamique

- Pour construire une tangente ⬭ Tangentes

- Pour afficher la pente ◢ Pente

Calcul formel avec un logiciel de géométrie

- Pour calculer un nombre dérivé en a : définir la fonction f dans la fenêtre *Saisie*.
- Dans *Affichage*, sélectionner *Calcul formel* puis dans cette fenêtre, taper $f'(a)$ et le taux de variation de la fonction en a.
- $\sqrt{x}$: sqrt(x)

Calcul mental

1 Calculer :

a. $4 - \dfrac{1}{4}$ **b.** $5 - \dfrac{1}{3}$

c. $-\dfrac{2}{5} + \dfrac{3}{10}$ **d.** $-\dfrac{4}{7} - \dfrac{2}{14}$

e. $\dfrac{3}{4} - \dfrac{5}{6}$ **f.** $\dfrac{1}{2} - \dfrac{1}{3}$

g. $\dfrac{5}{14} - \dfrac{10}{21}$ **h.** $-\dfrac{4}{7} - \dfrac{1}{3}$

2 On considère la droite d d'équation :
$$d : y = -3x + 4.$$
Déterminer si les points suivants appartiennent à d.

a. $A\,(1\,;1)$ **b.** $B\,(0\,;4)$
c. $C\,(4\,;-9)$ **d.** $D\,(-2\,;11)$
e. $E\,(-1\,;7)$ **f.** $F\,(\dfrac{2}{3}\,;2)$

3 On considère la fonction f définie par :
$$f(x) = x^2 + 3x - 1.$$
Calculer :

a. $\dfrac{f(2) - f(1)}{2 - 1}$ **b.** $\dfrac{f(5) - f(0)}{5}$

c. $\dfrac{f(-1) - f(2)}{-1 - 2}$

4 On considère la fonction f définie sur $\mathbb{R}$ par :
$$f(x) = \dfrac{x+1}{x^2+2}.$$
• Calculer $f(0)$, $f(1)$ et $f(4)$.

5 Simplifier les expressions suivantes.

a. $\dfrac{h^2 - 4h}{h}$ **b.** $\dfrac{3h}{h}$

c. $\dfrac{(1+h)(1-h)}{1-h}$ **d.** $\dfrac{(2+h)^2 - 4}{h}$

6 Développer et simplifier les expressions suivantes.
a. $(1+h)^2 - 2h$
b. $(2+h)^2 - 4 - h^2$
c. $(3-h)^2 - (3+h)^2$
d. $h(1+h) - h(1-h)$

7 1. Lorsque h est un nombre très proche de 2, de quel nombre le nombre $3 + h$ est-il proche ?
2. Lorsque h est un nombre très proche de 1, de quel nombre le nombre $-1 + h$ est-il proche ?
3. Lorsque h est un nombre très proche de 0, de quel nombre le nombre $\sqrt{h}$ est-il proche ?

DIAPORAMA
CALCUL MENTAL
EN PLUS

Automatismes

8 Déterminer par lecture graphique l'équation des deux droites tracées ci-dessous.

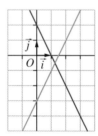

9 On considère une fonction f telle que $f(3) = 1$ et $f'(3) = -2$.
• Quelle est l'équation de la tangente $\mathcal{T}$ à la courbe représentative de la fonction f au point A d'abscisse 3 ?

10 VRAI OU FAUX

Dire si les propositions suivantes sont vraies ou fausses.
1. Si $f'(2) = 0$, alors la tangente à la courbe au point d'abscisse 2 est verticale.
2. La fonction $x \mapsto \sqrt{x}$ est dérivable en 0.

11 La courbe représentative de la fonction f ainsi que trois de ses tangentes sont représentées ci-dessous.

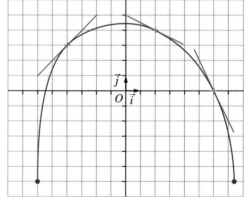

• Déterminer graphiquement la valeur des nombres $f(-4)$, $f'(-4)$, $f(2)$, $f'(2)$, $f(6)$ et $f'(6)$.

12 Un automobiliste a parcouru 60 km en trois quarts d'heure.
• Quelle a été sa vitesse moyenne sur ce trajet (en $\text{km} \cdot \text{h}^{-1}$) ? Est-ce qu'à un moment donné du trajet, cet automobiliste a pu rouler à 88 $\text{km} \cdot \text{h}^{-1}$?

Préparation d'un oral

Préparer une trace écrite permettant de présenter à l'oral une argumentation indiquant si les propositions suivantes sont vraies ou fausses.

1 Si une fonction f est telle que $f(1) = -4$ et $f(3) = 2$, alors la fonction f est croissante sur $[1 ; 3]$.

2 L'équation réduite de la tangente $\mathscr{T}$ à la courbe représentative de la fonction f définie sur $\mathbb{R}$ par $f(x) = -x^2 + 5x + 1$ au point A d'abscisse 1 est $y = 3x + 1$.

Travail en groupe 45 min

Constituer des groupes de 4 élèves qui auront chacun un des rôles suivants.
Résoudre tous ensemble la situation donnée. Remettre une trace écrite de cette résolution.

Animateur
- responsable du niveau sonore du groupe
- distribue la parole pour que chacun s'exprime

Rédacteur en chef
- responsable de la trace écrite rédigée par tous les membres du groupe

Ambassadeur
- porte-parole du groupe, seul autorisé à communiquer avec le professeur et, éventuellement, d'autres groupes

Maître du temps
- responsable de l'avancement du travail du groupe
- veille au respect du temps imparti

Dans un jeu sur smartphone, le joueur utilise un lance-pierre pour lancer des oiseaux sur des cochons verts. Chaque oiseau lancé suit une trajectoire parabolique et a le pouvoir d'accélérer en ligne droite (tangente à la parabole) dès que le joueur tape sur l'écran.
Deux cochons sont situés dans un jardin et ont pour coordonnées $(10,29 ; 0)$ et $(10,95 ; 0)$.

• L'oiseau lancé sur l'écran ci-contre atteindra-t-il un cochon lorsque le joueur appuie sur l'écran au niveau du point C ?

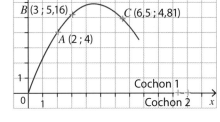

Exposé

▶ voir p. 110

Après avoir effectué les recherches indiquées, préparer une présentation orale, un poster ou un diaporama.

Effectuer des recherches sur les notions de cercle osculateur et de rayon de courbure.
Expliquer pourquoi la tangente à une courbe définie dans ce chapitre correspond à celle définie par Euclide dans *Les Éléments*, livre III.

Taux de variation

1 On considère la fonction f définie sur $[-4\,;4]$ représentée ci-dessous.

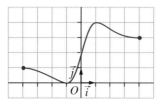

1. Sans les déterminer, justifier le signe des taux de variation de f :
a. entre -4 et -3 ;
b. entre 0 et 1 ;
c. entre 2 et 3 ;
d. entre 0 et 3.
2. Comparer, avec la précision permise par le graphique, le taux de variation de f entre -4 et -3 à celui de f entre -2 et -1.

2 **1.** Calculer le taux de variation de la fonction cube entre 0 et 1 puis entre 1 et 3.
2. Calculer le taux de variation de la fonction inverse entre $0,1$ et 1 puis entre 1 et 10.

3 **Évolution démographique**
Le tableau ci-dessous donne les populations de Bordeaux et de Toulouse lors de trois recensements.

	1968	1982	2014
Bordeaux	266 662	208 159	246 586
Toulouse	370 796	347 995	466 297

1. Calculer le taux de variation de la population de chaque ville entre 1968 et 1982, puis entre 1982 et 2014 (en habitant par an).
2. Calculer le taux d'évolution en pourcentage de la population de chaque ville entre 1968 et 1982, puis entre 1982 et 2014.
3. Donner une interprétation concrète de ces résultats.

4 **1.** Sans calculer, donner le taux de variation entre $-1,45$ et π de la fonction f définie sur $\mathbb{R}$ par $f(x) = 7x + 12$. Justifier.
2. Calculer le taux de variation de la fonction carré entre 10 et 20 puis, sans calculer, donner son taux de variation entre -20 et -10. Justifier.

5 On considère la fonction f définie sur $\mathbb{R}$ par :
$$f(x) = x^2 - 3x - 11.$$
1. Calculer le taux de variation de la fonction f entre 0 et 4.
2. Calculer le taux de variation de la fonction f entre -3 et 0.
3. Peut-on en déduire les variations de f sur $\mathbb{R}$? Justifier.

6 **Population de Floirac**
Le graphique ci-dessous concerne la population de la ville de Floirac en Gironde de 1968 à 2007. Cette population était de 15 794 habitants en 2007, 16 156 en 1999, 16 384 en 1990, 14 477 en 1982, 12 040 en 1975 et 8 241 en 1968.

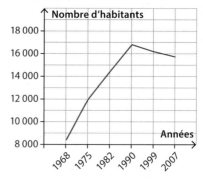

1. Déterminer graphiquement la période pendant laquelle l'évolution de la population est la plus rapide. Justifier.
2. Calculer le taux de variation de la population de Floirac entre 1968 et 1990 (en habitant par an), entre 1990 et 2007, puis entre 1968 et 2007. Conclure.

Nombre dérivé

7 On considère la fonction f définie sur $\mathbb{R}$ par :
$$f(x) = 5x^2 - x + 7.$$
1. Soit h un réel non nul. Donner l'expression du taux de variation de f entre 1 et $1 + h$.
2. Que devient ce taux quand h tend vers 0 ?
3. En déduire la valeur de $f'(1)$.

8 **1.** Déterminer le taux de variation de la fonction f définie sur $\mathbb{R}$ par $f(x) = 2x^2 - 3$ entre 2 et $2 + h$, h étant un réel non nul. En déduire le nombre dérivé de f en 2.
2. Déterminer le taux de variation de la fonction g définie sur $\mathbb{R}$ par $g(x) = \dfrac{3}{x^2 + 1}$ entre -2 et $-2 + h$.
En déduire le nombre dérivé de g en -2.

9 **Calculer**
Pour chacune des fonctions suivantes, calculer le nombre dérivé de f en a.
1. $f : x \mapsto 3,7x - 5$ $a = 5$
2. $f : x \mapsto x^2 + x - 1$ $a = -1$
3. $f : x \mapsto \dfrac{2}{2x + 5}$ $a = 0$
4. $f : x \mapsto (x - 3)(x + 1)$ $a = 3$

10 Pour chacune des fonctions suivantes, calculer le nombre dérivé de f en a.
1. $f : x \mapsto x^2 + 3x + 7$ $a = 2$
2. $f : x \mapsto -x^2 + 6$ $a = 10$
3. $f : x \mapsto x(x - 3)$ $a = 0$
4. $f : x \mapsto 2(x + 1)^2 + 2$ $a = -1$

11 **Vitesse moyenne et instantanée**

Un véhicule roule en ligne droite. La distance $d(t)$ (exprimée en mètre) parcourue par le véhicule en fonction du temps est donnée par la formule $d(t) = 2t^2 + t$, où t est exprimé en seconde.

1. Quelle distance le véhicule a-t-il parcourue à l'instant $t = 10$?

2. Pour $h \neq 0$, calculer la vitesse moyenne du véhicule entre les instants 10 et $10 + h$.

3. En utilisant le dernier calcul, déterminer la vitesse instantanée du véhicule à l'instant $t = 10$.

4. Reprendre ces questions pour l'instant $t = 5$.

12 `ALGO` `PYTHON`

On considère une fonction mystère écrite en Python.

```
1 def fonction_mystere(a):
2     for i in range(1,11):
3         h=10**-i
4         t=((a+h)**2-a**2)/h
5     return t
```

1. Recopier et compléter les lignes du tableau suivant contenant toutes les valeurs des variables lors de l'écriture dans la console de l'instruction `fonction_mystere(3)`.

a	i	h	t
3	1	0,1	6,1
3	2		
...			

2. Que représente la valeur renvoyée par cette fonction mystère ?

13 1. Montrer que la fonction f définie sur $\mathbb{R}$ par $f(x) = -5x + 2$ est dérivable en 1.

2. Montrer que, pour tout réel a, la fonction f définie sur $\mathbb{R}$ par $f(x) = -5x + 2$ est dérivable en a.

14 `QCM`

On donne ci-dessous deux copies d'écran issues d'un logiciel de calcul formel.

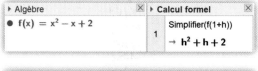

1. Soit f la fonction définie sur $\mathbb{R}$ par $f(x) = x^2 - x + 2$. La valeur de $f'(1)$ est :

  ⓐ 0   ⓑ 1   ⓒ 2   ⓓ 4

2. Soit g la fonction définie par $g(t) = \dfrac{t}{t-5}$. La valeur de $g'(6)$ est :

  ⓐ -5   ⓑ $-\dfrac{5}{2}$ ⓒ $-\dfrac{5}{7}$ ⓓ 6

15 **Coût de fabrication**

Une entreprise fabrique des billes pour roulements à billes. Le coût de fabrication de x billes (x exprimé en centaine) est modélisé à l'aide de la fonction C définie sur $[0 ; +\infty[$ par $C(x) = 0,5x^2 + x + 1$, où $C(x)$ est exprimé en centaine d'euros.

1. Calculer le prix de fabrication de 1 000 billes.

2. Calculer le coût de fabrication de la 1 001e bille (coût marginal pour 1 000 billes fabriquées).

3. Calculer le nombre dérivé de la fonction C en 1 000. Comparer au résultat précédent.

4. Reprendre les questions précédentes pour 500 billes fabriquées.

Tangente à une courbe

16 $\mathscr{C}_f$ est la courbe représentative d'une fonction f. En vert, on a tracé les tangentes à $\mathscr{C}_f$ aux points d'abscisse -1 et 1.

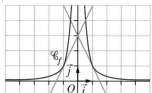

• À l'aide du graphique, donner le nombre dérivé de f en 1 puis en -1.

17 La courbe d'une fonction f et trois de ses tangentes ont été tracées aux points A, B et C d'abscisses respectives 0, 1 et 2.

• Lire les nombres dérivés de f en 0, en 1 et en 2.

18 Déterminer graphiquement les nombres dérivés de la fonction f représentée ci-contre qui se déduisent des tangentes tracées sur le graphique.

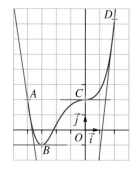

19 La courbe de la fonction g définie sur $[-4 ; 4]$ ainsi que trois de ses tangentes sont représentées ci-dessous.

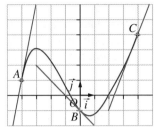

• Lire la valeur des nombres $g(-4)$, $g'(-4)$, $g(0)$, $g'(0)$, $g(4)$ et $g'(4)$.

20 On considère une fonction f définie sur $[-4 ; 6]$.
• En utilisant les données du tableau ci-dessous, tracer une allure possible pour la courbe représentative de f.

x	−4	−1	1	3,5	6
$f(x)$	0	2	0	−2	−1
$f'(x)$	1	0	−2	0	1

21 On considère une fonction f définie sur $[0 ; 10]$.
• En utilisant les données du tableau ci-dessous, tracer une allure possible pour la courbe représentative de f.

x	0	1	3	5,5	10
$f(x)$	2	3,5	4,5	3	4
$f'(x)$	2	1	0	−1	1

22 `CALCULATRICE`
Calculer
On considère la fonction g définie sur $\mathbb{R}$ par :
$$g(x) = 5x^2 - 7x.$$
1. Soit h un réel non nul.
Montrer que le taux de variation de la fonction g entre 1 et $1 + h$ est égal à $3 + 5h$. En déduire $g'(1)$.
2. Reprendre la même démarche pour calculer $g'(-1)$.
3. Déduire des réponses aux questions **1** et **2** les équations des tangentes $\mathcal{T}$ et $\mathcal{T}'$ à la courbe représentative de g aux points A et A' d'abscisses respectives 1 et −1.
4. Vérifier en traçant la courbe et les deux tangentes à l'aide de la calculatrice.

23 On considère la fonction f définie sur $\mathbb{R}$ par :
$$f(x) = x^2 - 2x - 1.$$
On admet que $f'(1) = 0$, $f'(0) = -2$ et $f'(3) = 4$.
1. Dans un repère orthonormé, construire les tangentes à la courbe au point d'abscisse 1, au point d'abscisse 0 et au point d'abscisse 3.
2. Déterminer graphiquement les équations des tangentes aux points d'abscisse 1 et 0.
3. Déterminer par le calcul l'équation de la tangente au point d'abscisse 3.
4. Tracer la courbe représentative de f en s'aidant des tangentes.

24 On considère la fonction f dont on donne la représentation graphique $\mathcal{C}_f$ ci-dessous ainsi que ses tangentes aux points de $\mathcal{C}_f$ d'abscisses −2, 0 et 3.

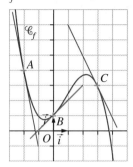

1. Donner par lecture graphique les valeurs de $f(-2)$, $f'(-2)$, $f(0)$, $f'(0)$, $f(3)$ et $f'(3)$.
2. À l'aide des valeurs obtenues, donner l'équation de la tangente à $\mathcal{C}_f$ au point A d'abscisse −2.
3. Même question au point B d'abscisse 0 et au point C d'abscisse 3.
4. Déterminer le point d'intersection des tangentes à $\mathcal{C}_f$ aux points A et B.

25 **Communiquer**
On donne ci-dessous les représentations graphiques $\mathcal{C}_1$, $\mathcal{C}_2$, $\mathcal{C}_3$ et $\mathcal{C}_4$ de quatre fonctions f_1, f_2, f_3 et f_4.
Pour chacune de ces fonctions, il existe au moins un réel a en lequel la fonction n'est pas dérivable.
• Préciser chacune de ces valeurs à l'aide des graphiques en justifiant la réponse.

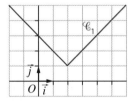
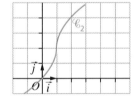
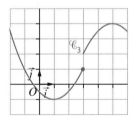
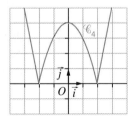

26 Parmi les droites tracées ci-dessous, quelles sont celles qui semblent être des tangentes à la courbe tracée en rouge ? Si cela semble être le cas, préciser en quel point.

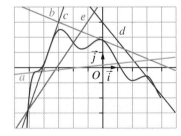

27 On considère la fonction g définie sur $]{-3}\,;1[\,\cup\,]1\,;7[$ dont on donne la représentation graphique $\mathscr{C}_g$ ci-dessous et les tangentes aux points de la courbe d'abscisses -2, 0 et 2.

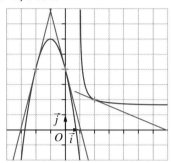

1. Donner par lecture graphique les valeurs de $g\,(-2)$, $g\,'(-2)$, $g\,(0)$, $g\,'(0)$, $g\,(2)$ et $g\,'(2)$.

2. À l'aide des valeurs obtenues, donner l'équation de la tangente à $\mathscr{C}_g$ au point d'abscisse -2.

3. Même question pour les tangentes au point d'abscisse 0 et au point d'abscisse 2.

28 CALCULATRICE

On considère la fonction f définie sur $\mathbb{R}$ par :
$$f(x) = 2x^2 - 3.$$
1. Obtenir, à l'aide de la commande de la calculatrice ci-dessous, une conjecture du nombre dérivé de f en 1.

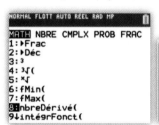

2. En admettant que le résultat précédent est bien la valeur exacte de $f'(1)$, déterminer l'équation réduite de la tangente à la courbe représentative de f au point d'abscisse 1.

3. Visualiser à l'aide de la calculatrice la courbe représentative de la fonction f et sa tangente au point d'abscisse 1. Vérifier la cohérence avec la réponse précédente.

29 CALCULATRICE

On considère la fonction f définie sur $\mathbb{R}$ par $f(x) = 2x^2 - x + 1$ et sa courbe représentative $\mathscr{C}$.

1. Déterminer la valeur de $f'(-1)$ à l'aide de la commande donnant le nombre dérivé de la calculatrice.

2. En admettant que le résultat précédent est bien la valeur exacte de $f'(-1)$, vérifier que la tangente $\mathscr{T}$ à $\mathscr{C}$ au point d'abscisse -1 a pour équation réduite $y = -5x - 1$.

3. Étudier le signe de la fonction g définie sur $\mathbb{R}$ par $g\,(x) = 2x^2 + 4x + 2$.

4. En déduire la position relative de $\mathscr{T}$ et de $\mathscr{C}$.

5. Vérifier la réponse précédente en traçant la courbe $\mathscr{C}$ et la tangente $\mathscr{T}$ sur l'écran de la calculatrice.

30 La fonction f est définie sur $\mathbb{R}$ par :
$$f(x) = 3x^2 - 2x - 1.$$
On admet que $f'(2) = 10$.

1. Donner l'équation réduite de la tangente à la courbe représentative de f au point d'abscisse 2.

2. Le point $S\,(5\,;37)$ appartient-il à cette droite ?

31 La fonction f est définie sur $\mathbb{R}$ par :
$$f(x) = \frac{3}{x^2 + 1}.$$
On admet que $f'(-1) = \dfrac{3}{2}$.

1. Donner l'équation réduite de la tangente à la courbe représentative au point A d'abscisse -1.

2. Le point $K\,(1\,;2)$ appartient-il à cette droite ?

32 La fonction f est définie sur $[-8\,;+\infty[$ par :
$$f(x) = \sqrt{x + 8}.$$
On admet que $f'(1) = \dfrac{1}{6}$.

1. Donner l'équation réduite de la tangente à la courbe représentative au point A d'abscisse 1.

2. Le point $K\,(4\,;4)$ appartient-il à cette droite ?

33 **Calculer**

On considère la fonction f définie sur $\mathbb{R}$ par :
$$f(x) = -2x^2 + 3x - 1.$$
1. Soit h un réel non nul. Montrer que le taux de variation de la fonction f entre 2 et $2 + h$ est égal à $-5 - 2h$. En déduire $f'(2)$.

2. Reprendre la même démarche pour calculer $f'(-3)$.

3. Déduire des réponses aux questions **1** et **2** les équations réduites des tangentes $\mathscr{T}$ et $\mathscr{T}\,'$ à la courbe représentative de f aux points A et A' d'abscisses respectives 2 et -3.

4. Vérifier en traçant la courbe et les deux tangentes à l'aide de la calculatrice.

5. À quelle tangente le point B de coordonnées $(5\,;92)$ appartient-il ?

34 On admet l'existence d'une fonction f telle que $f(0) = 1$ et telle que, pour tout réel x, f soit dérivable avec $f'(x) = f(x)$.

1. Déterminer l'équation réduite de la tangente à sa courbe représentative au point d'abscisse 0.

2. En déduire une valeur approchée de $f(0,1)$.

3. Comment pourrait-on procéder pour déterminer une valeur approchée de $f(0,2)$?

35 PRISE D'INITIATIVE

Raisonner

Dans un repère, la distance parcourue par un mobile, en mètre, est donnée par la formule $d\,(t) = 0{,}5t^2 + 4t + 6$, où t est le temps exprimé en seconde.

• Calculer la vitesse instantanée du mobile à $t = 10$ s.

36 Déterminer le taux de variation des fonctions suivantes entre a et b.

1. $f : x \mapsto 13{,}4x + 22{,}1$ $a = 6{,}23$ $b = 11{,}2$
2. $f : x \mapsto 8x^2 + 2x + 12$ $a = 0{,}5$ $b = 2$
3. $f : x \mapsto -(x + 7)(x - 4)$ $a = -7$ $b = 4$
4. $f : x \mapsto 2x^3 - 4x^2 + 1$ $a = 2$ $b = 3$

37 Calculer le taux de variation des fonctions suivantes entre a et b.

1. $f : x \mapsto \dfrac{x - 5}{x - 1}$ $a = 4$ $b = 6$

2. $f : x \mapsto \dfrac{3}{x^2 + 1}$ $a = -7$ $b = -3$

3. $f : x \mapsto \dfrac{x^2 - 4}{x - 2}$ $a = 7$ $b = 7{,}5$

38 Calculer le taux de variation des fonctions suivantes entre a et b.

1. $f : x \mapsto \sqrt{3x + 1}$ $a = 5$ $b = 8$
2. $f : x \mapsto \sqrt{2x + 2}$ $a = 0$ $b = 8$
3. $f : x \mapsto \sqrt{2x^2 - 1}$ $a = -5$ $b = -1$

39 Calculer le taux de variation des fonctions suivantes entre a et b.

1. $f : x \mapsto |x| + 2$ $a = 0$ $b = 6$

2. $f : x \mapsto |x - 3|$ $a = -1$ $b = 3$

3. $f : x \mapsto 2|x| + x$ $a = -5$ $b = -1$

4. $f : x \mapsto x^2 - 3|x - 2|$ $a = -2$ $b = 2$

40 Déterminer le nombre dérivé en a des fonctions suivantes.

1. $f : x \mapsto 23{,}2x - 14{,}99$ $a = 52$
2. $f : x \mapsto x^2 - 5$ $a = 1$
3. $f : x \mapsto 3(x - 5)(x + 2)$ $a = 5$
4. $f : x \mapsto x^3 + x + 1$ $a = 0$

41 Déterminer le nombre dérivé en a des fonctions suivantes.

1. $f : x \mapsto \dfrac{1}{2}x^2 - 4x + \dfrac{1}{7}$ $a = -2$

2. $f : x \mapsto 150x^2 - 25x + 520$ $a = \dfrac{1}{5}$

3. $f : x \mapsto 0{,}01x^2 + 24{,}5$ $a = 5$

4. $f : x \mapsto 2x^3 + 7x - 10$ $a = 0$

42 Déterminer le nombre dérivé en a des fonctions suivantes.

1. $f : x \mapsto \dfrac{1}{2 - x}$ $a = 0$

2. $f : x \mapsto \dfrac{2}{x}$ $a = 1$

3. $f : x \mapsto \dfrac{x}{x - 3}$ $a = -1$

43 Déterminer le nombre dérivé en a des fonctions suivantes.

1. $f : x \mapsto \dfrac{4 + 2x}{x - 3}$ $a = 0$

2. $f : x \mapsto \dfrac{3 + x}{x}$ $a = 1$

3. $f : x \mapsto \dfrac{2 + 3x}{2 + x}$ $a = -1$

44 CALCULATRICE

Raisonner

1. En admettant que la fonction f définie sur $\mathbb{R}$ par $f(x) = x^3$ admet en tout réel a un nombre dérivé égal à $3a^2$, déterminer l'équation réduite de la tangente $\mathcal{T}$ à sa courbe représentative $\mathcal{C}$ au point A d'abscisse 1.
2. En déduire un moyen simple d'obtenir rapidement une valeur approchée de $0{,}97^3$ et de $1{,}02^3$. Effectuer ces calculs puis comparer les résultats obtenus à ceux donnés par une calculatrice.

45 On considère la fonction f définie sur $\mathbb{R}$ par :
$$f(x) = x^2 - x - 10.$$
1. Montrer que $f'(5) = 9$.
2. Donner l'équation réduite de la tangente $\mathcal{T}$ à la courbe représentative de f au point A d'abscisse 5.
3. Le point R de coordonnées $(100 ; -905)$ appartient-il à cette tangente ?

46 **Raisonner**

Montrer que la fonction f définie sur $\mathbb{R}^+$ par $f(x) = x\sqrt{x}$ est dérivable en 0.

47 On considère la fonction f définie sur $\mathbb{R}$ par :
$$f(x) = 2x^2 - 3x + 5.$$
1. Vérifier que sa courbe représentative admet pour tangente au point d'abscisse 5 la droite $\mathcal{T}$ qui a pour équation réduite $y = 17x - 45$.
2. La droite $\mathcal{T}$ passe-t-elle par le point S de coordonnées $(2 ; -11)$?

48 On considère la fonction polynôme f de degré 3, définie sur $\mathbb{R}$ par $f(x) = x^3 - 3x^2$. On note $\mathcal{C}$ sa courbe représentative.

1. Montrer que 0 a deux antécédents a et b par f.
2. Calculer le nombre dérivé de f en a, en b et en 2.
3. Déterminer une équation des tangentes à la courbe aux points d'abscisse a, b et 2. Tracer ces droites dans un repère orthonormé.
4. Après avoir recopié et complété le tableau ci-dessous, tracer sur le graphique précédent la courbe représentative de f.

x	-1	0	1	2	3	4
$f(x)$						

49 Tracer une courbe $\mathscr{C}$ représentant une fonction f définie sur l'intervalle [0 ; 5] ayant les propriétés suivantes :
• $f(0) = 1$;
• f est décroissante sur l'intervalle [0 ; 2] ;
• f admet en 2 un minimum égal à −3 ;
• $f(3) = -1$ et $f(5) = -1$;
• $f'(2) = 0$, $f'(3) = 1$ et $f'(5) = -1$;
• Pour tout réel $x \in [1 ; 5]$, $f(x) < 0$.

50 `LOGICIEL DE GÉOMÉTRIE`

1. a. Montrer que la fonction f définie sur $\mathbb{R}$ par $f(x) = 0,5x^2 - 1$ est dérivable en 5 et donner la valeur de $f'(5)$.
b. Déterminer l'équation de la tangente $\mathscr{T}$ à la courbe $\mathscr{C}_f$ au point P d'abscisse 5.
2. a. À l'aide d'un logiciel de géométrie, tracer $\mathscr{C}_f$, un point A sur $\mathscr{C}_f$ d'abscisse a puis la tangente $\mathscr{T}$ à $\mathscr{C}_f$ en A. Déplacer le point A sur $\mathscr{C}_f$. Que peut-on conjecturer sur la valeur du nombre dérivé en fonction de a ?
b. Montrer que pour tout réel a, la fonction f est dérivable en a puis préciser $f'(a)$.
c. Justifier que la courbe $\mathscr{C}_f$ admet une tangente en chacun de ses points, dont on déterminera l'équation réduite en fonction de l'abscisse a du point considéré.

51 `LOGICIEL DE GÉOMÉTRIE`

Reprendre l'exercice précédent avec la fonction g définie sur $\mathbb{R}$ par $g(x) = 3x^2 + 1$.

52 `PRISE D'INITIATIVE`

On considère la fonction g définie pour tout réel x positif par $g(x) = 6\sqrt{x} + 6$, ainsi que les points $A(-4 ; 6)$ et $B(2 ; 15)$.
• Montrer que la droite (AB) est tangente à la courbe représentative de g au point d'abscisse 4.

53 On définit pour tout x réel les fonctions f et g par :
$f(x) = x^2 - x - 1$ et $g(x) = 3 - x$.
Dans un repère orthonormé, $\mathscr{C}$ désigne la courbe de f et $\mathscr{D}$ celle de g.
1. Résoudre par le calcul $f(x) = g(x)$. On note x_0 la solution positive.
2. On note $\mathscr{T}$ la tangente à $\mathscr{C}$ au point P d'abscisse x_0. Déterminer son équation.
3. Tracer $\mathscr{C}$, $\mathscr{D}$ et $\mathscr{T}$ dans un repère.

54 À l'aide du graphique ci-contre, qui représente la courbe d'une fonction f et les tangentes aux points A et B à cette courbe, compléter le tableau.

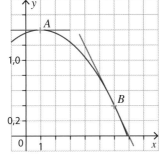

x	1	6
$f(x)$		
$f'(x)$		

55 `CALCULATRICE`
Communiquer
On considère la fonction f définie par $f(x) = |-x^2 + 2x + 1|$.
• En traçant sa représentation graphique sur l'écran de la calculatrice, déterminer deux valeurs de x en lesquelles f ne semble pas dérivable. Argumenter.

56 **Chute d'une bille** `ALGO` `PYTHON`
Une bille tombe en chute libre d'une hauteur de 50 m avec une vitesse initiale nulle.
On considère le script en Python ci-dessous.

```python
1 def d(t):
2     return -4.9*t**2+50
3
4 def fonction (d,t1,t2):
5     L=[]
6     t=t1
7     while t<t2 :
8         a=abs((d(t+0.1)-d(t)))/0.1
9         L.append(a)
10        t=t+0.1
11    return L
```

1. Quelle est celle des deux fonctions qui modélise la chute de la bille ? Donner son expression en fonction de t, le temps exprimé en seconde.
2. Quel est le rôle de « fonction » ? Indiquer ce que représentent ses paramètres.
Que représente la variable L renvoyée dans le contexte de l'exercice ?
3. Écrire un algorithme en langage naturel permettant de déterminer une valeur approchée de la vitesse instantanée de la bille à l'instant t donné.

57 **Population de bactéries**
Raisonner, modéliser
On prélève un échantillon de peau infecté par une bactérie pour en faire une culture dans le but de tester l'efficacité d'un antibiotique.
À l'instant $t = 0$, quand il y a environ 100 000 bactéries dans la culture, on y injecte l'antibiotique. On évalue ensuite le nombre de bactéries toutes les heures.

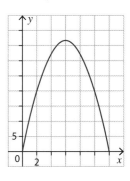

On note $f(t)$ (en millier) le nombre de bactéries supplémentaires à l'instant t, où t est donné en heure. On donne ci-dessus la courbe représentative de f.
1. À l'aide du graphique, donner une estimation du nombre total de bactéries aux instants $t = 2$, $t = 6$ et $t = 12$.
2. À l'aide du graphique et d'une règle, donner une estimation du taux de croissance horaire (en millier de bactéries par heure) de cette population de bactéries aux instants $t = 0$, $t = 2$, $t = 4$, $t = 6$ et $t = 10$.
3. Le nombre de bactéries augmente plus vite à $t = 2$ qu'à $t = 4$. Peut-on préciser à peu près combien de fois plus vite ? Justifier.

58 CALCULATRICE

Donner la valeur affichée par la calculatrice pour $f'(a)$ dans chacun des cas suivants.

1. $f(x) = \dfrac{x+1}{x-1}$; $a = 0$.

2. $f(x) = \sqrt{x} + x + 1$; $a = 4$.

59 La courbe rouge ci-dessous représente une fonction f définie sur $\mathbb{R}$. Les tangentes à la courbe en quatre points A, B, C et D ont été tracées.

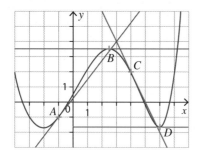

1. Recopier et compléter le tableau ci-dessous avec la précision permise par le graphique.

x	−1	2,5	4	6
$f(x)$				
$f'(x)$				

2. Déterminer l'équation de la tangente à la courbe $\mathcal{T}_A$ au point A d'abscisse −1 et celle de la tangente $\mathcal{T}_C$ au point C d'abscisse 4.

3. Parmi les affirmations ci-dessous, une seule est correcte. Préciser laquelle en justifiant la réponse.

a. $f'(-3) = -1,7$ b. $f'(-3) = 1$

c. $f'(-3) = 0,7$ d. $f'(-3) = -0,7$

60 ALGO PYTHON

On considère la fonction f définie par $f(x) = 2x^2 - 5x + 1$ de courbe représentative $\mathcal{C}_f$ et la droite d d'équation $y = x + 1$. On admet que sur l'intervalle $[0 ; 10]$, la courbe $\mathcal{C}_f$ admet en un point A d'abscisse a une tangente parallèle à d.

1. L'algorithme incomplet ci-dessous permet de déterminer une valeur approchée de a. Après exécution, la variable a a pour valeur environ 1,497 51. Compléter les parties manquantes.

```
a ← 0
h ← 10⁻⁶
t ← 0
Tant que |t − …| > 10⁻² faire :
    t ← …
    a ← a + 10⁻⁵
```

2. Programmer cet algorithme sur logiciel ou sur calculatrice et vérifier la valeur de l'abscisse recherchée. Comment obtenir une valeur plus précise ?

3. Démontrer la conjecture et donner l'équation de la tangente à $\mathcal{C}_f$ parallèle à d.

61 On considère la fonction f définie sur $\mathbb{R}$ par :
$$f(x) = 4x^2 + x - 9.$$

1. Montrer que la fonction f est dérivable en tout réel a et exprimer $f'(a)$ en fonction de a.

2. En déduire $f'\left(\dfrac{2}{3}\right)$ et $f'(\sqrt{5})$.

3. Déterminer l'équation de la tangente $\mathcal{T}$ à la courbe représentative de f au point A d'abscisse 2.

62 CALCULATRICE

On considère la fonction f définie sur $\mathbb{R}$ par :
$$f(x) = 2x^2 + 2x - 1,$$
de courbe représentative $\mathcal{C}_f$ et la droite $\mathcal{D}$ d'équation :
$$y = 2x - 1.$$

On cherche à déterminer les points de la courbe où la tangente est parallèle à $\mathcal{D}$.

1. En utilisant la table de la calculatrice comme indiqué ci-dessous, conjecturer l'abscisse x_0 d'un point répondant à la question.

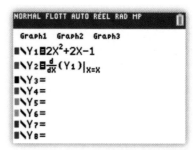

2. Déterminer le taux de variation entre x_0 et $x_0 + h$. Valider la conjecture.

63 L'attaque du faucon pèlerin

Le faucon pèlerin est un rapace dont la technique de chasse consiste à attaquer par l'arrière et en piqué des oiseaux en plein vol. Il peut se laisser tomber presque à la verticale d'une hauteur de 500 m sur sa proie.

La fonction suivante donne de façon simplifiée la distance parcourue par un faucon lors du piqué sur un pigeon, en fonction du temps, en seconde, à partir du moment où il commence sa descente :
$$f(t) = 5t^2 + 25t.$$

On rappelle que la vitesse instantanée à un instant t se modélise par le nombre dérivé $f'(t)$.

1. Déterminer la vitesse initiale du faucon.

2. L'attaque a duré 8 secondes.

a. Quelle a été la distance parcourue pendant le piqué ?

b. Quelle est la vitesse moyenne du faucon lors du piqué ?

c. À quelle vitesse le faucon a-t-il percuté le pigeon ?

64 `CALCULATRICE`
On considère la fonction f définie sur $]0 ; +\infty[$ par :
$$f(x) = \frac{x-1}{x^2}.$$
1. Déterminer la valeur de $f'(1)$.
2. Vérifier que la tangente $\mathcal{T}$ à $\mathcal{C}$ au point A d'abscisse 1 a pour équation réduite $y = x - 1$.
3. En déduire une valeur approchée de $f(0,99)$.
4. Calculer $f(0,99)$ à l'aide de la calculatrice et comparer cette valeur avec la réponse à la question **3**.

65 On considère la fonction f définie sur $]-1 ; +\infty[$ par :
$$f(x) = \frac{3-2x}{x+1}.$$
1. Montrer que $f'(1) = -\frac{5}{4}$.
2. Donner l'équation réduite de la tangente $\mathcal{T}$ à la courbe représentative de f au point A d'abscisse 1.
3. Cette tangente $\mathcal{T}$ a-t-elle un autre point d'intersection avec la courbe $\mathcal{C}_f$? Justifier.

66 `TABLEUR` **Population d'une ruche**
Argumenter, modéliser

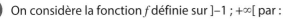

On s'intéresse à l'évolution du nombre d'abeilles dans une ruche. Le tableau suivant donne l'estimation du nombre d'abeilles dans la ruche au 15 de chaque mois de mars à septembre, ce qui correspond à la pleine période d'activité de cette ruche.

	A	B	C	D	E
1	Date	Nombres de jours x depuis le 1er mars	Nombre d'abeilles en milliers	$f(x)$	$f'(x)$
2	15-mars	15	12		
3	15-avr	46	40		
4	15-mai	76	52		
5	15-juin	107	56		
6	15-juil	137	50		
7	15-août	168	36		
8	15-sept	199	21		

1. Reproduire le tableau à l'aide d'un tableur et sélectionner la plage de valeurs B2:C8 pour faire apparaître un nuage de points.
2. Quel type de fonction semble pouvoir convenir pour modéliser l'évolution de cette colonie d'abeilles du 15 mars au 15 septembre ?
3. Cliquer sur l'un des points du graphique et ajouter une courbe de tendance du type voulu dont on fera afficher l'équation sur le graphique. On notera f la fonction obtenue.
4. Compléter la colonne D puis, à l'aide de la calculatrice, la colonne E.
5. Interpréter les résultats de la colonne D. Exprimer la réponse en langage courant.

67 On considère la fonction f définie sur $[-4 ; +\infty[$ par :
$$f(x) = \sqrt{x+4}.$$
1. Montrer que le taux de variation de f entre 1 et $1 + h$, où h est un réel non nul, est égal à $\frac{1}{\sqrt{5+h} + \sqrt{5}}$.
2. En déduire la valeur de $f'(1)$.

68 Reprendre la méthode de l'exercice précédent pour déterminer le nombre dérivé des fonctions f en a dans chacun des cas suivants.
1. $f : x \mapsto \sqrt{-2x+5}$ $\qquad a = 2$
2. $f : x \mapsto \sqrt{3x+1}$ $\qquad a = 0$
3. $f : x \mapsto \sqrt{x^2+3}$ $\qquad a = -1$
4. $f : x \mapsto \sqrt{4-2x}$ $\qquad a = -3$

69 **Raisonner**
On considère la fonction f définie sur $\mathbb{R}$ par :
$$f(x) = x|x|.$$
• Démontrer que f est dérivable en 0.

70 Tracer une courbe $\mathcal{C}$ représentant une fonction f définie sur l'intervalle $[-3 ; 3]$ ayant les propriétés suivantes :
• $f(1) = 0, f(-3) = 0$ et $f(3) = 3$;
• f est croissante sur l'intervalle $[1 ; 3]$;
• f admet en 0 un maximum égal à 4 ;
• $f'(3) = 0, f'(-3) = 2$ et $f'(1) = 0,5$.

71 `LOGICIEL`
Raisonner, modéliser
Le tableau suivant donne l'estimation des revenus cumulés des GAFAM en milliard d'euros de 2002 à 2017 (Source : Statista).

	A	B	C	D	E
1	Année	Rang de l'année	Revenus cumulés GAFAM en milliards d'euros	f	f'
2	2002	0	31,2		
3	2003	1	36,8		
4	2004	2	44,9		
5	2005	3	55,5		
6	2006	4	69,1		
7	2007	5	87,3		
8	2008	6	113,2		
9	2009	7	122,3		
10	2010	8	157,2		
11	2011	9	217,9		
12	2012	10	282		
13	2013	11	314,5		
14	2014	12	355,4		
15	2015	13	428,6		
16	2016	14	450,7		
17	2017	15	527,8		
18					

1. Reproduire le tableau à l'aide d'un tableur et sélectionner la plage de valeurs B2:C17 pour faire apparaître un nuage de points.
2. Quel type de fonction semble pouvoir convenir pour modéliser l'évolution de leurs revenus de 2002 à 2017 ?
3. Cliquer sur l'un des points du graphique et ajouter une courbe de tendance du type voulu dont on fera afficher l'équation sur le graphique. On notera f la fonction obtenue.
4. Compléter la colonne D puis, à l'aide de la calculatrice, la colonne E.
5. Interpréter les résultats de la colonne E. Exprimer votre réponse en langage courant.

72 **Démonstration**

Le but de cet exercice est de démontrer que les fonctions affines sont les seules fonctions à posséder un taux de variation constant, c'est-à-dire les seules pour lesquelles il existe un unique réel m, tel que, pour tous réels a et b distincts, en notant f la fonction, on a :
$$\frac{f(b) - f(a)}{b - a} = m.$$
1. Soit f une fonction de taux de variation constant égal à 3 telle que $f(0) = -2$. En calculant son taux de variation entre 0 et x ($x \neq 0$), montrer que f est une fonction affine que l'on peut déterminer explicitement.
2. Même question pour une fonction f de taux de variation constant égal à 3 et telle que $f(3) = 10$.
3. Dans le cas général, démontrer qu'une fonction de taux de variation constant est une fonction affine.

73 **Distance de freinage**

Un cycliste qui se déplace à environ 37 km·h^{-1} freine pour s'arrêter à un stop. À partir du moment où il commence son freinage et jusqu'à son arrêt, la distance qu'il parcourt, en mètre, est donnée en fonction du temps t, en seconde, par la fonction d définie par $d(t) = -1{,}7t(t - 6)$.
1. Calculer la vitesse instantanée à $t = 0$. Vérifier la cohérence avec l'énoncé.
2. Calculer la vitesse instantanée au bout de 1 s.
3. Montrer que le vélo est arrêté à $t = 3$ s.
4. On admet que le cycliste met 3 secondes pour s'arrêter. Au moment où le cycliste commence son freinage, le stop se trouve à 15 m de lui. Lui reste-t-il une distance suffisante pour s'arrêter avant la ligne d'effet du stop ?

74 PRISE D'INITIATIVE

Existe-t-il une fonction non affine dont la courbe possède une même droite comme tangente en une infinité de points distincts ? Si oui, donner un exemple.

75 On considère la fonction f définie par $f(x) = \dfrac{3}{x}$ pour $x > 0$ ainsi que les points $A\,(0\,;2)$ et $B\,(9\,;-1)$.
• Montrer que la droite (AB) est tangente à la courbe représentative de f en un point à définir.

76 Existe-t-il une fonction dont la courbe représentative présente une tangente verticale (parallèle à l'axe des ordonnées) ? Si oui, donner un exemple.

77 PRISE D'INITIATIVE
Chercher
Représenter une fonction non constante telle que, pour tout réel a, le taux de variation entre a et $a + 1$ soit nul.

78 PRISE D'INITIATIVE

Trouver les réels a, b et c tels que la parabole représentant la fonction $f : x \mapsto ax^2 + bx + c$ passe par les points $A\,(1\,;0)$ et $B\,(-2\,;0)$ et tels que la tangente en A à la parabole ait pour coefficient directeur 6.

79 LOGICIEL DE GÉOMÉTRIE CALCULATRICE
On considère les fonctions f et g définies sur $\mathbb{R}$ par :
$$f(x) = x^2 \text{ et } g(x) = -x^2 + 4x - 2.$$
1. À l'aide d'un logiciel de géométrie ou d'une calculatrice, conjecturer une valeur de l'abscisse a en laquelle les courbes représentatives des fonctions f et g auraient une tangente commune (c'est-à-dire une tangente à la courbe représentative de la fonction f qui soit également tangente à la courbe représentative de la fonction g).
2. Déterminer $f'(a)$ et $g'(a)$.
3. Vérifier la conjecture.

80 **Rôle de la constante (1)**
Calculer, raisonner
1. Démontrer que, si la fonction f est définie pour tout réel x par $f(x) = x^2 + 3x - 2$, alors, pour tout réel a, f est dérivable et $f'(a) = 2a + 3$.
2. Démontrer que, si la fonction g est définie pour tout réel x par $g(x) = x^2 + 3x + 6$, alors, pour tout réel a, g est dérivable et $g'(a) = 2a + 3$.
3. Peut-on déterminer d'autres fonctions admettant, pour tout réel a, un nombre dérivé égal à $2a + 3$?

81 ALGO PYTHON
On considère la fonction en Python suivante.

```python
from math import sqrt
def taux (a,h):
    return (sqrt(a+h)-sqrt(a))/h
```

1. Que renvoie l'instruction taux (1,0.1) ?
2. Quelle est la fonction utilisée dans cet algorithme ?
3. Que représente la valeur renvoyée ?
4. Modifier cette fonction pour qu'elle renvoie une liste contenant des taux de variation pour h de plus en plus proche de 0.

82 Soient la fonction f définie sur $\mathbb{R}$ par :
$$f(x) = x^3 - 2x + 1$$
et $\mathscr{C}$ sa courbe représentative.
1. Déterminer l'équation réduite de la tangente $\mathscr{T}_0$ à $\mathscr{C}$ au point A d'abscisse 0.
2. Étudier la position relative de $\mathscr{C}$ et $\mathscr{T}_0$.

83 **Raisonner**

On considère la fonction carré :
$$f : x \mapsto x^2, \text{ avec } x \in \mathbb{R},$$
et sa courbe représentative $\mathcal{C}$.

On admet que f est dérivable en 1 avec $f'(1) = 2$.

1. Développer $(1 + h)^2$.

2. Déterminer l'équation de la tangente $\mathcal{T}$ à $\mathcal{C}$ au point $A(1 ; 1)$.

3. À partir des figures suivantes, associer chaque lettre en rouge (qui représentent des distances et des aires) à l'une des trois expressions suivantes : h, $2h$ et h^2.

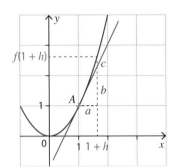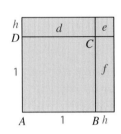

4. Recopier et compléter la phrase suivante : « Lorsque h est très proche de 0, $(1 + h)^2$ est à peu près égal à … ». Argumenter.

84 Dans cet exercice, f désigne la fonction cube et $\mathcal{C}$ sa courbe représentative.

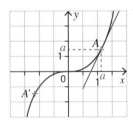

1. Montrer que :
$$(a + b)^3 = a^3 + 3a^2b + 3ab^2 + b^3.$$

2. Soit a un réel.

Calculer le taux de variation de la fonction cube entre a et $a + h$.

3. Démontrer que f est dérivable en a et que $f'(a) = 3a^2$.

4. Que peut-on en déduire pour les tangentes à $\mathcal{C}$ aux points A et A' d'abscisses respectives a et $-a$?
Quel argument géométrique permettrait aussi de justifier ce résultat ?

85 Soient g la fonction définie sur $\mathbb{R}$ par $g(x) = x^2 - 3x + 1$ et $\mathcal{C}$ sa courbe représentative.

1. Déterminer l'équation de la tangente $\mathcal{T}_1$ à $\mathcal{C}$ au point A d'abscisse 1.

2. Étudier la position relative de $\mathcal{C}$ et $\mathcal{T}_1$.

86 **PRISE D'INITIATIVE**

Soit la fonction f définie sur $\mathbb{R}$ par $f(x) = x^2 - 3x + 1$.
Sa courbe représentative $\mathcal{C}$ admet-elle une tangente passant par le point B de coordonnées $(3 ; 0)$?

87 **CALCULATRICE**

On considère la fonction f définie sur $]0 ; +\infty[$ par :
$$f(x) = \frac{x - 1}{x^2}.$$

On note $\mathcal{C}$ sa courbe représentative.

1. Déterminer la valeur de $f'(1)$ à l'aide de la fonction « nombre dérivé » de la calculatrice.

2. En admettant que l'arrondi à l'unité du résultat précédent est bien $f'(1)$, vérifier que la tangente $\mathcal{T}$ à $\mathcal{C}$ au point d'abscisse 1 a pour équation réduite $y = x - 1$.

3. Étudier la position relative de $\mathcal{T}$ et de $\mathcal{C}$.

4. Vérifier la réponse précédente en obtenant le tracé de la courbe $\mathcal{C}$ et de la tangente $\mathcal{T}$ sur l'écran de la calculatrice.

88 **LOGICIEL DE GÉOMÉTRIE**

On considère la fonction f définie sur $]-5 ; +\infty[$ par :
$$f(x) = \frac{5x}{x + 5}$$
et la fonction g définie sur $\mathbb{R}$ par : $g(x) = x^2 + x$.

1. À l'aide d'un logiciel de géométrie ou d'une calculatrice, conjecturer une valeur de l'abscisse a en laquelle les courbes représentatives des fonctions f et g auraient une tangente commune (c'est-à-dire une tangente à la courbe représentative de la fonction f qui soit également tangente à la courbe représentative de la fonction g).

2. Déterminer $f'(a)$ et $g'(a)$.

3. Vérifier la conjecture.

89 **Rôle de la constante (2)**

1. Démontrer que, si la fonction f est définie pour tout réel x différent de -3 par $f(x) = \dfrac{x}{x + 3}$, alors, pour tout réel a, f est dérivable et $f'(a) = \dfrac{3}{(a + 3)^2}$.

2. Démontrer que, si la fonction g est définie pour tout réel x différent de -3 par $g(x) = \dfrac{-3}{x + 3}$, alors, pour tout réel a, g est dérivable et $g'(a) = \dfrac{3}{(a + 3)^2}$.

3. Démontrer qu'il existe un réel α tel que pour tout réel x différent de -3, $g(x) = f(x) + \alpha$.

4. Peut-on déterminer d'autres fonctions admettant, pour tout réel a différent de -3, un nombre dérivé égal à $\dfrac{3}{(a + 3)^2}$?

90 On considère la fonction f définie par $f(x) = \dfrac{2x + 1}{x + 1}$.

1. Quel est l'ensemble de définition de la fonction f ?

2. Montrer que la fonction f est dérivable en tout réel a de l'ensemble de définition de f et exprimer $f'(a)$ en fonction de a.

3. En déduire $f'(-4)$ et $f'\left(\dfrac{5}{7}\right)$.

4. Déterminer l'équation réduite de la tangente $\mathcal{T}$ à la courbe représentative de f au point A d'abscisse 4.

91 Déplacement d'un mobile

Un mobile se déplace dans un plan muni d'un repère orthogonal.

À chaque instant t, le mobile possède deux coordonnées dont la valeur dépend du temps t.

On suppose que l'on a, pour tout $t \geqslant 0$, $x(t) = 10t$ et $y(t) = 0,1t^2 + 5$.

1. En quelle position se trouve le mobile au temps initial $t = 0$?

2. Exprimer y en fonction de x. Quel type de trajectoire décrit le mobile au cours du temps ? Tracer cette courbe.

3. On admet que la vitesse du mobile est définie par le vecteur $\vec{v}(t)$ de coordonnées $\vec{v}(t)\begin{pmatrix} x'(t) \\ y'(t) \end{pmatrix}$ où $x'(t)$ est le nombre dérivé de la fonction x à l'instant t et $y'(t)$ le nombre dérivé de la fonction y à l'instant t.

a. Quelles sont les coordonnées du vecteur vitesse à l'instant $t = 0$?

b. En donner une interprétation concrète.

92

On considère une fonction f définie et dérivable sur $[0 \,;\, 10]$. Sa courbe représentative $\mathcal{C}_f$ est donnée en rouge dans le graphique ci-dessous.

$f(0) = 1$ et $f(10) = 0$.

La droite verte passant par le point $A\,(0\,;\,5)$ est tangente à $\mathcal{C}_f$ aux points B et C de la courbe. On sait que B a pour abscisse 4 et que C a pour coordonnées $(9\,;\,2)$.

Les réponses devront être clairement justifiées.

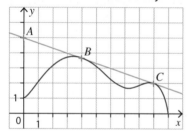

1. Calculer le taux de variation de f entre 0 et 10.

2. Déterminer $f'(4)$ et $f'(9)$.

3. Calculer $f(4)$.

4. Donner une valeur approchée de $f'(1)$.

5. Résoudre graphiquement, avec la précision permise par le graphique, l'équation $f'(x) = 0$.

6. Résoudre graphiquement, avec la précision permise par le graphique, l'inéquation $f'(x) \geqslant 0$.

7. Déterminer graphiquement une valeur telle que $f(x) \approx f'(x)$.

8. Déterminer graphiquement la valeur de x pour laquelle le nombre dérivé est maximal.

93

On considère la fonction f définie par $f(x) = 2x^2 - 4x + 1$.

1. Montrer que la fonction f est dérivable en tout réel a de l'ensemble de définition de f et exprimer $f'(a)$ en fonction de a.

2. Déterminer l'équation de la tangente $\mathcal{T}$ à la courbe représentative de f au point A d'abscisse $-\dfrac{1}{3}$.

94 Dureté de l'eau

Lors d'une mesure de la dureté de l'eau, l'attaque du magnésium par une solution d'acide chlorhydrique donne des ions magnésium Mg^{2+}. La courbe

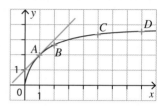

ci-contre représente la concentration d'ions Mg^{2+} (exprimée en centième de mole par litre) en fonction du temps t (exprimé en minute).

On note f la fonction représentant la concentration d'ions Mg^{2+} dont la courbe est représentée ci-dessus. Les points A, B, C et D sont quatre points de la courbe représentative de la fonction f.

1. On appelle vitesse de concentration à l'instant t le nombre dérivé $f'(t)$, exprimé en centième de mole par minute. Lire graphiquement une estimation de la vitesse de concentration à l'instant $t = 1$.

2. Reproduire la courbe précédente et déterminer graphiquement la vitesse de concentration aux instants $t = 2$, $t = 5$ et $t = 8$. Laisser les tracés nécessaires sur le graphique.

3. La fonction f a pour expression $f(t) = \dfrac{4t}{t+1}$.

a. Un logiciel de calcul formel donne :

Déterminer grâce à ses indications la vitesse de concentration à l'instant $t = 0$.

b. Représenter la tangente à la courbe au point d'abscisse 0.

c. Existe-t-il un (ou des) instant(s) en le(s)quel(s) la vitesse de concentration est égale à 0,25 centième de mole par minute ?

95

On considère la fonction f définie et dérivable sur $[-4\,;\,4]$ dont on donne la représentation graphique $\mathcal{C}_f$ ci-contre.

On note $A\,(-1\,;\,0)$ et $B\,(0\,;\,1)$.

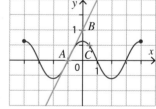

La droite (AB) est la tangente à $\mathcal{C}_f$ au point A.

On admet que $\mathcal{C}_f$ passe par le point $C\,(0,4\,;\,0,5)$.

1. La fonction f semble-t-elle paire, impaire ou ni l'un ni l'autre ? Justifier.

2. Déterminer le taux de variation de f entre -1 et $0,4$.

3. Donner par lecture graphique les valeurs de $f(-1)$, $f'(-1)$, $f'(0)$, $f(1)$ et $f'(1)$.

4. En se servant des valeurs obtenues, donner l'équation de la tangente à $\mathcal{C}_f$ au point A.

5. Existe-t-il une droite qui semble tangente à $\mathcal{C}_f$ en trois points distincts ? Justifier.

96 On considère la parabole $\mathcal{P}$ d'équation $y = ax^2 + bx + c$ (avec a, b et c des réels) représentative d'une fonction f dans un repère orthogonal.

Cette courbe $\mathcal{P}$ passe par les points $A\,(0\,;1)$ et $B\,(2\,;3)$. Les tangentes en A et B se coupent en $C\,(1\,;-4)$.

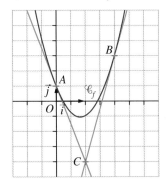

1. Donner l'équation réduite de chacune de ces tangentes.

2. En déduire $f'(0)$ puis $f'(2)$.

3. Soit x_0 un nombre réel. Déterminer l'expression de $f'(x_0)$ en fonction des constantes a et b.

4. À l'aide des renseignements précédents, obtenir trois équations d'inconnues a, b et c.

5. Donner l'expression de $f(x)$.

6. Déterminer le taux de variation entre a et $a + h$ pour a et h réels ($h \neq 0$). En déduire une expression de $f'(a)$.

7. Retrouver les valeurs de $f'(0)$ puis $f'(2)$.

97 [QCM]

On a représenté ci-dessous la courbe représentative d'une fonction f ainsi que deux de ses tangentes aux points d'abscisses respectives 2 et 4.

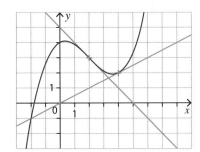

1. $f(0)$ est égal à :
- (a) 4
- (b) – 2
- (c) 0
- (d) 5

2. $f'(4)$ est égal à :
- (a) 2
- (b) – 1
- (c) 0,5
- (d) 0

3. $f'(2)$ est égal à :
- (a) 3
- (b) 1
- (c) –1
- (d) 5

4. Le taux de variation de f entre –2 et 4 est :
- (a) positif
- (b) nul
- (c) négatif
- (d) on ne peut pas savoir

5. Une équation de la tangente $\mathcal{T}$ au point d'abscisse 5 est :
- (a) $y = \dfrac{1}{2}x + 2$
- (b) $y = -2x + 1$
- (c) aucune des deux

98 Pic pétrolier

Le géophysicien Marion King Hubbert suggéra dans les années 1940 que la production de pétrole d'un pays suivait une courbe en cloche qui pouvait se déduire de la quantité de pétrole déjà extraite et de l'estimation des réserves totales.

Compte tenu des crises politiques, des aléas économiques ou de la découverte de nouveaux gisements, ce modèle est rarement validé en pratique sur une longue période mais l'évolution de la production de pétrole en Norvège s'inscrit presque parfaitement sur la courbe de Hubbert.

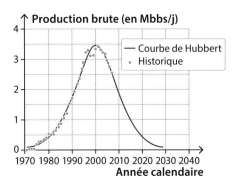

L'axe des ordonnées du graphique ci-dessus est gradué en Mbbls/j (anglais) ou mbj (en français) :

$$1 \text{ Mbbls/j} = 1\,000\,000 \text{ barils/jour.}$$

Un baril correspond à 159 litres environ.

1. Quelles sont les années pendant lesquelles la production de pétrole semble augmenter le plus vite ? Expliquer graphiquement.

2. On admet que la vitesse d'évolution de la production de pétrole une année donnée est modélisée par le nombre dérivé (en Mbbls/j par an) de la fonction de Hubbert cette année-là. Comparer l'évolution de la production de pétrole en 1980 et en 1990. La démarche doit être bien détaillée.

99 On considère une fonction f définie et dérivable sur $[0\,;8]$. On donne ci-contre sa courbe représentative $\mathcal{C}_f$. On admet que la courbe passe

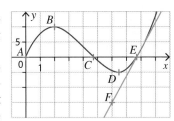

par les points : $A\,(0\,;0)$, $B\,(2\,;10)$, $C\,(4,75\,;0)$, $D\,(6,5\,;-5)$ et $E\,(7,75\,;0)$.

La droite (FE) où F est le point de coordonnées $(6\,;-15)$ est la tangente à $\mathcal{C}_f$ au point E.

1. Dresser le tableau de variation de f.

2. Dresser le tableau de signes de f.

3. Dresser le tableau de signes de f'.

4. Déterminer l'ensemble des réels x tels que $f(x) \times f'(x) \geqslant 0$.

5. Déterminer $f'(7,75)$.

6. Estimer graphiquement une valeur approchée à l'unité de $f'(0)$. Justifier la réponse.

100 Tangentes parallèles à une courbe

On considère la fonction f définie sur $\mathbb{R}$ par $f(x) = x^3 - 2x^2 + 3x + 1$ de courbe représentative $\mathcal{C}_f$ et la droite $\mathcal{D}$ d'équation $y = 2x - 1$.
On cherche à déterminer les points de la courbe $\mathcal{C}_f$ où la tangente est parallèle à $\mathcal{D}$.

Questions Va piano	Questions Moderato	Questions Allegro

Questions Va piano

1. **CALCULATRICE** Tracer $\mathcal{C}_f$ et $\mathcal{D}$ sur la calculatrice et conjecturer le nombre de tangentes à $\mathcal{C}_f$ parallèles à $\mathcal{D}$.
2. En utilisant un tableau de valeurs du nombre dérivé de f, en différentes abscisses, obtenu avec une calculatrice, confirmer la conjecture.
3. On admet que $f'(1) = 2$.
Déterminer l'équation d'une tangente parallèle à $\mathcal{D}$.

Questions Moderato

1. Tracer $\mathcal{C}_f$ et $\mathcal{D}$ sur la calculatrice et conjecturer le nombre de tangentes à $\mathcal{C}_f$ parallèles à $\mathcal{D}$.
2. On admet que pour tout a réel, on a :
$f'(a) = 3a^2 - 4a + 3$.
Déterminer le nombre de tangentes à $\mathcal{C}_f$ parallèles à $\mathcal{D}$.
3. Calculer $f'(1)$ et déterminer l'équation d'une tangente parallèle à $\mathcal{D}$.

Questions Allegro

1. Soit a un nombre réel.
Déterminer le taux de variation de f entre a et $a + h$ pour h un nombre réel non nul.
2. En déduire le nombre dérivé de f en a réel.
3. Déterminer le nombre de tangentes à $\mathcal{C}_f$ parallèles à $\mathcal{D}$ et l'abscisse des points répondant au problème.
4. Donner les équations réduites de ces tangentes.

101 Cinématique

La cinématique est l'étude du mouvement : position, vitesse, accélération d'un mobile…
Deux systèmes mobiles F et G se déplacent sur un axe gradué, leurs positions respectives au cours du temps sont données par les fonctions f et g définies pour tout réel t positif par :
$$f(t) = 2t^2 + t + 4$$
$$\text{et } g(t) = -t^2 + 5t + 8.$$
On admet que sur cet axe, les mobiles peuvent se doubler ou se croiser.

Questions Va piano	Questions Moderato	Questions Allegro

Questions Va piano

1. Tracer un axe gradué et positionner les mobiles F et G aux instants $t = 0$, $t = 1$, $t = 2$ puis $t = 3$.
2. Quelle est la vitesse moyenne du mobile F entre les instants $t = 0$ et $t = 1$? et celle du mobile G ?
3. À quel instant sont-ils sur la même position ?

Questions Moderato

1. Résoudre dans $]0 ; +\infty[$ l'équation $f(t) = g(t)$.
2. Interpréter dans le contexte les solutions trouvées.
3. Soit t un nombre réel positif.
Déterminer la vitesse moyenne de chaque mobile entre l'instant t et l'instant $t + h$, avec $h > 0$.

Questions Allegro

1. À quel instant les deux mobiles sont-ils sur une même position ? Est-ce un dépassement ou un croisement ?
2. Quelles sont leurs vitesses respectives à ce moment précis ?

102 Étude de bénéfice

Une entreprise produit et commercialise entre 0 et 14 tonnes d'engrais par jour. On admet que toute sa production est vendue.
Le bénéfice total (exprimé en centaine d'euros) réalisé pour une production de x tonnes d'engrais, est modélisé à l'aide de la fonction B définie par :
$$B(x) = -x^2 + 20x - 64.$$

Questions Va piano	Questions Moderato	Questions Allegro

Questions Va piano

1. Déterminer le taux de variation du bénéfice total entre 4 et 10 tonnes vendues puis entre 10 et 14 tonnes.
Interpréter ces résultats.
2. Déterminer le nombre dérivé de la fonction B en $x = 4$ puis en $x = 6$.
En donner une interprétation concrète.

Questions Moderato

1. En utilisant les connaissances sur les polynômes du second degré, déterminer la quantité x_0 de tonnes d'engrais nécessaires à un bénéfice maximum.
2. Déterminer le nombre dérivé de B en x_0. Interpréter la valeur.
3. Pourquoi l'entreprise ne veut-elle pas produire plus d'engrais ?

Questions Allegro

1. Démontrer que la fonction B est dérivable en tout nombre réel a de l'intervalle $[0 ; 14]$.
En déduire $B'(a)$.
2. Déterminer le tableau de signes de $B'(a)$ en fonction de a.
3. Donner le tableau de variation de B et le comparer au tableau de signes de $B'(a)$.
4. Déterminer ce bénéfice maximal.

No problem!

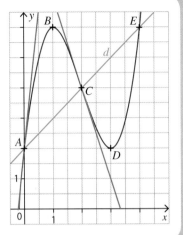

1 Using a graph

Let f be a defined and differentiable function on interval $I = [0\,;4]$; here is its curve represented on orthogonal axes. The tangents to the curve at points $x = 0$ and $x = 2$ are also represented, as well as the straight line d whose equation is $y = x + 2$. At points $x = 1$ and $x = 3$ the tangents to the curve are parallel to the x-axis.

1. Using the graph, determine:

a. $f(0)$ and $f'(0)$;   **b.** $f(1)$ and $f'(1)$;   **c.** $f(2)$ and $f'(2)$;

d. the set of all possible real numbers x such that $f(x) \leqslant x + 2$.

2. Using the graph, draw the table that shows variations of f on interval I.

3. We assume that $f(x) = x^3 - 6x^2 + 9x + 2$. Using the calculator, show that the tangents to the curve at points $x = 0$ and $x = 4$ are parallel.

2 Drawing

1. Using a geometry software, draw the graph $y = x^2$.

2. Draw the chord passing through points $(0\,;0)$ and $(3\,;9)$. Give its gradient.

3. Draw the chord passing through points $(1\,;1)$ and $(3\,;9)$. Give its gradient.

4. Draw the chord passing through points $(2\,;4)$ and $(3\,;9)$. Give its gradient.

5. Go on drawing chords with points nearer and nearer to point $(3\,;9)$. What do you notice?

6. Plot three points $P(x\,;x^2)$, $Q(x + h\,;(x + h)^2)$ and $R(x + h\,;x^2)$. Compute $\dfrac{QR}{PR}$.

7. What happens to this fraction when h approaches zero?

3 Gradient

The gradient of a curve at a point $M(x_M\,;y_M)$ is the gradient of the tangent to the curve at this point M. If the curve is the graph of $y = f(x)$ and f is differentiable this gradient is equal to the derivative $f'(x_M)$.

In England, $f'(x)$ is usually written $\dfrac{dy}{dx}$ as physicists do in France.

1. Prove that $x^3 - a^3 = (x - a)(x^2 + ax + a^2)$.

2. Find $\dfrac{dy}{dx}$ for the equation $y = x^3 - 4x$.

3. Find the gradient of the curve at point $M(x_M\,;y_M)$ where $x_M = 2$.

4. Sketch the graph of the curve and guess the number of points that are on curve for which the gradient is 0. Find the coordinates of these points.

Pair Work Who am I?

Solve the following riddle. Then create your own riddle and present it to your classmate.

> I am a quadratic function. Let's name $\mathcal{P}$ my graph.
> **1.** One of $\mathcal{P}$'s x-intercept is equal to 3.
> **2.** Its y-intercept is equal to 2.
> **3.** The line with the equation $y = -2x + 2$ is a tangent to the curve $\mathcal{P}$ at point $B(0\,;2)$.
> Can you find my second x-intercept?

CHAPITRE

5

Dérivation globale

Tester les limites et trouver de nouvelles fonctions

Isaac Newton

Isaac Newton est un scientifique et philosophe britannique du XVIIe siècle. Célèbre pour ses travaux sur le mouvement et sur la gravitation (avec l'épisode de la fameuse pomme), il a également travaillé sur de nombreux sujets mathématiques comme les tangentes, les dérivées et les calculs infinitésimaux.

La construction de la notion de dérivation n'a pas été un long fleuve tranquille. L'Europe de la fin du XVIIe siècle a été le théâtre d'un affrontement scientifique entre deux écoles de pensée, d'un côté le monde anglais véhicule les « fluxions » de Newton tandis que le reste de l'Europe porte la pensée de Leibniz.

Voici comment, dans son ouvrage (1687), Newton exprime sa vision des dérivées :
« Les rapports ultimes dans lesquels les quantités disparaissent ne sont pas réellement des rapports de quantités ultimes, mais les limites vers lesquelles les rapports de quantités, décroissant sans limite, s'approchent toujours, et vers lesquelles ils peuvent s'approcher aussi près qu'on veut. »

De quelles quantités parle Newton lorsqu'il cite les quantités ultimes ?

Après avoir justifié pourquoi, dans la formule du taux de variation $\dfrac{f(a+h)-f(a)}{h}$ menant au nombre dérivé $f'(a)$, h ne peut être égal à 0, faire le lien entre la définition du nombre dérivé et la vision de Newton.

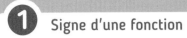
① Signe d'une fonction

Associer chaque représentation graphique à son tableau de signes.

a.
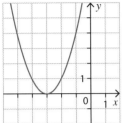

b.
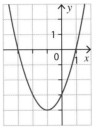

c.
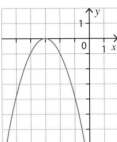

d.
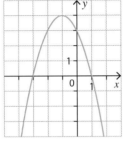

1.

x	$-\infty$		-3		1		$+\infty$
$f(x)$		$-$	0	$+$	0	$-$	

2.

x	$-\infty$		-3		1		$+\infty$
$f(x)$		$+$	0	$-$	0	$+$	

3.

x	$-\infty$		-3		$+\infty$
$f(x)$		$-$	0	$-$	

4.

x	$-\infty$		-3		$+\infty$
$f(x)$		$+$	0	$+$	

② Résolution d'inéquations

Résoudre les inéquations suivantes.

1. $5 - (3x + 1) \geqslant 0$ **2.** $2x^2 - 3x - 2 \geqslant 0$

3. $\dfrac{-x^2 + 2x - 5}{2x - 3} \geqslant 0$

③ Opération sur les fonctions (1)

Soient u et v les fonctions définies sur $\mathbb{R}$ par :

$u(x) = 2x + 1$ et $v(x) = -3x^2 + 5x - 2$.

1. Déterminer l'expression algébrique des fonctions suivantes.

a. $f = u + v$, $g = 3v$ et $h = uv$.

b. $m = \dfrac{u}{v}$ sur $]1 ; +\infty[$.

2. Déterminer la fonction $n = \sqrt{u}$ sur $[-0{,}5 ; +\infty[$.

④ Opération sur les fonctions (2)

Préciser si les expressions des fonctions suivantes sont écrites sous forme de somme, produit, quotient ou aucune de ces trois propositions.

- $f(x) = 5x\sqrt{x}$

- $g(x) = \dfrac{x + 2}{3x + 5}$

- $h(x) = \sqrt{5x + 4}$

- $m(x) = 5x^2 + 3x + 4$

- $n(x) = (4x + 7)^3$

- $p(x) = (3 - 5x)(2 + x)$

- $r(x) = -2\sqrt{x} + 3x$

⑤ Variation d'une fonction

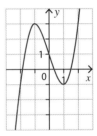

1. Dresser par lecture graphique, le tableau de variation de la fonction f représentée ci-dessus.

2. Sur l'intervalle $[-2 ; 2]$, indiquer les extremums de la fonction f en précisant en quelle valeur de x ils sont atteints.

⑥ Image et nombre dérivé

La courbe de la fonction f ainsi que quelques-unes de ses tangentes sont représentées ci-dessous.

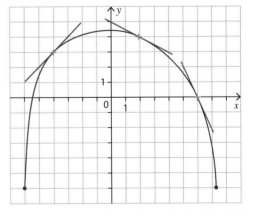

Lire la valeur des nombres $f(-4), f'(-4), f(2), f'(2)$, $f(6)$ et $f'(6)$.

Situation 1 **Du nombre dérivé à la fonction dérivée**

Objectif
Découvrir la fonction dérivée.

Un solide est lâché sans vitesse initiale depuis une certaine altitude dans le référentiel terrestre. À chaque instant t exprimé en seconde, la distance parcourue par le solide est donnée par la fonction $d(t) = t^2$ exprimée en mètre.

① Combien de mètres aura parcourus le solide après 10 s de chute ?

② À l'aide du taux de variation $\dfrac{d(10 + h) - d(10)}{h}$, calculer le nombre dérivé de d en 10, noté $d'(10)$.

Ce nombre est également appelé **vitesse instantanée** du solide à l'instant $t = 10$. Cette vitesse est ici exprimée en $\text{m} \cdot \text{s}^{-1}$.

③ En répartissant le travail dans la classe, recopier et compléter à l'aide du taux de variation, le tableau suivant.

t	10	15	20	25	30
$d'(t)$	20				

④ Conjecturer au vu des résultats précédents une expression de $d'(t)$ en fonction de t.

⑤ Démontrer la conjecture en s'appuyant sur le calcul de $\dfrac{d(t + h) - d(t)}{h}$.

⑥ Déterminer la vitesse instantanée du solide à l'instant $t = 100$.

Situation 2 **Composer des fonctions**

Objectif
Découvrir la composition $g(ax + b)$.

On considère la fonction u définie sur $\mathbb{R}$ par $u(x) = 2x + 5$ et la fonction g, définie sur $\mathbb{R}^+$ par $g(x) = 5\sqrt{x} + 3$.

① Donner une expression en fonction de x des fonctions $u + g$, $u \times g$ et $\dfrac{u}{g}$ définies sur $\mathbb{R}^+$.

② **a.** Recopier le tableau suivant et le compléter lorsque cela est possible.

x	$\longrightarrow$ $u(x)$	$\longrightarrow$ $g(u(x))$
10	25	$5 \times 5 + 3 = 28$
1		
-5		
5,5		
-3		
8		

b. Deux cellules du tableau ne peuvent pas être complétées. Expliquer pourquoi.

c. Préciser l'ensemble de définition et l'expression de la fonction définie dans la colonne de droite du tableau.

Situation **3** Étudier les variations d'une fonction

Objectif
Découvrir le lien entre variation de f et signe de sa dérivée f'.

On considère une fonction f dont la courbe représentative $\mathcal{C}_f$ est représentée ci-contre.
On note $A(a\,;f(a))$ un point mobile sur la courbe $\mathcal{C}_f$.
Le réel a se modifie à l'aide du curseur du logiciel.
On a tracé la tangente à la courbe $\mathcal{C}_f$ au point A.

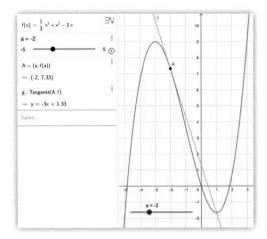

(1) En faisant varier le curseur et en utilisant l'équation de la tangente de la fenêtre *Algèbre*, déterminer le lien entre le signe de la fonction dérivée f' et le sens de variation de la fonction f.

(2) Reproduire et compléter le tableau suivant.

Sur $]-\infty\,;-3]$	$f'(x)\ldots 0$	f est …
Sur $]-3\,;1]$	$f'(x)\ldots 0$	f est …
Sur $[1\,;+\infty[$	$f'(x)\ldots 0$	f est …

Situation **4** Étudier l'évolution d'un pH

Objectif
Faire le lien entre dérivée et extremum.

Au cours d'une expérience de chimie, on a mis en contact deux réactifs et on a étudié l'évolution du pH au cours du temps.
On obtient la courbe ci-contre.
On note P la fonction représentée par cette courbe dont on a nommé cinq points particuliers.

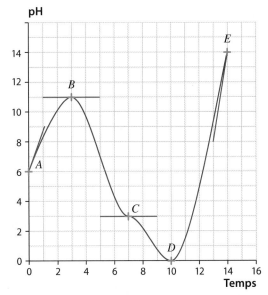

(1) Lire les coordonnées de ces points.

(2) Lire les coefficients directeurs des tangentes à la courbe en chacun de ces points.

(3) Lister les extremums de la fonction P.

(4) Reproduire et compléter le tableau suivant.

Le point …	A	B	C	D	E
sur l'intervalle…	$[0\,;14]$	$[2\,;5]$	$[6\,;8]$	$[0\,;14]$	$[0\,;14]$
correspond-il à un extremum ?	Non	…	…	…	…
$P'(t)=\ldots$	2,8	…	…	…	…

(5) Peut-on conjecturer un lien entre présence d'extremum et le fait que la dérivée s'annule ?

1. Fonctions dérivables sur un intervalle

1. Définition de la dérivée d'une fonction

Définitions

Soit f une fonction définie sur un intervalle I.
- On dit que f est **dérivable** sur I lorsque f admet un nombre dérivé pour tout réel x de I, noté $f'(x)$.
- On appelle **fonction dérivée** de f sur I, notée f', la fonction définie sur I par $f' : x \mapsto f'(x)$.

2. Fonction dérivée des fonctions de référence

Fonction	Domaine de définition	Domaine de dérivabilité	Fonction dérivée
Fonction constante : $f(x) = k$	$\mathbb{R}$	$\mathbb{R}$	$f'(x) = 0$
Fonction affine : $f(x) = mx + p$	$\mathbb{R}$	$\mathbb{R}$	$f'(x) = m$
Fonction carré : $f(x) = x^2$	$\mathbb{R}$	$\mathbb{R}$	$f'(x) = 2x$
Fonction puissance : $f(x) = x^n$, entier naturel non nul	$\mathbb{R}$	$\mathbb{R}$	$f'(x) = nx^{n-1}$
Fonction inverse : $f(x) = \dfrac{1}{x}$	$]-\infty\,;0[\cup]0\,;+\infty[$	$]-\infty\,;0[\cup]0\,;+\infty[$	$f'(x) = -\dfrac{1}{x^2}$
Fonction racine carrée : $f(x) = \sqrt{x}$	$[0\,;+\infty[$	$]0\,;+\infty[$	$f'(x) = \dfrac{1}{2\sqrt{x}}$
Fonction valeur absolue : $f(x) = |x|$	$\mathbb{R}$	$]-\infty\,;0[\cup]0\,;+\infty[$	$f'(x) = \begin{cases} -1 \text{ pour } x \in\,]-\infty\,;0[\\ 1 \text{ pour } x \in\,]0\,;+\infty[\end{cases}$

3. Opérations sur les fonctions dérivables

Théorème

Soient u et v deux fonctions dérivables sur un intervalle I.
1. La fonction $u + v$ est dérivable sur I et $(u + v)' = u' + v'$.
2. Soit k un réel. La fonction ku est dérivable sur I et $(ku)' = ku'$.
3. La fonction uv est dérivable sur I et $(uv)' = u'v + uv'$.
4. Si la fonction u ne s'annule pas sur I alors la fonction $\dfrac{1}{u}$ est dérivable sur I et $\left(\dfrac{1}{u}\right)' = -\dfrac{u'}{u^2}$.
5. Si la fonction v ne s'annule pas sur I, alors la fonction $\dfrac{u}{v}$ est dérivable sur I et $\left(\dfrac{u}{v}\right)' = \dfrac{u'v - uv'}{v^2}$.

> DÉMO
> en ligne

> DÉMO
> p. 150
> et 151

Théorème (admis) : Dérivée de la fonction $f : x \mapsto g(mx + p)$

Soit g une fonction dérivable sur un intervalle I.
Pour tout x réel tel que $mx + p$ appartient à I, la fonction f définie par $f(x) = g(mx + p)$ est dérivable et $f'(x) = m \times g'(mx + p)$.

⌄ Exemple

On considère la fonction f définie sur $\mathbb{R}$ par $f(x) = (5x + 8)^4$.
f est de la forme $f : x \mapsto g(mx + p)$ avec $g(x) = x^4$, $m = 5$ et $p = 8$. g est dérivable sur $\mathbb{R}$ et, pour tout x de $\mathbb{R}$, on a $g'(x) = 4x^3$.
On en déduit que f est dérivable sur $\mathbb{R}$ et, pour tout x de $\mathbb{R}$, on a :
$$f'(x) = m \times g'(mx + p) = 5 \times 4 \times (5x + 8)^3 = 20(5x + 8)^3.$$

Exercice résolu 1 Étudier la dérivabilité d'une fonction

Soit a un nombre réel quelconque.
À l'aide du taux de variation, montrer que la fonction $f : x \longmapsto x^2$ est dérivable en a puis retrouver l'expression de la dérivée de la fonction carré.

∨ Solution commentée

Pour étudier la dérivabilité de f en a, il faut tout d'abord s'intéresser au taux de variation de f en a :
$$\frac{f(a+h) - f(a)}{h} = \frac{(a+h)^2 - a^2}{h} = \frac{2ah + h^2}{h} = 2a + h.$$
Lorsque h devient très proche de zéro, cette quantité se rapproche de $2a$ qui est un nombre fini.
La fonction est donc dérivable en a et on a $f'(a) = 2a$.

> **EXERCICE** 9 p. 160

Exercice résolu 2 Déterminer la fonction dérivée

Déterminer la fonction dérivée des fonctions suivantes, sans se soucier du domaine de dérivabilité.
1 $f(x) = 3x + 5$ 2 $f(x) = \sqrt{x}$ 3 $f(x) = x^7$
4 $f(x) = \sqrt{2}$ 5 $f(x) = -3 + 2x$

∨ Solution commentée

1 f est une fonction affine $mx + p$ avec $m = 3$ donc $f'(x) = 3$.   2 $f'(x) = \dfrac{1}{2\sqrt{x}}$ 3 $f'(x) = 7x^6$

4 f est une fonction constante donc $f'(x) = 0$.   5 f est une fonction affine $mx + p$ avec $m = 2$ donc $f'(x) = 2$.

> **EXERCICE** 12 p. 160

Exercice résolu 3 Déterminer la dérivabilité et la dérivée d'une fonction

Pour chacune des fonctions suivantes, déterminer le ou les intervalle(s) sur le(s)quel(s) elle est dérivable et déterminer sa fonction dérivée.
1 $f : x \longmapsto 7x^2 - 5x$ 2 $g : x \longmapsto \dfrac{3}{x}$
3 $h : x \longmapsto \dfrac{3x+1}{2x^2+5}$ 4 $m : x \longmapsto \sqrt{x}(6x^3 - 2)$

∨ Solution commentée

1 f est la somme de deux fonctions $u : x \longmapsto 7x^2$ dérivable sur $\mathbb{R}$ et $v : x \longmapsto -5x$ dérivable sur $\mathbb{R}$.
On en déduit que f est dérivable sur $\mathbb{R}$ et $f' = u' + v'$.
$u'(x) = 7 \times 2x = 14x$ et $v'(x) = -5$, donc $f'(x) = 14x - 5$.

2 g est de la forme ku, avec $k = 3$ et $u : x \longmapsto \dfrac{1}{x}$ dérivable sur $]-\infty \,; 0[$ et sur $]0 \,; +\infty[$.

On en déduit que g est dérivable sur $\mathbb{R}^*$ et $g'(x) = ku'(x) = 3 \times \left(-\dfrac{1}{x^2}\right) = \dfrac{-3}{x^2}$.

3 h est le quotient de deux fonctions $u : x \longmapsto 3x + 1$ dérivable sur $\mathbb{R}$ et $v : x \longmapsto 2x^2 + 5$ dérivable sur $\mathbb{R}$, et, pour tout réel x, $v(x) \geqslant 5 > 0$, donc v ne s'annule pas. La fonction h est dérivable sur $\mathbb{R}$ et $h' = \dfrac{u'v - uv'}{v^2}$.
On en déduit :
$$h'(x) = \frac{3 \times (2x^2 + 5) - (3x+1) \times 4x}{(2x^2+5)^2} = \frac{6x^2 + 15 - (12x^2 + 4x)}{(2x^2+5)^2} = \frac{6x^2 + 15 - 12x^2 - 4x}{(2x^2+5)^2} = \frac{-6x^2 - 4x + 15}{(2x^2+5)^2}.$$

4 m est le produit de deux fonctions $u : x \longmapsto \sqrt{x}$ dérivable sur $]0 \,; +\infty[$ et $v : x \longmapsto 6x^3 - 2$ dérivable sur $\mathbb{R}$.
On en déduit que m est dérivable sur $]0 \,; +\infty[$ et $m' = u'v + uv'$.
$u'(x) = \dfrac{1}{2\sqrt{x}}$ et $v'(x) = 18x^2$, donc $m'(x) = \dfrac{1}{2\sqrt{x}} \times (6x^3 - 2) + \sqrt{x} \times 18x^2 = \dfrac{3x^3 - 1}{\sqrt{x}} + \dfrac{x \times 18x^2}{\sqrt{x}} = \dfrac{21x^3 - 1}{\sqrt{x}}$.

> **EXERCICE** 2 p. 160

2. Variations et courbes représentatives des fonctions

▶ 1. Lien entre sens de variation d'une fonction dérivable sur un intervalle et signe de sa fonction dérivée

Théorème (admis)

Soit f une fonction dérivable sur un intervalle I de $\mathbb{R}$.
- f est croissante sur I si et seulement si, pour tout x de I, $f'(x) \geqslant 0$.
- f est décroissante sur I si et seulement si, pour tout x de I, $f'(x) \leqslant 0$.
- f est constante sur I si et seulement si, pour tout x de I, $f'(x) = 0$.

▶ 2. Lien entre extremums et dérivation

Définition

Soient f une fonction définie sur un intervalle I de $\mathbb{R}$ et a un réel de l'intervalle.
- f admet un maximum en a sur I lorsque, pour tout x de I, $f(x) \leqslant f(a)$.
Le maximum vaut $f(a)$ et est atteint en a.
- f admet un minimum en a sur I lorsque, pour tout x de I, $f(x) \geqslant f(a)$.
Le minimum vaut $f(a)$ et est atteint en a.

Remarque

Un extremum est un minimum ou un maximum.

Propriété

p. 151

Soient f une fonction dérivable sur un intervalle ouvert I de $\mathbb{R}$ et a un réel appartenant à I et qui n'est pas une borne de I.
Si la fonction f admet un extremum en a sur I alors $f'(a) = 0$.

Remarque

La réciproque de cette propriété est fausse.

▼ **Exemple**
La fonction f définie pour tout réel x par $f(x) = x^3$.
$f'(x) = 3x^2$. Donc $f'(0) = 0$. Mais f est croissante sur $\mathbb{R}$ donc f n'admet pas d'extremum sur $\mathbb{R}$.

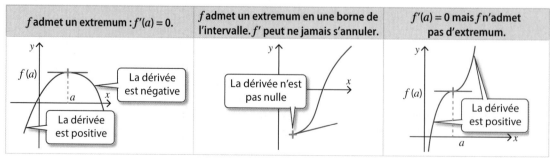

Exercice résolu **1** Étudier les variations d'une fonction

On donne la fonction f définie sur $[-3\,;3]$ par $f(x) = \dfrac{2}{3}x^3 - \dfrac{3}{2}x^2 - 2x + 1$.

1 Déterminer l'expression de la dérivée de f et étudier son signe.

2 En déduire le sens de variation de f et dresser son tableau de variation.

3 En déduire les extremums de la fonction et préciser en quelles valeurs ils sont atteints.

∨ Solution commentée

1 La dérivée de la fonction f a pour expression $f'(x) = \dfrac{2}{3} \times 3x^2 - \dfrac{3}{2} \times 2x - 2 = 2x^2 - 3x - 2$.

$f'(x)$ est une fonction polynôme de degré 2 avec $a = 2$, $b = -3$ et $c = -2$; pour étudier son signe, on cherche les racines.

$\Delta = (-3)^2 - 4 \times 2 \times (-2) = 25$

$\Delta > 0$, il y a donc deux racines réelles $x_1 = \dfrac{-(-3) + \sqrt{25}}{2 \times 2} = \dfrac{3+5}{4} = 2$ et $x_2 = \dfrac{-(-3) + \sqrt{25}}{2 \times 2} = \dfrac{3-5}{4} = -\dfrac{1}{2}$.

a étant positif, on en déduit que f' est négative entre les racines, donc sur $\left[-\dfrac{1}{2}\,;2\right]$, et positive à l'extérieur des racines.

2 On utilise ensuite le théorème qui lie le signe de la dérivée aux variations de la fonction et on obtient le tableau ci-contre.

x	-3		$-\dfrac{1}{2}$		2		3
Signe de $f'(x)$		$+$	0	$-$	0	$+$	
Variation de f	$-\dfrac{49}{2}$	↗	$\dfrac{37}{24}$	↘	$-\dfrac{11}{3}$	↗	$-\dfrac{1}{2}$

3 D'après le tableau de variation, le minimum de f est $\dfrac{-49}{2}$ atteint pour $x = -3$ (ici -3 est une borne de l'intervalle, on a un extremum sans dérivée nulle) et le maximum de f est $\dfrac{37}{24}$ atteint pour $x = \dfrac{-1}{2}$.

> **EXERCICE** 30 p. 162

Exercice résolu **2** Utiliser la courbe représentative de f'

On donne ci-contre la courbe représentative de la fonction dérivée d'une fonction f dérivable sur $\mathbb{R}$.

• Déterminer les valeurs pour lesquelles la fonction f admet des extremums.

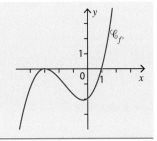

∨ Solution commentée

Graphiquement, les solutions de l'équation $f'(x) = 0$ sont -3 et 1.
On dresse le tableau de variation de la fonction f :

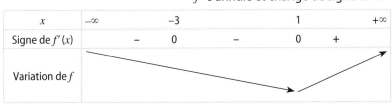

f' s'annule et change de signe en 1.

x	$-\infty$		-3		1		$+\infty$
Signe de $f'(x)$		$-$	0	$-$	0	$+$	
Variation de f							

f admet un minimum atteint en 1 et en -3, la dérivée s'annule sans changer de signe.
Les renseignements dont on dispose ne permettent pas de connaître la valeur du minimum.

> **EXERCICE** 32 p. 163

Comprendre une démonstration

On présente la démonstration de la propriété suivante. La lire attentivement puis répondre aux questions posées.

Soient u et v deux fonctions dérivables sur un intervalle I de $\mathbb{R}$.
La fonction uv est dérivable sur I et $(uv)' = u'v + uv'$.

∨ Démonstration

On considère la fonction $f = u \times v$.
Soit x_0 un nombre appartenant à l'intervalle I.

Le taux de variation de f en x_0 s'écrit $T(h) = \dfrac{f(x_0 + h) - f(x_0)}{h}$.

On remplace l'expression de f en fonction de u et v :

$$T(h) = \frac{u(x_0 + h) \times v(x_0 + h) - u(x_0) \times v(x_0)}{h}$$

Soit

$$T(h) = \frac{u(x_0 + h) \times v(x_0 + h) - u(x_0)v(x_0 + h) + u(x_0)v(x_0 + h) - u(x_0) \times v(x_0)}{h} \quad (1)$$

$$T(h) = v(x_0 + h) \times \frac{u(x_0 + h) - u(x_0)}{h} + u(x_0) \times \frac{v(x_0 + h) - v(x_0)}{h} \quad (2)$$

Lorsque h tend vers 0, on a :

- $\dfrac{u(x_0 + h) - u(x_0)}{h}$ tend vers $u'(x_0)$;

- $\dfrac{v(x_0 + h) - v(x_0)}{h}$ tend vers $v'(x_0)$;

- on admet que $v(x_0 + h)$ tend vers $v(x_0)$.

Donc $T(h)$ tend vers $v(x_0) \times u'(x_0) + u(x_0) \times v'(x_0)$. $\quad (3)$
On peut donc dire que f est dérivable en x_0 et que l'on a :

$$f'(x_0) = v(x_0) \times u'(x_0) + u(x_0) \times v'(x_0). \quad (4)$$

On obtient $f' = u'v + uv'$. $\quad (5)$

1 Justifier l'introduction de l'expression en rouge ligne (1).

2 Expliquer la réorganisation du calcul de la ligne (2).

3 Justifier la ligne (3).

4 Justifier le passage de l'écriture du nombre dérivé en x_0 en ligne (4) à l'égalité entre fonctions de la ligne (5).

Rédiger une démonstration

1 On souhaite démontrer la propriété suivante.

> Soient f une fonction dérivable sur un intervalle ouvert I de $\mathbb{R}$ et a un réel de I.
> Si la fonction f admet un extremum en a sur I alors $f'(a) = 0$.

En utilisant les indications suivantes, démontrer cette propriété dans le cas où $f(a)$ est un maximum de f sur I.
- Rappeler ce que signifie : « $f(a)$ est un maximum de f sur I. »
- Rappeler la formule du taux de variation de f en a.

En déduire, si $h > 0$, le signe du taux de variation de f en a.
Que peut-on en déduire sur le signe de $f'(a)$ dans ce cas ?
Déterminer, lorsque $h < 0$, le signe du taux de variation de f en a.
Que peut-on en déduire sur le signe de $f'(a)$ dans ce cas ?
Quelle est alors la seule valeur possible de $f'(a)$?
- À l'aide d'un contre-exemple, expliquer pourquoi a ne doit pas être une borne de l'intervalle I.

2 On souhaite démontrer la propriété suivante.

> Soit u une fonction dérivable sur un intervalle I de $\mathbb{R}$.
> Si la fonction u ne s'annule pas sur I alors la fonction $\dfrac{1}{u}$ est dérivable sur I et $\left(\dfrac{1}{u}\right)' = -\dfrac{u'}{u^2}$.

En utilisant les indications suivantes, démontrer cette propriété.
- Poser $f = \dfrac{1}{u}$ et considérer x_0, un élément de I.
- Écrire le taux de variation de la fonction u en x_0.
- Écrire le taux de variation de la fonction f en x_0.
- Vérifier que ce taux de variation peut s'écrire :
$$-\frac{1}{u(x_0 + h)u(x_0)} \times \frac{u(x_0 + h) - u(x_0)}{h}.$$
- En déduire la limite de ce taux de variation lorsque h tend vers 0 et retrouver ainsi le résultat de cours. On admettra que $u(x_0 + h)$ tend vers $u(x_0)$ lorsque h tend vers 0.

Utiliser différents raisonnements

On dit qu'une fonction f définie sur $\mathbb{R}$ est paire si pour tout réel x, $f(-x) = f(x)$ et est impaire si $f(-x) = -f(x)$.
Indiquer si la proposition suivante est vraie ou fausse en démontrant la réponse.

Si f' n'est pas paire, alors f n'est pas impaire.

Raisonner par contraposée

Démontrer une implication $A \Rightarrow B$ est équivalent à démontrer que non $B \Rightarrow$ non A.

Fonction dérivée des fonctions de référence

Fonction	Fonction dérivée
$f(x) = k$	$f'(x) = 0$
$f(x) = mx + p$	$f'(x) = m$
$f(x) = x^2$	$f'(x) = 2x$
$f(x) = x^n$, n nombre entier	$f'(x) = nx^{n-1}$
$f(x) = \dfrac{1}{x}$	$f'(x) = -\dfrac{1}{x^2}$
$f(x) = \sqrt{x}$	$f'(x) = \dfrac{1}{2\sqrt{x}}$
$f(x) = \lvert x \rvert$	$f'(x) = \begin{cases} -1 \text{ pour } x < 0 \\ 1 \text{ pour } x > 0 \end{cases}$

Signe de la dérivée et variation de f

Soit f une fonction dérivable sur un intervalle I de $\mathbb{R}$.
- f est croissante sur I si et seulement si, pour tout x de I, $f'(x) \geqslant 0$.
- f est décroissante sur I si et seulement si, pour tout x de I, $f'(x) \leqslant 0$.
- f est constante sur I si et seulement si, pour tout x de I, $f'(x) = 0$.

Extremums

- f admet un extremum en a : $f'(a) = 0$.

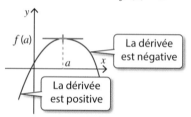

- L'extremum est atteint en une borne de l'intervalle : la dérivée peut ne jamais s'annuler.

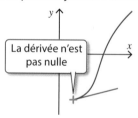

- $f'(a) = 0$ mais f n'admet pas d'extremum.

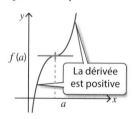

Opérations et dérivation

Si f s'écrit…	alors f' s'écrit…
$u + v$	$u' + v'$
$k \times u$ où k est une constante	$k \times u'$
$u \times v$	$u' \times v + u \times v'$
$\dfrac{u}{v}$	$\dfrac{u' \times v - u \times v'}{v^2}$
$f(x) = g(mx + p)$	$f'(x) = m \times g'(mx + p)$

Effectuer les exercices **①** à **⑥** et vérifier les réponses.
Si nécessaire, réviser les points de cours en texte ou en vidéo.

① Donner l'expression de la fonction dérivée des fonctions suivantes.

1. $f(x) = \sqrt{x}$ pour $x > 0$.
2. $g(x) = x^8$ pour tout x réel.
3. $h(x) = -3x + 5$ pour tout x réel.
4. $i(x) = \dfrac{1}{x}$ pour $x > 0$.

② Donner l'expression de la fonction dérivée des fonctions suivantes.

1. $f(x) = x\sqrt{x}$ pour $x > 0$.

2. $g(x) = 2x^3 - 7x^2 + x - 4$ pour tout x réel.

3. $h(x) = \dfrac{2x+3}{5x-3}$ pour tout x différent de 0,6.

4. $i(x) = \sqrt{2x+8}$ pour $x > -4$.

③ Recopier et compléter les tableaux suivants.

x	-10		-1		3		10
$f'(x)$		$+$	0	$-$	0	$+$	
$f(x)$							

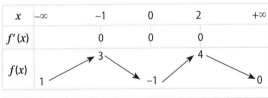

x	$-\infty$		-1		0		2		$+\infty$
$f'(x)$			0		0		0		
$f(x)$	1			3		-1		4	0

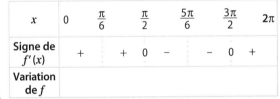

x	0		$\dfrac{\pi}{6}$		$\dfrac{\pi}{2}$		$\dfrac{5\pi}{6}$		$\dfrac{3\pi}{2}$		2π
Signe de $f'(x)$		$+$		$+$	0	$-$		$-$	0	$+$	
Variation de f											

④

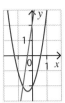

Ces courbes représentent deux fonctions. L'une d'elles est la dérivée de l'autre. Laquelle ?

⑤ Dire si les propositions suivantes sont vraies ou fausses et justifier la réponse en utilisant les fonctions dérivées.

1. Le maximum de la fonction $f(x) = x^2$ quand x est compris entre -5 et 3 est atteint en $x = 3$.

2. La fonction $g(x) = \dfrac{x^2}{x+2}$ présente un minimum sur $]-2 ; +\infty[$.

3. Une fonction h présente un extremum en a si et seulement si $h'(a) = 0$.

⑥ On considère la fonction f définie sur $[-2 ; 2]$ par :
$$f(x) = x^3 + 4x^2 + 1.$$

1. Donner l'expression de f'.
2. Dresser le tableau de signes de f' sur $[-2 ; 2]$.
3. En déduire le tableau de variation de f sur $[-2 ; 2]$.
4. Lister les extremums de f.

▶ CORRIGÉS
DES EXERCICES

Fonction dérivée des fonctions de référence ←→ Opérations et dérivation

① **②**

Dérivation globale

Extremums ← **⑥** **⑤**

③ **④** → Signe de la dérivée f' et variation de f

TP Algorithmique et programmation en Python

TP 1 Allure d'une courbe

Objectif
Tracer une courbe avec Python.

On considère la fonction f définie, pour tout réel x, par $f(x) = x^3$.

On veut écrire un algorithme qui construit point par point l'allure de la courbe de la fonction dérivée de la fonction f, à l'aide de son taux de variation. Pour cela, on approxime les valeurs de $f'(a)$ par le taux de variation $\dfrac{f(a+h) - f(a)}{h}$ en a, calculé avec une valeur de h assez petite.

① On définit une fonction `taux_variation` qui prend en arguments une fonction f, a et h et renvoie la valeur approchée du taux de variation de f en a.
Compléter la fonction suivante.

```
1 def taux_variation(f,a,h):
2     return ...
```

② On considère la fonction suivante.

```
4 import matplotlib.pyplot as plt
5 def appro_derivee(f,xmin,xmax,p,h):
6     a=xmin
7     LX=[]
8     LY=[]
9     while a<xmax:
10        LX.append(a)
11        LY.append(taux_variation(f,a,h))
12        a=a+p
13    plt.plot(LX,LY,"b+")
14    plt.show()
```

a. Quel est le rôle du nombre p dans cette fonction ?

b. Que contient la liste LY lorsque la boucle s'arrête ?

c. Programmer cette fonction et retrouver le graphique ci-dessous.

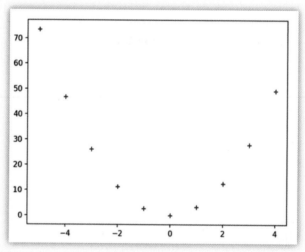

d. Quelle est l'expression de la fonction dérivée de f ?

e. En donnant différentes valeurs à p et à h, retrouver l'allure de la courbe de la fonction dérivée de la fonction $f(x) = x^3$.

③ Tester le programme précédent afin d'obtenir une allure de la courbe de la dérivée des fonctions :
$$g : x \mapsto x^3 - 7x \text{ sur } \mathbb{R} ;$$
$$h : x \mapsto \sqrt{4x + 1} \text{ sur } \left] -\frac{1}{4} ; +\infty \right].$$

TP ② Tangente à une courbe

Objectif
Déterminer la solution d'une équation.

On considère la fonction racine carrée définie sur $\mathbb{R}^+$ par $f(x) = \sqrt{x}$.

On cherche à obtenir l'abscisse x_0 du point d'intersection entre l'axe des abscisses et la tangente à la courbe représentative de f au point d'abscisse a.

① On considère le cas $a = 3$.

On a tracé ci-dessous, à l'aide du programme en Python ci-contre, la courbe de la fonction racine carrée ainsi que sa tangente au point d'abscisse 3.

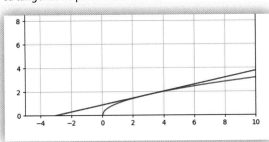

```
1 import matplotlib.pyplot as plt
2 import numpy as np
3 from math import sqrt
4
5 def f(x):
6     return(sqrt(x))
7
8 def derivee_f(x):
9     return(1/(2*sqrt(x)))
10
11 def trace_racine_carre(xmin,xmax):
12     LX=np.linspace(xmin,xmax,100)
13     LY=np.sqrt(LX)
14     plt.plot(LX,LY,"r-")
15
16 def trace_tangente(f,a):
17     LX=np.linspace(-10,10,100)
18     LY=((derivee_f(a))*(LX-a)+f(a))
19     plt.plot(LX,LY,"b-")
20
21 plt.axis([-5,10,0,15])
22 plt.grid()
23 trace_racine_carre(0,10)
24 trace_tangente(f,3)
25 plt.show()
```

a. À quoi sert la fonction derivee_f(x) ?

b. Retrouver dans la fonction trace_tangente(f,a) l'instruction qui détermine l'équation de la tangente en a.

c. Conjecturer la valeur de l'abscisse du point d'intersection de cette tangente avec l'axe des abscisses.

② À l'aide du programme en Python, tracer les tangentes aux points d'abscisse a puis recopier et compléter le tableau suivant par lecture graphique.

a	1	1,5	2	2,5	3	3,5	4	4,5	5
x_0									

a. Quelle conjecture peut-on émettre à partir des résultats de ce tableau ?

b. Démontrer le résultat conjecturé à la question précédente.

Boîte à outils

MÉMENTO PYTHON : VOIR RABATS

- L=[] crée une liste vide.
- L.append(objet) ajoute objet à la fin de la liste L.
- Pour tracer le graphique :

`import matplotlib.pyplot as plt` importe la bibliothèque matplotlib.pyplot ;

`import numpy as np` importe la bibliothèque numpy qui permet d'utiliser l'instruction linspace.

`np.linspace(a,b,nbrepoints)` crée un nombre de points entre a et b.

`plt.plot(X,Y,'b+')` crée un nuage de points où les abscisses sont dans la liste X et les ordonnées dans la liste Y. "b+" indique que les points tracés seront des croix bleues.

`plt.show()` ouvre la fenêtre et affiche la courbe.

`plt.grid()` affiche une grille dans un repère.

Mesurer un taux de CO$_2$ `TABLEUR`

Objectif
Déterminer un extremum.

Un examen médical consiste à mesurer la quantité de CO$_2$ expirée au cours du temps (en s) d'une personne pendant un effort. Elle est mesurée en mmhg (le millimètre de mercure).

En soumettant un individu au test d'effort, on obtient, grâce à des capteurs, le tableau de résultats suivant.

t (en s)	0	5	10	15	18	23	28	35
Quantité de CO$_2$ (en mmhg)	5	21,875	33	39,125	40,712	40,397	37,032	28,625

On souhaite déterminer à quel moment la quantité de CO$_2$ expirée a été maximum.

① Saisir ce tableau dans un tableur et tracer un graphique (nuage de points).

② Faire afficher la courbe de tendance polynomiale de degré 3.

③ Donner l'expression de la dérivée de la fonction $f(x) = 001x^3 - 0,13x^2 + 4x + 5$ lorsque $x \in [0\,;35]$.

④ Déterminer le signe de cette dérivée sur $[0\,;35]$.

⑤ En déduire le sens de variation de f.

⑥ Déterminer le moment où le volume en CO$_2$ expiré a été le plus important.

Souffler du verre `LOGICIEL DE GÉOMÉTRIE`

Objectif
Utiliser un calcul formel pour étudier un extremum.

Un souffleur de verre fabrique des vases. Le coût total journalier de production de x vases, en euro, est donné par :
$C(x) = x^3 - 18x^2 + 124x + 200$ pour $x \in [0\,;14]$.
Le coût moyen de production d'un objet est donné par $C_m(x) = \dfrac{C(x)}{x}$ pour $x \in [0\,;14]$.

On souhaite déterminer quelle quantité d'objets l'artisan doit produire pour que le coût moyen soit minimal.

① Saisir la fonction C_m dans le calcul formel d'un logiciel de géométrie.

② Donner à l'aide du logiciel la forme factorisée de la fonction dérivée $C_m{}'$.

③ Dresser le tableau de signes de $C_m{}'$.

④ En déduire le tableau de variation de C_m.

⑤ Quelle quantité d'objets l'artisan doit produire pour que le coût moyen soit minimal ?

TP 5 Aire maximale [LOGICIEL DE GÉOMÉTRIE]

Objectif
Modéliser une situation géométrique.

Dans un repère orthonormé $(O\,;\vec{i},\vec{j})$, on a représenté ci-contre la fonction f définie sur l'intervalle $[0\,;3]$ par $f(x) = 9 - x^2$. On note $\mathscr{C}_f$ sa représentation graphique.

A est un point mobile sur $\mathscr{C}_f$, C et B sont des points respectivement sur l'axe des abscisses et l'axe des ordonnées tels que $OCAB$ soit un rectangle.

On veut déterminer où placer le point A pour que le rectangle $OCAB$ ait une aire maximale.

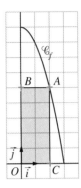

① Réaliser la figure à l'aide d'un logiciel de géométrie puis conjecturer le résultat.
On note x l'abscisse du point A.

② Dans quel intervalle varie x ?

③ On note $g(x)$ l'aire du rectangle $OCAB$. Quelle est l'expression de $g(x)$?

④ Tracer la courbe représentative de g.
Quel semble être le maximum de g et pour quelle valeur de x est-il atteint ?

⑤ Montrer que $g'(x) = -3x^2 + 9$ et étudier les variations de la fonction g.

⑥ Retrouve-t-on les résultats de la question **1** ?

⑦ Conclure.

Boîte à outils

Tableur

- Pour tracer un diagramme en nuage de points, sélectionner toutes les données puis trouver dans le menu *Insérer* l'option *Nuage de points*.

- Pour obtenir une courbe de tendance, un clic droit sur un des points obtenus à l'écran ouvre un menu dans lequel il suffit de faire le choix du type de fonction.

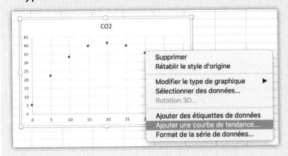

Logiciel de géométrie option calcul formel

- Écrire, dans la zone de saisie du logiciel, l'expression de la fonction C_m et faire afficher la zone de calcul formel (dans *Affichage*).

- Pour dériver la fonction et factoriser le résultat, écrire dans la zone de saisie du calcul formel :

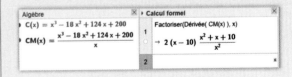

Réfléchir, parler & réagir

Calcul mental

1 Donner l'expression de la dérivée des fonctions définies par les expressions suivantes, sans se soucier du domaine de dérivabilité.

1. $f(x) = x^2$ **2.** $g(x) = -3x^2$

3. $h(x) = \dfrac{1}{2}x^3$ **4.** $i(x) = -6\sqrt{x}$

5. $j(x) = \dfrac{2}{x}$ **6.** $k(x) = (2x+1)^2$

2 Déterminer le signe des expressions affines suivantes selon les valeurs de x.

1. $f(x) = 2x - 6$ **2.** $g(x) = -2x + 4$

3. $h(x) = 3x + 9$ **4.** $i(x) = -0,5x + 2$

5. $j(x) = 3 + 2x$ **6.** $k(x) = 9 - 3x$

3 Donner l'expression de la dérivée des fonctions définies par les expressions suivantes (sans s'intéresser aux valeurs interdites).

1. $f(x) = x^2 + 3x + 5$

2. $g(x) = \dfrac{1}{x} + 5x - 2$

3. $h(x) = x^7 + \sqrt{x} + \dfrac{1}{x}$

4. $i(x) = \dfrac{-7}{x}$

5. $j(x) = 5x^7$

6. $k(x) = -3\sqrt{x}$

7. $m(x) = (3x + 7)^5$

8. $n(x) = \sqrt{5 - 2x}$

DIAPORAMA
CALCUL MENTAL
EN PLUS

Automatismes

4 Donner, sans calcul, le signe des expressions suivantes.

1. $-x^2 - 3$ 2. $2x^2 + \sqrt{x}$

3. $\dfrac{x + \sqrt{x}}{-x^2 - 1}$ 4. $-3x^2(x^2 + 4)$

5 L'une des deux courbes est celle d'une fonction f, l'autre est celle de sa dérivée f'.

• Associer chaque fonction à sa courbe.

6 Reconnaître la structure des fonctions suivantes (somme, produit ou quotient) et donner l'expression de leur fonction dérivée.

1. $f(x) = (4x + 5)(2 + \sqrt{x})$ pour x dans $]0\,;+\infty[$.

2. $g(x) = \dfrac{5x^2 + 3x - 5}{3x + 2}$ pour $x \neq -\dfrac{2}{3}$.

3. $h(x) = \sqrt{x^2 + x - 2}$ pour x dans : $]-\infty\,;-2[\cup]1\,;+\infty[$.

4. $i(x) = 4\sqrt{x} + \dfrac{5}{x} - 3x + 5$ pour x dans $]0\,;+\infty[$.

5. $j(x) = \dfrac{1}{(2x - 1)(4 - 2x)}$ pour $x \neq 0,5$ et $x \neq 2$.

7 On considère les fonctions f, g et h suivantes.

• f définie sur $[0\,;+\infty[$ par $f(x) = 3\sqrt{x}$.

• g définie sur $\mathbb{R}^+$ par $g(x) = 2(x - 1)^2 + 4$.

• h définie sur $\mathbb{R}^+$ par $h(x) = -3(x - 1)^2 + 4$.

• Associer à chacune des fonctions f, g et h l'un des tableaux de variation suivants.

Tableau (a)

Tableau (b)

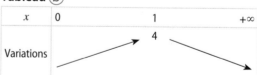

Tableau (c)

Tableau (d)

Préparation d'un oral

Préparer une trace écrite permettant de présenter à l'oral une argumentation indiquant si les propositions suivantes sont vraies ou fausses.

On a représenté ci-contre une fonction f définie sur l'intervalle $[-3 ; 7]$.

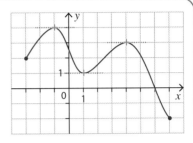

1 $f(x) = 0 \Leftrightarrow x = 6$

2 Si $x = 4$ alors $f'(x) = 0$.

3 Si $f'(x) = 0$ alors $x = -1$.

4 Pour tout $x \in [-3 ; 6[, f(x) > 0$.

5 Pour tout $x \in [4 ; 7], f'(x) \leq 0$.

6 Pour tout $x \in [-3 ; 6], f'(x) \geq 0$.

7 Pour tout $x \in [6 ; 7], f'(x) \leq 0$.

Travail en groupe 45 min

Constituer des groupes de 4 élèves qui auront chacun un des rôles suivants.
Résoudre tous ensemble la situation donnée. Remettre une trace écrite de cette résolution.

Animateur
- responsable du niveau sonore du groupe
- distribue la parole pour que chacun s'exprime

Rédacteur en chef
- responsable de la trace écrite rédigée par tous les membres du groupe

Ambassadeur
- porte-parole du groupe, seul autorisé à communiquer avec le professeur et, éventuellement, d'autres groupes

Maître du temps
- responsable de l'avancement du travail du groupe
- veille au respect du temps imparti

On cherche une fonction f définie pour tout réel x par $f(x) = ax^3 + bx^2 + cx + d$, où a, b, c et d sont des constantes réelles. On note $\mathscr{C}_f$ sa courbe représentative dans un repère $(O ; \vec{i}, \vec{j})$.
On sait que $\mathscr{C}_f$ passe par les points $A(0 ; 0)$ et $B(3 ; -3)$. De plus, $\mathscr{C}_f$ admet une tangente en A notée (AC) et une tangente en B notée (BD) telles que $C(-1 ; -5)$ et $D(5 ; 1)$.
- Déterminer l'expression de la fonction f.

Exposé

▶ voir p. 110

Après avoir effectué les recherches indiquées, préparer une présentation orale, un poster ou un diaporama.

Au sujet des infiniment petits, la plus célèbre querelle est celle de Leibniz et de Newton. Près d'un siècle plus tard, Lazare Carnot, homme politique, général et savant, exprime encore la mésentente scientifique qui entoure ces objets mathématiques.
« On n'a jamais pu se former qu'une idée imparfaite de ces éléments, espèces d'êtres singuliers, qui tantôt jouent le rôle de véritables quantités, tantôt doivent être traités comme absolument nuls, et semblent par leurs propriétés, tenir le milieu entre la grandeur et le zéro, entre l'existence et le néant. »
En reprenant la définition du taux de variation d'une fonction f et du nombre dérivé de f en un réel a, expliquer la citation de Lazare Carnot.

Exercices

Calcul de fonction dérivée

1 On considère les fonctions u, v, w et z définies pour tout réel x strictement positif par :
$$u(x) = 5x + 3, \quad v(x) = \sqrt{x},$$
$$w(x) = x^2 \text{ et } z(x) = \frac{1}{x}.$$
1. Donner l'expression de la dérivée de ces fonctions.
2. Écrire l'expression des fonctions suivantes puis déterminer l'expression de leur dérivée.
$$f = 5w - 2u \qquad\qquad g = v - 9z$$
$$h = \frac{w}{u}$$
3. Écrire l'expression des dérivées des fonctions suivantes.
$$k : x \mapsto \sqrt{5x + 3} \qquad l : x \mapsto (5x + 3)^2$$
$$m : x \mapsto \frac{1}{5x + 3}$$

2 Soit f la fonction définie sur $[0 ; +\infty[$ par :
$$f(x) = 3x^2 + \sqrt{x + 1}.$$
1. Écrire f sous la forme d'une somme de deux fonctions u et v dont on précisera l'expression.
2. En déduire la fonction dérivée de f.

3 Soit f la fonction définie sur $\mathbb{R}$ par :
$$f(x) = (-3x + 7)(5x + 1).$$
1. Quelles sont les fonctions u et v telles que $f = uv$?
2. En déduire la fonction dérivée de f.
3. Donner la forme développée de f puis retrouver le résultat précédent.

4 Soit f la fonction définie par :
$$f(x) = \frac{-3x - 7}{x^2} \text{ pour tout } x \text{ non nul.}$$
1. Quelles sont les fonctions u et v telles que $f = \frac{u}{v}$?
2. En déduire la fonction dérivée de f.

5 Soit f la fonction définie sur $\mathbb{R}$ par $f(x) = (8x - 9)^6$.
1. Montrer que $f(x)$ est écrite sous la forme $f(x) = g(mx + p)$ en précisant l'expression de g ainsi que les valeurs de m et p.
2. En déduire l'expression de la fonction dérivée de f.

6 Soit f la fonction définie sur $[2 ; +\infty[$ par $f(x) = x^2\sqrt{2x - 4}$.
1. Écrire f sous la forme d'un produit de deux fonctions u et v dont on précisera les expressions.
2. En déduire la fonction dérivée de f sans se soucier du domaine de dérivabilité.

7 Soit f la fonction définie sur $\mathbb{R}$ par $f(x) = |x| + x^4$.
1. Écrire f sous la forme d'une somme de deux fonctions u et v.
2. En déduire le domaine de dérivabilité de la fonction f.
3. Donner l'expression de la fonction u sans valeur absolue.
4. En déduire l'expression de la fonction dérivée de f sur les intervalles $]-\infty ; 0[$ et $]0 ; +\infty[$.

8 Soit f la fonction définie sur $\mathbb{R}$ par :
$$f(x) = \frac{x^2 - 3x + 1}{2x^2 + 1}.$$
1. Déterminer deux fonctions u et v telles que $f = \frac{u}{v}$.
2. Déterminer l'expression des fonctions u' et v', fonctions dérivées de u et v.
3. En déduire l'expression de la fonction f', fonction dérivée de f.

9 Soit f la fonction définie sur $\mathbb{R}$ par :
$$f(x) = x^2 - 3x + 7.$$
1. À l'aide du taux de variation, montrer que f est dérivable en $a = -2$ et donner $f'(-2)$.
2. Déterminer le domaine de dérivabilité de f ainsi que l'expression de f' puis retrouver le résultat précédent.

10 Soit f la fonction définie par $f(x) = \frac{-8}{x}$ pour tout réel x non nul.
1. À l'aide du taux de variation, montrer que f est dérivable en $a = -5$ et donner $f'(-5)$.
2. Déterminer le domaine de dérivabilité de f ainsi que l'expression de f' et retrouver le résultat précédent.

11 On considère la fonction h définie pour tout réel x par $h(x) = 2x^2 - x + 1$.
1. À l'aide du taux de variation, montrer que h est dérivable en $a = 1$ et donner $h'(1)$.
2. Même question pour $a = -2$.
3. Même question pour $a = 0$.
4. Un élève déclare la conjecture : « Pour tout réel a, $h'(a)$ est égal au produit de a par 4 diminué de 1. » A-t-il raison ?

12 Calculer
Donner la fonction dérivée des fonctions suivantes en précisant le domaine de définition et de dérivabilité.
- $f(x) = -x^2$
- $g(x) = \frac{-\pi}{x}$
- $h(x) = 18\sqrt{x}$
- $j(x) = -x + 8 + \sqrt{x}$
- $k(x) = \frac{-3}{x} + 3x^2 + 7$
- $m(x) = -3\sqrt{2x + 5}$

13 Donner la fonction dérivée des fonctions suivantes en précisant le domaine de définition et de dérivabilité.
- $n(x) = \sqrt{3}x^2 - \pi x + \frac{1}{3}$
- $p(x) = (2x^2 - x + 1)(-7x + 8)$
- $r(x) = \frac{3x - 7}{x}$
- $s(x) = \frac{x + 5}{2x - 1}$
- $t(x) = \frac{x^2 + 3x - 7}{x + 5}$
- $w(x) = \frac{5\sqrt{x}}{7 - 3x}$

14 Donner la fonction dérivée des fonctions suivantes en précisant le domaine de définition et de dérivabilité.
- $f(x) = -5\sqrt{x}$
- $g(x) = \frac{23}{x}$
- $h(x) = 15x^2$
- $j(x) = 3x - 5 + 7\sqrt{x}$
- $k(x) = 3\sqrt{4x + 2} - 5x + x^2$
- $m(x) = -\pi - \frac{1}{3}x$

15 Donner la fonction dérivée des fonctions suivantes en précisant le domaine de définition et de dérivabilité.

- $n(x) = (-5 + 3x)^7$
- $p(x) = (8 - x)(2x^2 - x + 7)$
- $r(x) = \dfrac{x^2}{x}$
- $s(x) = \dfrac{7x + 2}{x - 1}$
- $t(x) = \dfrac{-2x^2 + x - 1}{7x + 1}$
- $w(x) = \dfrac{5}{2 - 7x}$

Étude des variations

16 Soit f la fonction définie sur l'intervalle $[-5\,;5]$ par :
$$f(x) = 2x^3 - 0{,}1x^2 .$$
On a représenté sur l'écran d'une calculatrice la fonction f.

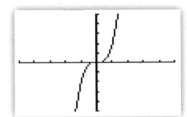

• Peut-on affirmer que la fonction f est strictement croissante sur l'intervalle $[-5\,;5]$?
Justifier la réponse.

17 On considère une fonction f définie sur $\mathbb{R}$ dont la dérivée f' est négative sur $]-\infty\,;-2]$ et positive sur $[-2\,;+\infty[$.
1. Quel est le sens de variation de la fonction f ?
2. On suppose que $f(-4) = 5, f(-2) = 1$ et $f(0) = 3$. Donner une allure possible de la courbe représentative de f.
3. Existe-t-il une seule courbe possible représentant la fonction f ?

18 **Communiquer**
$\mathscr{C}_1$ et $\mathscr{C}_2$ sont les représentations graphiques de deux fonctions f et g.
• Sachant que $g = f'$, identifier la courbe représentative de chacune de ces fonctions. Justifier.

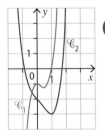

19 **Raisonner**
On donne ci-dessous la courbe représentative de la fonction g' dérivée d'une fonction g.
• Déduire de cette représentation graphique le sens de variation de la fonction g.

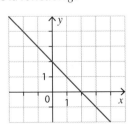

20 **Raisonner**
On donne ci-dessous la courbe représentative de la fonction f' dérivée d'une fonction f.

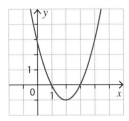

• Déduire de cette représentation graphique le sens de variation de la fonction f.

21 Déterminer le sens de variation de chacune des fonctions suivantes en étudiant le signe de leur dérivée.
1. $f_1(x) = -\dfrac{1}{x + 1}$ pour tout $x \in \,]-1\,;+\infty[$.
2. $f_2(x) = -2\sqrt{x} + 1$ pour tout $x \in \,]0\,;+\infty[$.
3. $f_3(x) = x^2 - 2x + 5$ pour tout $x \in \mathbb{R}$.
4. $f_4(x) = \sqrt{2x^4 + 5}$ pour tout $x \in \mathbb{R}$.

22 Soit la fonction f définie par :
$$f(x) = \dfrac{3x + 2}{x - 1} .$$
1. Expliquer pourquoi f est définie sur $]-\infty\,;1[\cup]1\,;+\infty[$.
2. Montrer que :
$$f'(x) = \dfrac{-5}{(x - 1)^2} .$$
3. En déduire le signe de f' sur $]-\infty\,;1[\cup]1\,;+\infty[$.
4. En déduire le tableau de variation de f.
5. Tracer sur l'écran de la calculatrice la courbe représentative de f pour vérifier le tableau.

23 **Raisonner, chercher**
Soit la fonction f définie par :
$$f(x) = x + \dfrac{1}{x} .$$
1. Expliquer pourquoi la fonction f est définie sur $]-\infty\,;0[\cup]0\,;+\infty[$.
2. Montrer que $f'(x)$ est du signe de $x^2 - 1$.
3. En déduire le signe de f' sur $]-\infty\,;0[\cup]0\,;+\infty[$.
4. En déduire le tableau de variation de f.
5. Tracer sur l'écran de la calculatrice la courbe représentative de f pour vérifier le tableau.

24 Soit f une fonction définie et dérivable sur $[-3\,;5]$. Le tableau de signes de $f'(x)$ est le suivant.

x	-3		-1		2		5
$f'(x)$		$+$	0	$-$	0	$+$	

• Sachant que $f(-1) = -2$ et $f(3) = 0$, dresser le tableau de signes de $f(x)$.

25 Recopier et compléter les tableaux suivants.

x	$-\infty$		-3		$+\infty$
$f'(x)$					
$f(x)$					

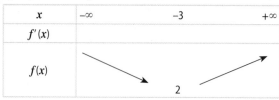

x	$-\infty$		-3		$+\infty$
$f'(x)$					
$f(x)$					

x	0		$\dfrac{1}{6}$		$\dfrac{5}{6}$		$\dfrac{3}{2}$		3
$f'(x)$		$+$	0	$-$	0	$-$	0	$+$	
$f(x)$									

26 Soit f la fonction définie sur $\mathbb{R}$ par :
$$f(x) = 2x^3 + 4x^2 + 2x + 4 \,.$$
Grâce à un logiciel de calcul formel, on a obtenu les résultats suivants.

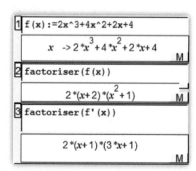

1. À l'aide de ces résultats :
a. résoudre l'équation $f(x) = 0$;
b. dresser le tableau de variation de f ;
2. En déduire le signe de $f(x)$.

27 Soit f la fonction définie sur $\mathbb{R}$ par :
$$f(x) = -x^3 + 2x^2 - 2x + 15 \,.$$
1. Calculer $f'(x)$ et dresser le tableau de variation de la fonction f.
2. Calculer $f(3)$.
En déduire le signe de la fonction f.

28 Soit f une fonction définie et dérivable sur $[0 \,;\, 8]$. Le tableau de signes de $f'(x)$ est le suivant.

x	0		3		8
$f'(x)$		$+$	0	$-$	

• Sachant que $f(2) = 0$ et $f(8) = 3$, dresser le tableau de variation et le tableau de signes de f.

Étude des extremums

29 On étudie une fonction f dont la courbe représentative est donnée ci-dessous.

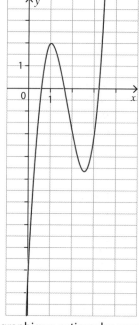

1. Par lecture graphique, estimer les nombres suivants.
a. $f(1)$
b. Les valeurs de x telles que $f'(x) = 0$.
c. $f'(2)$
2. À l'aide du graphique, donner le tableau de variation de f.
3. Quelle semble être la valeur du minimum de f sur l'intervalle $[0 \,;\, 4]$?
4. On donne $f(x) = 3x^3 - 16x^2 + 23x - 8$.
a. Calculer $f'(x)$ puis vérifier par le calcul les résultats obtenus à la question 1.
b. Déterminer le signe de $f'(x)$.
c. En déduire le tableau de variation de la fonction f puis retrouver le résultat obtenu à la question 3.

30 On considère la fonction f définie sur $[-3 \,;\, 2]$ par :
$$f(x) = 2x^3 + 3x^2 - 12x + 4 \,.$$
1. Calculer $f'(x)$ et étudier son signe.
2. Dresser le tableau de variation de f sur $[-3 \,;\, 2]$.
3. Quel est le maximum de f sur $[-3 \,;\, 2]$?
Pour quelle(s) valeur(s) de x est-il atteint ?
4. Quel est le minimum de f sur $[-3 \,;\, 2]$?
Pour quelle(s) valeur(s) de x est-il atteint ?

31 On considère la fonction g définie sur $[-3 \,;\, 2]$ par :
$$g(x) = \frac{3x + 2}{x + 6} \,.$$
1. Calculer $g'(x)$ et étudier son signe.
2. Dresser le tableau de variation de g sur $[-3 \,;\, 2]$.
3. Quel est le maximum de g sur $[-3 \,;\, 2]$?
Pour quelle(s) valeur(s) de x est-il atteint ?
4. Quel est le minimum de g sur $[-3 \,;\, 2]$?
Pour quelle(s) valeur(s) de x est-il atteint ?

32 Soit f une fonction dérivable sur l'intervalle $[-10 ; 10]$ telle que $f(-10) = 0, f(-9) = -2, f(2) = 5$ et $f(10) = -6$.

1. Compléter le tableau de variation suivant.

x	-10		-9		2		10
$f'(x)$		$-$	0	$+$	0	$-$	
$f(x)$							

2. Déterminer la valeur du minimum de f sur $[-10 ; 10]$ et la valeur de x pour laquelle il est atteint.

3. Déterminer la valeur du maximum de f sur $[-10 ; 10]$ et la valeur de x pour laquelle il est atteint.

33 **Bénéfice maximal**
Communiquer
Une entreprise fabrique et vend x objets par jour, avec x compris entre 0 et 150.
Le bénéfice journalier $B(x)$, exprimé en euro, est donné par $B(x) = -x^2 + 140x - 1300$.
1. Calculer la dérivée de la fonction et étudier son signe.
2. En déduire les variations de la fonction Bénéfice journalier.
3. Quelle est la valeur du bénéfice maximal ? Combien d'objets faut-il fabriquer et vendre par jour pour l'obtenir ?

34 **Modéliser**
Un industriel souhaite fabriquer une boîte sans couvercle à partir d'une plaque de métal de 18 cm de largeur et 24 cm de longueur. Pour cela, il enlève des carrés dont la longueur du côté mesure x cm aux quatre coins de la pièce de métal et relève ensuite verticalement pour fermer les côtés.

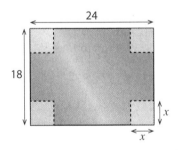

1. Pour quelle valeur de x la contenance de la boîte est-elle maximale ?
2. Peut-il construire ainsi une boîte dont la contenance est supérieure ou égale à 650 cm^3 ?

35 Soit f la fonction définie sur l'intervalle $I = [3 ; 8]$ par :
$$f(x) = \frac{x^2 - x + 2}{x - 2}.$$
1. Donner l'expression de $f'(x)$ et dresser le tableau de variation de la fonction f sur I.
2. En déduire le maximum et le minimum de la fonction f sur I.

36 Soit f la fonction définie sur l'intervalle $I = [0 ; 8]$ par :
$$f(x) = \frac{x^2 - 2x + 6}{x + 1}.$$
Un logiciel de calcul formel donne l'affichage suivant.

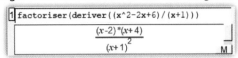

1. Vérifier le résultat affiché.
2. Dresser le tableau de signes de la fonction f'.
3. En déduire les variations de f.

37 On veut montrer que pour tout réel $x \in \,]-\infty ; 3]$, $\frac{1}{3}x^3 - x^2 - 3x + 2 \leqslant 4$.
On considère la fonction f définie sur $\mathbb{R}$ par :
$$f(x) = \frac{1}{3}x^3 - x^2 - 3x + 2.$$
1. Calculer $f'(x)$ puis dresser le tableau de variation de f sur $\mathbb{R}$.
2. Quel est le maximum de f sur $]-\infty ; 3]$?
3. Conclure.

38 On veut montrer que pour tout réel $x \in [-2 ; +\infty[$, $x^3 - 3x + 2 \geqslant 0$.
On considère la fonction f définie sur $\mathbb{R}$ par :
$$f(x) = x^3 - 3x + 2.$$
1. Calculer $f'(x)$ puis dresser le tableau de variation de f sur $\mathbb{R}$.
2. Quel est le minimum de f sur $[-2 ; +\infty[$?
3. Conclure.

39 PRISE D'INITIATIVE
Modéliser
Quelles doivent être les dimensions d'un rectangle dont l'aire est égale à 64 cm^2 pour que son périmètre soit minimal ?

40 PRISE D'INITIATIVE
Modéliser
Quelles doivent être les dimensions d'un rectangle dont le périmètre est égal à 24 cm pour que son aire soit maximale ?

41 PRISE D'INITIATIVE
Chercher, communiquer
Un fermier dispose de 100 mètres de clôture. Il souhaite créer deux enclos mitoyens de même taille selon le schéma suivant.

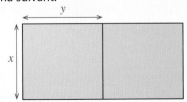

• Quelles dimensions x et y doit-il choisir pour que l'aire de chacun de ces deux enclos soit la plus grande possible ?

42 On considère la fonction w définie par :
$$w(x) = \frac{2x^2 + x + 1}{-2x + 1}.$$
1. Donner la valeur interdite pour w.
2. Calculer la fonction dérivée de w.

43 Calculer la fonction dérivée des trois fonctions définies par les expressions suivantes en précisant les domaines de dérivabilité.

$f(x) = (-5x + 3)\sqrt{x}$ $\qquad g(x) = \dfrac{5x^2 - 2x - 7}{3x - 4}$

$h(x) = -5x + 7\sqrt{x}$ $\qquad i(x) = \sqrt{4 - 3x}$

44 **Calculer**
Déterminer la fonction dérivée sur l'intervalle considéré de chacune des fonctions définies par les expressions suivantes.
1. $f(x) = (2x + 3)(x^2 + 1)$ sur $\mathbb{R}$.
2. $f(x) = \dfrac{x + 1}{5x - 1}$ sur $[3 ; 10]$.
3. $f(x) = \dfrac{1}{x - 1} + \sqrt{x}$ sur $[2 ; 5]$.

45 CALCULATRICE
Un élève a représenté sur la calculatrice la fonction dont l'expression est la suivante :
$$f(x) = \frac{x^2 - 3x + 1}{x - 3}.$$
Il obtient la représentation graphique suivante.

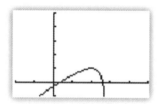

1. A-t-il suffisamment d'informations pour donner le sens de variation de la fonction ?
2. a. Dériver la fonction à l'aide de la formule de dérivation du quotient.
b. Étudier le signe de la dérivée.
3. Dresser le tableau de variation de la fonction et vérifier la réponse de la question 1.

46 CALCULATRICE
Soit f la fonction définie sur $\mathbb{R}$ par :
$$f(x) = x^3 + x^2 - x - 10.$$
1. a. Représenter la fonction f sur l'écran de la calculatrice.
b. Quel semble être le signe de la fonction f ?
2. Calculer $f'(x)$ et dresser le tableau de variation de la fonction f.
3. En déduire le signe de la fonction f.

47 Vérifier grâce à la dérivation que, pour tout nombre réel $x \in [1 ; +\infty[$, on a :
$$-x^3 + x^2 - x + 1 \leqslant 0.$$

48 On considère la fonction f définie sur $\mathbb{R}$ par :
$$f(x) = x^3 + 8x.$$
On a obtenu à la calculatrice, la courbe suivante.

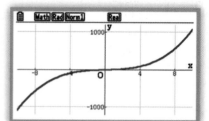

1. Que peut-on conjecturer sur les variations de la fonction f ?
2. On souhaite démontrer la conjecture précédente.
a. Calculer $f'(x)$.
b. Étudier le signe de $f'(x)$.
c. Déterminer le tableau de variation de f.
d. Conclure.

49 On considère la fonction f définie sur $\mathbb{R}$ par :
$$f(x) = x^3 - 5x.$$
On a obtenu à la calculatrice, la courbe suivante.

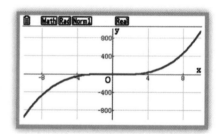

1. Que peut-on conjecturer sur les variations de la fonction f ?
2. On souhaite démontrer la conjecture précédente.
a. Calculer $f'(x)$.
b. Étudier le signe de $f'(x)$.
c. Déterminer le tableau de variation de f.
d. Conclure.

50 **Une fonction irrationnelle**
Soit f la fonction définie sur $]0 ; +\infty[$ par $f(x) = (1 - x)\sqrt{x}$. Grâce à un logiciel de calcul formel, on a obtenu les résultats suivants.

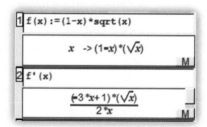

1. Vérifier le résultat obtenu pour $f'(x)$.
2. Démontrer que f admet un maximum que l'on précisera.
3. Comparer $f(1 + 10^{15})$ et $f(2 + 10^{15})$.

51 Soit f la fonction définie sur $\mathbb{R}$ par :
$$f(x) = \frac{1}{3}x^3 - 3x^2 + 5x - 3.$$

1. Étudier les variations de la fonction f.
2. Dire si les affirmations suivantes sont vraies ou fausses. Justifier les réponses.
a. Pour tout $x \in [-\infty\,;0[, f(x) \leqslant -3$.
b. Pour tout $x \in [0\,;+\infty[, f(x) \geqslant 11,3$.
c. Pour tout $x \leqslant 7, f(x) < 0$.
d. Pour tout $x > 7, f(x) \geqslant 0$.

52 Un cylindre est inscrit dans un cône de hauteur 30 et de rayon 10. On note h la hauteur du cylindre et r son rayon.

On cherche à déterminer la valeur de r pour laquelle le volume du cylindre est maximal.
1. Prouver que $h = 3(10 - r)$ et en déduire le volume de ce cylindre, en fonction de r, noté $V(r)$.
2. Déterminer la fonction dérivée de la fonction V, notée V'.
3. Étudier le signe de $V'(r)$ et en déduire les variations de la fonction V.
4. Conclure.

53 **Bénéfice d'un artisan**
Un artisan fabrique des objets. Il ne peut en produire plus de 70 par semaine.
Le coût de production, en euro, est modélisé par la fonction C définie sur l'intervalle $[0\,;70]$ par :
$$C(x) = 0,01x^3 - 1,05x^2 + 91x + 225.$$
Chaque objet est vendu 80 euros.
1. a. Quel est le montant des coûts fixes pour cet artisan ?
b. Combien lui coûte la production de 25 objets ?
c. Vérifier que la fonction C est croissante sur l'intervalle $[0\,;70]$.
2. Le bénéfice, en euro, qu'il retire de la production et de la vente de x objets, est modélisé par la fonction B définie sur l'intervalle $[0\,;70]$.
a. Exprimer $B(x)$ en fonction de x.
b. Vérifier que $B(25) = 0$.
3. a. Étudier les variations de la fonction B sur l'intervalle $[0\,;70]$.
b. En déduire le nombre d'objets que l'artisan doit vendre et produire pour gagner de l'argent.
c. En déduire le nombre d'objets que l'artisan doit vendre et produire pour que son bénéfice soit maximal.

54 TABLEUR **Coût marginal et coût moyen**
Modéliser, chercher
Un constructeur automobile décide de commercialiser ses voitures au prix de 7 900 € l'unité. Sa production mensuelle peut varier entre 2 000 et 19 000 unités.
On suppose que la fonction Coût associée à cette production (en millier d'euros) est donnée par la formule suivante :
$$C(q) = 0,021q^3 - 0,37q^2 + 6,25q + 0,4,$$
où q est la quantité de voitures en millier.
On a utilisé un tableur grapheur pour trouver les coûts de production.

	A	B	C	D
	Quantités de voitures	Coût total de production	Coût moyen	Coût marginal
1				
2	1	6,301		
3	2	11,588		
4	3	16,387		
5	4	20,824		
6	5	25,025		
7	6	29,116		
8	7	33,223		
9	8	37,472		
10	9	41,989		
11	10	46,9		
12	11	52,331		
13	12	58,408		
14	13	65,257		
15	14	73,004		
16	15	81,775		
17	16	91,696		
18	17	102,893		
19	18	115,492		
20	19	129,619		

1. Quel est le coût de production pour 11 000 voitures ?
2. Quelle formule a-t-on entrée dans la cellule B2 pour faire calculer les coûts de production ?
3. Entrer ces données sur un tableur.
4. Quelle formule faut-il entrer dans la cellule C2 ?
5. Quelle quantité semble donner un coût moyen minimum ?
6. Sachant que le coût marginal est obtenu en dérivant le coût total, quelle formule doit-on entrer dans la cellule D2 ?
7. Faire tracer les représentations graphiques des trois fonctions dans un même repère.
8. Pour quelle quantité a-t-on le coût marginal égal au coût moyen ? Comparer ce résultat avec celui obtenu à la question 5. Que peut-on en déduire ?

55 PRISE D'INITIATIVE

Modéliser
Une fenêtre se compose d'un rectangle surmonté d'un triangle isocèle rectangle. Le périmètre de sa partie rectangulaire est égal à trois mètres.

• Quelles doivent être les dimensions de la fenêtre pour qu'elle donne un éclairement maximal ?

56 `ALGO`

Soit f la fonction définie sur l'intervalle [0 ; 5] par :
$$f(x) = x^3 - 5x^2 + 2.$$
1. On considère l'algorithme suivant.

```
entrer h
a ← 0
u ← a
m ← f(a)
Tant que a < 5
    a ← a + h
    Si f(a) < m alors
        u ← a
        m ← f(a)
Afficher u et m
```

a. Faire tourner cet algorithme pour $h = 1$. Quel résultat affiche-t-il ?
b. Programmer cet algorithme sur la calculatrice ou en Python et donner la valeur affichée pour $h = 0,1$.
c. Que fait cet algorithme ? Quel résultat permet-il de conjecturer pour la fonction f ?
2. Démontrer la conjecture précédente.

57 Soit p la fonction définie pour tout réel x par :
$$p(x) = 3x^3 - 4x^2 - 5x + 2.$$
1. Déterminer l'expression de $p'(x)$.
2. Montrer que $p(x)$ s'écrit aussi :
$$p(x) = (x - 2)(3x^2 + 2x - 1).$$
Retrouver avec cette forme l'expression de $p'(x)$.

3. Montrer que $p(x)$ s'écrit encore $3(x - 2)(x + 1)\left(x - \dfrac{1}{3}\right)$.

Retrouver avec cette dernière forme l'expression de $p'(x)$.

58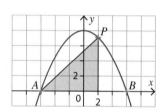

La parabole d'équation $y = -\dfrac{2}{9}x^2 + 8$ coupe l'axe des abscisses en A et B.
Le point $P(x ; y)$ se déplace sur la parabole entre A et B.
• Déterminer les coordonnées du point P pour que l'aire du triangle bleu soit maximale.

59 **1.** Montrer que les expressions :
$$3x + 1 + \frac{2}{x + 3} \quad \text{et} \quad \frac{3x^2 + 10x + 5}{x + 3}$$

sont égales pour tout x réel différent de -3.
2. Montrer que les dérivées de chacune des ces expressions sont égales.
3. Retrouver ces résultats en utilisant un logiciel de calcul formel.

60 Soient f et g deux fonctions définies sur $\mathbb{R} \backslash \{-1\}$ par :
$$f(x) = \frac{3x - 2}{x + 1} \quad \text{et} \quad g(x) = 7 - \frac{5}{x + 1}.$$
1. Déterminer les fonctions dérivées de f et g.
2. Que remarque-t-on ?
3. Donner l'expression de la fonction $f - g$ définie sur $\mathbb{R} \backslash \{-1\}$.
Conclure quant à la remarque précédente.

61 On considère la fonction f définie sur $\mathbb{R}$ par $f(x) = 2x^2 - x + 1$ et $\mathscr{C}_f$ sa courbe représentative.
1. Déterminer l'expression de la dérivée $f'(x)$.
2. Montrer que l'équation de la tangente $\mathscr{T}$ à $\mathscr{C}_f$ au point d'abscisse 2 est $y = 7x - 7$.
3. Soit g la fonction définie sur $\mathbb{R}$ par $g(x) = 7x - 7$.
a. Montrer que $f(x) - g(x) = 2x^2 - 8x + 8$.
b. Étudier le signe de $f(x) - g(x)$.
c. Déterminer la position relative de $\mathscr{C}_f$ par rapport à $\mathscr{T}$.

62 Soit f la fonction définie sur $\mathbb{R}$ par :
$$f(x) = x^2 + 3x + 1,$$
et g la fonction définie sur $\mathbb{R} \backslash \{-2\}$ par :
$$g(x) = \frac{-1}{x + 2}.$$
On note $\mathscr{C}_f$ la courbe représentative de la fonction f et $\mathscr{C}_g$ celle de la fonction g.
1. Étudier les variations de la fonction f et dresser son tableau de variation.
2. Étudier les variations de la fonction g et dresser son tableau de variation.
3. Soit h la fonction définie sur l'intervalle $\mathbb{R} \backslash \{-2\}$ par : $h(x) = f(x) - g(x)$.

a. Montrer que $h(x) = \dfrac{(x + 1)^2(x + 3)}{x + 2}$.

b. Étudier le signe de $h(x)$.
c. Déterminer la position relative de $\mathscr{C}_f$ par rapport à $\mathscr{C}_g$.
4. Démontrer que les courbes $\mathscr{C}_f$ et $\mathscr{C}_g$ admettent une tangente commune en un de leurs points d'intersection. Donner une équation de cette tangente.

63 **Vitesse d'un mobile**
Calculer
Lorsqu'un mobile se déplace selon un mouvement rectiligne, on repère sa position à partir d'une origine par une fonction f définie par :
$$f(t) = 5t^2 + 3t + 1,$$
où t désigne le temps écoulé.
La vitesse du mobile est donnée à l'instant t par la fonction notée en sciences physiques $\dfrac{\mathrm{d}f}{\mathrm{d}t}$, qui correspond à f' en mathématiques.
L'accélération du mobile est donnée à l'instant t par la fonction $\dfrac{\mathrm{d}^2 f}{\mathrm{d}^2 t}$, qui correspond à f'' (dérivée seconde ou encore dérivée de la fonction f') en mathématiques.
• Donner l'expression de la vitesse et de l'accélération du mobile en fonction du temps.

64 Le pic pétrolier d'un gisement est atteint lorsque la production de pétrole est à son niveau maximum.
Le tableau ci-dessous donne l'évolution de la production pétrolière en Norvège exprimée en millier de barils par jour entre les années 1990 et 2013.

	A	B	C
1	Année	Rang	Production
2	1990	0	1725
3	1991	1	1962
4	1992	2	2225
5	1993	3	2385
6	1994	4	2701
7	1995	5	2910
8	1996	6	3241
9	1997	7	3290
10	1998	8	3147
11	1999	9	3148
12	2000	10	3355
13	2001	11	3423
14	2002	12	3342
15	2003	13	3273
16	2004	14	3197
17	2005	15	2978
18	2006	16	2786
19	2007	17	2565
20	2008	18	2464
21	2009	19	2353
22	2010	20	2135
23	2011	21	2007
24	2012	22	1902
25	2013	23	1826

1. a. Recopier, sur un tableur, le tableau précédent.
b. Sélectionner la plage B1:C25 et représenter par un nuage de points la série statistique donnant la production suivant le rang de l'année.
c. Cliquer droit sur ce nuage de points et sélectionner *Ajouter une courbe de tendance*, puis choisir une courbe de tendance polynomiale de degré 3 et, dans *Option*, choisir *Afficher l'équation sur le graphique*.
d. Quel polynôme P de degré 3 permettant de modéliser cette évolution obtient-on ?
2. En étudiant la fonction P :
a. estimer l'année du pic pétrolier des gisements norvégiens ;
b. estimer l'année où la production norvégienne a atteint son plus bas niveau.

65 On découpe dans un triangle équilatéral de côté 60 cm les trois coins en violet pour former une boîte triangulaire sans couvercle.

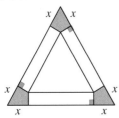

• Déterminer la valeur de x pour laquelle le volume de la boîte est maximal.

66 **Évolution d'une épidémie**
On a modélisé l'évolution d'une épidémie de grippe de la façon suivante : si t est le temps (en jour) écoulé depuis le début de l'épidémie, le nombre de cas en millier est donné par :
$$f(t) = -\frac{1}{6}t^3 + \frac{5}{2}t^2 + 28t.$$
1. Combien de malades compte-t-on au bout de 5 jours ? Combien de malades compte-t-on au bout de 20 jours ?
2. Donner l'expression de la fonction dérivée de f.
On appelle vitesse instantanée d'évolution au temps t le nombre dérivé de la fonction f en t.
3. Déterminer la vitesse instantanée d'évolution de la maladie au début de l'épidémie.
4. Déterminer la vitesse instantanée d'évolution de la maladie à l'instant $t = 3$ jours.
5. Déterminer le nombre de jours pour atteindre le pic de l'épidémie.
6. Quelle est la vitesse d'évolution de la maladie au moment du pic ?

67 **Étude marketing**

Une marque de soda a lancé une vaste campagne de publicité pour promouvoir une nouvelle boisson auprès des jeunes.
La fréquence des jeunes connaissant ce nouveau soda est modélisée par la fonction f définie sur $[0 ; +\infty[$ par :
$$f(t) = \frac{2t+1}{2t+4},$$
où t désigne le nombre de mois écoulés depuis le début de la campagne.
1. Quel est le pourcentage de jeunes qui connaissent cette boisson au début de la campagne ? Quel est le pourcentage de jeunes qui connaissent cette boisson au bout d'un mois ?
2. Étudier le sens de variation de la fonction f sur l'intervalle $[0 ; +\infty[$.
3. Résoudre l'équation $f(x) = 0,75$.
Interpréter le résultat obtenu.
4. Au bout de combien de mois plus de 90 % des jeunes connaîtront-ils cette nouvelle boisson ?

68 **Calculer**

Donner la fonction dérivée des fonctions définies par les expressions suivantes sans se soucier du domaine de définition ou de dérivabilité.

a, b et c désignent des nombres réels quelconques.

- $f(x) = ax^2$
- $g(x) = \dfrac{b}{x}$
- $h(t) = a\sqrt{t}$
- $j(x) = -ax + b + c\sqrt{x}$
- $k(t) = \dfrac{a}{t} + bt^2 + 7$
- $m(t) = (-5t + b)\sqrt{t}$
- $n(x) = c\sqrt{3}x^2 - 3ax + b$
- $p(x) = (3x + 5)(-7x + 8)(-x + 3)$
- $r(x) = \dfrac{ax - 7}{bx}$

69 Soit la fonction f définie par $f(x) = \dfrac{2x^2 + 3x - 1}{x^2 + x - 2}$.

1. Dresser le tableau de signes de f.
2. Donner l'expression de $f'(x)$.
3. Dresser le tableau de signes de f'.
4. En déduire le tableau de variation de f.

70 « J'ai perdu la question, mais j'ai la réponse ! Je sais qu'il fallait déterminer la dérivée de deux fonctions, et voilà la réponse :

$$f'(x) = -\frac{2}{x^2} + x \quad \text{et} \quad g'(x) = \frac{1}{3\sqrt{x}} + x^2.\text{»}$$

• Rédiger un énoncé pour cet exercice. Y a-t-il plusieurs énoncés possibles ?

71 **PRISE D'INITIATIVE**

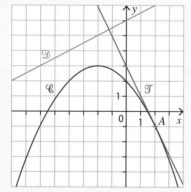

On a construit dans le repère ci-contre la courbe $\mathscr{C}$ d'une fonction u et la droite $\mathscr{D}$ représentant une fonction affine v.

$\mathscr{T}$ est la tangente à $\mathscr{C}$ en son point d'abscisse 2.
On définit la fonction φ par :
$$\varphi(x) = u(x) \times v(x) \quad \text{pour tout réel } x.$$

• À l'aide du graphique, déterminer $\varphi'(2)$ et $\varphi'(-2)$.

72 On considère la fonction définie sur l'intervalle $[4 ; 5]$ par $f(x) = \dfrac{1}{2}\left(x + \dfrac{20}{x}\right)$.

• Démontrer que pour tout x appartenant à l'intervalle $[4 ; 5]$, $f(x) \geqslant \sqrt{20}$.

73 On considère la parabole $\mathscr{P}$ d'équation :
$y = ax^2 + bx + c$ (avec a, b et c des réels) représentative d'une fonction f dans un repère orthonormé.
Cette courbe $\mathscr{P}$ passe par les points $A(0 ; 1)$ et $B(4 ; 3)$.
Les tangentes en A et B se coupent en $C(2 ; -4)$.

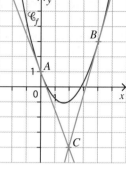

1. Donner graphiquement l'équation réduite de chacune de ces tangentes.
2. En déduire $f'(0)$ puis $f'(4)$.
3. Déterminer l'expression de la fonction $f'(x)$ en fonction des constantes a, b et c.
4. À l'aide des renseignements précédents, obtenir trois équations d'inconnues a, b et c.
5. Donner l'expression de $f(x)$ puis celle de $f'(x)$.
6. Retrouver les valeurs de $f'(0)$ puis $f'(4)$.

74 1. Soient f la fonction définie sur $\mathbb{R}$ par :
$$f(x) = x^4 - 2x + 1,$$
et $\mathscr{C}$ sa courbe représentative.
a. Déterminer l'équation de la tangente $\mathscr{T}_0$ à $\mathscr{C}$ au point d'abscisse 0.
b. Étudier la position relative de $\mathscr{C}$ et $\mathscr{T}_0$.
2. Même exercice avec la fonction définie sur $\mathbb{R}$ par :
$$g(x) = x^3 - 2x + 1.$$

75 On considère une fonction f définie et dérivable sur $[0 ; +\infty[$ dont on donne la représentation graphique.

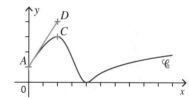

Les coordonnées des points indiqués sont $A(0 ; 1)$, $D(2 ; 4)$ et $C(2 ; 3)$.
La droite (AD) est tangente à la courbe au point d'abscisse 0.
La courbe rencontre l'axe des abscisses au point d'abscisse 4.
On sait aussi que $f(6) = 1$ et que la tangente au point d'abscisse 6 passe par le point $E(3 ; 0)$.
1. Par lecture graphique :
a. déterminer $f(0)$, $f'(0)$ et $f'(6)$;
b. déterminer une équation de la tangente à la courbe au point d'abscisse 6 ;
c. dresser le tableau de signes de f'.
2. On considère la fonction g définie par $g = \dfrac{1}{f}$.
a. Déterminer le domaine de définition de g.
b. Donner l'expression de g' à l'aide de f et de f'.
c. En déduire le sens de variation de g.

76 1. Lucas a représenté à l'aide d'un logiciel de géométrie une fonction f définie sur l'intervalle $[-1,5 ; 4]$, mais il n'a pas gradué l'axe des ordonnées.

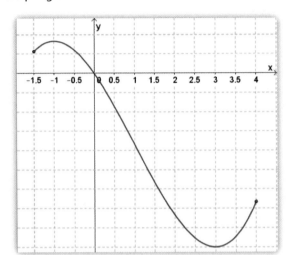

À l'aide du graphique :
a. décrire les variations de la fonction f ;
b. résoudre l'équation $f'(x) = 0$;
c. résoudre l'inéquation $f(x) \geqslant 0$;
d. résoudre l'inéquation $f'(x) \geqslant 0$.
2. La fonction f représentée par Lucas s'écrit sous la forme :
$$f(x) = x^3 + ax^2 + bx + c,$$
où a, b et c sont quatre nombres réels.
a. Justifier que $c = 0$.
b. Montrer que les nombres a et b sont solutions du système :
$$\begin{cases} -2a + b = -3 \\ 6a + b = -27 \end{cases}.$$
c. En déduire les valeurs de a et b.
3. Retrouver par le calcul les variations de la fonction f.
4. En déduire les extremums de la fonction f et l'unité choisie par Lucas sur l'axe des ordonnées.

77 PRISE D'INITIATIVE

L'écran d'un téléphone portable a une surface de 45 cm^2.
À gauche et à droite de l'écran, le bord du téléphone mesure 0,5 cm. En haut et en bas, le bord du téléphone mesure 1,5 cm.

• Sachant que ce téléphone a été conçu pour que sa surface totale (écran et bords) soit minimale, quelles sont les dimensions de son écran ?

78 PRISE D'INITIATIVE
Communiquer
On coupe en deux parties une ficelle de 2 m. Avec le premier bout, on construit un disque et avec le second un carré.
• Comment doit-on couper la ficelle pour que le total des deux aires de ces deux figures soit minimal ?

79 PRISE D'INITIATIVE
Modéliser
On considère un rectangle inscrit dans un cercle de rayon 1.

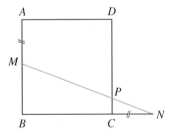

• Déterminer les dimensions du rectangle pour que son aire soit maximale.

80 $ABCD$ est un carré de côté 1.
M est sur le segment $[AB]$.
On place le point N tel que $CN = AM$ sur la demi-droite $[BC)$ à l'extérieur du segment $[BC]$.
La droite (MN) coupe (DC) en P.
On pose $AM = x$ avec $0 \leqslant x \leqslant 1$.

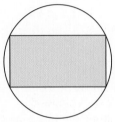

Le but de l'exercice est de trouver M sur $[AB]$ tel que la distance PC soit maximale.
1. Exprimer BM et BN en fonction de x.
2. Montrer que $PC = \dfrac{-x^2 + x}{x + 1}$.
3. En déduire la position du point M maximalisant la longueur PC.

81 Un laboratoire pharmaceutique fabrique un produit solide conditionné sous la forme d'un petit parallélépipède rectangle dont le volume est 576 mm^3.
On note y la hauteur ; ses autres dimensions sont x et $2x$ (x et y sont en mm), et x doit être nécessairement compris entre 3 et 12 mm.
1. Exprimer y en fonction de x.
2. Exprimer la surface totale $S(x)$, en mm^2, de ce parallélépipède rectangle en fonction de x.
3. Étudier le sens de variation de S sur l'intervalle $[3 ; 12]$ et en déduire la valeur de x pour laquelle $S(x)$ est minimale.

82 On considère la fonction w définie par :
$$w(x) = \frac{3x^2 - 2x}{x^2 + 1}.$$
1. Existe-t-il une valeur interdite pour w ?
2. Déterminer les variations de la fonction w.
3. Dans un repère, on appelle $\mathscr{C}_w$ la courbe représentative de la fonction et $\mathscr{T}_{-2}$ sa tangente au point d'abscisse (-2).
Déterminer l'équation de $\mathscr{T}_{-2}$.
4. Le point $\left(1 ; \frac{61}{25}\right)$ appartient-il à cette droite ?

83 On considère la fonction f définie sur $\mathbb{R}$ par :
$$f(x) = \frac{2 - x}{x^2 + 5}.$$
1. Montrer que $f'(x) = \frac{x^2 - 4x - 5}{(x^2 + 5)^2}$.
2. Étudier le signe de f'.
3. En déduire le tableau de variation de f.

84 **Coût de fabrication et bénéfice maximal**

Dans une entreprise, les coûts de fabrication de q objets sont donnés, en euro, par :
$$C(q) = q^2 + 10q + 1\,500, \text{ pour } q \in [0 ; 500].$$
L'entreprise vend chaque objet fabriqué 300 €.
1. Quels sont les coûts fixes ? Déterminer q pour que les coûts de fabrication soient égaux à 3 500 €.
2. Exprimer la fonction Recette totale R en fonction de q.
3. Exprimer la fonction Bénéfice B en fonction de q.
4. Calculer la quantité d'objets à produire et à vendre pour que cette entreprise réalise un bénéfice maximal.
5. Donner ce bénéfice maximal en euro.
6. Pour quelles quantités d'objets fabriqués et vendus, le bénéfice est-il strictement positif ?

85 Soit la fonction f définie par :
$$f(x) = \frac{4x}{x^2 + 1} \text{ sur } [-3 ; 3].$$
1. Déterminer l'expression de $f'(x)$.
2. Dresser, en justifiant, le tableau de variation de f.
3. Déterminer deux nombres réels m et M tels que, pour tout réel x de $[-3 ; 3]$, on ait :
$$m \leqslant f(x) \leqslant M.$$
4. Tracer à la calculatrice la courbe représentative de la fonction f. Résoudre graphiquement l'équation $f(x) = 1$. Retrouver le résultat algébriquement.

86 Soit f la fonction définie sur l'intervalle $[0 ; +\infty[$ par :
$$f(x) = x^3 - 2x.$$
1. Calculer $f'(x)$.
2. Déterminer le signe de $f'(x)$ et en déduire le tableau de variation de f.
3. Déterminer l'équation de la tangente $\mathscr{T}$ à la courbe $\mathscr{C}$ représentative de f au point A d'abscisse 1.
4. Soit g la fonction définie sur l'intervalle $[0 ; +\infty[$ par :
$$g(x) = x - 2.$$
a. Montrer que l'on a :
$$f(x) - g(x) = (x - 1)(x^2 + x - 2).$$
b. Étudier le signe de $f(x) - g(x)$.
c. Déterminer la position relative de $\mathscr{C}$ par rapport à $\mathscr{T}$.

87 On considère la parabole $\mathscr{P}$ d'équation $y = x^2$ et le point $A\left(\frac{1}{2} ; \frac{5}{4}\right)$. On cherche à déterminer l'abscisse x du point M de la parabole le plus proche de A.

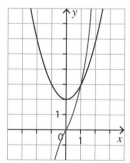

1. Quelles sont les coordonnées du point M, mobile sur la parabole $\mathscr{P}$, en fonction de x ?
2. Déterminer AM^2 en fonction de x.
3. On considère la fonction f définie sur $\mathbb{R}$ par :
$$f(x) = x^4 - \frac{3}{2}x^2 - x + \frac{29}{16}.$$
a. Déterminer $f'(x)$.
b. Montrer que $f'(x) = (x - 1)(4x^2 + 4x + 1)$.
c. En déduire le signe de $f'(x)$ puis le tableau de variation de f.
4. Répondre au problème posé.

88 Les courbes $\mathscr{C}_f$ et $\mathscr{C}_g$ ci-dessous sont les représentations graphiques des fonctions f et g définies sur $\mathbb{R}$ par :
$$f(x) = x^3 + 2x \text{ et } g(x) = x^2 + 2.$$

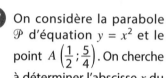

1. Déterminer graphiquement la position relative des deux courbes.
2. On considère la fonction h définie sur $\mathbb{R}$ par :
$$h(x) = x^3 - x^2 + 2x - 2.$$
a. Calculer $h'(x)$.
b. Déterminer le signe de $h'(x)$ et en déduire les variations de h.
c. Calculer $h(1)$ et en déduire le signe de h.
3. À l'aide de l'étude de la fonction h, retrouver les résultats de la question 1.

89 Soit g la fonction définie sur $\mathbb{R}$ par :
$$g(x) = -\frac{x^4}{4} + x^3 - \frac{3}{2}x^2 + x + 1.$$
On note $\mathscr{C}_g$ la courbe représentative de g dans un repère orthonormé.
1. Déterminer la fonction g'.
2. On note h la fonction définie pour tout réel x par $h(x) = -x^3 + 3x^2 - 3x + 1$. Déterminer la fonction h' et dresser le tableau de variation de h.
3. En déduire le tableau de variation de la fonction g.
4. En quel(s) point(s) $\mathscr{C}_g$ admet-elle une tangente horizontale ?
5. Existe-t-il un point de $\mathscr{C}_g$ où la tangente est parallèle à la droite d'équation $y = -5x + 3$?

90

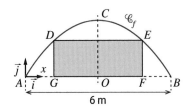

Le rectangle $DEFG$ admet la droite (CO) pour axe de symétrie. On note x la mesure de la longueur AG.
Dans le repère $(A ; \vec{i}, \vec{j})$ la courbe $\mathscr{C}_f$ est la courbe représentative de la fonction f définie sur $[0 ; 6]$ par la relation :
$$f(x) = -\frac{1}{4}x^2 + \frac{3}{2}x.$$
On note $\mathscr{A}(x)$ l'aire du rectangle $DEFG$ en fonction de x.
1. Le point G appartenant au segment $[AO]$, quelles sont les valeurs possibles pour la variable x exprimée en mètre ?
2. Démontrer que pour $x \in [0 ; 3]$,
$$\mathscr{A}(x) = \frac{1}{2}x^3 - \frac{9}{2}x^2 + 9x.$$
3. Déterminer le tableau de variation de la fonction A sur $[0 ; 3]$.
En déduire la valeur de x pour laquelle l'aire du rectangle $DEFG$ est maximale.

91 Dans le triangle rectangle ABC, on a $AB = 8$ unités et $BC = 6$ unités.
R se déplace sur le segment $[BC]$ et engendre un rectangle $MNRB$ conformément à la figure ci-dessous.

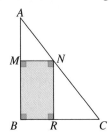

1. Quelle position doit occuper R pour obtenir un rectangle d'aire maximale ?
2. Même question pour obtenir un rectangle de périmètre maximal.

92 QCM
Donner la seule réponse correcte parmi les trois proposées. Soit f la fonction définie et dérivable sur l'intervalle $[-3 ; 4]$ par $f(x) = x^3 - 3x^2 - 9x + 3$.
On note f' la fonction dérivée de f sur $[-3 ; 4]$.
On donne le tableau de variation de la fonction f sur $[-3 ; 4]$.

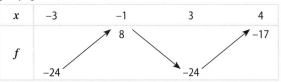

1. L'expression de $f'(x)$ est :
(a) $f'(x) = x^2 - 6x - 9$ (b) $f'(x) = 3x^2 - 6x - 9$
(c) $f'(x) = 3x^2 - 6x - 6$

2. Sur l'intervalle $[-3 ; 4]$, la fonction f' est :
(a) positive   (b) négative
(c) de signe non constant

3. Le calcul de $f(-2)$ donne :
(a) 25   (b) -11 (c) 1

4. L'équation $f(x) = 0$ admet sur l'intervalle $[-3 ; 4]$:
(a) aucune solution   (b) une unique solution
(c) deux solutions

93 PRISE D'INITIATIVE
Je suis une fonction définie sur $\mathbb{R}$ par $f(x) = x^3 - ax^2 + b$, où a et b sont deux nombres réels.
Sur l'intervalle $[0 ; +\infty[$, mon minimum est égal à 5 atteint pour $x = 2$.
• Qui suis-je ?

94 La puissance P (en watt) fournie par un générateur est donnée par la formule :
$$P = U^2 \frac{R_U}{(R_G + R_U)^2}$$ où U est la tension (en volt) aux bornes du générateur, R_G et R_U les résistances (en ohm) du générateur et du circuit.
On donne $U = 10\,\text{V}$, $R_G = 0{,}5\,\Omega$ et $R_G + R_U = x\,\Omega$ avec $x > 0$.
1. Montrer que P est une fonction de la variable x avec $P(x) = 100\frac{x - 0{,}5}{x^2}$.
2. En utilisant le logiciel $Xcas$, on trouve l'expression factorisée de la dérivée de P.

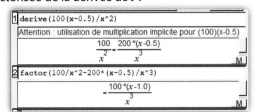

Déterminer le signe de $P'(x)$ et dresser le tableau de variation de P.
3. Retrouver le résultat du calcul de la dérivée P'.
4. Quelle est la valeur de x pour laquelle la puissance est maximale ? Quelle est alors cette puissance ?

95 Somme minimale

Quelle somme minimale peut-on obtenir en additionnant un nombre strictement positif et son inverse ?

Questions Va piano

1. Choisir quatre nombres strictement positifs. Pour chacun d'eux, faire la somme de ce nombre et de son inverse. Quelle est la valeur minimale obtenue ? Cela répond-il à la problématique ?

2. Si x désigne un nombre strictement positif, expliquer pourquoi le problème consiste à chercher le minimum de la fonction f définie sur $\mathbb{R}^{+*}$ par $f(x) = x + \dfrac{1}{x}$.

3. Conjecturer cette valeur à l'aide de la calculatrice.

Questions Moderato

1. Montrer que le problème revient à chercher le minimum de la fonction f définie sur $\mathbb{R}^{+*}$ par $f(x) = x + \dfrac{1}{x}$.

2. Calculer la dérivée de f puis étudier son signe.

3. En déduire les variations de f.

4. Conclure.

Questions Allegro

1. Montrer que le problème revient à chercher le minimum de la fonction f définie sur $\mathbb{R}^{+*}$ par $f(x) = x + \dfrac{1}{x}$.

2. Conclure.

3. Généraliser le résultat en trouvant, pour tout n de $\mathbb{N}$, le minimum de la fonction f_n définie sur $\mathbb{R}^{+*}$ par $f_n(x) = x + \dfrac{n}{x}$.

96 Volume d'eau

On dépose une bille sphérique de rayon 9 cm dans un récipient cylindrique indéformable de diamètre 18 cm que l'on remplit d'eau jusqu'à ce que le niveau d'eau soit tangent à la bille.
On retire la bille sans emporter d'eau ni en rajouter, et on cherche à savoir s'il est possible de plonger une autre bille de rayon différent telle que le niveau de l'eau soit de nouveau tangent à la bille.

Questions Va piano

1. Calculer le volume d'eau, le volume de la bille de rayon 9 cm et le volume du cylindre jusqu'à la hauteur d'eau.

2. On note r le rayon de la nouvelle bille (si elle existe).
Quel est le volume de la nouvelle bille en fonction de r ?

3. Montrer que le problème revient à obtenir un volume d'eau et de bille égal au volume total du cylindre jusqu'à la nouvelle hauteur d'eau.

4. Montrer que la question précédente revient à trouver les solutions de l'équation $4r^3 - 486r + 1\,458 = 0$.

5. CALCULATRICE Conjecturer la solution à l'aide de la calculatrice.

Questions Moderato

1. Montrer que le problème revient à trouver le nombre de solutions sur [0 ; 9] de l'équation $4r^3 - 486r + 1\,458 = 0$.

2. Montrer que :
$(r - 9)(4r^2 + 36r - 162) = 4r^3 - 486r + 1\,458$.

3. Conclure.

Questions Allegro

1. Montrer que le problème revient à obtenir les solutions de l'équation :
$$4r^3 - 486r + 1\,458 = 0.$$

2. On considère la fonction définie sur [0 ; 9] par $f(r) = 4r^3 - 486r + 1\,458$.
Calculer la fonction dérivée de la fonction f puis en déduire le tableau de variation de f.

3. En déduire le nombre de solutions de l'équation $f(r) = 0$ sur [0 ; 9].

4. Conclure.

1 **Taking initiative**

1. Use your calculator to sketch the graph of function f defined for any real number by $f(x) = x^3 - 6x^2 + 1$ and comment on the variations.
2. Prove the conjectures.

2 **Smartphone**

The area of a smartphone screen is equal to 45 cm². The borders of that phone on the left and right hand sides of the screen are 0.5 cm long. The borders of that phone at the top and at the bottom of the screen are 1.5 cm long.

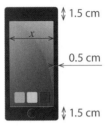

3 **A pyramid**

A pyramid with square base-side length x, and height h is shown on the right. Find the value of x so that the volume of the pyramid is 1000 cm³ and its surface area is minimum.

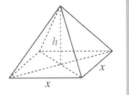

• Knowing that we want the total area of that phone to be as small as possible, what are the screen dimensions?

4 **The salt cellar**

A salt cellar is in the shape of a cylinder with a hemisphere attached to one end. Its total volume is to be 120 cm³.
1. Express the formula for the height h of the cylinder of the salt cellar in terms of the radius R of the base.
2. Compute, in terms of R, the total surface of the salt cellar, which consists in the disc at the bottom, the hemisphere at the top, and the lateral surface of the cylinder.
3. Find the best possible value of R for which the surface is minimal.

Pair Work **Matching and talking**

Try to associate each graph in the first row with the graph of the corresponding derivative on the second row. Explain your choices to your classmate.

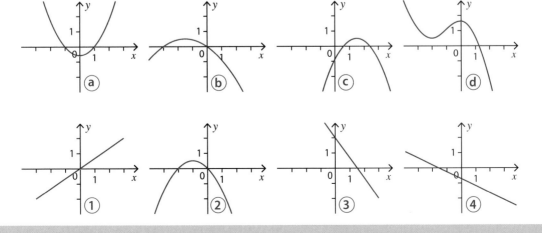

6 Fonction exponentielle

> Ressources du chapitre disponibles ici :
www.lycee.hachette-education.com/barbazo/1re ou

Croître à une vitesse folle

Leonhard Euler

Leonhard Euler est un mathématicien et physicien suisse du XVIIIe siècle. Il travaille dans des domaines aussi variés que la mécanique, la dynamique des fluides, l'optique et l'astronomie, mais c'est en mathématiques qu'il est considéré comme l'un des plus grands génies. Il a travaillé en particulier sur la notion de fonction et le calcul infinitésimal, et on lui doit de nombreuses notations qui ont toujours cours aujourd'hui.

Euler utilise une notation pour définir un nouveau nombre. Cette notation s'appelle le développement d'un nombre en fractions continues. Il écrit en 1737 :

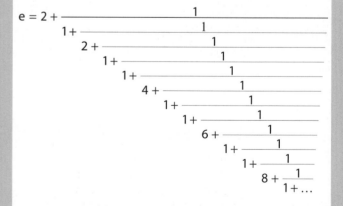

$$e = 2 + \cfrac{1}{1 + \cfrac{1}{2 + \cfrac{1}{1 + \cfrac{1}{1 + \cfrac{1}{4 + \cfrac{1}{1 + \cfrac{1}{1 + \cfrac{1}{6 + \cfrac{1}{1 + \cfrac{1}{1 + \cfrac{1}{8 + \cfrac{1}{1 + \ldots}}}}}}}}}}}$$

La première apparition de la lettre « e » pour désigner ce nombre date de 1728.
Déterminer une valeur approchée du nombre e à l'aide du développement ci-dessus.

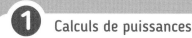

Réviser ses GAMMES

DIAPORAMA DE GAMMES SUPPLÉMENTAIRES

1 Calculs de puissances

Écrire les nombres suivants sous la forme d'une puissance de 2.

$A = 2^5 \times 2^3$ $\qquad$ $B = (2^4)^2$ $\qquad$ $C = 4^3 \times 2^2$

$D = \dfrac{1}{2^6}$ $\qquad$ $E = \dfrac{2^{11}}{2^5}$ $\qquad$ $F = \dfrac{2^{-4} \times 2^6}{2^5}$

2 Équations et inéquations

Résoudre dans $\mathbb{R}$ les équations et inéquations suivantes.

1. $2x - 3 = 4x + 7$ $\qquad$ **2.** $x^2 - 6 = 3x + 2$

3. $3x + 7 < 2x - 5$ $\qquad$ **4.** $2x^2 - 3x + 5 \geqslant 0$

3 Suite géométrique

1. (v_n) est la suite de premier terme 2 et telle que, pour tout entier naturel n non nul, v_{n+1} s'obtient en diminuant v_n de 70 %.

Expliquer pourquoi (v_n) est une suite géométrique et en donner la raison.

2. Soit (u_n) la suite définie pour tout entier naturel n par $u_n = \dfrac{4}{3^n}$.

Démontrer que la suite (u_n) est géométrique et donner son premier terme et sa raison.

4 Termes d'une suite géométrique

On considère la suite géométrique (u_n) de premier terme $u_0 = 5$ et de raison -3.

• Calculer u_1, u_2 et u_{12}.

5 Taux de variation

Un véhicule décrit un mouvement rectiligne. Il démarre à l'instant $t = 0$. La distance parcourue par ce véhicule, exprimée en mètre, depuis son démarrage en fonction du temps t, exprimé en seconde, est donnée par $d(t) = t^2 + 5t$.

1. Calculer le taux de variation de la fonction d entre les instants 10 et $10 + h$ (avec $h > 0$).

2. Déterminer la vitesse instantanée de ce véhicule après 10 s.

6 Fonction dérivée

Dans chaque cas, déterminer la fonction dérivée de la fonction définie sur l'intervalle I par l'expression proposée.

1. $f(x) = 2x^3 - 4x + 1$ et $I = \mathbb{R}$.

2. $g(x) = (3x - 2)\sqrt{x}$ et $I = \,]0\,;+\infty[$.

3. $h(x) = \dfrac{1}{2x^2 + 3}$ et $I = \mathbb{R}$.

4. $i(x) = \dfrac{2x + 5}{x + 3}$ et $I = \,]{-3}\,;+\infty[$.

5. $j(x) = \sqrt{3x}$ et $I = \,]0\,;+\infty[$.

7 Tableau de signes

Donner le tableau de signes des expressions suivantes sur $\mathbb{R}$.

$A(x) = -3x + 6$

$B(x) = (-3x - 2)(x - 5)$

$C(x) = -5(x^2 - 4x - 5)$

8 Équation de tangente

f est la fonction définie sur $\mathbb{R}$ par :
$$f(x) = -x^2 - 3x + 1.$$
Dans un repère, $\mathscr{C}$ est la courbe représentative de f.

• Déterminer l'équation de la tangente à $\mathscr{C}$ au point d'abscisse 2.

9 Utilisation d'un tableur

Un capital de 3 000 euros est placé à un taux d'intérêt de 4,5 % par an. On donne l'évolution de ce capital dans la feuille de calcul ci-dessous.

	A	B
1	1er janvier 2010	3000
2	1 er janvier 2011	3135
3	1er janvier 2012	3276,075
4	1 er janvier 2013	3423,49838
5	1 er janvier 2014	3577,5558
6	1 er janvier 2015	3738,54581
7	1 er janvier 2016	3906,78037
8	1 er janvier 2017	4082,58549
9	1 er janvier 2018	4266,30184

• Quelle formule a-t-on saisie en B2 puis recopiée vers le bas pour compléter cette feuille ?

Situation A — **Datation au carbone 14**

Objectif
Introduire une fonction exponentielle.

Le carbone 14 est un isotope du carbone (^{14}C) présent en infime proportion dans la nature mais de manière constante.

Quand un être vivant (animal ou végétal) meurt, les atomes de carbone 14 qu'il contient se désintègrent de telle sorte que le nombre de désintégrations par unité de temps (appelée aussi vitesse de désintégration) est proportionnel à la quantité d'atomes encore présents. On note λ le coefficient de proportionnalité.

Le graphique ci-dessous représente cette désintégration au cours du temps.

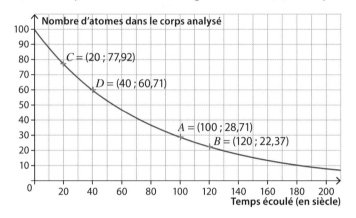

① **a.** Vérifier sur les deux intervalles de temps [20 ; 40] et [100 ; 120] que la propriété énoncée précédemment est bien vérifiée.

b. On appelle demi-vie du carbone 14 le temps nécessaire à la désintégration de la moitié de ses atomes. Estimer à l'aide de la courbe représentative cette demi-vie.

② **a.** Soit $N(t)$ le nombre d'atomes de carbone 14 présents dans un corps à l'instant t et h une durée donnée.
Exprimer en fonction de t et de h le nombre de désintégrations entre les instants t et $(t + h)$.

b. La vitesse de désintégration du carbone 14 à l'instant t est donnée par la limite du taux de variation de la fonction N lorsque la durée h tend vers 0 :

$$\lim_{h \to 0} \frac{\text{Nombre de désintégrations entre } t \text{ et } t + h}{h}$$

En déduire une expression de la vitesse de désintégration en fonction de t.

c. Déterminer, d'après l'énoncé, une relation entre la vitesse de désintégration et le nombre d'atomes. Cette relation est appelée « équation différentielle » caractéristique de la fonction N.

③ Soit f une fonction dérivable sur $\mathbb{R}$ telle que, pour tout réel x, $f'(x) = f(x)$.
Montrer que, s'il existe un réel λ tel que pour tout réel t, $N(t) = f(-\lambda t)$, alors la fonction N est solution de l'équation différentielle précédente.

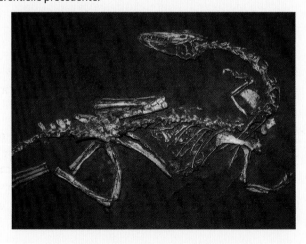

Situation B — Rechercher la fonction « idéale » [TABLEUR]

Objectif
Tracer une courbe approchant la représentation graphique de la fonction exponentielle.

On suppose qu'il existe une fonction f dérivable sur $\mathbb{R}$ telle que, pour tout réel x, $f'(x) = f(x)$ et $f(0) = 1$.

Dans cette situation, on va approcher point par point la courbe représentative d'une telle fonction f. On utilise ici une méthode appelée méthode d'Euler.

• On choisit un intervalle $[a ; b]$ sur lequel on veut approcher la courbe représentative de f.

• On partage l'intervalle $[a ; b]$ en n intervalles $[a ; a + h]$; $[a + h ; a + 2h]$, etc., avec $h = \dfrac{b - a}{n}$.

• Pour tout réel x de l'intervalle $[a ; b]$, on utilise l'approximation suivante :

$$f'(x) = \frac{f(x + h) - f(x)}{h}.$$

Remarque : Plus n sera grand et donc h petit, meilleure sera cette approximation.

① **a.** Montrer que, par la méthode d'Euler, pour tout réel x de $[a ; b]$, $f(x + h) \approx f(x) \times (1 + h)$.

b. On se propose, à l'aide d'un tableur, d'approcher la courbe représentative de la fonction f sur l'intervalle $[0 ; 3]$ avec $h = 0{,}1$.

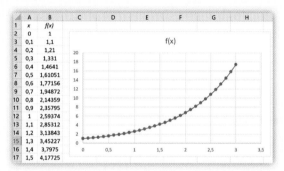

Quelle formule saisie en B3 et recopiée vers le bas permet d'obtenir le tableau des valeurs approximatives ?

c. Affiner cette approche sur l'intervalle $[-2 ; 2]$ avec $f(0) = 1$ et $h = 0{,}05$.

② **a.** En utilisant la courbe obtenue ci-dessus, conjecturer le signe et les variations de la fonction f.

b. Soient a et b deux réels appartenant à l'intervalle $[-2 ; 2]$ et tels que $a + b$ appartienne également à $[-2 ; 2]$, conjecturer une relation entre $f(a + b)$, $f(a)$ et $f(b)$.

Situation C — Comparer avec une croissance géométrique [LOGICIEL DE GÉOMÉTRIE]

Objectif
Faire le lien entre la croissance de la fonction exponentielle et celles des suites géométriques.

On sait que $\exp(0) = 1$. On se propose donc de comparer la représentation graphique de cette fonction avec celles des suites géométriques de premier terme $u_0 = 1$.

① Représenter graphiquement la fonction exponentielle sur l'intervalle $[0 ; 10]$.

② Créer un curseur « e » variant entre 0 et 3, d'incrément 0,01 puis, à l'aide d'un tableur, générer les 10 premiers termes de la suite (u_n) de premier terme $u_0 = 1$ et de raison e.

③ Créer la liste de points correspondante puis faire varier le curseur e. Que constate-t-on ?

④ En déduire que, pour tout entier n, $\exp(n)$ peut aussi s'écrire e^n, e étant un nombre réel dont on estimera la valeur.

1. Définition et propriétés algébriques

1. La fonction exponentielle

Propriété et définition

DÉMO
p. 182

Il existe une fonction f et une seule définie et dérivable sur $\mathbb{R}$ telle que :
pour tout réel x, $f'(x) = f(x)$ et $f(0) = 1$.
Cette fonction est appelée **fonction exponentielle** et notée $\exp : x \to \exp(x)$.

Remarque

L'existence de cette fonction est admise. Son unicité est démontrée p. 182.

2. Propriétés algébriques

DÉMO
p. 183

Théorème (relation fonctionnelle)

Pour tous réels x et y, on a $\exp(x + y) = \exp(x) \times \exp(y)$.

Remarque

Cette formule permet de transformer une somme en produit et réciproquement.

DÉMO
en ligne

Propriété

Pour tous réels x et y, on a :
- $\exp(-x) \times \exp(x) = 1$
- $\exp(x - y) = \dfrac{\exp(x)}{\exp(y)}$

3. Lien avec les suites géométriques

DÉMO
p. 183

Propriété

Soit a un réel et (u_n) la suite de terme général $\exp(na)$ où n est un entier naturel.
- La suite (u_n) est une suite géométrique de premier terme $u_0 = 1$ et de raison $\exp(a)$.
- Pour tout entier n et tout réel a, $\exp(na) = (\exp(a))^n$.

4. Notation e^x

Définition et notation

Le nombre $\exp(1)$ est noté **e**.
Une valeur approchée de ce nombre au millième est **2,718**.

Remarque

D'après la propriété précédente avec $a = 1$, pour tout entier n, $\exp(n) = (\exp(1))^n = e^n$.

Notation

Par extension de la propriété précédente à l'ensemble des réels, on note :
$$\text{pour tout réel } x,\ \exp(x) = e^x.$$

Exercice résolu 1 Utiliser la dérivée de la fonction exponentielle

Pour chacune des fonctions suivantes définies sur $\mathbb{R}$, déterminer l'expression de sa fonction dérivée.

1 $f(x) = 5\exp(x) + x$ **2** $g(x) = (3x - 1)\exp(x)$

⌄ Solution commentée

1 $f'(x) = 5\exp(x) + 1$

2 $g'(x) = 3\exp(x) + (3x - 1)\exp(x) = (3x + 2)\exp(x)$

> EXERCICE 1 p. 192

Exercice résolu 2 Transformer une expression

On donne les ordres de grandeur suivant : $\exp(2) \approx 7$, $\exp(3) \approx 20$ et $\exp(4) \approx 55$.

• En déduire les ordres de grandeur de $\exp(5)$, $\exp(-3)$ et $\exp(1)$.

⌄ Solution commentée

$\exp(5) = \exp(2 + 3) = \exp(2) \times \exp(3) \approx 7 \times 20 \approx 140$

$\exp(-3) = \dfrac{1}{\exp(3)} \approx \dfrac{1}{20} \approx 0,05$

$\exp(1) = \exp(4 - 3) = \dfrac{\exp(4)}{\exp(3)} \approx \dfrac{55}{20} \approx 2,75$

> EXERCICE 5 p. 192

Exercice résolu 3 Utiliser les propriétés algébriques de la fonction exponentielle

Utiliser les propriétés algébriques de la fonction exponentielle pour simplifier les expressions suivantes.

$A = \exp(x + 3) \times \exp(x - 1)$ $B = (\exp(x))^2 \times \exp(3x)$ $C = \dfrac{\exp(x - 1)}{\exp(x + 2)}$

⌄ Solution commentée

$A = \exp(x + 1) \times \exp(x - 1) = \exp(x + 1 + x - 1) = \exp(2x)$

$B = (\exp(x))^2 \times \exp(3x) = \exp(2x) \times \exp(3x) = \exp(2x + 3x) = \exp(5x)$

$C = \dfrac{\exp(x - 1)}{\exp(x + 2)} = \exp[(x - 1) - (x + 2)] = \exp(x - 1 - x - 2) = \exp(-1) = \dfrac{1}{\exp(1)}$

> EXERCICE 7 p. 192

Exercice résolu 4 Identifier une suite géométrique

Soit (u_n) la suite définie pour tout entier naturel n par $u_n = 10 \times e^{3n}$.

1 Calculer u_0.

2 Montrer que (u_n) est une suite géométrique dont on précisera le premier terme et la raison.

3 On rappelle que $e^3 \approx 20$.
Justifier que la suite (u_n) est croissante puis déterminer mentalement à partir de quel rang on a $u_n > 10^6$.

⌄ Solution commentée

1 Pour tout entier $n \geqslant 0$, $u_n = 10 \times e^{3n}$,
donc $u_0 = 10 \times e^0 = 10$.

2 Soit n un entier naturel.
On a $u_{n+1} = 10 \times e^{3(n+1)} = 10 \times e^{3n+3}$
$= 10 \times e^3 \times e^{3n} = e^3 \times u_n$.
La suite (u_n) est donc une suite géométrique de premier terme $u_0 = 10$ et de raison $q = e^3$.

3 Pour tout entier naturel n, on a :
$$u_n = 10 \times (e^3)^n \approx 10 \times 20^n.$$
$u_0 > 0$ et $e^3 > 1$, donc la suite (u_n) est strictement croissante.
De plus,

$$10 \xrightarrow{\times 20} 200 \xrightarrow{\times 20} 4\ 000 \xrightarrow{\times 20} 80\ 000 \xrightarrow{\times 20} 1\ 600\ 000 > 10^6$$

Donc u_n dépasse le million dès le rang $n = 4$.

> EXERCICE 14 p. 192

2. Étude de la fonction exponentielle

1. Signe et variation

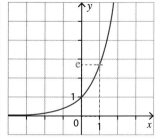

DÉMO en ligne

Propriété

Pour tout réel x, $e^x > 0$.
La fonction exponentielle est strictement positive.

DÉMO en ligne

Propriété

La fonction exponentielle est dérivable sur $\mathbb{R}$ et $\exp'(x) = \exp(x)$.
La fonction exponentielle est strictement croissante sur $\mathbb{R}$.

DÉMO en ligne

Propriété

Pour tous réels a et b, on a :
* $e^a = e^b \Leftrightarrow a = b$
* $e^a \leqslant e^b \Leftrightarrow a \leqslant b$

2. Propriétés algébriques

DÉMO en ligne

Propriétés

* $e^0 = 1$ et $e^1 = e$.
* Pour tous réels x et y, on a : $e^x \times e^{-x} = 1$; $e^{x+y} = e^x \times e^y$; $e^{x-y} = \dfrac{e^x}{e^y}$.
* Pour tout entier naturel n, $e^{nx} = (e^x)^n$.

3. Fonctions définies par $f(t) = e^{kt}$ et $g(t) = e^{-kt}$

Vocabulaire

De façon générale, les fonctions définies sur $\mathbb{R}$ par les expressions $f(t) = e^{kt}$ ou $g(t) = e^{-kt}$, où k est un réel strictement positif, sont appelées **fonctions exponentielles**.

Propriété (admise)

Soient k un réel, et f et g les fonctions définies sur $\mathbb{R}$ par $f(t) = e^{kt}$ et $g(t) = e^{-kt}$.
Pour tout réel t, $f'(t) = k \times f(t) = ke^{kt}$ et $g'(t) = -k \times g(t) = -ke^{-kt}$.

DÉMO en ligne

Propriété

Soit k un réel strictement positif.
* La fonction f définie et dérivable sur $\mathbb{R}$ par $f(t) = e^{kt}$ est strictement croissante sur $\mathbb{R}$.

* La fonction g définie et dérivable sur $\mathbb{R}$ par $g(t) = e^{-kt}$ est strictement décroissante sur $\mathbb{R}$.

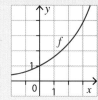

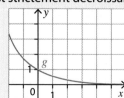

Exercice résolu **1** **Étudier une fonction avec une exponentielle**

Soit f la fonction définie sur $\mathbb{R}$ par $f(x) = e^x - x$.

• Dresser son tableau de variation.

∨ Solution commentée

Pour tout réel x, $f'(x) = e^x - 1$. On étudie le signe de la dérivée f'.

$f'(x) > 0 \Leftrightarrow e^x - 1 > 0 \Leftrightarrow e^x > 1 \Leftrightarrow e^x > e^0 \Leftrightarrow x > 0$

On obtient le tableau de variation ci-contre.

x	$-\infty$		0		$+\infty$
$f'(x)$		$-$		$+$	
$f(x)$			1		

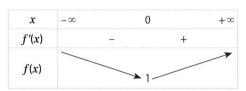

> **EXERCICE** 16 p. 193

Exercice résolu **2** **Résoudre une équation ou une inéquation**

Résoudre les équations et inéquations suivantes.

1 $e^{2x+1} = 1$ **2** $e^{3x-1} = e^{x+2}$ **3** $e^{2x+1} \leqslant 1$

∨ Solution commentée

1 $e^{2x+1} = 1 \Leftrightarrow e^{2x+1} = e^0 \Leftrightarrow 2x + 1 = 0$ car $e^a = e^b \Leftrightarrow a = b$

$\Leftrightarrow x = -\dfrac{1}{2}$ $\qquad S = \left\{-\dfrac{1}{2}\right\}$

2 $e^{3x-1} = e^{x+2} \Leftrightarrow 3x - 1 = x + 2 \Leftrightarrow 2x = 3 \Leftrightarrow x = \dfrac{3}{2}$ $\qquad S = \left\{\dfrac{3}{2}\right\}$

3 $e^{2x+1} \leqslant 1 \Leftrightarrow e^{2x+1} \leqslant e^0 \Leftrightarrow 2x + 1 \leqslant 0$ car $e^a \leqslant e^b \Leftrightarrow a \leqslant b$

$\Leftrightarrow x \leqslant -\dfrac{1}{2}$. $\quad$ L'ensemble des solutions est : $S = \left]-\infty ; -\dfrac{1}{2}\right]$.

> **EXERCICE** 21 p. 193

Exercice résolu **3** **Étudier une fonction de la forme $f(t) = e^{-kt}$**

Un condensateur de capacité C est branché aux bornes d'un conducteur ohmique de résistance R. La tension aux bornes du condensateur en fonction du temps en seconde, est donnée par l'expression $u_c(t) = E \times e^{\frac{-t}{\tau}}$, où E représente la tension d'alimentation, exprimée en volt, et τ une constante telle que $\tau = RC$. (R en ohm (Ω) et C en farad (F)).

On donne $E = 2$ V, $R = 10$ kΩ et $C = 1\,000$ μF.

1 Montrer que la tension aux bornes du condensateur est une fonction décroissante.

2 À l'aide de la calculatrice, représenter graphiquement la tension aux bornes du condensateur sur l'intervalle $[0 ; 15]$ et déterminer le temps nécessaire pour que la tension du condensateur devienne inférieure à la moitié de la tension d'alimentation.

∨ Solution commentée

1 $\tau = R \times C = 10 \times 10^3 \times 1\,000 \times 10^{-6} = 10^1 \times 10^3 \times 10^3 \times 10^{-6} = 10$

Donc $u_c(t) = E \times e^{\frac{-t}{\tau}} = 2 \times e^{\frac{-t}{10}} = 2e^{-0,1t}$.

On a $u'_c(t) = 2 \times (-0,1)\,e^{-0,1t} = -2e^{-0,1t} < 0$, donc la tension est décroissante.

2 Au bout d'environ 7 s, la tension devient inférieure à 1 V, soit la moitié de la tension d'alimentation.

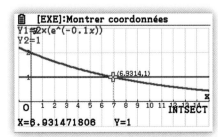

> **EXERCICE** 30 p. 194

Comprendre une démonstration Approfondissement

On présente la démonstration de la propriété suivante. La lire attentivement puis répondre aux questions posées.

Il existe une unique fonction f dérivable sur $\mathbb{R}$ telle que $f' = f$ et $f(0) = 1$.

⌄ Démonstration

On admet qu'il existe une fonction f dérivable sur $\mathbb{R}$ telle que $f' = f$ et $f(0) = 1$.
On veut démontrer que la fonction f est unique.

• On démontre d'abord que f ne s'annule pas sur $\mathbb{R}$.

Soit la fonction h définie sur $\mathbb{R}$ par $h(x) = f(x) \times f(-x)$.
Pour tout réel x, on a :
$$h'(x) = f'(x) \times f(-x) + f(x) \times (-f'(-x)) = f'(x)f(-x) - f(x)f'(-x)$$
$$= f(x)f(-x) - f(x)f(-x) = 0$$
La fonction h a pour dérivée la fonction nulle, elle est donc constante sur $\mathbb{R}$.
Par ailleurs, $h(0) = f(0) \times f(0) = 1$, donc, pour tout réel x, on a :
$$h(x) = f(x) \times f(-x) = 1.$$
Ainsi, quel que soit le réel x, $f(x) \neq 0$.

• On démontre ensuite que f est unique.

Soit g une fonction également définie et dérivable sur $\mathbb{R}$ telle que $g' = g$ et $g(0) = 1$.

On note H la fonction définie et dérivable sur $\mathbb{R}$ d'expression :
$$H(x) = \frac{g(x)}{f(x)}.$$

Alors, pour tout réel x,

$$H'(x) = \frac{g'(x)f(x) - g(x)f'(x)}{(f(x))^2} = \frac{g(x)f(x) - f(x)g(x)}{(f(x))^2} = 0.$$
La fonction H a pour dérivée la fonction nulle, elle est donc constante sur $\mathbb{R}$.

Par ailleurs, $H(0) = \frac{g(0)}{f(0)} = 1$, donc, pour tout réel x, $H(x) = 1$.

Conclusion

Quel que soit le réel x, $\frac{g(x)}{f(x)} = 1$, donc $g(x) = f(x)$. La fonction f est donc unique.

---

1 S'il existait une valeur de x pour laquelle $f(x) = 0$, qu'en serait-il de $h(x)$?
Quelle assertion démontrée justifie alors que f ne peut pas s'annuler ?

2 Comment justifie-t-on que la fonction H est définie sur $\mathbb{R}$?

3 Comment l'unicité de la fonction f est-elle démontrée ?

Rédiger une démonstration

1 On souhaite démontrer la propriété suivante.

> Pour tous réels x et y, on a $\exp(x + y) = \exp(x) \times \exp(y)$.

En utilisant les indications suivantes, rédiger la démonstration de la propriété (relation fonctionnelle).
- Considérer un réel y et poser $g(x) = \dfrac{\exp(x + y)}{\exp(x)}$.
- Montrer que la fonction g est définie et dérivable sur $\mathbb{R}$ puis déterminer l'expression de sa dérivée g'. Que peut-on en déduire pour la fonction g ?
- Déterminer $g(0)$ puis conclure.

2 On souhaite démontrer la propriété suivante.

> Pour tout entier n et tout réel a, $e^{na} = (e^a)^n$.

En utilisant les indications suivantes, rédiger la démonstration de la propriété.
- Poser $u_n = e^{na}$.
- Exprimer u_{n+1} en fonction de u_n et en déduire la nature de la suite (u_n).
- Déterminer le premier terme u_0 et la raison q de cette suite.
- En déduire une expression de u_n en fonction de u_0 et q et conclure.

Utiliser différents raisonnements

On veut démontrer la propriété mathématique suivante notée P :

$$\text{Pour tout réel } x, e^x > 0.$$

On veut utiliser un raisonnement par l'absurde.

1 Écrire la propriété contraire de P.

2 Soit a un réel. En utilisant l'égalité $a = 2 \times \dfrac{a}{2}$, exprimer e^a en fonction de $e^{\frac{a}{2}}$.

3 Montrer qu'il existe une contradiction entre les résultats des questions **1** et **2**.

Raisonnement par l'absurde

Pour démontrer qu'une proposition P est vraie, on suppose que la proposition $\overline{P}$ (proposition contraire de P) est vraie et on montre qu'elle conduit à une contradiction.

Définition

La **fonction exponentielle** notée exp vérifie :
- $\exp(0) = 1$;
- pour tout réel x, $\exp'(x) = \exp(x)$.

Notation de la fonction exp et nombre e

- $\exp : \mathbb{R} \to \mathbb{R}$
  $\quad x \mapsto e^x$
- $e = \exp(1)$ $\qquad e \approx 2{,}718$

Propriétés algébriques

- $e^x > 0$
- $e^{x+y} = e^x e^y$
- $e^{-x} = \dfrac{1}{e^x}$
- $e^{x-y} = \dfrac{e^x}{e^y}$

Exponentielle et suite géométrique

Soit a un réel.

La suite de terme général (e^{na}) est une suite géométrique de premier terme 1 et de raison e^a.

Signe et variation

Pour tout réel x, $e^x > 0$.

x	$-\infty$		0		$+\infty$
e^x					

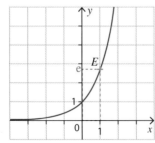

- $e^a = e^b \Leftrightarrow a = b$
- $e^a \leqslant e^b \Leftrightarrow a \leqslant b$
- $e^a \geqslant e^b \Leftrightarrow a \geqslant b$

Fonctions $f : t \mapsto e^{kt}$ et $g : t \mapsto e^{-kt}$ avec k strictement positif

- $f'(t) = ke^{kt}$

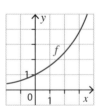

- $g'(t) = -ke^{-kt}$

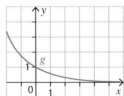

Effectuer les exercices ❶ à ❿ et vérifier les réponses.
Si nécessaire, réviser les points de cours en texte ou en vidéo.

❶ **1.** Déterminer l'expression de la dérivée de la fonction f définie sur $\mathbb{R}$ par :
$$f(x) = 3\exp(x) - x^2 + 1.$$
2. Déterminer l'expression de la dérivée de la fonction g définie sur $\mathbb{R}$ par :
$$g(x) = \frac{x}{\exp(x)}.$$

❷ Pour chacune des fonctions suivantes, déterminer l'expression de sa dérivée sur $\mathbb{R}$.
$$f(x) = -2(x+1)e^x$$
$$g(x) = \frac{1}{e^x + 1}$$

❸ À l'aide des propriétés algébriques de la fonction exponentielle, simplifier les expressions suivantes.
$$A = e^3 \times e^{-2} \times e^{-1}$$
$$B = \frac{e^6 \times \left(e^{-1}\right)^3}{e^4}$$
$$C = \frac{1}{e^{-3}} \times \frac{1}{e^7}$$
$$D = (e^{-2})^2 \times e^{-5}$$

❹ Simplifier les expressions suivantes.
$$A = e^{2-2x} \times e^3$$
$$B = \frac{e^{3-x}}{\left(e^{x+2}\right)^2}$$
$$C = \frac{1}{e^{2x}} \times \frac{1}{e^{-3x}}$$

❺ On considère la suite de terme général $u_n = \exp(4n)$.
• Démontrer que (u_n) est une suite géométrique dont on donnera le premier terme et la raison.

❻ Résoudre les équations suivantes.
1. $e^{2x+1} = 1$
2. $e^{-3x+4} = e^{-x+2}$

❼ Résoudre les inéquations suivantes.
1. $e^{x-1} \leq 1$
2. $e^{-2x-1} \leq e^{x+2}$
3. $e^{x+2} \geq 1$
4. $e^{3x+2} \geq e^{-x+4}$

❽ Soit f la fonction définie sur $\mathbb{R}$ par :
$$f(x) = (x-2)e^x.$$
1. Calculer la dérivée de la fonction f.
2. Dresser son tableau de variation.

❾ On considère la fonction f définie sur $\mathbb{R}$ par $f(t) = e^{2t}$.
1. Donner le sens de variation de la fonction f.
2. En utilisant la calculatrice, déterminer, à 0,01 près, la valeur de t pour laquelle $f(t) = 5$.

❿ On considère la fonction f définie sur $\mathbb{R}$ par $f(t) = 3e^{-0,5t}$.
1. Étudier le sens de variation de la fonction f.
2. Dresser son tableau de variation.

> **CORRIGÉS DES EXERCICES**

Définition de la fonction exponentielle ← ❷ ❶   ❸ ❹ ❺ → Propriétés algébriques

Fonction exponentielle

Fonctions $f : t \mapsto e^{kt}$ et $g : t \mapsto e^{-kt}$ ← ❿ ❾   ❻ ❼ ❽ → Signe et variation

---

TP ❶ Construction de l'exponentielle par la méthode d'Euler

Objectif
Approcher des images par une boucle non bornée.

On rappelle que la courbe de la fonction exponentielle peut être approchée point par point sur un intervalle donné en utilisant l'approximation suivante : $e^{x+h} \approx e^x \times (1+h)$. On suppose h positif, ici.

On se propose, à l'aide de cette méthode, d'approcher l'image d'un réel a positif quelconque par la fonction exponentielle, avec un pas de progression h donné.

① Quel est le réel dont l'image par la fonction exponentielle est connue sans ambiguïté ? Quelle est cette image ?

```
1  def Exp(a,h):
2      x=
3      y=
4      while x<a:
5          x=x+h
6          y=
7      return y
```

② Dans la fonction en Python définie ci-dessus, y désigne l'image de x par la fonction exponentielle. Recopier et compléter ce script afin que cette fonction renvoie une valeur approchée de l'image de a par la fonction exponentielle pour un pas de progression h donné.

③ Utiliser cette fonction pour déterminer une valeur approchée des réels e, e^2 et e^3 avec différentes valeurs de h.
Comparer la valeur approchée donnée par l'algorithme et celle donnée par la calculatrice selon le pas de progression h choisi.

④ Écrire le script d'une nouvelle fonction qui renvoie une valeur approchée de l'image par la fonction exponentielle d'un réel b négatif, pour un pas de progression h donné.

TP ❷ Première approximation de e par la méthode de Bernoulli

Objectif
Calculer une valeur approchée par une boucle non bornée.

Au milieu du XVIIe siècle, Jacques Bernoulli, mathématicien suisse, travaille sur une suite qui converge vers le nombre e.
Cette suite est définie, pour tout entier naturel $n \geqslant 1$, par $u_n = \left(1+\dfrac{1}{n}\right)^n$.

① Soit n un entier naturel supérieur ou égal à 1.
Écrire en Python, le script de la fonction u d'argument n qui renvoie pour une valeur de n donnée, une valeur approchée du terme u_n.

② On considère la fonction precision dont le script est donné ci-dessous.

```
4  from math import e
5  def precision(p):
6      n=1
7      while abs(u(n)-e)>10**(-p):
8          n=n+1
9      return n,u(n)
```

a. Recopier la fonction à la suite de la fonction u.

b. Tester la fonction avec $p = 2$ puis interpréter le résultat obtenu.

c. Justifier l'utilisation de la fonction abs.

d. À partir de quelle valeur de n obtient-on une valeur approchée de e à 10^{-2} près ? à 10^{-3} près ? à 10^{-5} près ?

TP ❸ Deuxième approximation de e par la série de Taylor

Objectif
Calculer une valeur approchée par une boucle bornée.

Le mathématicien Brook Taylor a établi une formule qui a permis au mathématicien Euler au XVIIIe siècle, de calculer une valeur approchée du nombre e.
La formule est la suivante :

$e = 1 + \dfrac{1}{1!} + \dfrac{1}{2!} + \dfrac{1}{3!} + \dfrac{1}{4!} + \ldots$, cette somme se poursuivant à l'infini.

On se propose de programmer un algorithme permettant d'approcher d'aussi près que l'on veut le nombre e à partir de ce développement illimité.

Données : $1! = 1$, $2! = 1 \times 2 = 2$, $3! = 1 \times 2 \times 3 = 6$

Plus généralement, on appelle **factorielle de n** et l'on note $n!$ le nombre $1 \times 2 \times 3 \times \ldots \times n$.
Par convention, on prendra $0! = 1$.

① Écrire en Python, une fonction factorielle d'argument n qui, pour un entier n donné, renvoie le nombre $n!$

② On trouve dans la bibliothèque math une fonction appelée « factorial ». Importer cette fonction et vérifier qu'elle renvoie également la factorielle d'un entier n donné.

③ Saisir et compléter la fonction e ci-dessous pour qu'elle renvoie une valeur approchée de e par la formule d'Euler, pour un entier n donné en argument.

```
 8 def e(n):
 9     e=1
10     for k in range(...,...):
11         e=...+1/...
12     return ...
```

④ Faire varier la valeur de l'entier n et noter les approximations de e correspondantes.

⑤ En s'inspirant éventuellement du TP 2, écrire une fonction precision, d'argument p entier naturel, qui donne, par la formule d'Euler, le premier entier naturel n permettant d'obtenir une valeur approchée de e avec une précision de 10^{-p} et cette valeur approchée de e.

TP ❹ Datation au carbone 14

Objectif
Déterminer une valeur approchée de la solution d'une inéquation avec une boucle non bornée.

On note $N(t)$ le nombre d'atomes de carbone 14 présents dans un échantillon de matière organique, t années après la mort de l'organisme.
Depuis les années 1950, les chercheurs ont réussi à modéliser la fonction N par l'expression :
$N(t) = N(0) \times e^{-0,0001244t}$, où $N(0)$ est le nombre d'atomes de carbone 14 à l'instant $t = 0$.

① Si l'on note $P(t)$ la proportion d'atomes de carbone 14 restant dans l'échantillon t années après la mort de l'organisme, montrer que $P(t) = e^{-0,0001244t}$.

② Écrire en Python, une fonction donnant la demi-vie du carbone 14, c'est-à-dire le temps nécessaire à la destruction de 50 % des atomes de carbone 14 dans un corps.

③ On analyse un fragment d'os et on constate qu'il a perdu 30 % de sa teneur en carbone.
En modifiant l'algorithme précédent, estimer son âge.

Boîte à outils

MÉMENTO PYTHON : VOIR RABATS

• Pour importer le nombre réel e

```
from math import e
```

• Pour importer la fonction factorielle

```
from math import factorial
```

TP **5** Évolution démographique : le modèle malthusien [LOGICIEL DE GÉOMÉTRIE]

Objectif
Modéliser
et comparer
des modèles.

En 1944, 29 rennes ont été introduits sur l'île de St Matthew en mer de Béring.
En l'absence de prédateur, et en présence de ressources alimentaires abondantes, la
population a explosé, atteignant près de 6 000 individus à la fin de l'été 1963.

Année	144	1948	1952	1956	1960	1963
Nombre de rennes	29	88	268	812	2464	5670

On s'intéresse au modèle de croissance de cette population.

① On se propose d'utiliser un logiciel de géométrie pour construire le nuage de points représentant cette évolution de population puis le comparer à différents modèles (affine, degré 2, degré 3).

a. On pose $t = 0$ pour l'année 1944. En utilisant le tableur du logiciel, construire le nuage de points de coordonnées $(t ; N(t))$ permettant de représenter l'évolution de la population de rennes entre 1944 et 1963.

b. Déterminer l'expression de la fonction affine f telle que $f(0) = 29$ et $f(4) = 88$. Tracer sa représentation graphique dans le même repère.
Le modèle affine $N(t) = N(0) \times (at + b)$ paraît-il approprié pour modéliser cette évolution de population ?

c. On souhaite à présent comparer le nuage de points à un modèle de degré 2.
Montrer que si l'on pose $g(t) = g(0) \times (at + b)^2$, alors $b = 1$.
Créer un curseur a variant sur un intervalle judicieusement choisi et construire la représentation graphique de la fonction g. Le modèle du second degré $N(t) = N(0) \times (at + b)^2$ paraît-il approprié ?

d. Reprendre la question précédente pour un modèle de degré 3, c'est-à-dire d'expression :
$$N(t) = N(0) \times (at + b)^3.$$

② Thomas Robert Malthus (1766-1834), économiste britannique, publia en 1798 un essai sur le principe d'évolution de la population. Il y suppose que « l'accroissement d'une population est directement proportionnel à son effectif ». Ainsi, si a est le taux annuel de natalité d'une population et b son taux annuel de mortalité, selon Malthus, l'évolution de cette population est modélisée par une fonction N telle que $N'(t) = aN(t) - bN(t)$.
Soit la fonction d'expression $N(t) = N(0)\, e^{kt}$, où $k = a - b$.
Vérifier que cette fonction satisfait bien à l'équation précédente.
Créer un curseur k compris entre 0 et 1 puis représenter la fonction N.
Le modèle de Malthus paraît-il approprié ? Si oui, pour quelle valeur de k ?

TP **6** Fonctions définies par une propriété fonctionnelle [LOGICIEL DE GÉOMÉTRIE]

Approfondissement

Objectif
Approcher point
par point la courbe
représentative
de nouvelles
fonctions.

Soit f une fonction définie sur $\mathbb{R}$ vérifiant, pour tous réels x et y, $f(x + y) = f(x) + f(y)$.

① Montrer que $f(0) = 0$. Qu'en déduit-on pour le point O $(0 ; 0)$ concernant la courbe représentative de la fonction f ?

② Soient h et a deux réels donnés. On voudrait construire point par point la courbe représentative d'une fonction f telle que $f(0) = 0$, $f(h) = a$ et, pour tous réels x et y, $f(x + y) = f(x) + f(y)$.

a. Créer deux curseurs h et a et ouvrir une feuille de tableur. La colonne A contiendra des valeurs de x et la colonne B leurs images par la fonction f.
Quelles sont les premières valeurs à saisir dans les cellules A1 et B1 ?

b. Déterminer les formules à saisir en A2 et B2 puis à recopier vers le bas pour obtenir 20 nouveaux réels et leurs images.

c. Créer la liste de points correspondant à cette table de valeurs et observer le nuage obtenu.
Faire varier les curseurs h et a. Que peut-on penser de la fonction f ?

TP **7** **Évolution de population : le modèle scientifique de Verhulst**

LOGICIEL DE GÉOMÉTRIE

Objectif
Utiliser un modèle
pour décrire
une évolution.

Le modèle malthusien (voir le TP5) est remis en cause vers 1840 par Pierre-François Verhulst, mathématicien belge, qui propose un modèle, dit logistique, prenant en compte la limitation de la population.

Le principe est le suivant : « L'accroissement d'une population n'est proportionnel à cette population que pour les petites valeurs de celle-ci. Lorsqu'elle croît, des facteurs naturels limitants apparaissent qui font qu'il existe une population maximale M. » Verhulst postule alors que « l'accroissement de la population x est proportionnel à la quantité $x(M-x)$ ».

Afin de tester ce modèle, on étudie l'évolution d'une population de vers (ténébrion meunier) dans une boîte contenant au départ 200 g de farine et 500 vers.

Nb de jours	0	1	2	3	4	5	6	7	8	9	10
Nb de vers (en centaine)	5	7,49	11,22	16,81	25,18	37,72	56,5	84,64	126,78	189,92	284,5

1 Sur le logiciel, construire le nuage de points représentant l'évolution de cette population de vers.

2 On s'intéresse à l'évolution du nombre de vers sur une très longue période. Le milieu étant limité (en volume et en éléments nutritifs), on décide de modéliser l'évolution de la population de vers par la fonction g définie par :

$$g(t) = \frac{330}{1 + 65e^{-0,4t}},$$

où t est exprimé en jour et $g(t)$ en centaine de vers.
Vérifier à l'aide du logiciel que ce modèle convient pour les dix premiers jours.

3 Étendre la représentation de la fonction g à l'intervalle [0 ; 15] puis [0 ; 30].
Le principe de Verhulst semble-t-il vérifié ? Expliquer.

Boîte à outils

Logiciel de géométrie

Affichage Op
Algèbre
Tableur

• Pour utiliser le tableur :

a = 2

• Créer un curseur avec et compléter la boîte de dialogue.

• Pour construire un nuage de points à partir du tableur : sélectionner les valeurs à afficher puis cliquer droit. Choisir *Créer* et *Liste de points*.

2	0	0
3	0.1	0.5
4	0.2	1
5	0.3	1.5
6	0.4	A2:B8
7	0.5	
8	0.6	Copier / Coller
9	0.7	Couper
10	0.8	Effacer les objets
11	0.9	

Liste
Liste de points — Créer
Matrice — Afficher l'objet
Tableau — Afficher l'étiquette
Ligne brisée — Enregistrer dans Tableur
Tableau Calculs — Propriétés ...

Calcul mental

1 Simplifier de tête les écritures suivantes.
1. $\exp(3) \times \exp(-2)$
2. $(\exp(-2))^3$
3. $\dfrac{\exp(-5)}{\exp(3)}$

2 Déterminer mentalement les fonctions dérivées sur $\mathbb{R}$ des fonctions suivantes.
1. $f(x) = 3\exp(x) - \dfrac{1}{2}x^2$
2. $g(x) = \dfrac{\exp(x)}{4}$
3. $h(x) = x\exp(x)$

3 Résoudre les équations suivantes.
1. $e^x = 0$
2. $e^x = 1$
3. $e(-x) = 1$
4. $e(-x) = 0$

4 Donner la valeur exacte des nombres suivants.
1. $e^0 \times e^2$
2. $e^5 \times \dfrac{e^{-4}}{e^2}$
3. $e \times e^{-1}$
4. $e \times (2e - e^{-1})$
5. $\sqrt{e^8}$
6. $\dfrac{e}{\sqrt{e}}$

5 Comparer, sans calculatrice, les réels donnés dans chaque cas.
1. e^2 et $e^{5,5}$.
2. $e^{0,5}$ et $e^{0,1}$.
3. e^{-3} et e^{-5}.
4. $e^{-0,2}$ et $e^{-0,9}$.

6 Déterminer mentalement le sens de variation sur $\mathbb{R}$ des fonctions suivantes.
1. $f(x) = e^{-3x}$
2. $g(x) = -2e^{5x}$
3. $h(x) = -e^{2x} - 1$

> **DIAPORAMA**
> **CALCUL MENTAL**
> **EN PLUS**

Automatismes

7 QCM
Pour chaque question, donner la seule réponse correcte.
1. On considère la fonction f définie sur $\mathbb{R}$ par $f(x) = e^x$.
L'équation de la tangente à sa courbe au point d'abscisse 0 est :
(a) $y = x + 1$ (b) $y = -x + 1$ (c) $y = x$

2. L'expression $-2e^x$ est :
(a) strictement négative sur $\mathbb{R}$;
(b) strictement négative sur $]-\infty \,;\, 0[$;
(c) strictement positive sur $]-\infty \,;\, 0[$.

3. L'expression $\dfrac{e^{2x}}{3e^x}$ s'écrit aussi :
(a) $3e^x$ (b) $-3e^{-x}$ (c) $\dfrac{e^x}{3}$

8 Pour chacune des suites ci-dessous dont on donne le terme général, montrer qu'il s'agit d'une suite géométrique dont on précisera le premier terme et la raison.
1. $u_n = e^n$
2. $u_n = -2e^n$
3. $u_n = e^{-3n}$
4. $u_n = 5e^{4n}$

9 Sur le graphique ci-dessous, identifier les courbes de chacune des fonctions suivantes.
1. $f : x \mapsto e^x$
2. $g : x \mapsto e^x - 3$
3. $h : x \mapsto e^{-x}$
4. $p : x \mapsto -2e^x$
5. $q : x \mapsto 3 - e^x$

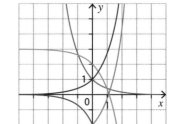

10 Déterminer le signe des expressions suivantes pour tout x réel.
1. $A(x) = -x^2 \times e^x$
2. $B(x) = -3 - e^{-4x}$
3. $C(x) = 3 \times \dfrac{e^x}{(x-1)}$

11 Déterminer la dérivée de la fonction f définie pour tout réel x par $f(t) = -4e^{-3t}$.

Préparation d'un oral

Préparer une trace écrite permettant de présenter à l'oral une argumentation indiquant si les propositions suivantes sont vraies ou fausses.

1 L'inverse du nombre e^{-x+1} est égal à $\dfrac{1}{e^{x-1}}$.

2 L'opposé du nombre e^{-3} est e^3.

3 La suite de terme général e^{-4n} est une suite géométrique de raison $\dfrac{1}{e^4}$.

4 La fonction définie pour tout réel x par $f(x) = \dfrac{e^x + e^{-x}}{2}$ est paire.

Travail en groupe 45 min

Constituer des groupes de 4 élèves qui auront chacun un des rôles suivants.
Résoudre tous ensemble la situation donnée. Remettre une trace écrite de cette résolution.

Animateur
- responsable du niveau sonore du groupe
- distribue la parole pour que chacun s'exprime

Rédacteur en chef
- responsable de la trace écrite rédigée par tous les membres du groupe

Ambassadeur
- porte-parole du groupe, seul autorisé à communiquer avec le professeur et, éventuellement, d'autres groupes

Maître du temps
- responsable de l'avancement du travail du groupe
- veille au respect du temps imparti

1. Chercher la définition de la distance d'un point M à une droite (d).

2. Soit M un point quelconque de la courbe représentative de la fonction exponentielle.
Déterminer l'abscisse du point M telle que la distance entre M et la droite d'équation $y = x$ soit minimale.

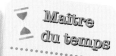

Exposé

voir p. 174

Après avoir effectué les recherches indiquées, préparer une présentation orale, un poster ou un diaporama.

Quelques curiosités avec les nombres e, π et φ.
On connaît des valeurs approchées de ces trois nombres :
e ≈ 2,718 281 8 ; π ≈ 3,141 593 6 ; φ ≈ 1,618 033 98 (φ est le nombre d'or).

1. Chercher la définition du nombre d'or φ.

2. Calculer $(e^e)^e - 1000\,\varphi$.

3. Calculer $\dfrac{(\pi+1)}{(\pi-\varphi)}$.

4. Calculer $\left(\pi^4 + \pi^5\right)^{\frac{1}{6}}$.

5. Trouver d'autres formules historiques qui relient ces trois nombres.

Définition de la fonction exponentielle

1 Pour chacune des fonctions suivantes, déterminer l'expression de sa fonction dérivée sur le domaine indiqué.

1. $f(x) = 3\exp(x) - 2x + 1$ sur $D_f = \mathbb{R}$.

2. $g(x) = (2x^2 + 1)\exp(x)$ sur $D_g = \mathbb{R}$.

3. $h(x) = \dfrac{2 + \exp(x)}{6 + 2x}$ sur $D_h = \mathbb{R}\backslash\{-3\}$.

2 Pour chacune des fonctions suivantes, déterminer l'expression de sa fonction dérivée sur $\mathbb{R}$.

1. $f(x) = xe^x + 3x - 1$

2. $g(x) = (x^2 + 2x - 1)e^x$

3. $h(x) = \dfrac{e^x}{e^x + x}$

3 On considère la fonction f définie pour tout réel x de son ensemble de définition par $f(x) = \dfrac{2}{e^x - 1}$.

Dire si chacune des propositions suivantes est vraie ou fausse en justifiant la réponse.

1. f est définie sur $]-\infty\,;1[\cup\,]1\,;+\infty[$.

2. f est dérivable sur chacun des intervalles constituant son ensemble de définition :
$$f'(x) = \frac{-2}{\left(e^x - 1\right)^2}.$$

3. f est strictement croissante sur $]-\infty\,;0[$ et sur $]0\,;+\infty[$.

Propriétés algébriques

4 On donne l'ordre de grandeur suivant :
$$\exp(1) \approx 2{,}7.$$
Donner l'ordre de grandeur de $\exp(2)$ et de $3\exp(1) + 2$.

5 On donne les ordres de grandeur suivants :
$$\exp(5) \approx 140$$
$$\text{et } \exp(-3) \approx 0{,}05.$$
En déduire les ordres de grandeur des réels $\exp(2)$, $\exp(8)$, $\exp(-2)$ et $\exp(10)$.

6 On donne les ordres de grandeur suivants :
$$\exp(4) \approx 50$$
$$\text{et } \exp(6) \approx 400.$$
En déduire les ordres de grandeur de $\exp(2)$, $\exp(10)$, $\exp(-2)$, $\exp(8)$ et $\exp(12)$.

7 **Calculer**
Utiliser les propriétés algébriques de la fonction exponentielle pour simplifier les expressions suivantes.

$A = \exp(2x - 3) \times \exp(4 - x)$

$B = (\exp(x - 1))^2 \times \exp(x + 2)$

$C = \dfrac{3\exp(x)}{\exp(1 - 2x)}$

8 Simplifier l'écriture de chacun des nombres suivants, où x désigne un nombre réel.

$A = e^{3x} \times e^{-4x}$

$B = \dfrac{1}{\left(e^{2x}\right)^2}$

$C = \dfrac{1}{\left(e^{-x}\right)^6}$

$D = \dfrac{1}{\left(e^{-x}\right)^6} \times e^{3x}$

$E = \dfrac{e^{3-2x} \times (e^x)^5}{e^{x-2}}$

9 Simplifier l'écriture de chacun des nombres suivants, où x désigne un nombre réel.

$A = (e^x)^5 \times e^{-x}$

$B = \dfrac{e^{2x-5}}{e^{2x-7}}$

$C = \dfrac{e^{3x}}{\left(e^x\right)^6 \times e}$

$D = \dfrac{e \times e^{2x-1}}{2e^{-x-2}}$

10 Démontrer que, pour tout réel x, on a :
$$\frac{1}{1 + e^{-x}} = \frac{e^x}{e^x + 1}.$$

11 Démontrer que, pour tout réel x, on a :
$$e^{-x} - e^{-2x} = \frac{e^x - 1}{e^{2x}}.$$

12 Pour chacune des suites ci-dessous dont on donne le terme général, montrer qu'il s'agit d'une suite géométrique dont on précisera le premier terme et la raison.

1. $u_n = \exp(-n)$

2. $u_n = \exp(-n + 2) \times \exp(3n - 2)$

3. $u_n = \dfrac{\exp(1)}{\exp(3n + 1)}$

13 Pour chacune des suites ci-dessous dont on donne le terme général, montrer qu'il s'agit d'une suite géométrique dont on précisera le premier terme et la raison.

1. $u_n = \exp(-2n)$

2. $u_n = \exp(3n) \times \exp(5n)$

3. $u_n = \dfrac{\exp(-n + 2) \times \exp(5n - 4)}{\exp(n - 2)}$

4. $u_n = \dfrac{\exp(2) \times \exp(-n + 5)}{\exp(7) \times \exp(6n)}$

14 On considère la suite (u_n) définie pour $n \geqslant 0$ par :
$$u_n = e^{2-\frac{n}{3}}.$$

1. Calculer ses premiers termes de u_0 à u_3 puis conjecturer son sens de variation.

2. Montrer que la suite (u_n) est une suite géométrique dont on déterminera la raison.

3. La conjecture précédente est-elle validée ? Justifier.

Signe et variation

15 Dans chacun des cas suivants, étudier le sens de variation de la fonction.

1. f définie sur $\mathbb{R}$ par $f(x) = -5e^{-4x}$.
2. g définie sur $\mathbb{R}$ par $g(x) = (-x + 1)e^{3x}$.

16 Déterminer la fonction dérivée et étudier le sens de variation de chacune des fonctions suivantes sur l'intervalle I indiqué.

1. $f(x) = x + e^x$ sur $I = \mathbb{R}$.
2. $g(x) = \dfrac{e^x}{x}$ sur $I =]0 ; +\infty[$.
3. $h(x) = xe^x$ sur $I = \mathbb{R}$.

17 f est la fonction définie sur $\mathbb{R}$ par :
$$f(x) = x - 1 - e^x.$$

1. Déterminer l'expression de la fonction f', dérivée de f sur $\mathbb{R}$.
2. Montrer que f admet un maximum dont on précisera la valeur.
3. On a représenté ci-dessous les fonctions g et h définies sur $\mathbb{R}$ par $g(x) = e^x$ et $h(x) = x - 1$.

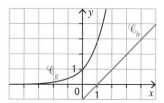

Conjecturer la position relative des courbes représentant les fonctions g et h.
Justifier cette conjecture à l'aide du résultat obtenu à la question 2.

18 ALGO

Soit f la fonction définie sur $\mathbb{R}$ par :
$$f(x) = x - e^{-2x}.$$

1. On note f' la dérivée de f.
Calculer $f'(x)$.
2. Étudier les variations de la fonction f.
3. a. En utilisant un graphique, expliquer pourquoi on peut conjecturer que l'équation $f(x) = 0$ admet une solution unique α sur $[0 ; 1]$ et donner une approximation de α au centième près.
b. On considère l'algorithme suivant donné en langage naturel.

```
a ← 0
F ← a – exp(–2a)
Tant que F < 0
    a ← a + 0,01
    F ← a – exp(–2a)
Afficher a
```

Quelle est la valeur affichée par cet algorithme à la fin de son exécution ? Expliquer.

19 **Raisonner, communiquer**

On a représenté ci-dessous les fonctions f et g d'expressions respectives $f(x) = e^{2x-3}$ et $g(x) = e^{-3x+5}$.

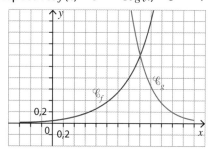

1. Résoudre graphiquement l'équation :
$$e^{2x-3} = e^{-3x+5}.$$

2. Pour résoudre algébriquement cette équation, Myriam a écrit les étapes suivantes.

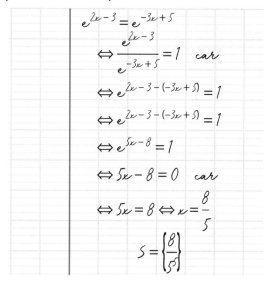

Compléter la justification amorcée aux lignes 2 et 6 et comparer la solution obtenue par Myriam et celle obtenue à la question 1.

3. Le professeur dit à Myriam : « Tu aurais pu résoudre plus facilement les équations en utilisant une équivalence du cours. »
En suivant l'indication du professeur, résoudre l'équation de Myriam d'une autre manière qu'elle.

4. Résoudre graphiquement les équations suivantes.
a. $e^{4x+1} = e^{1-2x}$
b. $e^{-5x} = e^{x+3}$

5. Résoudre algébriquement ces équations.

20 En utilisant les propriétés de la fonction exponentielle, résoudre les équations suivantes.

1. $e^{2x} = 1$
2. $e^{3x} = 0$
3. $e^{3x-1} = 1$
4. $e^{x-1} - 1 = 0$

21 En utilisant les propriétés de la fonction exponentielle, résoudre les équations suivantes.

1. $e^{2x+1} = e^{3x+2}$
2. $e^{-x} = e^{2x+4}$
3. $e^{-4x+1} = e^{x+1}$
4. $e^{-x-1} - e^{2x+4} = 0$

22 En utilisant les propriétés de la fonction exponentielle, résoudre les inéquations suivantes.
1. $e^x \geqslant 1$
2. $e^{x-2} < 1$
3. $e^{2x+1} \geqslant 0$
4. $e^{x-1} - 1 \leqslant 0$

23 En utilisant les propriétés de la fonction exponentielle, résoudre les inéquations suivantes.
1. $e^x \geqslant e^{2x+1}$
2. $e^{-3x-2} < e^{-x}$
3. $e^{-2x-3} < e^{2x+4}$
4. $e^{-3x-1} - e^{x+5} \leqslant 0$

24 Démontrer que, pour tout réel x, on a :
$$\frac{e^{2x} - 1}{e^x + 1} = e^x \times \frac{1 - e^{-2x}}{1 + e^{-x}}.$$

25 **Calculer**
Calculer les fonctions dérivées des fonctions suivantes.
1. f définie sur $\mathbb{R}$ par $f(x) = (2x + 1)e^x$.
2. g définie sur $\mathbb{R}$ par $g(x) = (-3x - 1)e^x$.
3. h définie sur $\mathbb{R}$ par $h(x) = xe^x$.
4. p définie sur $\mathbb{R}$ par $p(x) = \left(-\dfrac{1}{2}x + 1\right)e^x$.

26 Calculer les fonctions dérivées des fonctions suivantes.
1. f définie sur $\mathbb{R}$ par $f(x) = (x - 5)e^{-x}$.
2. g définie sur $\mathbb{R}$ par $g(x) = (4x + 2)e^{2x}$.
3. h définie sur $\mathbb{R}$ par $h(x) = (3x - \dfrac{1}{2})e^{-2x}$.
4. p définie sur $\mathbb{R}$ par $p(x) = \left(-\dfrac{5}{2}x + 4\right)e^{\frac{1}{2}x}$.

27 **Calculer**
Calculer les fonctions dérivées des fonctions suivantes.
1. f définie sur $]0 ; +\infty[$ par $f(x) = \sqrt{x}e^{-x}$.
2. g définie sur $]1 ; +\infty[$ par $g(x) = \sqrt{(x - 1)}e^x$.
3. h définie sur $\mathbb{R}$ par $h(x) = (x^2 + x + 3)e^{x+1}$.
4. p définie sur $\mathbb{R}$ par $p(x) = (x^2 - 1)e^x$.

28 Calculer les fonctions dérivées des fonctions suivantes.
1. f définie, pour tout réel x non nul, par $f(x) = \dfrac{e^x}{x}$.
2. g définie, pour tout réel $x \neq -1$, par $g(x) = \dfrac{e^x}{x + 1}$.
3. h définie sur $\mathbb{R}$ par $h(x) = \dfrac{x}{e^x + 1}$.
4. p définie sur $\mathbb{R}$ par $p(x) = \dfrac{3x + 1}{e^x}$.

Fonctions $t \mapsto e^{kt}$ **et** $t \mapsto e^{-kt}$

29 Calculer les fonctions dérivées des fonctions suivantes.
1. f définie sur $\mathbb{R}$ par $f(t) = e^{-t} + 1$.
2. g définie sur $\mathbb{R}$ par $g(t) = e^{2t+3}$.
3. h définie sur $\mathbb{R}$ par $h(t) = e^{-t+4}$.
4. p définie sur $\mathbb{R}$ par $p(t) = e^{\frac{1}{2}t}$.

30 Calculer les fonctions dérivées des fonctions suivantes.
1. f définie sur $\mathbb{R}$ par $f(x) = (2x + 4)e^{-x}$.
2. g définie sur $\mathbb{R}$ par $g(x) = (3x - 2)e^{-2x}$.
3. h définie sur $\mathbb{R}$ par $h(x) = (3x - \dfrac{3}{2})e^{-3x}$.
4. p définie sur $\mathbb{R}$ par $p(x) = (-5x + 4)e^{\frac{1}{3}x+2}$.

31 `ALGO`
Raisonner
On injecte 4 mg d'un médicament dans le sang d'un patient, à l'instant $t = 0$. On note $Q(t)$ la quantité en mg de médicament présente dans le sang du patient à l'instant t exprimé en heure.
La vitesse d'élimination du médicament étant proportionnelle à la quantité présente dans le sang, on admet que la fonction Q vérifie la relation :
$$(E) : Q'(t) = -0,248\, Q(t).$$
1. Montrer que la fonction $Q(t) = 4e^{-0,248t}$ vérifie la relation (E) ainsi que la condition initiale $Q(0) = 4$.
2. Calculer la quantité de médicament présente dans le sang au bout de deux heures.
3. Montrer que la quantité de médicament décroît au cours du temps.
4. À l'aide de la calculatrice, tracer la courbe représentative de la fonction Q.
5. On considère que le médicament est éliminé quand sa quantité dans le sang est inférieure à 0,01 mg.
À l'aide de la calculatrice, déterminer au bout de combien de temps (arrondi au dixième d'heure) ce médicament est éliminé.
6. Écrire une fonction en Python qui permet de retrouver le résultat de la question 5.

32 Lorsqu'un parachutiste effectue un saut, sa vitesse de chute $V(t)$, exprimée en $m \cdot s^{-1}$, est une fonction du temps t, exprimé en seconde (s). $V(t)$ est la norme du vecteur vitesse $\vec{V}_t$.
La résistance de l'air est un vecteur noté $\vec{R}$ tel que $\vec{R} = -k\vec{V}_t$, où k est un réel strictement positif.
On admet que la vitesse $V(t)$ est donnée par la relation $V(t) = Ce^{-\frac{k}{m}t} + \dfrac{mg}{k}$, où k est la constante de résistance de l'air (en $kg \cdot s^{-1}$), m est la masse du parachutiste (en kg), $g = 10\ m \cdot s^{-2}$ et C est une constante (en $m \cdot s^{-1}$) dépendant des conditions initiales.

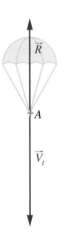

1. Exprimer $V(t)$ en fonction de t et de C pour un parachutiste dont la masse est 80 kg et tel que $k = 25\ kg \cdot s^{-1}$.
2. Déterminer la constante C sachant que la vitesse initiale du parachutiste était nulle.
3. Dresser le tableau de variation de la fonction V.
4. Tracer la courbe représentative de la fonction V à la calculatrice.

33 On considère les fonctions f et g définies pour tout réel x par $f(x) = e^x$ et $g(x) = 1 - e^{-x}$.
On a tracé dans un repère orthonormé, les courbes $\mathscr{C}_f$ et $\mathscr{C}_g$ représentatives des fonctions f et g.

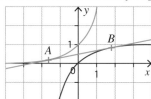

Ces courbes semblent admettre deux tangentes communes dont on admettra l'existence.
On note D l'une de ces deux tangentes communes. Cette droite est tangente à la courbe $\mathscr{C}_f$ au point A d'abscisse a et tangente à la courbe $\mathscr{C}_g$ au point B d'abscisse b.
1. Exprimer en fonction de a le coefficient directeur de la tangente à la courbe $\mathscr{C}_f$ au point A.
2. Exprimer en fonction de b le coefficient directeur de la tangente à la courbe $\mathscr{C}_g$ au point B.
3. En déduire que $b = -a$.

34 **CALCULATRICE** **Offre et demande**
Cet exercice a pour objectif d'étudier le prix d'équilibre entre l'offre et la demande d'un objet donné dans un contexte de concurrence parfaite.
Partie A : Étude de la fonction Demande
On estime que le prix unitaire qu'acceptent de payer les consommateurs en fonction de la quantité x disponible sur le marché est modélisé par la fonction d définie sur $[0\,;+\infty[$ par $d(x) = \dfrac{50}{x^2 + x + 1}$.
Ce prix unitaire est exprimé en euro et la quantité x en million d'objets.
On note d' la fonction dérivée de d.
1. Calculer $d'(x)$.
2. En déduire les variations de d sur $[0\,;+\infty[$.
Partie B : Étude de la fonction Offre
Les producteurs acceptent de fabriquer une quantité x exprimée en million d'objets si le prix unitaire de l'objet atteint une valeur minimale.
On suppose que ce prix minimal (qui dépend de la quantité x) est modélisé par la fonction f définie sur $[0\,;+\infty[$ par $f(x) = 3e^{0,26x}$.
1. Déterminer les variations de f sur $[0\,;+\infty[$.
2. Sur la calculatrice, représenter graphiquement les fonctions f et d de la partie A.
Partie C : Recherche du prix d'équilibre
Dans un marché à concurrence parfaite, la « loi de l'offre et de la demande » tend à dégager un prix d'équilibre p_0 pour lequel l'offre des producteurs est égale à la demande des consommateurs. On appelle q_0 la quantité associée à p_0.
À l'aide de la calculatrice, déterminer une valeur approchée, d'une part du prix d'équilibre p_0, et d'autre part de la quantité q_0 correspondante, à 10^{-2} près.

35 **Représenter**
On étudie la charge d'un condensateur et, pour cela, on dispose du circuit électrique ci-dessous composé de :
• une source de tension continue E de 10 V (volt) ;
• un conducteur ohmique de résistance $R = 10^5\,\Omega$ (ohm) ;
• un condensateur de capacité C de 10^{-6} F (farad).

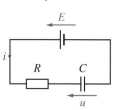

Si le condensateur est totalement déchargé à l'instant initial $t = 0$, la tension aux bornes du condensateur est donnée en fonction du temps t exprimé en s (seconde) par l'expression :
$$u(t) = E - Ee^{\frac{-t}{RC}}.$$
On appelle T le temps de charge en seconde pour que $u(t)$ soit égal à 95 % de E.
1. Représenter graphiquement la tension aux bornes du condensateur sur l'intervalle $[0\,;2]$.
2. Déterminer graphiquement le temps de charge T.

36 **ALGO** **PYTHON**
On considère la suite définie pour tout entier naturel par $u_n = e^{-2n}$.
1. Montrer que $u_n = f(n)$ avec une fonction f à expliciter.
2. Quel est le sens de variation de la fonction f ?
3. En déduire le sens de variation de la suite (u_n).
4. On a écrit les termes de cette suite dans un tableur.

	A	B
1	n	u_n
2	0	1
3	1	0,13533528
4	2	0,01831564
5	3	0,00247875
6	4	0,00033546

a. Conjecturer la limite de la suite (u_n).
b. On a écrit la fonction suivante en Python.

```python
from math import exp
def seuil():
    suite=1
    n=0
    while suite>10**-8:
        n=n+1
        suite=exp(-2*n)
    return n
```

Expliquer ce que renvoie cette fonction.
c. En utilisant Python, déterminer le plus petit entier naturel n tel que $(u_n) \leqslant 10^{-8}$.

Exercices

37 Calculer

En utilisant les propriétés de la fonction exponentielle, résoudre les équations suivantes.

1. $e^{2x} \times e^{-3x} = 1$
2. $(e^{6x})^{-6} = 0$
3. $e^{2x-1} \times e^{2x+3} = 1$
4. $(e^{2x-1})^{-2} - 1 = 0$

38 En utilisant les propriétés de la fonction exponentielle, résoudre les équations suivantes.

1. $\dfrac{e^{3x-1}}{e^{4x+4}} = e^{-x+2}$

2. $e^{-x} = e^{2x+4} \times e^{-x}$

3. $\dfrac{e^{-x-1} \times e^{3x+5}}{e^2} = e^{x+1}$

4. $e^{-1} \times e^{-x-1} - e^{-x+4} = 0$

39 En utilisant les propriétés de la fonction exponentielle, résoudre les inéquations suivantes.

1. $\dfrac{e^x}{e^{4x}} \geqslant 1$
2. $\dfrac{e^{x-2}}{e^{3x-6}} < 1$
3. $\dfrac{e^{2x+1}}{\left(e^x\right)^3} \geqslant 0$
4. $\dfrac{e^{-x-2}}{e^{3x} \times e^3} - 1 \leqslant 0$

40 Pour chacune des suites ci-dessous dont on donne le terme général, montrer qu'il s'agit d'une suite géométrique dont on précisera le premier terme et la raison.

1. $u_n = 2e^{-n}$
2. $u_n = -5e^{-n+2}$
3. $u_n = \dfrac{3e^1}{e^{3n+1}}$

41 Chercher, communiquer

On donne ci-dessous la courbe représentative $\mathscr{C}$ d'une fonction f définie et dérivable sur $\mathbb{R}$.
La droite (AC) est tangente à $\mathscr{C}$ en $A(0\,;3)$.
$\mathscr{C}$ admet une tangente horizontale en B.

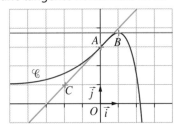

1. Déterminer graphiquement les valeurs respectives de $f(0)$, $f'(0)$ et $f'(1)$, où f' est la dérivée de la fonction f.
2. On admet que f est définie, pour tout x réel, par :
$$f(x) = (ax + b)e^x + c.$$
a. Démontrer que, pour tout x réel, on a :
$$f'(x) = (ax + a + b)e^x.$$
b. Justifier que les réels a, b et c vérifient les égalités suivantes :
$$b + c = 3 \qquad a + b = 1 \qquad 2a + b = 0$$
c. En déduire les valeurs de a, b et c.

42

On considère les équations suivantes.
$e^{2x2} = e^{-3x-1}$ (E1)

$\dfrac{e^{2x}}{e^{x+1}} = e^{-4x+2}$ (E2)

$e^{2x+1} \times e^{x-3} = e^{2x+3}$ (E3)
$e^{x2} = e^{x-3}$ (E4)

1. Conjecturer à la calculatrice le nombre de solutions de chacune de ces équations et leurs valeurs approchées lorsqu'elles existent.
2. Résoudre algébriquement ces équations.

43 Taux d'alcoolémie

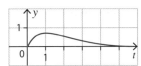

On s'intéresse dans cet exercice à l'évolution du taux d'alcool dans le sang d'un individu après ingestion d'une boisson alcoolisée. Ce taux est donné en $g \cdot L^{-1}$. Une étude sur un jeune homme de 64 kg ayant ingéré une dose de 33 g d'alcool a permis d'établir que le taux d'alcool dans son sang, en fonction du temps t en heure, est donné par la fonction f définie sur l'intervalle $[0{,}025\,;+\infty[$ par :
$$f(t) = (2t - 0{,}05)e^{-t}.$$
La représentation graphique de cette fonction dans un repère orthonormé est fournie ci-dessous.

1. Avec la précision permise par le graphique, déterminer combien de temps après l'ingestion le taux d'alcool passe au-dessous du seuil de $0{,}25\ g \cdot L^{-1}$.
2. Un taux d'alcool dans le sang inférieur à $0{,}001\ g \cdot L^{-1}$ est considéré comme négligeable.
À partir de combien de temps le taux d'alcool dans le sang du jeune homme est-il négligeable ? On peut utiliser une calculatrice.
3. On désigne par f' la fonction dérivée de la fonction f. Démontrer que, pour tout réel t de l'intervalle $[0{,}025\,;+\infty[$, on a :
$$f'(t) = (2{,}05 - 2t)e^{-t}.$$
4. Étudier le signe de $f'(t)$ sur l'intervalle $[0{,}025\,;+\infty[$ et en déduire la valeur exacte puis une valeur approchée au centième du taux maximum d'alcool dans le sang de ce jeune homme.

44 PRISE D'INITIATIVE

Un publicitaire envisage la pose d'un panneau rectangulaire sous une partie de rampe de skate-board. Le profil de cette rampe est modélisé par la courbe représentative de la fonction f définie sur l'intervalle $[0 ; 10]$ par :

$$f(x) = 4e^{-0,4x}.$$

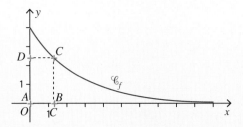

On a représenté ci-dessus, dans un repère orthonormé d'origine O, la courbe $\mathscr{C}_f$ modélisant la rampe de skate-board et le rectangle $ABCD$ représentant le panneau publicitaire. Le point A est situé en O origine du repère, les points B et D appartiennent respectivement à l'axe des abscisses et à l'axe des ordonnées, le point C appartient à la courbe $\mathscr{C}_f$.

1. Montrer que si $AB = 2$ m, alors le panneau publicitaire a une aire d'environ 3,6 m².

2. Parmi tous les panneaux possibles répondant aux contraintes de l'énoncé, déterminer, au cm près, les dimensions de celui qui possède l'aire la plus grande possible.

45 Soit f la fonction définie sur $\mathbb{R}$ par :

$$f(x) = 3xe^{-2x+1}.$$

1. Tracer la courbe représentative de la fonction f.

2. Que peut-on conjecturer sur les valeurs de $f(x)$ lorsque x prend des valeurs de plus en plus grandes ?

3. Écrire un algorithme qui détermine le plus petit entier strictement positif n tel que $f(n) < 10^{-5}$.

46 PRISE D'INITIATIVE

On considère la fonction f définie pour tout réel x par $f(x) = (ax + b)e^{-x}$ où a et b sont deux réels.

On connaît la courbe représentative de la fonction f représentée ci-dessous.

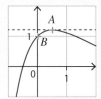

Les points A et B appartiennent à la courbe représentative de f. B $(0 ; 1)$ et A est le point de la courbe de f en lequel la tangente est horizontale. On a, de plus, $x_A = \dfrac{1}{2}$.

• Déterminer les valeurs de a et b.

47 CALCULATRICE ALGO

Soit f la fonction définie sur $\mathbb{R}$ par :

$$f(x) = (x^2 - 2,5x + 1)e^x.$$

Sa courbe représentative $\mathscr{C}_f$ est donnée ci-dessous.

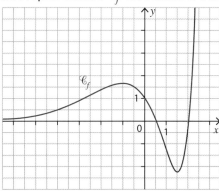

1. On note f' la fonction dérivée de f.

a. Calculer $f'(x)$.

b. Étudier le signe de $f'(x)$ sur son domaine de définition.

c. Dresser le tableau de variation de la fonction f sur $\mathbb{R}$.

2. La tangente à $\mathscr{C}_f$ au point A d'abscisse -1 recoupe la courbe $\mathscr{C}_f$ au point M.

Déterminer à la calculatrice une valeur approchée de l'abscisse de M (expliquer la démarche).

3. Déterminer une équation de la tangente $\mathscr{T}$ à la courbe $\mathscr{C}_f$ au point B d'abscisse 0.

4. Compléter la fonction en Python ci-dessous afin qu'elle permette d'approcher, au dixième près, l'abscisse du point P intersection de la tangente $\mathscr{T}$ et de $\mathscr{C}_f$.

```
 1 from math import exp
 2 def intersect():
 3     x=0
 4     y=1
 5     z=1
 6     while y>=z:
 7         x=...
 8         y=-1.5*x+1
 9         z=...
10     return ...
```

48 QCM

1. L'équation réduite de la tangente à la courbe représentative de la fonction exponentielle au point d'abscisse 1 est :

(a) $y = e^x$

(b) $y = ex$

(c) $y = x - e$

2. La dérivée de la fonction f, définie pour tout réel x par $f(x) = xe^{-x}$, a pour expression :

(a) $f'(x) = e^{-x}$

(b) $f'(x) = -e^{-x}$

(c) $f'(x) = (1 - x)e^{-x}$

3. L'expression $(e^x + e^{-x})^2$ est égale à :

(a) $e^{2x} + e^{-2x} + 2$

(b) $e^{2x} + e^{-2x}$

(c) $2 + 2e^{2x}$

49 CALCULATRICE **Chute d'une goutte d'eau**

On s'intéresse à la chute d'une goutte d'eau qui se détache d'un nuage sans vitesse initiale.
La vitesse de la goutte durant sa chute peut être modélisée par la suite (v_n) avec :

$$v_n = 9{,}81\frac{m}{k}\left(1 - e^{-\frac{k}{m}n}\right),$$

où :
• n désigne le temps écoulé en seconde depuis que la goutte a quitté le nuage ;
• m désigne la masse de la goutte en mg ;
• k est la constante de frottement de l'air.
On donne $k = 3{,}9$ et $m = 6$ mg.
1. Déterminer la vitesse de la goutte 10 s après sa chute.
2. On note (T_n) la suite donnant la variation de la vitesse chaque seconde :
$$T_n = v_{n+1} - v_n.$$
Montrer que (T_n) est une suite géométrique décroissante, puis déterminer à la calculatrice au bout de combien de temps cette variation est négligeable (inférieure à 0,001 m·s⁻¹).

50 On veut représenter la fonction exponentielle dans un repère orthonormé d'unité 1 cm.
On dispose d'une feuille de papier de 25 cm de large.

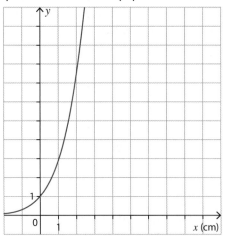

• Déterminer la hauteur de la page afin de pouvoir voir la représentation graphique de la fonction exponentielle sur l'intervalle [0 ; 25].

51 **Placement de capital**
On place, à l'instant $t = 0$, une somme d'argent $C_0 = 5\,000$ € à un taux annuel de p %.
Le capital $C(t)$ acquis à l'instant t est donné par $C(t) = 5\,000e^{pt}$, où t est exprimé en année.
1. Calculer le capital obtenu au bout de six mois à un taux de $p = 1{,}5$ %. Arrondir au centime d'euro.
2. Calculer l'expression de la fonction dérivée de C et en déduire son sens de variation.
3. On donne la courbe de la fonction C ci-dessous, tracée sur l'intervalle [0 ; 10].
Déterminer graphiquement au bout de combien de temps le capital obtenu sera de 5 750 €.
La courbe représentative de la fonction C est-elle une droite ? Justifier la réponse.

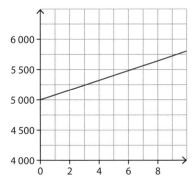

4. Résoudre graphiquement l'inéquation $C(t) \geqslant 5\,250$ et interpréter le résultat.

52 CALCULATRICE **Évolution d'une population**
On a relevé le nombre d'habitants d'un pays (exprimé en million) entre les années 1949 et 2019.

Année	1949	1959	1969	1979
Nombre d'habitants en million	350	394,62	444,94	501,67

Année	1989	1999	2009	2019
Nombre d'habitants en million	565,63	637,74	719,05	810,73

On modélise l'évolution de cette population par une fonction f de la forme :

$$f(t) = ke^{\lambda(t - 1949)},$$

où k et λ sont deux réels.
1. En utilisant la valeur de la population en 1949, déterminer la valeur de k.
2. Vérifier que $\lambda = 0{,}012$.
3. Tracer à la calculatrice la courbe représentative de la fonction f.
4. Si l'évolution de la population continue avec ce modèle, déterminer avec la calculatrice l'année à partir de laquelle la population dépassera un milliard d'habitants.

53 Calculer

Soient f et g les fonctions définies respectivement sur $\mathbb{R}$ par $f(x) = e^{3x-2}$ et $g(x) = \dfrac{1}{e^{x-3}}$.

1. Représenter les deux fonctions dans un même repère et résoudre graphiquement l'inéquation $g(x) > f(x)$.

2. En utilisant les propriétés de la fonction exponentielle, résoudre algébriquement cette inéquation.

54 [CALCULATRICE] **Frais de fonctionnement**

Modéliser

Les frais de fonctionnement hors charges de personnel d'une société ont évolué depuis 2010 selon le tableau ci-dessous.

Année	2010	2012	2014	2016	2018
Frais en dizaine de milliers d'euros	1,97	3,49	3,8	3,65	3,5

On cherche une fonction qui rende compte approximativement de cette évolution de façon à anticiper sur les années à venir.

1. Montrer que la fonction f définie sur $\mathbb{R}$ par $f(x) = (x-1)e^{\frac{-x}{3}} + 3$ est acceptable avec x le rang de l'année depuis 2010, soit $x = 0$ en 2010, $x = 1$ en 2011, etc.

2. Étudier les variations de la fonction f et interpréter le résultat obtenu.

3. Le gérant prétend qu'à ce rythme l'entreprise retrouvera bientôt son niveau de frais de fonctionnement de 2010. Que peut-on en penser ?

4. Représenter la fonction f sur l'intervalle $[0 ; 20]$. Quel phénomène peut-on observer ? Peut-on le justifier ? Comment cela se traduit-il pour les frais de fonctionnement de l'entreprise ?

5. À la calculatrice, déterminer à partir de quelle année les frais de fonctionnement repasseront sous la barre des 32 000 €.

55 [QCM]

1. Pour tout réel x, le nombre $e^x - e^{-x}$ est égal à :

(a) 1   (b) $\dfrac{e^{2x}-1}{e^x}$ (c) $(1 - e^{-2x})e^x$

2. La fonction f est définie pour tout réel t par :
$$f(t) = (2t + 4)e^{-2t}.$$
La dérivée de la fonction f a pour expression :

(a) $f'(t) = -4e^{-2t}$ (b) $f'(t) = (-4t - 6)e^{-2t}$
(c) $f'(t) = (-4t + 6)e^{-2t}$

3. La courbe représentative de la fonction g définie pour tout réel x par $g(x) = xe^x$ admet une tangente au point d'abscisse 1 d'équation réduite :

(a) $y = 2e^x - e$ (b) $y = 2ex - e$ (c) $y = 2x - e$

4. L'équation $e^{3x+1} = 1$ a pour ensemble de solutions :

(a) $S = \left\{-\dfrac{1}{3}\right\}$ (b) $S = \left\{\dfrac{1}{3}\right\}$ (c) $S = \{0\}$

5. L'inéquation $e^{-2x+4} \leqslant 1$ a pour ensemble de solutions :

(a) $[2 ; +\infty[$ (b) $]2 ; +\infty[$ (c) $]-\infty ; 2]$

56 [CALCULATRICE] **Température d'une pièce**

Modéliser

On éteint le chauffage dans une pièce d'habitation à 22 h. La température y est alors de 20° C. Le but de ce problème est d'étudier l'évolution de la température de cette pièce de 22 h à 7 h le lendemain matin.

On suppose, pour la suite du problème, que la température extérieure est constante et égale à 11° C. On désigne par t le temps écoulé depuis 22 h, exprimé en heure, et par $f(t)$ la température de la pièce exprimée en ° C.

La température de la pièce est donc modélisée par une fonction f définie sur l'intervalle $[0 ; 9]$.

1. Prévoir le sens de variation de la fonction f sur l'intervalle $[0 ; 9]$.

On admet désormais que la fonction f est définie sur l'intervalle $[0 ; 9]$ par :
$$f(t) = 9e^{-0,12t} + 11.$$

2. Donner une justification mathématique du sens de variation trouvé à la question précédente.

3. Calculer $f(9)$. En donner la valeur arrondie au dixième puis interpréter ce résultat.

4. Représenter graphiquement la fonction f puis déterminer, à l'aide de la calculatrice, l'heure à partir de laquelle la température sera inférieure à 15° C.

57 On considère la courbe représentative de la fonction exponentielle définie pour tout réel x par $f(x) = e^x$. On note cette courbe $\mathscr{C}_f$.

Soit a un réel. On considère le point A appartenant à $\mathscr{C}_f$ d'abscisse a.

On note $\mathscr{T}$ la tangente à la courbe $\mathscr{C}_f$ en A, B l'intersection de $\mathscr{T}$ avec l'axe des abscisses et H le projeté orthogonal de A sur l'axe des abscisses.

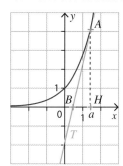

1. Montrer que l'équation réduite de $\mathscr{T}$ est :
$$y = e^a x + e^a(1 - a).$$

2. Déterminer l'abscisse du point B.

3. Montrer que la distance BH est indépendante de a. Quelle est sa valeur ?

58 On considère la fonction f définie sur l'intervalle $[0 ; 5]$ par :
$$f(x) = x + 1 + e^{-x + 0,5}.$$
On a représenté ci-dessous, sur la calculatrice :
• la courbe représentative $\mathscr{C}_f$ de la fonction f ;
• la droite Δ d'équation $y = 1,5x$.

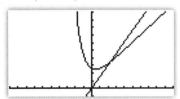

1. Vérifier que pour tout réel x de l'intervalle $[0 ; 5]$
$f'(x) = 1 - e^{-x + 0,5}$.
Résoudre dans l'intervalle $[0 ; 5]$ l'inéquation $f'(x) > 0$.
En déduire le signe de $f'(x)$ puis les variations de f sur l'intervalle $[0 ; 5]$.
2. On note α l'abscisse du point d'intersection de $\mathscr{C}_f$ et de Δ.
a. Donner par lecture graphique un encadrement de α à 0,5 près.
b. Résoudre graphiquement l'inéquation $f(x) < 1,5x$.
3. Une entreprise fabrique des cartes à puces électroniques à l'aide d'une machine.
La fonction f, définie plus haut, représente le coût d'utilisation de la machine en fonction de la quantité x de cartes produites, lorsque x est exprimé en centaine de cartes et $f(x)$ en centaine d'euros.
Déduire des questions précédentes le nombre de cartes à produire pour avoir un coût minimal d'utilisation de la machine.
4. Chaque carte fabriquée par la machine est vendue 1,50 €. La recette perçue pour la vente de x centaine(s) de cartes vaut donc $1,5x$ centaine d'euros.
Vérifier que le bénéfice obtenu, en centaine d'euros, par la vente de x centaine(s) de cartes est donné par :
$$B(x) = 0,5x - 1 - e^{-x + 0,5}.$$
5. Montrer que la fonction B est strictement croissante sur l'intervalle $[0 ; 5]$.
6. Montrer que, sur l'intervalle $[0 ; 5]$, l'équation :
$$B(x) = 0$$
admet une solution unique, puis donner un encadrement au centième de cette solution.
En déduire quel doit être le nombre minimal de cartes commandées pour que l'entreprise puisse réaliser un bénéfice.

59
Soit g, A et f les fonctions définies sur $[0 ; +\infty[$ par :
$$g(x) = e^x - xe^x + 1,$$
$$A(x) = \frac{4x}{e^x + 1}$$
$$\text{et } f(x) = \frac{4}{e^x + 1}.$$
Partie 1
1. Étudier les variations de la fonction g.
2. À l'aide de la calculatrice, déterminer une valeur approchée au centième près du réel α, solution de l'équation $g(x) = 0$ puis dresser le tableau de signes de la fonction g.
3. Montrer que $e^\alpha = \dfrac{1}{\alpha - 1}$.
Partie 2
1. Démontrer que, pour tout réel x positif, $A'(x)$ a le même signe que $g(x)$.
2. En déduire les variations de la fonction A sur $[0 ; +\infty[$.
Partie 3
PRISE D'INITIATIVE
Déterminer l'équation de la tangente à la courbe de la fonction f au point M d'abscisse α.

60 Un protocole de traitement d'une maladie comporte la mise en place d'une perfusion de longue durée.
Grâce à cette dernière, la concentration du médicament dans le sang du patient (en micromole par litre) au fil du temps (en heure) est modélisée par la suite (C_n) de terme général :
$$C_n = \frac{d}{a}\left(1 - e^{-\frac{na}{80}}\right).$$
• d est le débit de la perfusion en micromole par heure.
• a est la clairance en litre par heure.

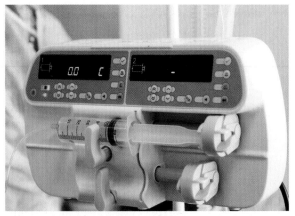

1. La clairance d'un patient est de 7 L·h^{-1} et on règle le débit de la perfusion à 84 µM·h^{-1}.
a. Déterminer la concentration du médicament dans le sang au bout de 5 h.
b. Observer l'évolution de cette concentration sur une durée de 48 h. Que peut-on observer ?
Ce phénomène est appelé « phénomène de plateau ».
2. PRISE D'INITIATIVE
Chez un autre patient, beaucoup plus âgé, la clairance est de 3 L·h^{-1}. Comment régler le débit de la perfusion pour obtenir un plateau efficace de 15 µM·L^{-1} ?

61 Arche de Saint-Louis
Modéliser, raisonner

Partie A
La fonction cosinus hyperbolique, notée cosh, est définie par :
$$\cosh(x) = \frac{e^x + e^{-x}}{2}.$$

1. Déterminer la dérivée de cette fonction. On la notera sinh.

2. Montrer que, pour tout réel x, on a :
$$\cosh^2(x) - \sinh^2(x) = 1.$$

3. Montrer que la fonction cosh est paire et que la fonction sinh est impaire.

Partie B
En 1947, le Jefferson National Expension Memorial lança un grand concours d'architectes dont le but était la construction d'un monument à Saint-Louis (Missouri, USA) symbolisant la porte de l'ouest et représentatif du xxe siècle. Sur les 172 projets présentés, c'est la grande arche présentée par Eero Saarinen qui fut sélectionnée. La construction de l'arche s'acheva en 1965. Elle fait 190 m de haut et autant de large à sa base.

1. On admet que l'équation de l'arche de Saint-Louis dans le repère orthonormé d'origine le centre du segment joignant les deux pieds de l'arche est de la forme :
$$f(x) = a \times \cosh\left(\frac{x}{38}\right) + b.$$

a. Vérifier que la courbe $\mathscr{C}_f$ admet pour axe de symétrie l'axe des ordonnées.
b. Déterminer les valeurs approchées au centième des réels a et b.

2. ▐ LOGICIEL DE GÉOMÉTRIE ▐ ▐ CALCULATRICE ▐

Un pilote de voltige aérienne veut tenter de passer sous l'arche avec le Solar Impulse (avion expérimental propulsé à l'énergie solaire de 63,40 m d'envergure). On cherche à déterminer l'altitude maximale à laquelle il peut passer sous l'arche.
Proposer une simulation, sur un logiciel de géométrie, de cette situation puis une modélisation algébrique permettant de retrouver à la calculatrice la solution conjecturée sur le logiciel.

62 ▐ ALGO ▐ ▐ PYTHON ▐ **Cuisson de céramique**

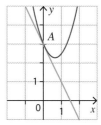

Dans une usine, un four cuit des céramiques à la température de 1 000°C. Sitôt les céramiques cuites, le four est éteint et il faut attendre qu'il ait atteint une température de 70° C pour sortir les céramiques du four sans risque qu'elles ne se fissurent.
Si on note t le temps écoulé (en heure) depuis que le four est éteint, alors sa température en degré celsius peut être modélisée par la fonction f d'expression :
$$f(t) = a e^{\frac{-t}{5}} + b,$$
où a et b sont deux réels.

1. On admet que $f'(t) + \frac{1}{5} f(t) = 4$. Déterminer les valeurs des réels a et b.

2. Pour la suite, on pose $f(t) = 980 e^{\frac{-t}{5}} + 20$.
Étudier les variations de la fonction f. Le résultat paraît-il cohérent ?

3. Lola a créé sous Python la fonction ci-dessous.

```python
from math import exp
def solvexp(k,b):
    t=0
    y=exp(k*t)
    while y>b:
        t=t+1
        y=exp(k*t)
    return t
```

a. Décrire le rôle de cette fonction.
b. Expliquer pourquoi cette fonction ne peut être utilisée que pour $k < 0$ et $0 < b < 1$.
c. Saisir cette fonction sur un éditeur Python puis l'utiliser pour déterminer au bout de combien de temps le four pourra être ouvert. Justifier la méthode.

63 On considère la fonction f définie pour tout réel x par $f(x) = e^x + ax + be^{-x}$, où a et b sont deux réels.

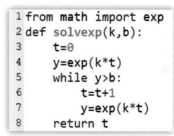

1. Lire graphiquement la valeur de $f(0)$ et de $f'(0)$.
2. Calculer $f'(x)$ pour tout réel x.
3. Déterminer les valeurs de a et de b.

64 Élimination d'un médicament
Chercher

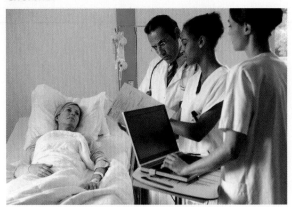

Un groupe de chercheurs étudie l'élimination d'un médicament dans le sang.

Pour cela, les chercheurs injectent ce médicament par intraveineuse à un patient volontaire puis mesurent, pendant 24 h, la concentration de médicament dans le sang du patient (en gramme par litre).

À l'instant initial, c'est-à-dire sitôt après l'injection, cette concentration est de 1,2 gramme par litre ($g \cdot L^{-1}$).

Puis, pour les 12 premières heures, la concentration est modélisée par la courbe ci-dessous.

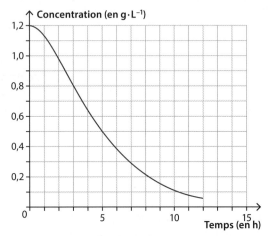

Partie A : Lecture graphique

1. Quelle semble être, en $g \cdot L^{-1}$, la concentration du produit dans le sang du patient au bout de 2 h ? Répondre par lecture graphique.

2. Pour que la personne ait le droit de conduire, il faut que la concentration de médicament soit inférieure à 0,4 gramme par litre.

À partir de combien de temps après l'instant initial la personne peut-elle prendre le volant ? Justifier graphiquement la réponse.

Partie B : Modélisation

On admet que l'on peut modéliser cette situation par une fonction f.

Si t désigne le temps en heure, la concentration en gramme par litre $f(t)$ à l'instant t est donnée par :
$$f(t) = (0,5t + b)e^{-0,4t}$$
pour tout $t \in [0 ; 24]$.

1. En utilisant la concentration dans le sang à l'instant initial, vérifier que $f(t) = (0,5t + 1,2)e^{-0,4t}$.

2. Déterminer la concentration au bout de 5 h en utilisant ce modèle (donner la valeur exacte et une valeur arrondie au dixième).

3. On appelle f' la fonction dérivée de f.
Calculer $f'(t)$.

4. Étudier le sens de variation de f sur $[0 ; 24]$ et interpréter le résultat obtenu.

5. CALCULATRICE En utilisant ce modèle, et à l'aide de la calculatrice, déterminer à partir de combien d'heures après l'instant initial la concentration devient inférieure à 0,06 gramme par litre.

Partie C

PRISE D'INITIATIVE

On admet que la fonction dérivée de f donne, en valeur absolue, la vitesse d'élimination du médicament par l'organisme. Les chercheurs ont démontré que cette vitesse d'élimination commence à décroître 2 h 36 min après l'injection. Justifier cette affirmation.

65 ALGO PYTHON **Population en milieu clos**
Modéliser, chercher, calculer

On étudie le comportement d'organismes vivants placés dans une enceinte close dont le milieu nutritif est renouvelé en permanence. On modélise cette situation par une fonction f définie sur $[0 ; +\infty[$ qui, à chaque instant t (exprimé en heure), associe le nombre d'individus, en millier, présents dans l'enceinte à cet instant.

On admet que pour tout réel t positif, $f(t) = 1\,200 - 1\,000e^{-0,04t}$.

1. Étudier les variations de la fonction f et dresser son tableau de variation.

2. En utilisant la courbe représentative de la fonction f tracée sur une calculatrice ou un logiciel, déterminer :

a. le nombre d'individus, en millier, présents dans l'enceinte au bout de 40 h.

b. au bout de combien d'heures le nombre d'individus, en millier, initialement présents dans l'enceinte, aura été multiplié par 4.

3. On appelle vitesse d'évolution du nombre d'individus à l'instant t, exprimée en nombre d'individus en millier par heure, le nombre $f'(t)$.

Déterminer une valeur arrondie à 10^{-1} près de la vitesse d'évolution du nombre d'individus, en millier par heure, à l'instant $t = 50$ heures.

4. On donne les fonctions suivantes écrites en langage Python.

```python
from math import exp
def f(t):
    return 1200-1000*exp(-0.04*t)

def individus():
    individus=[f(t) for t in range(150,161)]
    return individus
```

Qu'affiche la fonction individus lorsqu'on l'écrit dans la console ?

56 Coût unitaire et rentabilité

Calculer

Partie A

On considère la fonction f définie sur $[0,5 ; 8]$ par :
$$f(x) = (-4x^2 - 5)e^{-x} + 3.$$
On note $\mathscr{C}_f$ la courbe représentative de la fonction f dans un repère.

On note f' la fonction dérivée de la fonction f sur l'intervalle $[0,5 ; 8]$.

1. Démontrer que, pour tout x réel de $[0,5 ; 8]$, on a :
$$f'(x) = (4x^2 - 8x - 5)e^{-x}.$$

2. Étudier le signe de la fonction f' sur l'intervalle $[0,5 ; 8]$ et en déduire les variations de f.

3. On considère l'équation $f(x) = 3$.

Déterminer par le calcul son unique solution x_0 dans l'intervalle $[0,5 ; 8]$. En donner une valeur approchée à 10^{-2} près.

Partie B

Une entreprise produit de la peinture qu'elle vend ensuite en totalité.

Le coût moyen unitaire de production peut être modélisé par la fonction f de la **partie A** : pour x hectolitres de peinture fabriqués (avec $x \in [0,5 ; 8]$), le nombre $f(x)$ désigne le coût moyen unitaire de production par hectolitre de peinture (coût moyen de production pour un hectolitre de peinture), exprimé en centaine d'euros (on rappelle qu'un hectolitre est égal à 100 litres).

Dans la suite de l'exercice, on utilisera ce modèle. On pourra utiliser les résultats de la **partie A**.

1. Déterminer le coût moyen unitaire de production en euro, arrondi à l'euro près, pour une production de 500 litres de peinture.

2. Combien de litres de peinture l'entreprise doit-elle produire pour minimiser le coût moyen unitaire de production ? Quel est alors ce coût, arrondi à l'euro près ?

3. Le prix de vente d'un hectolitre de peinture est fixé à 100 €. À l'aide de la question précédente, déterminer si l'entreprise peut réaliser des bénéfices.

4. Le prix de vente d'un hectolitre de peinture est fixé à 300 €.

On appelle seuil de rentabilité la quantité à partir de laquelle la production est rentable, c'est-à-dire qu'elle permet à l'entreprise de réaliser un bénéfice.

Quel est le seuil de rentabilité pour cette entreprise ?

67 ALGO PYTHON **Puissance d'un son**

Communiquer

Une note de musique est émise en pinçant la corde d'une guitare électrique.

La puissance du son émis, initialement de 100 watts, diminue avec le temps t, mesuré en seconde.

On modélise la puissance du son émis, exprimée en watt, t seconde(s) après le pincement de la corde, par la fonction f définie pour tout réel $t \geqslant 0$ par :
$$f(t) = 100e^{-0,12t}.$$

1. Déterminer les variations de la fonction f sur l'intervalle $[0 ; +\infty[$ et dresser son tableau de variation.

2. Interpréter les variations de f dans le contexte de l'exercice.

3. Quelle sera la puissance du son quatre secondes après avoir pincé la corde ? Arrondir au dixième près.

4. Écrire une fonction en Python, nommée f, qui renvoie la valeur de la puissance du son pour un instant t donné.

5. On considère la fonction seuil ci-dessous.

```
5  def seuil():
6      t=0
7      puissance=100
8      while puissance>=80:
9          t=t+0.1
10         puissance=f(t)
11     return t
```

a. Que renvoie cette fonction seuil ?

b. En utilisant Python ou la calculatrice, déterminer la plus petite valeur de t (arrondie au dixième près) telle que la puissance du son soit inférieure à 80 watts.

68 VRAI OU FAUX

Dire si les propositions suivantes sont vraies ou fausses et justifier la réponse.

1. La fonction f définie pour tout réel x par $f(x) = -xe^{-x}$ est décroissante sur $\mathbb{R}$.

2. e^{-x} est un nombre négatif.

3. Pour tout entier naturel n, la suite de terme général $\left(\dfrac{1}{2}e^{3n}\right)$ est géométrique.

4. $e^{-3} > 1$.

69 Équations, inéquations et intersection

Soit f la fonction définie sur $\mathbb{R}$ par $f(x) = xe^{-x}$.

Questions Va piano

1. Montrer que, pour tout $x \in \mathbb{R}$,
$$f'(x) = e^{-x}(1 - x).$$

2. En déduire que la fonction f admet un maximum en $x = 1$ et déterminer la valeur de ce maximum.

3. On s'intéresse aux équations de la forme $f(x) = m$, pour m réel.

Résoudre cette équation pour $m = 0$.

4. En utilisant la calculatrice, déterminer une valeur approchée des solutions des équations suivantes.

a. $f(x) = -1$

b. $f(x) = 0,2$

c. $f(x) = 0,5$

Questions Moderato

1. Déterminer les variations de la fonction f sur $\mathbb{R}$ et dresser son tableau de variation.

2. Tracer la courbe représentative de f dans un repère orthonormé d'unité 2 cm.

3. Soit m un réel quelconque. L'équation $f(x) = m$ admet-elle des solutions pour tout réel m ? Justifier.

4. a. Montrer que :
$$f(x) \leqslant 0 \Leftrightarrow x \leqslant 0.$$

b. En déduire que, si $m < 0$, l'équation $f(x) = m$ possède au plus une solution.

5. Conclure sur le nombre de solutions de l'équation $f(x) = m$ en fonction des valeurs de m.

Questions Allegro

1. Déterminer les variations de la fonction f sur $\mathbb{R}$ et tracer sa courbe représentative $\mathscr{C}_f$ dans un repère orthonormé d'unité 2 cm.

2. On considère la droite d d'équation $y = x$. Déterminer le nombre de points d'intersection entre d et $\mathscr{C}_f$ et en donner les coordonnées exactes.

3. On considère un réel a et la droite d_a d'équation $y = ax$.

Montrer que si $a < 0$, $\mathscr{C}_f$ et d_a n'ont qu'un seul point d'intersection dont on précisera les coordonnées exactes.

4. On suppose que $a > 0$.

a. Montrer que $\mathscr{C}_f$ et d_a ont deux points d'intersection.

b. CALCULATRICE En utilisant une calculatrice, déterminer une valeur approchée des coordonnées des points d'intersection entre $\mathscr{C}_f$ et d_2.

70 Culture bactérienne

On considère une culture bactérienne dans laquelle le nombre de bactéries (en million) se modélise par la fonction f définie pour tout réel $t \geqslant 0$ par $f(t) = \dfrac{150}{1 + 90e^{-0,6t}}$, où t désigne le temps en heure.

Questions Va piano

1. Quel est le nombre de bactéries à l'instant initial $t = 0$?

2. Quel est le nombre de bactéries à l'instant $t = 3$? Arrondir à l'unité près.

3. CALCULATRICE Tracer la courbe représentative de la fonction f à l'aide de la calculatrice.

Quelle conjecture peut-on faire quant à l'évolution à long terme de cette culture bactérienne ?

Questions Moderato

1. Montrer que, pour tout réel $t \geqslant 0$, on a :
$$f'(t) = \frac{8\,100e^{-0,6t}}{\left(1 + 90e^{-0,6t}\right)^2}.$$

2. En déduire le sens de variation de la fonction f et dresser son tableau de variation sur $[0 ; +\infty[$.

3. CALCULATRICE En utilisant une calculatrice ou un tableur, déterminer une valeur approchée du nombre d'heures et de minutes qu'il faut pour que la population bactérienne dépasse les 8 millions d'individus.

Questions Allegro

1. Montrer que la fonction f est croissante sur l'intervalle $[0 ; +\infty[$.

2. Écrire une fonction en Python, nommée population, qui renvoie l'instant (exprimé en heure) où le nombre de bactéries dépassera un certain nombre N donné en argument de la fonction.

3. La fonction f' s'appelle la vitesse de développement de la population bactérienne. À l'aide d'une calculatrice, montrer que la vitesse de développement de la population bactérienne admet un maximum. Quel est alors le nombre de bactéries à cet instant ?

No problem!

1 Matching

Four graphs, A, B, C and D are shown below.
Match the graphs with each of the following equations.

1. $y = 4e^x$ **2.** $y = -4e^x$ **3.** $y = 4e^{-x}$ **4.** $y = -4e^{-x}$

A.   **B.**   **C.** 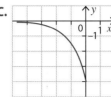 **D.**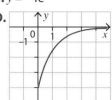

2 Describe as you wish!

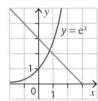

1. Describe the graph above. Which functions are represented on this graph?

2. Using these functions and the graph, can you give an approximate value to 1 d.p. of the solution of the equation :

$$e^x + x - 3 = 0?$$

3. Using your calculator, give an approximate value to 4 d.p. of this solution.

3 Lovely minks!

A breed of mink is introduced in a new habitat. The number ok minks, M, after t years, is modelled by $M = 74e^{0.6t}$ ($t \geqslant 0$).

1. State the number of minks that were originally introduced in the new habitat.

2. Predict the number of minks after 3 years in the habitat.

3. Predict the number of complete years it would take for this mink population to exceed 10 000.

4. Sketch the graph to show how the mink population varies with time in the new habitat.

Individual work — Crosswords

1. In two words: the first one is similar to "combine"; the whole expression is often used in finance and economics to describe the overall interest earned on investment when the total interest earned during each period is added back to the original capital.

2. It can be used to describe the increase of the world's population.

3. A line that approaches a curve as close as we want.

4. If you calculate this for exp (x), it is still equal to exp (x).

5. A number that indicates the number of times a term is used as a factor to multiply itself.

6. It will always be positive with the exponential function.

7. A function that maps one number to a unique number.

8. For the exponential function, it is [0 ; +∞[.

9. For the exponential function, it is ℝ.

Ressources du chapitre disponibles ici :
www.lycee.hachette-education.com/barbazo/1re ou

Calcul vectoriel et produit scalaire

Tout mesurer et être d'accord

Delambre et Méchain

Fin juin 1792, les astronomes Delambre et Méchain sont chargés de mesurer l'arc de méridien de Dunkerque jusqu'à Barcelone.

Ils n'effectueront les mesures que sur un arc suffisamment long de ce quart de méridien pour que, par proportionnalité, ils puissent alors calculer la longueur du tout. Ces mesures reposent sur des calculs d'angles et de longueurs dans un triangle.

Décret du 26 mars 1791: sur les moyens d'établir l'uniformité des poids et des mesures
L'Assemblée nationale, considérant que pour parvenir à établir l'uniformité des poids et mesures, il est nécessaire de fixer une unité de mesure naturelle et invariable, et que le seul moyen d'étendre cette uniformité aux nations étrangères, et de les engager à convenir d'un même système de mesures est de choisir une unité qui, dans sa détermination ne renferme rien d'arbitraire ni de particulier à la situation d'aucun peuple sur le globe […] décrète qu'elle adopte la grandeur du quart du méridien terrestre pour base du nouveau système de mesures.

En 1789, il n'existe aucune mesure unifiée entre les pays ni même à l'intérieur du pays. L'étalonnage des poids et longueurs est alors fixé par le roi. Rechercher différentes mesures utilisées alors.

Réviser
ses GAMMES

DIAPORAMA
DE GAMMES
SUPPLÉMENTAIRES

1 Égalités

On considère la droite graduée et les points ci-dessous.

Indiquer pour chaque égalité si elle est vraie ou fausse.

a. $\overrightarrow{AB} = \frac{1}{2}\overrightarrow{AC}$

b. $\overrightarrow{AB} = \overrightarrow{DC}$

c. $\overrightarrow{AB} = \frac{2}{5}\overrightarrow{BD}$

d. $\overrightarrow{BC} = \frac{3}{7}\overrightarrow{AC}$

2 Coordonnées de vecteurs

Dans une base orthonormée, on considère les vecteurs $\vec{u}\begin{pmatrix} 2 \\ -3 \end{pmatrix}$ et $\vec{v}\begin{pmatrix} 1 \\ 5 \end{pmatrix}$.

Donner les coordonnées des vecteurs suivants.

a. $\vec{u} + \vec{v}$

b. $\vec{u} - \vec{v}$

c. $3\vec{u} + 2\vec{v}$

d. $-2\vec{u} - \vec{v}$

3 Normes

Dans un repère orthonormé du plan, on considère les points $A(-3\,;2)$, $B(-2\,;2)$ et $C(4\,;1)$.

1. Calculer les normes des vecteurs $\overrightarrow{AB}$, $\overrightarrow{AC}$ et $\overrightarrow{BC}$.

2. Le triangle ABC est-il rectangle ?

4 Colinéarité

Dans une base orthonormée, on considère trois vecteurs $\vec{u}\begin{pmatrix} \frac{1}{3} \\ 2 \end{pmatrix}$, $\vec{v}\begin{pmatrix} 0,5 \\ 3 \end{pmatrix}$ et $\vec{w}\begin{pmatrix} \frac{2}{3} \\ -4 \end{pmatrix}$.

a. Les vecteurs $\vec{u}$ et $\vec{v}$ sont-ils colinéaires ?

b. Les vecteurs $\vec{v}$ et $\vec{w}$ sont-ils colinéaires ?

5 Projeté orthogonal

On considère la figure suivante, où H est le projeté orthogonal de A sur $[BC]$.

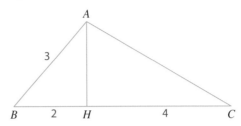

• Calculer AH et une mesure en degré puis en radian de l'angle $\widehat{HAC}$.

6 Points alignés

On considère trois points A, I et C tels que $\overrightarrow{IA} + \overrightarrow{IC} = \vec{0}$.

Indiquer pour chaque proposition si elle est vraie ou fausse.

a. I, A et C sont alignés.

b. I est le milieu de $[AC]$.

c. $IA + IC = 0$

d. $IA = IC$

7 Opérations sur les vecteurs

On considère la figure suivante, où $ABCD$ est un parallélogramme, et M et N sont les points tels que $\overrightarrow{DN} = 2\overrightarrow{AD}$ et $\overrightarrow{AB} = 2\overrightarrow{BM}$.

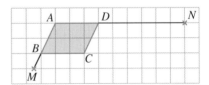

Dire si les affirmations suivantes sont vraies ou fausses.

a. $\overrightarrow{AB} = \overrightarrow{CD}$

b. $\overrightarrow{DN} = 2\overrightarrow{BC}$

c. $\overrightarrow{CD} = 2\overrightarrow{BM}$

d. $\overrightarrow{AD} = \frac{1}{2}\overrightarrow{AN}$

e. $MB = \frac{1}{2}AB$

f. $DN = 2BC$

8 Sommes de vecteurs

a. $\overrightarrow{AB} + \overrightarrow{BD} = ...$

b. $\overrightarrow{CD} + ... = \vec{0}$

c. $\overrightarrow{A...} + \overrightarrow{BM} = \overrightarrow{AM}$

d. $\overrightarrow{CD} + \overrightarrow{MC} = ...$

Situation A · Travail d'une force

Objectif
Définir le produit scalaire.

En physique, une force appliquée en un point d'un solide est représentée par un vecteur $\vec{F}$. L'intensité de la force, notée F, est la norme du vecteur $\vec{F}$. Elle s'exprime en newton (N). Une force est dite constante lorsque son intensité, son sens et sa direction ne varient pas au cours du temps.

L'énergie fournie par la force $\vec{F}$ au cours d'un déplacement AB est appelée travail de la force, noté $W_{AB}(\vec{F})$, et exprimée en joule (J). Elle se calcule par la formule $W_{AB}(\vec{F}) = F \times AB \times \cos(\alpha)$, où α est l'angle entre les vecteurs $\vec{AB}$ et $\vec{F}$.

On s'intéresse au déplacement d'un skieur sur un remonte-pente.

Il prend la perche au point A, sans vitesse initiale, se fait tracter sur 50 m de plat (jusqu'au point B) avant de monter une pente de 350 m de long (jusqu'au point C). Les forces représentées sur le graphique ci-dessous sont :

• la force $\vec{F}$ de traction exercée sur le skieur (d'intensité 280 N sur le trajet AB et 370 N sur le trajet BC) ;

• la force $\vec{f}$ représentant l'ensemble des frottements, d'intensité constante, égale à 91 N ;

• le poids $\vec{P}$ du skieur avec son matériel, d'intensité 450 N ;

• la force $\vec{R}$ de réaction de la piste, d'intensité 450 N.

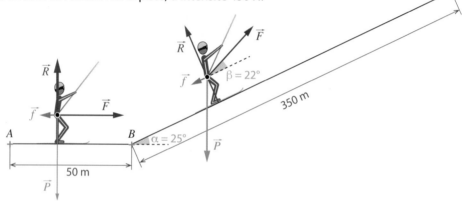

① On s'intéresse d'abord au trajet AB.

   a. Calculer le travail de chacune des forces représentées sur le schéma.

   b. Que peut-on dire sur les valeurs du travail d'une force ?

② Calculer le travail de la force $\vec{F}$ exercée par la perche sur le skieur lors de la montée BC.

Situation B · Produit scalaire `LOGICIEL DE GÉOMÉTRIE`

Objectif
Obtenir le produit scalaire à partir de la projection orthogonale.

À l'aide d'un logiciel de géométrie dynamique, on a réalisé une figure semblable à la figure ci-contre de telle sorte que le rayon du cercle soit supérieur à AB, que le point M soit mobile sur le cercle, et que H soit le projeté orthogonal de M sur la droite (AB).

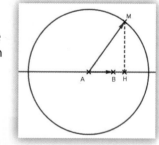

① Réaliser cette figure sur le logiciel.

② Faire afficher le produit scalaire p des vecteurs $\vec{AB}$ et $\vec{AM}$: pour cela, taper dans le champ de saisie $\boxed{p = u^*v}$, u et v étant les noms donnés aux vecteurs $\vec{AB}$ et $\vec{AM}$ par le logiciel lors de leur création.

Déplacer le point M sur le cercle. Que peut-on conjecturer sur le signe de p ?

③ Faire afficher le produit des longueurs des segments $[AB]$ et $[AH]$ et déplacer le point.

Que constate-t-on ? Quelle conjecture peut-on faire ?

Situation C · Produit scalaire et coordonnées

Objectif
Établir la formule du produit scalaire de deux vecteurs dans une base orthonormée.

Dans une base orthonormée $(\vec{i}, \vec{j})$, on considère deux vecteurs $\vec{u}\begin{pmatrix} x \\ y \end{pmatrix}$ et $\vec{v}\begin{pmatrix} x' \\ y' \end{pmatrix}$.

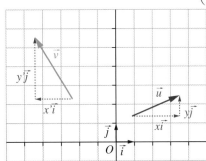

(1) **a.** Que peut-on dire de $\|\vec{i}\|$? de $\|\vec{j}\|$?

b. Que peut-on dire de $\vec{i} \cdot \vec{j}$?

(2) **a.** Exprimer le vecteur $\vec{u}$ en fonction des vecteurs $\vec{i}$ et $\vec{j}$.

b. Exprimer le vecteur $\vec{v}$ en fonction des vecteurs $\vec{i}$ et $\vec{j}$.

c. En déduire une expression de $\vec{u} \cdot \vec{v}$ en fonction des coordonnées de ces deux vecteurs.

(3) On donne les points $A\,(2\,;5)$, $B\,(6\,;3)$, $C\,(3\,;-3)$ et $D\,(5\,;1)$ dans un repère orthonormé $(O\,;\vec{i}, \vec{j})$.

Démontrer que les droites (AB) et (CD) sont perpendiculaires.

Situation D · Lignes de niveau

Objectif
Introduire la notion de ligne de niveau.

On peut trouver des « lignes de niveau » sur les cartes topographiques, par exemple : les géographes les utilisent pour représenter les points d'une zone qui ont la même altitude.

Dans l'activité qui suit, les longueurs sont exprimées en centimètre.
A et B sont deux points distincts tels que $AB = 4$.

(1) **a.** Tous les points M tels que $AM = 5$ sont sur une même ligne. Laquelle ?

b. Soit k un nombre réel. Décrire les lignes de niveau représentant les points M tels que $AM = k$ selon les valeurs de k.

(2) Représenter tous les points du plan tels que $AM^2 - BM^2 = 0$.

(3) Soit $\vec{u}$ un vecteur. Les points M tels que $\overrightarrow{AM}$ et $\vec{u}$ sont orthogonaux sont sur une même ligne. Laquelle ?

1. Produit scalaire

1. Définition du produit scalaire

Définition

Soient deux vecteurs $\vec{u}$ et $\vec{v}$ et trois points A, B et C tels que $\vec{u} = \overrightarrow{AB}$ et $\vec{v} = \overrightarrow{AC}$.
Le **produit scalaire** des vecteurs $\vec{u}$ et $\vec{v}$, **noté** $\vec{u} \cdot \vec{v}$, est le nombre réel défini par :
- si $\vec{u} \neq \vec{0}$ et $\vec{v} \neq \vec{0}$, $\vec{u} \cdot \vec{v} = \|\vec{u}\| \times \|\vec{v}\| \times \cos\left(\widehat{BAC}\right) = AB \times AC \times \cos\left(\widehat{BAC}\right)$;
- si $\vec{u} = \vec{0}$ ou $\vec{v} = \vec{0}$, $\vec{u} \cdot \vec{v} = 0$.

▼ Exemples

Soient A, B et C trois points distincts tels que $AB = 5$, $AC = 3$
et $\widehat{BAC} = \dfrac{\pi}{3}$.
On a $\overrightarrow{AB} \cdot \overrightarrow{AC} = \|\overrightarrow{AB}\| \times \|\overrightarrow{AC}\| \times \cos\left(\widehat{BAC}\right) = 5 \times 3 \times \cos\left(\dfrac{\pi}{3}\right) = \dfrac{15}{2}$.

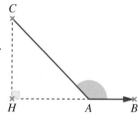

2. Vecteurs colinéaires et carré scalaire

Propriété

Soient deux vecteurs $\vec{u}$ et $\vec{v}$ non nuls et colinéaires.
- Si $\vec{u}$ et $\vec{v}$ ont le même sens, alors $\vec{u} \cdot \vec{v} = \|\vec{u}\| \times \|\vec{v}\|$.

En particulier, $\vec{u} \cdot \vec{u} = \vec{u}^2 = \|\vec{u}\|^2$ ($\vec{u} \cdot \vec{u}$ est noté $\vec{u}^2$ et est appelé **carré scalaire** de $\vec{u}$).
- Si $\vec{u}$ et $\vec{v}$ sont de sens contraire, alors $\vec{u} \cdot \vec{v} = -\|\vec{u}\| \times \|\vec{v}\|$.

3. Projection orthogonale et vecteurs orthogonaux

Propriété

Soient trois points A, B et C (A et B distincts).
Si H est le projeté orthogonal du point C sur la droite (AB), alors $\overrightarrow{AB} \cdot \overrightarrow{AC} = \overrightarrow{AB} \cdot \overrightarrow{AH}$.

Remarque

Les vecteurs $\overrightarrow{AB}$ et $\overrightarrow{AH}$
sont colinéaires.
Si $\widehat{BAC} < \dfrac{\pi}{2}$, alors
$\overrightarrow{AB} \cdot \overrightarrow{AC} = AB \times AH$.

Si $\widehat{BAC} > \dfrac{\pi}{2}$,
alors $\overrightarrow{AB} \cdot \overrightarrow{AC} = -AB \times AH$.

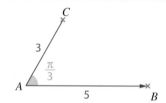

Définition

Deux vecteurs $\vec{u}$ et $\vec{v}$ sont dits **orthogonaux** lorsque $\vec{u} \cdot \vec{v} = 0$.

Propriété

Soient trois points A, B et C distincts.
Les vecteurs $\overrightarrow{AB}$ et $\overrightarrow{AC}$ sont orthogonaux si et seulement si les droites (AB) et (AC) sont perpendiculaires.

Exercice résolu | **1** | Calculer des produits scalaires

ABC est un triangle équilatéral de côté 2.

I est le milieu du segment $[AB]$.

Calculer les produits scalaires suivants.

❶ $\overrightarrow{BC} \cdot \overrightarrow{BA}$ **❷** $\overrightarrow{AI} \cdot \overrightarrow{AC}$ **❸** $\overrightarrow{BC} \cdot \overrightarrow{CA}$

⌄ Solution commentée

❶ $BC = BA = 2$, et comme ABC est équilatéral, $\widehat{ABC} = \dfrac{\pi}{3}$,

donc $\overrightarrow{BC} \cdot \overrightarrow{BA} = BC \times BA \times \cos\left(\widehat{ABC}\right)$

$\qquad = 2 \times 2 \times \cos\dfrac{\pi}{3} = 2 \times 2 \times \dfrac{1}{2}$

$\qquad = 2$

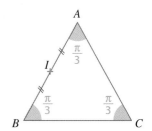

❷ $AC = 2$, $AI = \dfrac{1}{2} AB = 1$, et $\widehat{IAC} = \dfrac{\pi}{3}$,

donc $\overrightarrow{AI} \cdot \overrightarrow{AC} = AI \times AC \times \cos\left(\widehat{IAC}\right)$

$\qquad = 1 \times 2 \times \cos\dfrac{\pi}{3} = 1 \times 2 \times \dfrac{1}{2}$

$\qquad = 1$

❸ $\overrightarrow{BC} \cdot \overrightarrow{CA} = -\overrightarrow{CB} \cdot \overrightarrow{CA}$

$\qquad = -CB \times CA \times \cos\left(\widehat{ACB}\right)$

$\qquad = -2 \times 2 \times \cos\dfrac{\pi}{3} = -2 \times 2 \times \dfrac{1}{2}$

$\qquad = -2$

> EXERCICE 4 p. 226

Exercice résolu | **2** | Choisir une expression adaptée pour calculer un produit scalaire

Dans chacun des cas suivants, calculer le produit scalaire $\vec{u} \cdot \vec{v}$, l'unité de longueur étant le côté d'un carreau.

❶

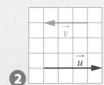
❷

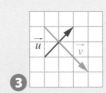
❸

❹

⌄ Solution commentée

❶ Soient les points A, B et C tels que $\vec{u} = \overrightarrow{AB}$ et $\vec{v} = \overrightarrow{AC}$.

On appelle H le projeté orthogonal de C sur (AB).

On a alors $\vec{u} \cdot \vec{v} = \overrightarrow{AB} \cdot \overrightarrow{AH} = AB \times AH = 3$.

❷ Les vecteurs $\vec{u}$ et $\vec{v}$ sont colinéaires de sens contraire, donc $\vec{u} \cdot \vec{v} = -\|\vec{u}\| \times \|\vec{v}\| = -12$.

❸ Les vecteurs $\vec{u}$ et $\vec{v}$ sont orthogonaux, donc $\vec{u} \cdot \vec{v} = 0$.

❹ Soient les points A, B et C tels que $\vec{u} = \overrightarrow{AB}$ et $\vec{v} = \overrightarrow{AC}$.

On appelle H le projeté orthogonal de C sur (AB).

On a alors $\vec{u} \cdot \vec{v} = \overrightarrow{AB} \cdot \overrightarrow{AH} = -AB \times AH = -2$.

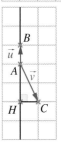

> EXERCICE 6 p. 226

2. Propriétés du produit scalaire

1. Symétrie et bilinéarité du produit scalaire

DÉMO en ligne

Propriétés

Soient $\vec{u}$, $\vec{v}$ et $\vec{w}$ des vecteurs et k un nombre réel.

- $\vec{u} \cdot \vec{v} = \vec{v} \cdot \vec{u}$
- $\vec{u} \cdot (\vec{v} + \vec{w}) = \vec{u} \cdot \vec{v} + \vec{u} \cdot \vec{w}$
- $\vec{u} \cdot (k\vec{v}) = k(\vec{u} \cdot \vec{v})$

Remarques

- Comme le produit scalaire est symétrique, on a aussi $(\vec{v} + \vec{w}) \cdot \vec{u} = \vec{v} \cdot \vec{u} + \vec{w} \cdot \vec{u}$ et $(k\vec{u}) \cdot \vec{v} = k(\vec{u} \cdot \vec{v})$.
- Le produit scalaire est linéaire à gauche et à droite. On dit qu'il est **bilinéaire**.

✓ Exemples

- $\vec{u} \cdot (\vec{v} - \vec{w}) = \vec{u} \cdot \vec{v} - \vec{u} \cdot \vec{w}$
- $\vec{v} \cdot (-\vec{v}) = -\vec{v}^2 = -\|\vec{v}\|^2$
- $\vec{u} \cdot (2\vec{u} + 5\vec{v}) = 2\vec{u}^2 + 5\vec{u} \cdot \vec{v} = 2\|\vec{u}\|^2 + 5\vec{u} \cdot \vec{v}$

2. Produit scalaire dans une base orthonormée

DÉMO en ligne

Propriétés

Dans une base orthonormée, soient deux vecteurs $\vec{u} \begin{pmatrix} x \\ y \end{pmatrix}$ et $\vec{v} \begin{pmatrix} x' \\ y' \end{pmatrix}$.

- $\vec{u} \cdot \vec{v} = xx' + yy'$
- $\|\vec{u}\|^2 = x^2 + y^2$

✓ Exemples

Soient les vecteurs $\vec{u} \begin{pmatrix} 2 \\ -1 \end{pmatrix}$ et $\vec{v} \begin{pmatrix} 1 \\ 3 \end{pmatrix}$ dans une base orthonormée $(\vec{i}, \vec{j})$:

- $\vec{u} \cdot \vec{v} = 2 \times 1 + (-1) \times 3 = -1$
- $\|\vec{u}\|^2 = 2^2 + (-1)^2 = 5$, d'où $\|\vec{u}\| = \sqrt{5}$

3. Norme et produit scalaire

L'application des règles de calcul précédentes conduit aux produits scalaires remarquables ci-dessous.

DÉMO en ligne

Propriétés

Soient deux vecteurs $\vec{u}$ et $\vec{v}$.

- $\|\vec{u} + \vec{v}\|^2 = \|\vec{u}\|^2 + \|\vec{v}\|^2 + 2\vec{u} \cdot \vec{v}$
- $\|\vec{u} - \vec{v}\|^2 = \|\vec{u}\|^2 + \|\vec{v}\|^2 - 2\vec{u} \cdot \vec{v}$
- $(\vec{u} + \vec{v}) \cdot (\vec{u} - \vec{v}) = \|\vec{u}\|^2 - \|\vec{v}\|^2$

On en déduit ainsi d'autres expressions du produit scalaire à l'aide des normes.

DÉMO p. 233

Propriétés

Soient deux vecteurs $\vec{u}$ et $\vec{v}$.

- $\vec{u} \cdot \vec{v} = \frac{1}{2}(\|\vec{u} + \vec{v}\|^2 - \|\vec{u}\|^2 - \|\vec{v}\|^2)$
- $\vec{u} \cdot \vec{v} = \frac{1}{2}(\|\vec{u}\|^2 + \|\vec{v}\|^2 - \|\vec{u} - \vec{v}\|^2)$

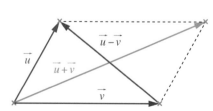

Exercice résolu 1 · Calculer un produit scalaire en décomposant des vecteurs

$ABCD$ est un carré de côté a, I est le milieu de $[AD]$ et J est le milieu de $[CD]$.

1 En remarquant que $\vec{AJ} = \vec{AD} + \vec{DJ}$ et que $\vec{BI} = \vec{BA} + \vec{AI}$, calculer $\vec{AJ} \cdot \vec{BI}$.

2 Que peut-on en conclure ?

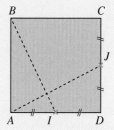

⌄ Solution commentée

1 $\vec{AJ} \cdot \vec{BI} = (\vec{AD} + \vec{DJ}) \cdot (\vec{BA} + \vec{AI})$

$= \vec{AD} \cdot \vec{BA} + \vec{AD} \cdot \vec{AI} + \vec{DJ} \cdot \vec{BA} + \vec{DJ} \cdot \vec{AI}$

$= 0 + \vec{AD} \cdot \vec{AI} + \vec{DJ} \cdot \vec{BA} + 0$, car $(AD) \perp (BA)$ et $(DJ) \perp (AI)$.

$= AD \times AI - DJ \times BA$, car $\vec{AD}$ et $\vec{AI}$ sont colinéaires de même sens et $\vec{DJ}$ et $\vec{BA}$ sont colinéaires de sens contraire.

$= a \times \dfrac{a}{2} - \dfrac{a}{2} \times a = 0$

2 On en déduit que les vecteurs $\vec{AJ}$ et $\vec{BI}$ sont orthogonaux et que les droites (AJ) et (BI) sont perpendiculaires.

> **EXERCICE** 12 p. 227

Exercice résolu 2 · Calculer un produit scalaire avec des coordonnées

Dans un repère orthonormé, on considère les vecteurs $\vec{u}\begin{pmatrix} 2 \\ -1 \end{pmatrix}$ et $\vec{v}\begin{pmatrix} -3 \\ 5 \end{pmatrix}$, ainsi que les points $A\,(2\,;3)$, $B\,(-5\,;4)$, $C\,(-1\,;-3)$ et $D\,(-1\,;1)$.

• Calculer les produits scalaires $\vec{u} \cdot \vec{v}$ et $\vec{AB} \cdot \vec{CD}$.

⌄ Solution commentée

$\vec{u} \cdot \vec{v} = 2 \times (-3) + (-1) \times 5 = -6 - 5 = -11$

On calcule d'abord les coordonnées des vecteurs $\vec{AB}$ et $\vec{CD}$.

$\vec{AB}\begin{pmatrix} -5-2 \\ 4-3 \end{pmatrix}$ donc $\vec{AB}\begin{pmatrix} -7 \\ 1 \end{pmatrix}$ et $\vec{CD}\begin{pmatrix} -1-(-1) \\ 1-(-3) \end{pmatrix}$ donc $\vec{CD}\begin{pmatrix} 0 \\ 4 \end{pmatrix}$. On a alors $\vec{AB} \cdot \vec{CD} = -7 \times 0 + 1 \times 4 = 4$.

> **EXERCICE** 21 p. 227

Exercice résolu 3 · Calculer un produit scalaire dans un triangle

Soit ABC un triangle tel que $AB = 4$, $AC = 6$ et $BC = 7$. Calculer $\vec{AB} \cdot \vec{AC}$.

⌄ Solution commentée

$\vec{AB} \cdot \vec{AC} = \dfrac{1}{2}\left(\|\vec{AB}\|^2 + \|\vec{AC}\|^2 - \|\vec{AB} - \vec{AC}\|^2\right)$

$= \dfrac{1}{2}\left(\|\vec{AB}\|^2 + \|\vec{AC}\|^2 - \|\vec{AB} + \vec{CA}\|^2\right)$

$= \dfrac{1}{2}\left(\|\vec{AB}\|^2 + \|\vec{AC}\|^2 - \|\vec{CB}\|^2\right)$

$= \dfrac{1}{2}(AB^2 + AC^2 - CB^2) = \dfrac{1}{2}(4^2 + 6^2 - 7^2) = \dfrac{3}{2}$

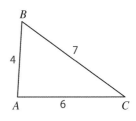

> **EXERCICE** 19 p. 227

3. Applications du produit scalaire

1. Théorème de la médiane

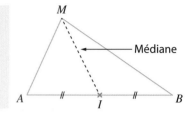
Médiane

Théorème

DÉMO
p. 216

Soient deux points A et B du plan et I le milieu de $[AB]$.
Quel que soit le point M du plan, on a :

• $\overrightarrow{MA} \cdot \overrightarrow{MB} = MI^2 - \dfrac{AB^2}{4}$

∨ Exemples

On considère un triangle MAB tel que $\overrightarrow{MA} \cdot \overrightarrow{MB} = -1{,}5$ et $AB = 4$.
La longueur de la médiane MI est alors obtenue à l'aide du théorème de la médiane :

$$MI^2 = \overrightarrow{MA} \cdot \overrightarrow{MB} + \dfrac{AB^2}{4} = -1{,}5 + \dfrac{4^2}{4} = \dfrac{5}{2}$$

Et ainsi, $MI = \sqrt{\dfrac{5}{2}} = \dfrac{\sqrt{10}}{2}$.

2. Formule d'Al-Kashi

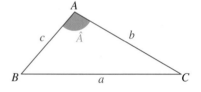

Propriété

DÉMO
p. 216

Dans un triangle ABC, avec les notations de la figure ci-contre,
on a :

$$a^2 = b^2 + c^2 - 2bc \cos(\hat{A}).$$

Remarque

On a de même $b^2 = a^2 + c^2 - 2ac \cos(\hat{B})$ et $c^2 = a^2 + b^2 - 2ab \cos(\hat{C})$.

∨ Exemple

On donne un triangle avec $a = 9$, $b = 7$ et $c = 4$.
La relation $a^2 = b^2 + c^2 - 2bc \cos(\hat{A})$ donne $\cos(\hat{A}) = \dfrac{b^2 + c^2 - a^2}{2bc} = \dfrac{-2}{7}$.

La calculatrice permet alors d'obtenir, grâce à la touche $\cos^{-1}$ ou Arccos, une valeur approchée de l'angle, soit $\hat{A} \approx 107°$.

3. Caractérisation du cercle

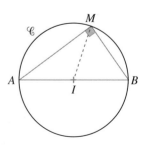

Propriété

Soient A, B et M trois points du plan.
$\overrightarrow{MA} \cdot \overrightarrow{MB} = 0$ si et seulement si M appartient au cercle de diamètre $[AB]$.

DÉMO
p. 217

Remarque

Cela revient à dire que l'ensemble des points M tel que $\overrightarrow{MA} \cdot \overrightarrow{MB} = 0$ est le cercle de diamètre $[AB]$.

Exercice résolu 1 — Déterminer une ligne de niveau

A et B sont deux points distincts tels que $AB = 6$ cm.

Montrer que l'ensemble des points M tels que $\overrightarrow{MA} \cdot \overrightarrow{MB} = 40$ est un cercle dont on précisera le centre et le rayon.

⌄ Solution commentée

Soit I le milieu de $[AB]$. D'après le théorème de la médiane, on a :

$$\overrightarrow{MA} \cdot \overrightarrow{MB} = 40 \Leftrightarrow MI^2 - \frac{AB^2}{4} = 40 \Leftrightarrow MI^2 = 40 + \frac{6^2}{4} = 49 \Leftrightarrow MI = 7.$$

L'ensemble des points M tels que $\overrightarrow{MA} \cdot \overrightarrow{MB} = 40$ est donc le cercle de centre I et de rayon 7.

▶ EXERCICE 42 p. 229

Exercice résolu 2 — Calculer des longueurs et des angles dans un triangle

ABC est un triangle tel que $AB = 6$, $AC = 12$ et $\widehat{BAC} = 60°$.

1 Calculer BC et en déduire une mesure en degré de l'angle $\widehat{BCA}$.

2 Que peut-on en déduire pour le triangle ABC ?

⌄ Solution commentée

1 D'après la formule d'Al-Kashi, on a $BC^2 = AB^2 + AC^2 - 2 \times AB \times AC \times \cos(\widehat{BAC})$
$$= 6^2 + 12^2 - 2 \times 6 \times 12 \times \cos(60°) = 108.$$

On a donc $BC = \sqrt{108} = 6\sqrt{3}$.

On utilise de nouveau la formule d'Al-Kashi :

$AB^2 = AC^2 + BC^2 - 2 \times AC \times BC \times \cos(\widehat{BCA})$

donc $6^2 = 12^2 + 108 - 2 \times 12 \times 6\sqrt{3} \times \cos(\widehat{BCA})$

donc $\cos(\widehat{BCA}) = \dfrac{-216}{-144\sqrt{3}} = \dfrac{3}{2\sqrt{3}} = \dfrac{\sqrt{3}}{2}$

donc $\widehat{BCA} = 30°$.

2 La somme des mesures des angles d'un triangle étant égale à 180°, on en déduit :
$\widehat{ABC} = 180° - 60° - 30° = 90°$.

On peut en conclure que le triangle ABC est rectangle en B.

▶ EXERCICE 33 p. 228

Exercice résolu 3 — Utiliser la caractérisation d'un cercle

Soit ABC un triangle tel que $AB = 4$, $AC = 3$ et $BC = 5$. Montrer que le point A appartient au cercle de diamètre $[BC]$.

⌄ Solution commentée

$AB^2 + AC^2 = 4^2 + 3^2 = 25$ et $BC^2 = 5^2 = 25$ donc $AB^2 + AC^2 = BC^2$.

Donc le triangle ABC est rectangle en A.

On a donc $\overrightarrow{AB} \cdot \overrightarrow{AC} = 0$, donc A appartient au cercle de diamètre $[BC]$.

▶ EXERCICE 71 p. 232

Comprendre une démonstration

On présente la démonstration de la propriété de la médiane. La lire attentivement puis répondre aux questions posées.

Soient deux points A et B du plan et I le milieu de $[AB]$.
Quel que soit le point M du plan, on a :

- $\overrightarrow{MA} \cdot \overrightarrow{MB} = MI^2 - \dfrac{AB^2}{4}$

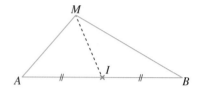

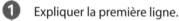 **Démonstration**

$$\overrightarrow{MA} \cdot \overrightarrow{MB} = (\overrightarrow{MI} + \overrightarrow{IA}) \cdot (\overrightarrow{MI} + \overrightarrow{IB})$$
$$= \overrightarrow{MI}^2 + \overrightarrow{MI} \cdot \overrightarrow{IB} + \overrightarrow{IA} \cdot \overrightarrow{MI} + \overrightarrow{IA} \cdot \overrightarrow{IB}$$
$$= \overrightarrow{MI}^2 + \overrightarrow{MI} \cdot (\overrightarrow{IA} + \overrightarrow{IB}) + \overrightarrow{IA} \cdot \overrightarrow{IB}$$
$$= \overrightarrow{MI}^2 + \overrightarrow{IA} \cdot \overrightarrow{IB}, \text{ car } \overrightarrow{IA} + \overrightarrow{IB} = \vec{0}$$
$$= \overrightarrow{MI}^2 - \dfrac{AB^2}{4}$$

1 Expliquer la première ligne.

2 Quelle propriété du produit scalaire a-t-on utilisée pour obtenir $\overrightarrow{MI} \cdot (\overrightarrow{IA} + \overrightarrow{IB})$?

3 Pourquoi a-t-on $\overrightarrow{IA} + \overrightarrow{IB} = \vec{0}$?

4 Justifier la dernière égalité.

Rédiger une démonstration

1 On souhaite démontrer le théorème d'Al-Kashi.

Dans un triangle ABC, avec les notations de la figure ci-contre, on a :
$$a^2 = b^2 + c^2 - 2bc \cos(\hat{A}).$$

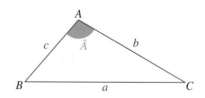

En utilisant les indications suivantes, rédiger la démonstration de la propriété.
- Justifier l'égalité $\overrightarrow{BC} = \overrightarrow{AC} - \overrightarrow{AB}$.
- En déduire le développement de $\overrightarrow{BC}^2$.
- Écrire le produit scalaire $\overrightarrow{AC} \cdot \overrightarrow{AB}$ à l'aide de la formule du cosinus.
- En déduire l'égalité demandée.

On souhaite démontrer la propriété suivante.

> Soient A, B et M trois points du plan.
> $\vec{MA} \cdot \vec{MB} = 0$ si et seulement si M appartient au cercle de diamètre $[AB]$.

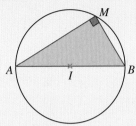

En utilisant les indications suivantes, rédiger la démonstration de la propriété.

- On appelle I le milieu de $[AB]$.

Démontrer que $\vec{MA} \cdot \vec{MB} = MI^2 - \dfrac{AB^2}{4}$.

- Conclure.

Utiliser différents raisonnements

 Soient A et B deux points tels que $AB = 6$. I est le milieu de $[AB]$ et M est un point distinct de I.

On considère les deux affirmations suivantes :

Affirmation 1 : $\vec{AM} \cdot \vec{AB} = 18$

Affirmation 2 : le triangle AIM est rectangle en I.

- Soit M un point du plan tel que $\vec{AM} \cdot \vec{AB} = 18$.

1. a. Vérifier que $\vec{AM} \cdot \vec{AB} = \vec{AI} \cdot \vec{AB} + \vec{IM} \cdot \vec{AB}$.

b. Calculer $\vec{AI} \cdot \vec{AB}$.

c. En déduire que AIM est rectangle en I.

2. On suppose que le triangle AIM est rectangle en I.

a. Quel est le projeté orthogonal du point M sur (AB)?

b. En déduire que $\vec{AM} \cdot \vec{AB} = 18$.

3. En déduire que les affirmations 1 et 2 sont équivalentes.

L'équivalence

Pour démontrer que deux affirmations A et B sont équivalentes, on peut démontrer que A implique B, puis démontrer que B implique A

 Soient A et B deux points distincts et M un point quelconque du plan.

- Justifier que les affirmations suivantes sont fausses.

Affirmation 1 : Si $\vec{AB} \cdot \vec{AM} = 0$, alors le triangle ABM est rectangle en A.

Affirmation 2 : Si $MA = MB$, alors M est le milieu du segment $[AB]$.

Affirmation 3 : Si M appartient à la droite (AB), alors
$$\vec{AM} \cdot \vec{AB} = AM \times AB.$$

Utiliser un contre-exemple

Pour démontrer qu'une affirmation est fausse, on peut utiliser un contre-exemple.

Définition du produit scalaire

$\vec{u} = \vec{AB}$ et $\vec{v} = \vec{AC}$ sont deux vecteurs.
- Si $\vec{u} \neq \vec{0}$ et $\vec{v} \neq \vec{0}$, $\vec{u} \cdot \vec{v} = AB \times AC \times \cos\left(\widehat{BAC}\right)$.
- Si $\vec{u} = \vec{0}$ ou $\vec{v} = \vec{0}$, $\vec{u} \cdot \vec{v} = 0$.

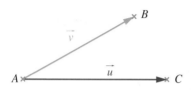

Théorème de la médiane

I est le milieu du segment $[AB]$.
Quel que soit le point M du plan, on a :
$$\vec{MA} \cdot \vec{MB} = MI^2 - \frac{AB^2}{4}.$$

Bilinéarité et symétrie

Soient $\vec{u}$, $\vec{v}$ et $\vec{w}$ des vecteurs et k un nombre réel.
- $\vec{u} \cdot \vec{v} = \vec{v} \cdot \vec{u}$
- $\vec{u} \cdot (\vec{v} + \vec{w}) = \vec{u} \cdot \vec{v} + \vec{u} \cdot \vec{w}$
- $\vec{u} \cdot (k\vec{v}) = k(\vec{u} \cdot \vec{v})$

Formule d'Al-Kashi

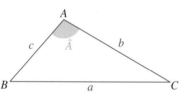

$$a^2 = b^2 + c^2 - 2bc \cos(\widehat{A})$$

Orthogonalité

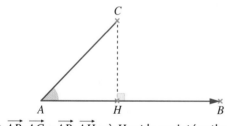

- $\vec{AB} \cdot \vec{AC} = \vec{AB} \cdot \vec{AH}$, où H est le projeté orthogonal du point C sur la droite (AB).
- $\vec{u} \cdot \vec{v} = 0 \Leftrightarrow$ les vecteurs $\vec{u}$ et $\vec{v}$ sont orthogonaux.

Produit scalaire dans une base orthonormée

Soient deux vecteurs $\vec{u}\begin{pmatrix} x \\ y \end{pmatrix}$ et $\vec{v}\begin{pmatrix} x' \\ y' \end{pmatrix}$ dans une base orthonormée.
- $\vec{u} \cdot \vec{v} = xx' + yy'$
- $\|\vec{u}\|^2 = x^2 + y^2$

Caractérisation du cercle

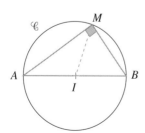

M appartient au cercle de diamètre $[AB]$
$\Leftrightarrow \vec{MA} \cdot \vec{MB} = 0$

Produit scalaire et normes

Soient deux vecteurs $\vec{u}$ et $\vec{v}$.
- $\vec{u} \cdot \vec{u} = \|\vec{u}\|^2$
- $\|\vec{u} + \vec{v}\|^2 = \|\vec{u}\|^2 + \|\vec{v}\|^2 + 2\vec{u} \cdot \vec{v}$
- $\vec{u} \cdot \vec{v} = \frac{1}{2}(\|\vec{u} + \vec{v}\|^2 - \|\vec{u}\|^2 - \|\vec{v}\|^2)$

Effectuer les exercices ❶ à ❽ et vérifier les réponses.
Si nécessaire, réviser les points de cours en texte ou en vidéo.

❶ ABC est un triangle rectangle en B tel que $AB = 5$, $AC = 10$ et $\widehat{BAC} = \dfrac{\pi}{3}$.
Calculer $\overrightarrow{AB} \cdot \overrightarrow{AC}$, $\overrightarrow{AB} \cdot \overrightarrow{BC}$ et $\overrightarrow{AC} \cdot \overrightarrow{BC}$.

❷ Dans chacun des cas suivants, donner une valeur approchée de l'angle $\widehat{BAC}$ arrondie au degré près.
a. $AB = 3$, $AC = 2$ et $\overrightarrow{AB} \cdot \overrightarrow{AC} = 1$.
b. $AB = 5$, $AC = 2$ et $\overrightarrow{BA} \cdot \overrightarrow{AC} = 4$.

❸ $ABCD$ est un rectangle de centre O tel que $AB = 5$ et $BC = 3$.

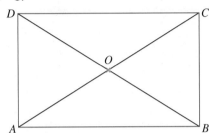

• En utilisant les projetés orthogonaux, calculer $\overrightarrow{AB} \cdot \overrightarrow{AC}$, $\overrightarrow{BO} \cdot \overrightarrow{BC}$ et $\overrightarrow{OD} \cdot \overrightarrow{AB}$.

❹ Dans un repère orthonormé, on donne les vecteurs $\vec{u}\begin{pmatrix} -2 \\ -3 \end{pmatrix}$ et $\vec{v}\begin{pmatrix} 1 \\ 2 \end{pmatrix}$ et les points $A(-1 ; 3)$, $B(-5 ; 9)$, $C(1 ; 1)$ et $D(10 ; 7)$.
a. Calculer $\vec{u} \cdot \vec{v}$ puis $\|\vec{u}\|^2$.
b. Les droites (AB) et (CD) sont-elles perpendiculaires ?

❺ $\vec{u}$ et $\vec{v}$ sont deux vecteurs tels que $\|\vec{u}\| = 4$ et $\|\vec{v}\| = 9$.
Calculez $\vec{u} \cdot \vec{v}$ dans chacun des cas suivants.
a. $\vec{u}$ et $\vec{v}$ sont colinéaires de sens contraire.
b. $\vec{u}$ et $\vec{v}$ sont colinéaires de même sens.
c. $\|\vec{u} + \vec{v}\| = 5$
d. $\vec{w}$ est un vecteur tel que $\vec{w} \cdot \vec{v} = 5$ et les vecteurs $\vec{u} + \vec{w}$ et $\vec{v}$ sont orthogonaux.

❻ Soit $ABCD$ un parallélogramme tel que $AB = 6$, $AD = 4$ et $AC = 8$.
a. Calculer $\|\overrightarrow{AB} + \overrightarrow{AD}\|^2$.
En déduire $\overrightarrow{AB} \cdot \overrightarrow{AD}$.
b. Calculer $\|\overrightarrow{AB} - \overrightarrow{AD}\|^2$.
En déduire BD.

❼ Soient A et B deux points tels que $AB = 12$ et I le milieu de $[AB]$. M est un point du plan.
a. Justifier que $\overrightarrow{MA} \cdot \overrightarrow{MB} = MI^2 - 36$.
b. En déduire l'ensemble des points M tels que $\overrightarrow{MA} \cdot \overrightarrow{MB} = 64$.

❽ a. ABC est un triangle tel que $AB = 5$, $BC = 8$ et $\widehat{ABC} = 45°$.
Calculer AC.
b. DEF est un triangle tel que $DE = 10$, $EF = 5$ et $DF = 8$.
Calculer l'angle $\widehat{DEF}$.

❯ CORRIGÉS DES EXERCICES

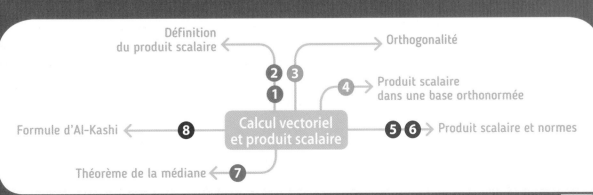

TP ① Une cible

Objectif
Simuler une
expérience aléatoire.

Dans un repère orthonormé de centre O, on considère la cible de forme carrée et de centre O représentée ci-dessous et les points $A\,(-2\,;0)$ et $B\,(2\,;0)$.

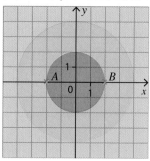

Cette cible comporte trois zones : une rouge, une bleue et une verte.
On tire sur la cible et on note M le point d'impact.

① Soit M un point de coordonnées $(x\,;y)$. Écrire une fonction produit d'arguments x et y qui renvoie la valeur du produit scalaire $\overrightarrow{MA}\cdot\overrightarrow{MB}$.

② On considère la fonction ci-dessous.

```python
import matplotlib.pyplot as pl
def impact1(x,y):
    pl.axis([-5,5,-5,5])
    pl.grid()
    if produit(x,y)<=0:
        pl.plot(x,y,'red',marker=".")
    elif produit(x,y)<=12:
        pl.plot(x,y,'blue',marker=".")
    else:
        pl.plot(x,y,'green',marker=".")
    pl.show()
```

a. Quels résultats obtient-on si l'on écrit dans la console les instructions impact1(0,0), impact1(3,2) et impact1(–4,4) ?

b. Expliquer les différentes étapes de cet algorithme.

③ Soit n un entier naturel non nul. On tire n fois sur la cible de façon aléatoire et on suppose que tous les tirs touchent la cible carrée.

a. Quelle instruction permettrait d'obtenir les coordonnées d'un point choisi aléatoirement sur la cible ?

b. Écrire le script d'une fonction qui représente n points d'impact en couleur (rouge pour ceux qui ont touché la zone rouge, bleu pour la zone bleue et vert pour les autres).

c. Exécuter cette fonction pour $n = 10\ 000$.
Commenter.

④ Modifier cette fonction pour qu'elle affiche les nombres de points d'impact rouges, bleus et verts.

TP 2 Déterminer un ensemble de points

Objectif
Tracer une ligne
de niveau.

Dans un repère orthonormé $(O\,;\vec{i},\vec{j})$, on considère les points $A\,(-1\,;1)$, $B\,(0\,;2)$ et $M\,(x\,;y)$, où x et y sont deux nombres réels.
On cherche à déterminer l'ensemble des points $M\,(x\,;y)$ tels que $MA^2 + MB^2 = 18$.
Un tel ensemble de points s'appelle une ligne de niveau.

① On cherche à conjecturer cette ligne de niveau grâce à un algorithme.

a. Écrire le script d'une fonction somme dont les arguments x et y sont les coordonnées d'un point M et qui renvoie $MA^2 + MB^2$.

b. Pierre a écrit le script de la fonction crible suivant.

```
1 from math import isclose
2 import matplotlib.pyplot as pl
3 def crible():
4     pl.axis("equal")
5     pl.grid()
6     pl.plot(-1,1,'red',marker=".")
7     pl.plot(0,2,'red',marker=".")
8     x,y=-5,-5
9     while x<=5:
10         while y<=5:
11             if isclose(somme(x,y),18,rel_tol=0.01)==True:
12                 pl.plot(x,y,'blue',marker=".")
13             y=y+1
14         y=-5
15         x=x+1
16     pl.show()
```

Expliquer le fonctionnement de cette fonction et l'affichage ci-dessous que Pierre a obtenu en tapant dans la console crible( ).

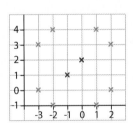

c. Modifier la fonction précédente en une fonction crible1 qui affiche davantage de points de la ligne de niveau.

d. À l'aide de la fonction crible1, conjecturer la nature et les éléments caractéristiques de cette ligne de niveau.

② On note I le milieu du segment $[AB]$.
a. En remarquant que $MA^2 + MB^2 = \overrightarrow{MA}^2 + \overrightarrow{MB}^2 = (\overrightarrow{MI} + \overrightarrow{IA})^2 + (\overrightarrow{MI} + \overrightarrow{IB})^2$, montrer que

$$MA^2 + MB^2 = 2MI^2 + \frac{AB^2}{2}.$$

b. En déduire la démonstration de la conjecture effectuée à la question **1d**.

Boîte à outils

MÉMENTO PYTHON : VOIR RABATS

- Dans la bibliothèque math :
isclose(x,y,rel_tol=z) renvoie True si x est une valeur approchée de y avec une précision égale à z.
- Dans la bibliothèque matplotlib.pyplot :
  • axis([xmin,xmax,ymin,ymax]) affiche une fenêtre avec un repère gradué de xmin à xmax en abscisse et de ymin à ymax en ordonnée.

- axis('equal') affiche un repère orthonormé.
- grid( ) affiche un quadrillage.
- pl.plot(x,y,'color',marker=".") affiche le point de coordonnées $(x\,;y)$ en couleur ('red' pour rouge, 'blue' pour bleu…) et avec une marque (marker) en forme de point (".").

TP ❸ Lignes de niveau [LOGICIEL DE GÉOMÉTRIE]

Objectif
Conjecturer des lignes de niveau.

On considère le segment $[AB]$ tel que $AB = 4$. Pour tout réel k, on cherche à déterminer l'ensemble des points M tels que $MA^2 - MB^2 = k$.

① **a.** Réaliser la figure sur un logiciel de géométrie dynamique et, en déplaçant un point libre M, déterminer plusieurs points appartenant à la ligne de niveau 8, c'est-à-dire l'ensemble des points M tels que $MA^2 - MB^2 = 8$.
Que peut-on dire de ces points ?

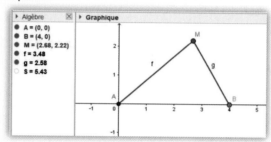

b. Tracer la ligne de niveau 8 que l'on peut conjecturer.

c. Contrôler cette conjecture en liant le point M à cette ligne.

② Soit I le milieu de $[AB]$.
a. Montrer que $\vec{MA} + \vec{MB} = 2\vec{MI}$ et que $\vec{MA} - \vec{MB} = \vec{BA}$.
b. En déduire que $MA^2 - MB^2 = 8 \Leftrightarrow \vec{IM} \cdot \vec{AB} = 4$.
c. Soit H le projeté orthogonal de M sur (AB). Montrer que $\vec{IM} \cdot \vec{AB} = 4 \Leftrightarrow H$ est le milieu de $[IB]$.
d. En déduire l'ensemble des points M tels que $MA^2 - MB^2 = 8$.

TP ❹ Le méthane CH_4 [LOGICIEL DE GÉOMÉTRIE]

Objectif
Déterminer une approximation d'un angle.

Les noyaux des quatre atomes d'hydrogène de la molécule de méthane CH_4 sont les sommets d'un tétraèdre régulier, et le noyau de l'atome de carbone joue le rôle du centre du tétraèdre.

① À l'aide d'un logiciel de géométrie dynamique, représenter un tétraèdre $ABCD$ (choisir *Affichage 3D* pour obtenir une représentation dans l'espace).

② On admet que le centre G du tétraèdre est le milieu des segments joignant les milieux des arêtes opposées.
Placer le point G sur la figure.

③ Afficher une mesure approchée de l'angle formé par les liaisons chimiques C–H.

④ On admet que le centre G d'un tétraèdre $ABCD$ vérifie la relation :
$$\vec{GA} + \vec{GB} + \vec{GC} + \vec{GD} = \vec{0}.$$

a. Dans le triangle AGB, on note θ l'angle $\widehat{AGB}$, calculer $\vec{GA} \cdot \vec{GB}$ en fonction de GA et θ.
b. En écrivant de deux façons différentes le produit scalaire $\vec{GA} \cdot (\vec{GA} + \vec{GB} + \vec{GC} + \vec{GD})$, montrer que $\cos(\theta) = -\dfrac{1}{3}$ et retrouver la valeur approchée de θ affichée par le logiciel.

TP **5** Droite d'Euler `LOGICIEL DE GÉOMÉTRIE` Approfondissement

Objectif
Conjecturer à l'aide d'un logiciel de géométrie dynamique.

Dans un repère orthonormé $(O\,;\vec{i},\vec{j})$, on considère les points $A\,(3\,;2)$, $B\,(-1\,;-2)$ et $C\,(-2\,;2)$ ainsi que les points A', B' et C' les milieux respectifs des segments $[BC]$, $[AC]$ et $[BA]$.

① Réaliser une figure à l'aide d'un logiciel de géométrie puis placer les points :
• G, intersection des médianes (AA') et (BB') (ce point est appelé centre de gravité du triangle) ;
• H, intersection de deux hauteurs du triangle ABC (ce point est appelé orthocentre du triangle) ;
• I, centre du cercle circonscrit au triangle ABC.

Quelle conjecture peut-on faire sur la position des points H, G et I ?

② On veut démontrer cette conjecture.

a. Déterminer les coordonnées du point G.

b. Que peut-on dire des vecteurs $\overrightarrow{CH}$ et $\overrightarrow{AB}$ d'une part, et $\overrightarrow{AH}$ et $\overrightarrow{BC}$ d'autre part ?
En déduire les coordonnées du point H.

c. Que peut-on dire des droites (IA') et (BC) d'une part, et (IB') et (AC) d'autre part ?
En déduire les coordonnées du point I.

d. Démontrer la conjecture établie à la question **1**.

TP **6** Ensemble de points

Objectif
Conjecturer un ensemble de points à l'aide d'un logiciel de géométrie dynamique.

Dans un repère orthonormé $(O\,;\vec{i},\vec{j})$, on trace le cercle de centre O et de rayon 1. On place un point M mobile sur ce cercle.
Soient P et Q les projetés orthogonaux du point M sur les axes du repère. On note H le projeté orthogonal du point M sur le segment $[PQ]$.

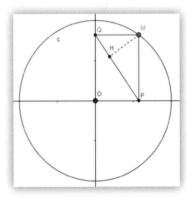

① **a.** Construire la figure ci-dessus à l'aide d'un logiciel de géométrie dynamique.

b. Activer la trace du point H et déplacer le point M sur le cercle. À l'aide de la fenêtre *Algèbre*, conjecturer une relation entre les coordonnées de M et celles de H (on peut calculer le cube des coordonnées du point M).

② **a.** Justifier que $QP = 1$.

b. On note $(a\,;b)$ les coordonnées du point M. Montrer que $\overrightarrow{PQ}\cdot\overrightarrow{PM} = b^2$.

c. En déduire que $\overrightarrow{PQ}\cdot\overrightarrow{PH} = b^2$ puis que $\overrightarrow{PH} = b^2 \times \overrightarrow{PQ}$.

d. Démontrer la conjecture faite à la question **1**.

Boîte à outils

Logiciel de géométrie dynamique

• Pour obtenir une figure en trois dimensions

Affichage Graphique 3D

• Pour faire pivoter une figure 3D

⊄〉 Tourner la vue Graphique 3D

• Pour créer le milieu d'un segment

⦂•ᐟ Milieu ou centre

• Pour afficher la mesure d'un angle

⦟ Angle

• Pour faire afficher dans la fenêtre *Algèbre*, la somme S des longueurs f et g de deux segments, taper dans la ligne de saisie : S = f + g

Calcul mental

1 $ABCD$ est un carré de centre O et de côté 2.

Calculer les produits scalaires suivants.
a. $\overrightarrow{AB}\cdot\overrightarrow{AD}$ **b.** $\overrightarrow{AB}\cdot\overrightarrow{CD}$ **c.** $\overrightarrow{BC}\cdot\overrightarrow{AC}$
d. $\overrightarrow{AD}\cdot\overrightarrow{AO}$ **e.** $\overrightarrow{OD}\cdot\overrightarrow{OC}$ **f.** $\overrightarrow{CA}\cdot\overrightarrow{DA}$

2 $ABCD$ est un losange de côté 5 et tel que $BD = 5$.

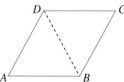

Calculer les produits scalaires suivants.
a. $\overrightarrow{AC}\cdot\overrightarrow{CD}$ **b.** $\overrightarrow{AC}\cdot\overrightarrow{BD}$ **c.** $\overrightarrow{BA}\cdot\overrightarrow{BD}$
d. $\overrightarrow{AD}\cdot\overrightarrow{BC}$ **e.** $\overrightarrow{AC}\cdot\overrightarrow{CD}$ **f.** $\overrightarrow{DC}\cdot\overrightarrow{CD}$

3 On se place dans une base orthonormée. Dans chacun des cas suivants, dire si les vecteurs $\vec{u}$ et $\vec{v}$ sont orthogonaux.

a. $\vec{u}\begin{pmatrix}-1\\3\end{pmatrix}$ et $\vec{v}\begin{pmatrix}1\\3\end{pmatrix}$.   **b.** $\vec{u}\begin{pmatrix}2\\3\end{pmatrix}$ et $\vec{v}\begin{pmatrix}4\\6\end{pmatrix}$.

c. $\vec{u}\begin{pmatrix}\dfrac{\sqrt{3}}{2}\\[4pt]\dfrac{-1}{2}\end{pmatrix}$ et $\vec{v}\begin{pmatrix}1\\\sqrt{3}\end{pmatrix}$.   **d.** $\vec{u}\begin{pmatrix}-3\\1,5\end{pmatrix}$ et $\vec{v}\begin{pmatrix}2\\-3\end{pmatrix}$.

4 $\vec{u}$ et $\vec{v}$ sont deux vecteurs non nuls et A, B et C trois points tels que $\vec{u}=\overrightarrow{AB}$ et $\vec{v}=\overrightarrow{AC}$. On note θ l'angle $\widehat{BAC}$.
Calculer $\vec{u}\cdot\vec{v}$ dans les cas suivants.

a. $\|\vec{u}\|=4$, $\|\vec{v}\|=9$ et $\theta=\dfrac{\pi}{2}$.

b. $\|\vec{u}\|=8$, $\|\vec{v}\|=1$ et $\theta=\pi$.

c. $\|\vec{u}\|=2$, $\|\vec{v}\|=3$ et $\theta=\dfrac{\pi}{6}$.

d. $\|\vec{u}\|=6$, $\|\vec{v}\|=5$ et $\theta=\dfrac{2\pi}{3}$.

e. $\|\vec{u}\|=7$, $\|\vec{v}\|=2$ et $\theta=\dfrac{\pi}{4}$.

DIAPORAMA
CALCUL MENTAL
EN PLUS

Automatismes

5 Soit ABC un triangle isocèle rectangle en A tel que $AB = 2$. On pose $\vec{u}=\overrightarrow{AB}$ et $\vec{v}=\overrightarrow{BC}$.
Calculer les produits scalaires suivants.
a. $\vec{u}\cdot\vec{v}$ **b.** $\vec{u}\cdot(\vec{u}-\vec{v})$
c. $\vec{v}\cdot(2\vec{u}+\vec{v})$ **d.** $(\vec{u}+\vec{v})\cdot(\vec{u}-\vec{v})$

6 On se place dans une base orthonormée. Déterminer dans chaque cas la valeur de l'entier n tel que les vecteurs $\vec{u}$ et $\vec{v}$ soient orthogonaux.

a. $\vec{u}\begin{pmatrix}n\\n+1\end{pmatrix}$ et $\vec{v}\begin{pmatrix}-1\\2\end{pmatrix}$.   **b.** $\vec{u}\begin{pmatrix}n\\-3\end{pmatrix}$ et $\vec{v}\begin{pmatrix}6\\2n\end{pmatrix}$.

7 Calculer la valeur exacte de a dans chaque cas.
a.

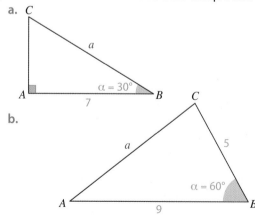

b.

c.

8 A et B sont deux points distincts.
Dans chaque cas, déterminer l'ensemble des points M vérifiant l'égalité donnée.
a. $MA = MB$ **b.** $AM = 12$
c. $\overrightarrow{AM}\cdot\overrightarrow{BM}=0$ **d.** $\overrightarrow{AB}\cdot\overrightarrow{BM}=0$

9 Donner le résultat des sommes de vecteurs suivantes sous la forme d'un seul vecteur.
a. $\overrightarrow{AI}+\overrightarrow{IB}$ **b.** $\overrightarrow{AM}-\overrightarrow{BM}$
c. $\overrightarrow{BI}+\overrightarrow{AB}$ **d.** $-\overrightarrow{AB}+\overrightarrow{AC}$
e. $\overrightarrow{AB}+\overrightarrow{MA}+\overrightarrow{BM}$ **f.** $2\overrightarrow{AB}+\overrightarrow{BC}+\overrightarrow{CA}$

10 Dans un repère orthonormé, on considère les points $A\,(-2\,;2)$, $B\,(0\,;5)$ et $C\,(4\,;-2)$.
a. Calculer $\overrightarrow{AB}\cdot\overrightarrow{AC}$. Que peut-on en déduire pour le triangle ABC ?
b. Calculer l'aire du triangle ABC.

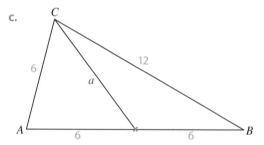

Préparation d'un oral

Préparer une trace écrite permettant de présenter à l'oral une argumentation indiquant si les propositions sont vraies ou fausses.

1 Si deux vecteurs sont colinéaires, alors leur produit scalaire est nul.

2 Dans un carré $ABCD$, le produit scalaire $\overrightarrow{AB} \cdot \overrightarrow{DB}$ est un réel positif.

3 Si $ABCD$ est un rectangle, alors $\|\overrightarrow{AB} + \overrightarrow{AD}\| = \overrightarrow{AB} + \overrightarrow{AD}$.

4 Un triangle de côtés 5, 8, 9 a un angle de 60°.

Travail en groupe 45 min

Constituer des groupes de 4 élèves qui auront chacun un des rôles suivants.
Résoudre tous ensemble la situation donnée. Remettre une trace écrite de cette résolution.

Animateur
- responsable du niveau sonore du groupe
- distribue la parole pour que chacun s'exprime

Rédacteur en chef
- responsable de la trace écrite rédigée par tous les membres du groupe

Ambassadeur
- porte-parole du groupe, seul autorisé à communiquer avec le professeur et, éventuellement, d'autres groupes

Maître du temps
- responsable de l'avancement du travail du groupe
- veille au respect du temps imparti

$ABCD$ est un rectangle tel que $AB = 1$ et $AD = 2$.
I et J sont les milieux respectifs de $[AB]$ et de $[AD]$.
H est le projeté orthogonal de A sur (BD).

• Émettre une conjecture sur les droites (HI) et (HJ) puis la démontrer en utilisant différentes méthodes.

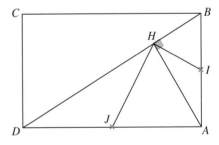

Exposé

▶ voir p. 206

Après avoir effectué les recherches indiquées, préparer une présentation orale, un poster ou un diaporama.

Pour mesurer l'arc de méridien de Dunkerque à Barcelone, les astronomes Delambre et Méchain ont utilisé le procédé de la triangulation et un instrument appelé cercle répétiteur, représenté ci-contre.
Faire des recherches sur la méthode de triangulation et le fonctionnement du cercle répétiteur.

Calcul de produits scalaires

1 Soient $\vec{AB}$ et $\vec{AC}$ deux vecteurs tels que $AB = 4$, $AC = 5$ et $\widehat{BAC} = \dfrac{\pi}{3}$.
- Calculer $\vec{AB} \cdot \vec{AC}$.

2 Dans un triangle PQR, on a $\widehat{QPR} = 120°$, $PQ = 10$ et $PR = 5$.
- Calculer $\vec{PQ} \cdot \vec{PR}$ et $\vec{QP} \cdot \vec{PR}$.

3 MNP est un triangle tel que $NP = 6$. I est le milieu de $[NP]$ et H le projeté orthogonal de M sur (NP). On a $H \in [NI]$ et $IH = 2$.
- Calculer $\vec{NP} \cdot \vec{NM}$ et $\vec{NP} \cdot \vec{PM}$.

4 $ABCD$ est un carré de centre O et de côté a.

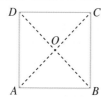

Calculer, en fonction de a, les produits scalaires suivants.
- **a.** $\vec{CD} \cdot \vec{CA}$
- **b.** $\vec{AD} \cdot \vec{CB}$
- **c.** $\vec{BD} \cdot \vec{AC}$
- **d.** $\vec{OB} \cdot \vec{AB}$
- **e.** $\vec{OA} \cdot \vec{OC}$
- **f.** $\vec{DA} \cdot \vec{BD}$

5 À l'aide des données de la figure ci-dessous, calculer les produits scalaires suivants.
- **a.** $\vec{CB} \cdot \vec{CD}$
- **b.** $\vec{BD}^2$
- **c.** $\vec{DB} \cdot \vec{AD}$
- **d.** $\vec{BD} \cdot \vec{BC}$
- **e.** $\vec{CD}^2$
- **f.** $\vec{BC} \cdot \vec{BA}$

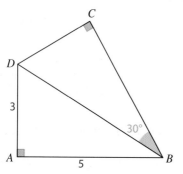

6 On considère la figure ci-dessous, dont le quadrillage est composé de carrés de côté 1.

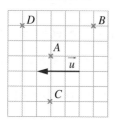

Calculer les produits scalaires suivants.
- **a.** $\vec{AB} \cdot \vec{u}$
- **b.** $\vec{AC} \cdot \vec{u}$
- **c.** $\vec{AD} \cdot \vec{u}$
- **d.** $\vec{DB} \cdot \vec{u}$
- **e.** $\vec{DB} \cdot \vec{AC}$
- **f.** $\vec{DB} \cdot \vec{CB}$

7 L'horloge ci-contre affiche 8 h 05. La petite aiguille est représentée par le vecteur $\vec{a}$ et la grande par le vecteur $\vec{A}$. On suppose que $\|\vec{a}\| = 1$ et $\|\vec{A}\| = 2$.

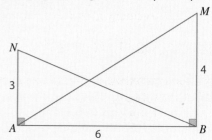

1. Calculer le produit scalaire $\vec{A} \cdot \vec{a}$.
2. Si elle affiche 3 h 25, que vaut le produit scalaire $\vec{A} \cdot \vec{a}$?
3. Si $\vec{A} \cdot \vec{a} = -2$ et que la petite aiguille est sur le 11, quelle heure est-il ?

8 **VRAI OU FAUX**

Pour chaque proposition, dire si elle est vraie ou fausse en justifiant la réponse.
1. Si deux vecteurs sont colinéaires, alors leur produit scalaire est égal au produit de leurs normes.
2. Si $\vec{u} \cdot \vec{v} = 0$, alors $\vec{u} = \vec{0}$ ou $\vec{v} = \vec{0}$.
3. Dans un rectangle $ABCD$, on a $\vec{AB} \cdot \vec{DB} = \vec{AB} \cdot \vec{AC}$.
4. Dans un rectangle $ABCD$, on a $\vec{AC} \cdot \vec{DB} = AB^2$.

9 **PRISE D'INITIATIVE** **LOGICIEL DE GÉOMÉTRIE**

À l'aide des données de la figure ci-dessous, calculer $\vec{AM} \cdot \vec{AN}$. On peut conjecturer la valeur du résultat grâce à un logiciel de géométrie dynamique.

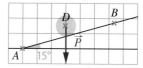

10 Un charpentier veut monter une poutre pour construire une charpente en haut d'une colline. Il doit tirer la poutre sur toute la distance AB et sur une pente inclinée d'un angle de 15° par rapport à l'horizontale.

$AB = 30$ mètres et la masse de la poutre est 60 kg. Durant la montée, la poutre est soumise à plusieurs forces dont son poids $\vec{P}$. On rappelle que $P = \|\vec{P}\| = mg$ où m est la masse et $g = 9{,}8 \, \text{N} \cdot \text{kg}^{-1}$.
On définit le travail W d'une force $\vec{F}$ sur un déplacement rectiligne d'un point A à un point B par $W = \vec{F} \cdot \vec{AB}$, où W est exprimé en joule (J), F en newton (N) et AB en mètre (m).
- Calculer le travail du poids de la poutre sur le déplacement AB.

11 Soit ABC un triangle tel que $AB = 2$ et $AC = 5$. On appelle H le projeté orthogonal de B sur (AC).

1. On suppose que $\hat{A} = 45°$.

a. Calculer $\vec{AB} \cdot \vec{AC}$.

b. En déduire le nombre réel k tel que $\vec{AH} = k\vec{AC}$.

2. Reprendre les questions précédentes en supposant que $\hat{A} = 120°$.

12 Soit $ABCD$ un rectangle tel que $AB = 4$ et $AD = 2$. Soient E le point tel que $\vec{AE} = \frac{1}{4}\vec{AB}$ et F le milieu de $[CD]$.

1. Réaliser une figure.

2. a. En remarquant que $\vec{DE} = \vec{DA} + \vec{AE}$, démontrer que $\vec{AC} \cdot \vec{DE} = -\vec{AD}^2 + \vec{AC} \cdot \vec{AE}$.

b. En déduire que les droites (AC) et (DE) sont perpendiculaires.

3. Montrer que les droites (EF) et (BD) sont perpendiculaires.

Propriétés du produit scalaire

13 Sachant que $\vec{u} \cdot \vec{v} = \frac{2}{3}$ et $\vec{u} \cdot \vec{w} = \frac{-1}{6}$, déterminer $\vec{u} \cdot (\vec{v} + \vec{w})$ et $\vec{u} \cdot (\vec{v} - \vec{w})$.

14 $\vec{u}$ et $\vec{v}$ sont deux vecteurs tels que $\|\vec{u}\| = 3$, $\|\vec{v}\| = 2$ et $\vec{u} \cdot \vec{v} = -2$.

• Calculer $(\vec{u} + \vec{v})^2$, $(\vec{u} - \vec{v})^2$, $(\vec{u} + \vec{v}) \cdot (\vec{u} - \vec{v})$.

15 $\vec{u}$ et $\vec{v}$ sont deux vecteurs colinéaires de sens contraire tels que $\|\vec{u}\| = 2$ et $\|\vec{v}\| = \frac{1}{2}$.

• Calculer $\vec{u} \cdot \vec{v}$ et $\vec{u} \cdot (-\vec{v})$.

16 $\vec{u}$ et $\vec{v}$ sont deux vecteurs colinéaires de même sens tels que $\|\vec{u}\| = 7$ et $\|\vec{v}\| = \frac{4}{5}$.

• Calculer $\vec{u} \cdot \vec{v}$ et $(2\vec{u}) \cdot (-5\vec{v})$.

17 Dans une base orthonormée $(\vec{i}, \vec{j})$, on considère les vecteurs $\vec{u} = 2\vec{i}$ et $\vec{v} = -\frac{1}{2}\vec{i} + \frac{\sqrt{3}}{2}\vec{j}$.

1. Calculer les expressions suivantes.

a. $(\vec{u} + \vec{v}) \cdot (\vec{u} - \vec{v})$

b. $\|\vec{u} + \vec{v}\|^2 - \|\vec{u} - \vec{v}\|^2$

2. a. Calculer $\|\vec{u} + 2\vec{v}\|^2$ et $\|\vec{u} - 2\vec{v}\|^2$.

b. En déduire que les vecteurs $(\vec{u} + 2\vec{v})$ et $(\vec{u} - 2\vec{v})$ sont orthogonaux.

18 IJK est un triangle équilatéral de côté 3. Les vecteurs $\vec{u}$ et $\vec{v}$ sont définis par $\vec{u} = \vec{IJ}$ et $\vec{v} = \vec{IK}$.

a. Réaliser une figure.

b. À quel vecteur est égal le vecteur $\vec{u} - \vec{v}$? En déduire $\|\vec{u} - \vec{v}\|$.

c. Construire le point L tel que $\vec{IL} = \vec{u} + \vec{v}$. Quelle est alors la nature du quadrilatère $IJLK$?

d. En déduire $\|\vec{u} + \vec{v}\|$.

19 $ABCD$ est un parallélogramme.

Montrer que $\vec{AB} \cdot \vec{BC} = \frac{1}{2}(AC^2 - AB^2 - AD^2)$.

20 Dans une base orthonormée $(O ; \vec{i}, \vec{j})$, démontrer que les vecteurs $\vec{i} + \vec{j}$ et $\vec{i} - \vec{j}$ sont orthogonaux.

21 Dans un repère orthonormé $(O ; \vec{i}, \vec{j})$, on donne les points $A(-2 ; 2)$, $B(1 ; 3)$ et les vecteurs $\vec{u} = 2\vec{i} + 5\vec{j}$ et $\vec{v} = -\vec{i} + 3\vec{j}$.

Calculer les produits scalaires suivants.

a. $\vec{OA} \cdot \vec{OB}$ b. $\vec{u} \cdot \vec{v}$ c. $\vec{AB} \cdot \vec{u}$

22 Dans une base orthonormée, on considère deux vecteurs $\vec{u}\begin{pmatrix} 1 \\ -3 \end{pmatrix}$ et $\vec{v}\begin{pmatrix} 6 \\ 2 \end{pmatrix}$.

• Montrer que $\vec{u}$ et $\vec{v}$ sont orthogonaux.

23 QCM

On se place dans une base orthonormée. Dans chacun des cas ci-dessous, déterminer laquelle des trois propositions (a), (b) ou (c) est correcte.

(a) $\vec{u}$ et $\vec{v}$ sont colinéaires.

(b) $\vec{u}$ et $\vec{v}$ sont orthogonaux.

(c) $\vec{u}$ et $\vec{v}$ ne sont ni colinéaires ni orthogonaux.

1. $\vec{u}\begin{pmatrix} 2 \\ 3 \end{pmatrix}$ et $\vec{v}\begin{pmatrix} -6 \\ 4 \end{pmatrix}$.   2. $\vec{u}\begin{pmatrix} -0,5 \\ -1 \end{pmatrix}$ et $\vec{v}\begin{pmatrix} 2 \\ 4 \end{pmatrix}$.

3. $\vec{u}\begin{pmatrix} 5 \\ 3 \end{pmatrix}$ et $\vec{v}\begin{pmatrix} -25 \\ 15 \end{pmatrix}$.

24 On se place dans une base orthonormée et on considère les vecteurs :

$$\vec{u}\begin{pmatrix} -3 \\ 1 \end{pmatrix}, \quad \vec{v}\begin{pmatrix} 2 \\ -1 \end{pmatrix} \quad \text{et} \quad \vec{w}\begin{pmatrix} 5 \\ 3 \end{pmatrix}.$$

Calculer les produits scalaires suivants.

a. $\vec{u} \cdot \vec{v}$ b. $\vec{u} \cdot \vec{w}$ c. $\vec{v} \cdot \vec{w}$

d. $2\vec{u} \cdot 3\vec{v}$ e. $\vec{u} \cdot (\vec{v} + \vec{w})$ f. $(\vec{u} \cdot \vec{v})\vec{w}^2$

25 On se place dans une base orthonormée. On considère les vecteurs $\vec{u}\begin{pmatrix} a \\ 2 \end{pmatrix}$ et $\vec{v}\begin{pmatrix} 5 \\ -3 \end{pmatrix}$ où a est un nombre réel.

• Déterminer la valeur de a telle que :

1. $\vec{u} \cdot \vec{v} = 0$ 2. $\vec{u} \cdot \vec{v} = 4$

3. $\vec{u} \cdot \vec{v} = a$ 4. $\vec{u} \cdot \vec{v} = -1$

26 Dans le plan muni d'un repère orthonormé $(O ; \vec{i}, \vec{j})$, on considère trois points A, B et C tels que $\vec{AB}\begin{pmatrix} 1 \\ -1 \end{pmatrix}$ et $\vec{AC}\begin{pmatrix} x \\ 2 \end{pmatrix}$ où x est un nombre réel.

En utilisant deux expressions du produit scalaire, déterminer la (ou les) valeur(s) de x dans chacun des cas suivants.

a. $\widehat{BAC} = \frac{\pi}{2}$ b. $\widehat{BAC} = \pi$ c. $\widehat{BAC} = \frac{\pi}{4}$

27 Dans un repère orthonormé, on donne les points $A(1;1)$, $B\left(\dfrac{14}{5};\dfrac{17}{5}\right)$ et $C(5;1)$.

1. Calculer les produits scalaires suivants.
a. $\vec{AB}\cdot\vec{AC}$ b. $\vec{CA}\cdot\vec{CB}$ c. $\vec{BA}\cdot\vec{BC}$
2. Le triangle ABC est-il rectangle ?

28 Dans un repère orthonormé, on donne les points :
$$I(-1;2) \text{ et } J(2;3).$$
• Les points $A(1;1)$, $B(-0,5;5)$ et $C(-2;2)$ appartiennent-ils à la médiatrice du segment $[IJ]$?

29 [ALGO]

Écrire un algorithme en langage naturel permettant de tester si deux vecteurs, dont les coordonnées dans une base orthonormée sont connues, sont orthogonaux.

30 Dans un repère orthonormé, on donne les points :
$$M(2;-2), N(-3;1) \text{ et } P(1;2).$$
a. Calculer $\vec{MN}\cdot\vec{MP}$.
b. En déduire une valeur exacte de l'angle $\widehat{PMN}$.

31 $ABCD$ est un parallélogramme tel que :
$$AB = 7, AD = 3 \text{ et } BD = 5.$$
• Calculer la longueur AC.

Applications du produit scalaire

32 ABC est un triangle tel que :
$$AB = 4, AC = 6 \text{ et } BC = 7.$$
• Déterminer une valeur approchée à $0,1°$ près des trois angles de ce triangle.

33 On considère le triangle ABC suivant.

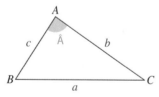

Déterminer dans chaque cas la longueur exacte du côté manquant.
1. $b = 3$, $c = 4$ et $\hat{A} = 60°$.
2. $a = 2\sqrt{2}$, $c = 5$ et $\hat{B} = 45°$.
3. $b = c = 3$ et $\hat{A} = 90°$.

34 Soit ABC un triangle rectangle en A tel que :
$$AB = 6 \text{ cm et } AC = 8 \text{ cm}.$$
On note I le milieu de $[AB]$.
1. Calculer les longueurs CI et CB.
2. En déduire une valeur approchée de la mesure en degré de l'angle $\widehat{ICB}$.

35 **La bande des 300 mètres**
Raisonner, représenter
Deux maîtres-nageurs sauveteurs postés sur la plage observent un jet-ski naviguant à vive allure. Ils souhaitent savoir si le jet-ski se situe bien en dehors de la zone de baignade, soit au-delà de 300 m du rivage. Ils ont effectué les relevés suivants (les points A et C représentent les positions des maîtres-nageurs sauveteurs et le point B celle du jet-ski).

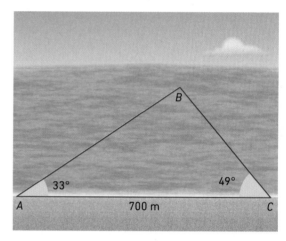

• Le jet-ski est-il en infraction ?

36 On considère la figure suivante.

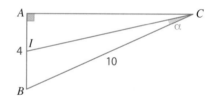

I est le milieu du segment $[AB]$.
1. Calculer les valeurs exactes de CA et CI.
2. En déduire une valeur approchée au degré près de l'angle α.

37 Soit $ABCD$ un parallélogramme tel que $AB = 5$, $AD = 3$ et $AC = 6$.
• Déterminer une valeur approchée des angles de ce parallélogramme à $0,1°$ près.

38 On considère le trapèze ci-dessous.

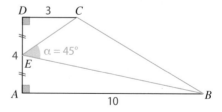

E est le milieu du segment $[AD]$.
1. Calculer les valeurs exactes de CE et BE.
2. Calculer une valeur approchée au dixième de CB.

39 Une boule de pétanque lancée du point A heurte une deuxième boule placée en B et qui est alors envoyée en C en faisant un angle de 82°.

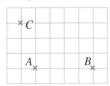

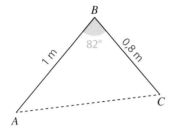

• À quelle distance du point de lancement de la première boule se trouve la deuxième après avoir été déportée ?

40 Calculer une valeur approchée du périmètre de chacune des deux figures ci-dessous.

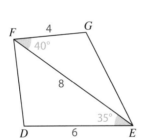

41 Soient MNP un triangle et I le milieu du côté $[NP]$.

• Démontrer que MNP est rectangle en $M \Leftrightarrow MI = \dfrac{NP}{2}$.

42 A et B sont deux points du plan.
Déterminer dans chaque cas l'ensemble des points M du plan vérifiant la relation donnée.
a. $AB = 6$ et $\overrightarrow{MA} \cdot \overrightarrow{MB} = -9$. b. $AB = 6$ et $\overrightarrow{MA} \cdot \overrightarrow{MB} = 16$.
c. $AB = 4$ et $\overrightarrow{MA} \cdot \overrightarrow{MB} = -10$.

43 Dans le plan muni d'un repère orthonormé $(O\,;\vec{i},\vec{j})$, on considère les points $A\,(5\,;-2)$ et $B\,(-1\,;3)$.
• Déterminer l'ensemble des points M du plan tels que $\overrightarrow{MA} \cdot \overrightarrow{MB} = -6$.

44 **Représenter, raisonner**

On considère la figure ci-contre où D est le centre du cercle de rayon r inscrit dans le triangle ABC.
1. Calculer le périmètre P du triangle ABC.
2. On note S l'aire du triangle ABC. Justifier que $S = \dfrac{P \times r}{2}$.
3. Calculer S (on pensera à utiliser la trigonométrie dans un triangle rectangle).
4. En déduire la valeur de r.

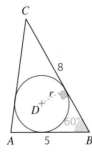

45 Sur la figure suivante, $AB = 4$.

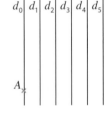

1. a. Calculer $\overrightarrow{AB} \cdot \overrightarrow{AC}$.
b. Soit M un point du plan, démontrer que
$\overrightarrow{AB} \cdot \overrightarrow{AM} = -4 \Leftrightarrow \overrightarrow{AB} \cdot \overrightarrow{CM} = 0$.
c. En déduire l'ensemble des points M tels que :
$$\overrightarrow{AB} \cdot \overrightarrow{AM} = -4.$$
2. a. Déterminer un point D de la droite (AB) tel que :
$$\overrightarrow{AB} \cdot \overrightarrow{AD} = 12.$$
b. En déduire l'ensemble des points M tels que :
$$\overrightarrow{AB} \cdot \overrightarrow{AM} = 12.$$

46 QCM

Soient k un réel positif et A et B deux points du plan tels que $AB = 5$.
Donner la seule réponse exacte parmi les trois proposées.
1. L'ensemble des points M tels que $\overrightarrow{MA} \cdot \overrightarrow{MB} = 5$ est :
(a) un cercle   (b) une droite   (c) vide
2. L'ensemble des points M tels que $\overrightarrow{MA} \cdot \overrightarrow{AB} = 5$ est :
(a) un cercle   (b) une droite   (c) vide

47 Sur la figure ci-contre, chaque droite d_k représente l'ensemble des points M vérifiant $\overrightarrow{AM} \cdot \vec{u} = k$, où k est un entier compris entre 0 et 5 et $\vec{u}$ un vecteur.
• Reproduire la figure et représenter le vecteur $\vec{u}$.

$d_0 \mid d_1 \mid d_2 \mid d_3 \mid d_4 \mid d_5$

A

48 ALGO

Dans un repère orthonormé, on considère les points $A\,(1\,;1)$, $B\,(2\,;3)$ et M de coordonnées $(x\,;y)$ où x et y sont deux nombres réels.
Caroline a écrit l'algorithme suivant en langage naturel.

$$a \leftarrow (x-1)^2 + (y-1)^2$$
$$b \leftarrow (x-2)^2 + (y-3)^2$$
$$c \leftarrow (2x-3)^2 + (2y-4)^2$$
Si $a + b = c$ alors
    Afficher Vrai
Sinon
    Afficher Faux

1. Qu'affichera cet algorithme dans chacun des cas suivants ?
a. $x = 1\,;y = 2$.
b. $x = 2\,;y = 1$.
2. a. Interpréter géométriquement les calculs des variables a, b et c.
b. Quelle information sur les vecteurs $\overrightarrow{AM}$ et $\overrightarrow{BM}$ cet algorithme permet-il d'obtenir ?

49 $ABCD$ est un rectangle de centre O tel que $AB = 2a$ et $BC = a$.
BCH est un triangle équilatéral extérieur au rectangle $ABCD$.

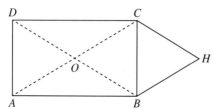

1. Exprimer les produits scalaires suivants en fonction de a.

a. $\vec{AB} \cdot \vec{DB}$ b. $\vec{AB} \cdot \vec{CH}$ c. $\vec{BA} \cdot \vec{BH}$

2. Exprimer AH^2 en fonction de a.

50 $ABCD$ est un carré de côté 1. On note M un point de la diagonale $[BD]$. Les points N et P sont tels que $APMN$ est un rectangle.

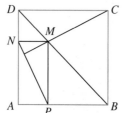

On souhaite démontrer que les droites (CM) et (PN) sont perpendiculaires. On se place dans le repère orthonormé $(A ; \vec{AB}, \vec{AD})$.

1. a. Déterminer les coordonnées des points A, B, C et D.
b. Déterminer l'équation réduite de la droite (DB).
c. On note x l'abscisse du point M. Exprimer son ordonnée en fonction x.
d. En déduire les coordonnées des points N et P.
2. Calculer le produit scalaire $\vec{CM} \cdot \vec{NP}$. Conclure.

51 **Calculer**

On considère le cube $ABCDEFGH$ de côté 5.
On note I le milieu des diagonales $[EC]$ et $[AG]$ dont on admet qu'elles ont la même longueur.

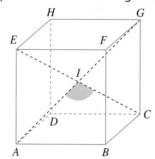

1. Quelle est la nature du quadrilatère $AEGC$?
2. On se place dans le plan du quadrilatère $AEGC$.
a. Calculer la longueur du segment $[IC]$.
b. En calculant de deux manières le produit scalaire $\vec{IA} \cdot \vec{IC}$, déterminer une valeur approchée à 0,01 degré près de l'angle $\widehat{AIC}$.

52 ABC est un triangle tel que $AB = 3$ et $BC = 5$, et $\vec{AB} \cdot \vec{CB} = 1$.

a. Calculer $(\vec{AC} + \vec{CB}) \cdot \vec{BC}$.
b. Calculer $(\vec{AB} + \vec{BC})^2$. En déduire la longueur AC.

53 Dans un repère orthonormé, on considère les points $A(1 ; 2)$, $B(-2 ; -1)$ et $C(4 ; 1)$.
1. Calculer le produit scalaire $\vec{BA} \cdot \vec{BC}$.
2. On appelle H le projeté orthogonal de C sur la droite (AB).
a. Donner la valeur du produit scalaire $\vec{BA} \cdot \vec{BH}$.
b. En déduire la longueur BH.

54 Soit ABC un triangle tel que $\widehat{BAC}$ soit un angle aigu. On appelle H le projeté orthogonal de B sur (AC) et K le projeté orthogonal de C sur (AB).

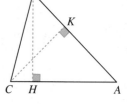

1. Montrer que :
$$\vec{AB} \cdot \vec{AC} = AH \times AC.$$
2. En déduire que :
$$AH \times AC = AK \times AB.$$
3. L'égalité précédente est-elle encore vraie lorsque l'angle $\widehat{BAC}$ est obtus ? Justifier.

55 PRISE D'INITIATIVE

Dans le repère orthonormé ci-dessous, on a placé les points $A(0 ; 3)$, $B(2 ; 0)$ et $M(3 ; 3)$.

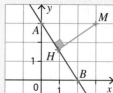

• Déterminer les coordonnées du point H projeté orthogonal de M sur la droite (AB).

56 PRISE D'INITIATIVE

$ABCD$ est un rectangle dont la longueur est égale au double de sa largeur.
• Déterminer des valeurs approchées des angles formés par les deux diagonales de $ABCD$.

57 On veut construire deux tyroliennes à partir d'un poteau vertical $[BH]$ comme sur le schéma ci-dessous où $AC = 200$ m, $AB = 150$ m et $\widehat{A} = 32°$.

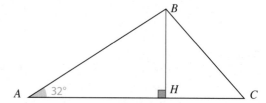

• Quelle est la longueur de la tyrolienne représentée par le segment $[BC]$? Combien mesure l'angle $\widehat{C}$?

58 **Travail du poids**

Lorsque les déplacements ne dépassent pas quelques kilomètres, le poids d'un corps peut être considéré comme une force constante. Cette force, exprimée en newton (N), est appliquée au centre de gravité du corps. Le travail du poids, exprimé en joule (J), au cours d'un déplacement AB, s'écrit $W_{AB} = \vec{P} \cdot \overrightarrow{AB}$.

1. On a schématisé ci-dessous le déplacement du centre de gravité d'un corps, d'un point A à un point B.

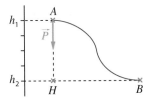

H est le projeté orthogonal du point A sur la parallèle au sol passant par B, h_1 et h_2 sont les hauteurs respectives des points A et B.

À l'aide de la relation de Chasles, montrer que :
$$W_{AB} = \vec{P} \cdot \overrightarrow{AH}.$$

2. Application : dans une fête foraine, un wagon parcourt des « montagnes russes ».

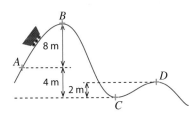

On donne $P = 4{,}2$ kN.

Calculer le travail du poids du wagon et de ses passagers au cours des trajets suivants.

a. de A vers B ;   **b.** de B vers C ;   **c.** de C vers D.

59 **Chercher, calculer**

$ABCD$ est un carré. M étant un point quelconque du segment $[BC]$, on construit un triangle MBN isocèle rectangle en B, extérieur au carré $ABCD$.

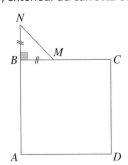

• Que peut-on dire des droites (AM) et (NC) ? Justifier.

60 A et B sont deux points du plan tels que $AB = 4$.

• Déterminer l'ensemble des points M du plan tels que $5 \leqslant \overrightarrow{MA} \cdot \overrightarrow{MB} \leqslant 12$.

61 Soit C un cercle de centre O et de rayon R. Soit M un point du plan, extérieur au cercle. Une demi-droite issue de M coupe le cercle en A et B. On note A' le point du cercle diamétralement opposé au point A.

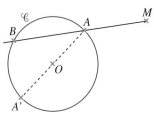

1. Que peut-on dire des droites (MB) et $(A'B)$? Justifier.

2. Démontrer que $\overrightarrow{MA} \cdot \overrightarrow{MB} = OM^2 - R^2$.

62 A et B sont deux points du plan tels que $AB = 10$ et I est le milieu du segment $[AB]$.

1. Soit M un point du plan. Justifier que :
$$\overrightarrow{MA} \cdot \overrightarrow{MB} = MI^2 - 25.$$

2. En déduire :

a. l'ensemble des points M tels que $\overrightarrow{MA} \cdot \overrightarrow{MB} = 11$.

b. l'ensemble des points M tels que $\overrightarrow{MA} \cdot \overrightarrow{MB} \leqslant 0$.

c. l'ensemble des points M tels que $\overrightarrow{MA} \cdot \overrightarrow{MB} > 0$.

63 Soient A et B deux points du plan tels que $AB = 6$. Soit I le milieu de $[AB]$.

Dans chacun des cas ci-dessous, déterminer l'ensemble des points M du plan vérifiant l'égalité vectorielle donnée.

1. $\overrightarrow{BM} \cdot \overrightarrow{BA} = 0$ **2.** $\overrightarrow{AM} \cdot \overrightarrow{AB} = 3$

3. $\overrightarrow{MA} \cdot \overrightarrow{MB} = 0$ **4.** $\overrightarrow{MA} \cdot \overrightarrow{MB} = 7$

64 Soit un triangle ABC.

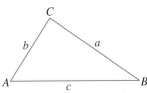

1. On note S l'aire du triangle ABC.

Montrer que $S = \dfrac{1}{2} bc\sin(\hat{A}) = \dfrac{1}{2} ac\sin(\hat{B}) = \dfrac{1}{2} ab\sin(\hat{C})$.

2. Applications

a. ABC est un triangle tel que $AC = 3$, $BC = 4$ et $\widehat{BAC} = 45°$. Calculer l'aire de ABC.

b. Un avant-centre de football se retrouve en face des buts dans la situation schématisée ci-dessous. Combien mesure l'angle α ?

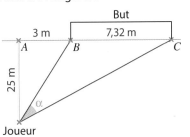

65 Approfondissement
Calculer
Soient un triangle ABC et H le projeté orthogonal de C sur (AB).

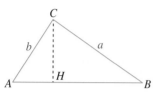

1. a. Montrer que $\dfrac{a}{\sin\left(\widehat{A}\right)} = \dfrac{b}{\sin\left(\widehat{B}\right)}$.

b. En déduire que $\dfrac{a}{\sin\left(\widehat{A}\right)} = \dfrac{b}{\sin\left(\widehat{B}\right)} = \dfrac{c}{\sin\left(\widehat{C}\right)}$.

Cette relation est appelée « **loi des sinus** ».
2. a. Soit ABC un triangle tel que $AC = 3$, $\widehat{BAC} = 45°$ et $\widehat{CBA} = 30°$.
Calculer les longueurs AB et BC.
b. Soit ABC un triangle tel que $AC = 4$, $BC = 6$ et $\widehat{BAC} = 45°$.
Calculer AB.
c. ABC est un triangle tel que $AB = 4$, $BC = 6$ et $\widehat{BAC} = 50°$.
Calculer l'aire et le périmètre du triangle ABC.

66 Approfondissement

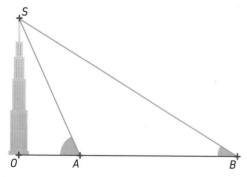

Pour vérifier la hauteur de la tour Burj Khalifa à Dubaï, on a réalisé deux mesures d'angles à 1 km de distance ($AB = 1$ km). On a trouvé $\widehat{SAO} = 64{,}22°$ et $\widehat{SBO} = 30{,}6°$.

• Déterminer une valeur approchée de la hauteur de la tour (on pourra utiliser la loi des sinus établie à l'exercice précédent).

67 Dans le plan muni d'un repère orthonormé $(O\,;\vec{i},\vec{j})$, on considère le cercle de centre O et de rayon 1.
A et B sont deux points de ce cercle.

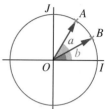

1. Écrire les coordonnées des vecteurs $\overrightarrow{OA}$ et $\overrightarrow{OB}$ en fonction des angles a et b.
2. Calculer le produit scalaire $\overrightarrow{OA}\cdot\overrightarrow{OB}$ à l'aide des coordonnées obtenues à la question **1**.
3. Exprimer l'angle $\widehat{BOA}$ en fonction de a et b, puis calculer le produit scalaire $\overrightarrow{OA}\cdot\overrightarrow{OB}$ en utilisant la définition du produit scalaire.
4. Déduire des questions **2** et **3** une expression de $\cos(a - b)$, puis de $\cos(a + b)$.
5. À partir des valeurs exactes des cosinus et sinus des angles $\dfrac{\pi}{6}$ et $\dfrac{\pi}{4}$, déterminer les valeurs exactes de $\cos\left(\dfrac{\pi}{12}\right)$ et $\sin\left(\dfrac{\pi}{12}\right)$.

68 Soient A et B deux points du plan tels que $AB = 6$, I le milieu de $[AB]$ et M un point du plan.
1. a. Justifier que $\overrightarrow{MA} = \overrightarrow{MI} + \overrightarrow{IA}$ et $\overrightarrow{MB} = \overrightarrow{MI} + \overrightarrow{IB}$.
b. En déduire que $MA^2 + MB^2 = 2MI^2 + \dfrac{AB^2}{2}$.
Cette égalité est appelée deuxième relation du théorème de la médiane.
2. a. Démontrer l'équivalence $MA^2 + MB^2 = 20 \Leftrightarrow MI^2 = 1$.
b. En déduire l'ensemble des points M tels que $MA^2 + MB^2 = 20$.

69 Soient A et B deux points distincts et M un point du plan. À l'aide de la deuxième relation du théorème de la médiane établie dans l'exercice précédent, déterminer la position du point M telle que $MA^2 + MB^2$ soit minimale.

70 PRISE D'INITIATIVE
Chercher, raisonner
Soient ABC un triangle isocèle en C et M un point de la droite (AB).
• Existe-t-il une position du point M telle que $MA^2 + MB^2 + MC^2$ soit minimale ? Si oui, laquelle ?
On peut conjecturer la réponse à l'aide d'un logiciel de géométrie dynamique.

71 Soit ABC un triangle rectangle en B. On note I le milieu du segment $[BC]$.
1. Soit M un point du plan. À l'aide de la relation de Chasles, justifier que $\overrightarrow{MB} + \overrightarrow{MC} = 2\overrightarrow{MI}$.
2. En déduire que le cercle circonscrit au triangle ABI est l'ensemble des points M du plan tels que $\overrightarrow{MA}\cdot(\overrightarrow{MB} + \overrightarrow{MC}) = 0$.

72 Soit ABC un triangle équilatéral de côté a.
On donne les points P, Q et R tels que :
$$\overrightarrow{AP} = \frac{1}{3}\overrightarrow{AB}, \ \ \overrightarrow{BQ} = \frac{1}{3}\overrightarrow{BC} \ \text{ et } \ \overrightarrow{CR} = \frac{1}{3}\overrightarrow{CA}.$$

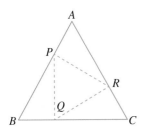

1. Exprimer, en fonction de a, AP^2, AR^2, $\overrightarrow{AP} \cdot \overrightarrow{AR}$ et PR^2.
2. En déduire la nature du triangle PQR.

73 ABC est un triangle isocèle rectangle tel que $AB = AC = 6$ cm. On note I le milieu de $[AB]$.
1. Montrer que, pour tout point M du plan, on a :
$$MA^2 + \overrightarrow{AB} \cdot \overrightarrow{MC} = MI^2 - 9.$$
2. En déduire l'ensemble des points M tels que :
$$MA^2 + \overrightarrow{AB} \cdot \overrightarrow{MC} = 12.$$

74 **Démonstration**
Soient deux vecteurs $\vec{u}$ et $\vec{v}$.
1. Démontrer que $\vec{u} \cdot \vec{v} = \frac{1}{2}(\|\vec{u} + \vec{v}\|^2 - \|\vec{u}\|^2 - \|\vec{v}\|^2)$.
Indication : on pourra rapporter le plan à un repère $(O ; \vec{i}, \vec{j})$.
2. En utilisant la formule précédente avec deux vecteurs judicieusement choisis, démontrer que :
$$\vec{u} \cdot \vec{v} = \frac{1}{2}(\|\vec{u}\|^2 + \|\vec{v}\|^2 - \|\vec{u} - \vec{v}\|^2).$$
3. Soient A, B et C trois points.
Démontrer que $\overrightarrow{AB} \cdot \overrightarrow{AC} = \frac{1}{2}(AB^2 + AC^2 - BC^2)$.

75 ABC est un triangle isocèle et rectangle en A, I est le milieu de $[BC]$.
Soient M un point de $[AB]$ et N un point de $[AC]$. On note M' et N' les symétriques respectifs de M et de N par rapport à (AI) et J le milieu de $[M'N']$.

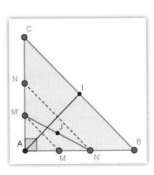

1. **LOGICIEL DE GÉOMÉTRIE** Réaliser la figure sur un logiciel de géométrie dynamique. Quelle conjecture peut-on émettre quant aux droites (AJ) et (MN) ?
2. Démontrer cette conjecture.

76 ABC est un triangle tel que $AB = 5$, $AC = 8$ et $\widehat{BAC} = 60°$.
On appelle I le milieu de $[BC]$.
1. Justifier que $\overrightarrow{AB} \cdot \overrightarrow{AC} = AI^2 - \dfrac{BC^2}{4}$.
2. En déduire la longueur de la médiane $[AI]$.

77 **Puissance d'une force**
Lorsqu'on déplace un objet sur un trajet rectiligne de A vers B avec une force constante $\vec{F}$, exprimée en newton (N), le travail de $\vec{F}$, exprimé en joule (J), est donné par $W = \vec{F} \cdot \overrightarrow{AB}$ et la puissance P de $\vec{F}$, exprimée en watt (W), est donnée par la formule $P = \dfrac{W}{t}$, où t désigne le temps du trajet exprimé en seconde.
Une grue de chantier déplace à vitesse constante un conteneur de masse $m = 5t$, d'une hauteur de 13 m, en une durée de 24 s.

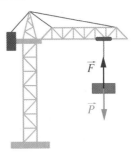

Le mouvement étant rectiligne uniforme, on a $\vec{F} = -\vec{P}$ (où $P = mg$ avec $g = 9{,}81$ N·kg^{-1}).
• Calculer la puissance de la force $\vec{F}$ développée par la grue pour soulever le conteneur.

78 **LOGICIEL DE GÉOMÉTRIE**
$ABCD$ est un carré. M est un point du segment $[AC]$ distinct de A et de C. La perpendiculaire à (AD) passant par M coupe (AD) en P. La perpendiculaire à (DC) passant par M coupe (DC) en Q.
• Que peut-on dire des droites (BQ) et (CP) ? Justifier.
On peut conjecturer la réponse à l'aide d'un logiciel de géométrie dynamique.

79 **ALGO**
Le plan étant muni d'un repère orthonormé $(O ; \vec{i}, \vec{j})$, on considère une droite $\mathscr{D}$ d'équation cartésienne $ax + by + c = 0$ et un point $M(x_M, y_M)$ qui n'appartient pas à $\mathscr{D}$. On appelle d la perpendiculaire à $\mathscr{D}$ passant par M.
1. Démontrer que $\vec{u}\begin{pmatrix} a \\ b \end{pmatrix}$ est un vecteur directeur de d.
2. a. Écrire un algorithme en langage naturel permettant d'obtenir l'équation de la droite d connaissant celle de $\mathscr{D}$ et les coordonnées du point M.
b. Que renvoie l'algorithme avec :
$$\mathscr{D} : -3x + 2y + 5 = 0 \text{ et } M(7 ; -2) ?$$

80 **ALGO**
Dans chacun des cas suivants, dire s'il est possible d'écrire un algorithme réalisant l'opération indiquée. Si oui, proposer un tel algorithme ; si non, expliquer pourquoi c'est impossible.
1. Renvoyer la longueur d'une médiane d'un triangle en fonction des longueurs de ses côtés.
2. Renvoyer le produit scalaire $\overrightarrow{AB} \cdot \overrightarrow{AC}$ dans un triangle ABC en fonction des longueurs AB et BC et de l'angle $\widehat{B}$.

81 Dans un repère orthonormé $(O\,;\vec{i}, \vec{j})$, on note $\mathscr{P}$ la parabole d'équation $y = x^2$.

Soit A un point de la parabole d'abscisse $a > 0$. On note B le point d'intersection entre la parabole $\mathscr{P}$ et la perpendiculaire à (OA) passant par O.

1. Réaliser la figure en prenant trois valeurs différentes pour a.

Conjecturer que, quelle que soit la valeur de a, la droite (AB) passe par un point fixe I dont on donnera les coordonnées.

2. Démontrer la conjecture de la question 1.

82 `LOGICIEL DE GÉOMÉTRIE`

Dans un repère orthonormé $(O\,;\vec{i}, \vec{j})$, on considère le point $A\,(2\,;-1)$ et le vecteur $\vec{u}\begin{pmatrix} 2 \\ 2 \end{pmatrix}$.

1. On veut réaliser une figure à l'aide d'un logiciel de géométrie dynamique.

a. Placer le point A et créer le vecteur $\vec{u}$.

b. Créer trois points M_1, M_2 et M_3 puis les vecteurs $\overrightarrow{AM_1}$, $\overrightarrow{AM_2}$ et $\overrightarrow{AM_3}$.

c. Calculer, avec le logiciel, les produits scalaires $\overrightarrow{AM_1} \cdot \vec{u}$, $\overrightarrow{AM_2} \cdot \vec{u}$ et $\overrightarrow{AM_3} \cdot \vec{u}$.

d. En déplaçant les points M_1, M_2 et M_3, conjecturer l'ensemble des points M tels que $\overrightarrow{AM} \cdot \vec{u} = 16$.

2. On veut démontrer cette conjecture. On considère un point C tel que $\overrightarrow{AC} = k\vec{u}$. Déterminer la valeur de k telle que C appartienne à la ligne de niveau cherchée.

3. Montrer que $\overrightarrow{AM} \cdot \vec{u} = \overrightarrow{AC} \cdot \vec{u} \Leftrightarrow \overrightarrow{CM} \cdot \vec{u} = 0$. En déduire la ligne de niveau cherchée.

83 `LOGICIEL DE GÉOMÉTRIE`

Dans un repère orthonormé $(O\,;\vec{i}, \vec{j})$, on considère les points $A\,(-3\,;-1)$ et $B\,(1\,;1)$. On cherche à déterminer l'ensemble des points M tels que $MA^2 - MB^2 = 10$ (cet ensemble est appelé ligne de niveau 10).

1. À l'aide d'un logiciel de géométrie dynamique, construire trois points M_1, M_2 et M_3 appartenant à cette ligne de niveau.

2. En développant l'expression $(\overrightarrow{MA} - \overrightarrow{MB}) \cdot (\overrightarrow{MA} + \overrightarrow{MB})$, montrer que la ligne de niveau cherchée est équivalente à la ligne de niveau $\overrightarrow{IM} \cdot \overrightarrow{AB} = 5$, où I est le milieu de $[AB]$.

3. Démontrer, en utilisant l'exercice précédent, que cette ligne de niveau est une droite dont on donnera les caractéristiques.

84 Approfondissement

Soient ABC un triangle et A', B', C' les milieux respectifs des côtés $[BC]$, $[AC]$ et $[AB]$.

On note G le point défini par l'égalité $\overrightarrow{GA} + \overrightarrow{GB} + \overrightarrow{GC} = \vec{O}$.

1. Montrer que $\overrightarrow{AG} = \dfrac{2}{3}\,\overrightarrow{AA'}$.

2. Établir des égalités similaires avec les vecteurs $\overrightarrow{BG}$ et $\overrightarrow{CG}$.

3. Que peut-on en déduire pour les médianes $[AA']$, $[BB']$ et $[CC']$ du triangle ABC ?

85 `LOGICIEL DE GÉOMÉTRIE` **Format A4**

Raisonner

Une feuille de format A4 a pour dimensions 21 cm en largeur et 29,7 cm en longueur. On appelle A, B, C et D les sommets de la feuille et on note I le milieu de $[BC]$ comme indiqué sur la figure ci-dessous.

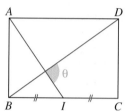

1. Réaliser la figure avec un logiciel de géométrie dynamique. Conjecturer la mesure de l'angle θ en degré.

2. On pose $L = AD = BC$ et $l = AB = CD$.

a. En remarquant que $\overrightarrow{AI} = \overrightarrow{AB} + \overrightarrow{BI}$ et $\overrightarrow{BD} = \overrightarrow{BA} + \overrightarrow{AD}$, déterminer $\overrightarrow{AI} \cdot \overrightarrow{BD}$ en fonction de l et L.

b. En déduire que $\theta = 90° \Leftrightarrow \dfrac{L}{l} = \sqrt{2}$.

Le nombre $\dfrac{L}{l}$ s'appelle le format de la feuille de papier.

3. Expliquer pourquoi le logiciel affiche la mesure 90° pour l'angle θ mais ne met pourtant pas le symbole d'angle droit.

86 **Représenter**

En mécanique, une force est représentée par un vecteur. Lorsqu'une force s'applique sur un solide, la norme du vecteur force est proportionnelle à l'intensité de la force (exprimée en newton, N). On considère un solide S sur lequel deux forces $\vec{F_1}$ et $\vec{F_2}$ s'appliquent en un point O, origine d'un repère orthonormé comme indiqué sur la figure ci-dessous.

On suppose que $F_1 = 20$ N et $F_2 = 13$ N.

1. On appelle résultante des deux forces $\vec{F_1}$ et $\vec{F_2}$ le vecteur somme de ces deux forces $\vec{R} = \vec{F_1} + \vec{F_2}$.

a. Reproduire le graphique, en choisissant une unité adaptée, et représenter la résultante des deux forces.

b. En mesurant sur le graphique, donner une approximation de l'intensité de la résultante.

2. En utilisant le graphique, déterminer la valeur exacte du produit scalaire $\vec{F_1} \cdot \vec{F_2}$.

3. Calculer R^2 en utilisant le carré scalaire de $\vec{R}$.

4. Combien mesure l'angle α ?

5. Déterminer les coordonnées des vecteurs $\vec{F_1}$ et $\vec{F_2}$.

87 Soient A, B, C et D quatre points du plan.

1. En remarquant que $\vec{BC} = \vec{BA} + \vec{AC}$, $\vec{DB} = \vec{DA} + \vec{AB}$ et $\vec{DC} = \vec{DA} + \vec{AC}$, montrer que :
$$\vec{DA} \cdot \vec{BC} + \vec{DB} \cdot \vec{CA} + \vec{DC} \cdot \vec{AB} = 0.$$

2. Dans un triangle ABC, on note H l'intersection des hauteurs issues de A et de B.

En utilisant la relation précédente, démontrer que le point H appartient à la hauteur issue de C, c'est-à-dire que les trois hauteurs sont concourantes en H. H est appelé l'**orthocentre** du triangle ABC.

88 Approfondissement

On considère un triangle ABC et on note G le point d'intersection de ses médianes, appelé centre de gravité du triangle, O le centre de son cercle circonscrit et H son orthocentre défini dans l'exercice précédent.

1. Tracer un triangle ABC puis les points O, G et H. Que peut-on conjecturer ?

2. Soit M le point tel que $\vec{OM} = \vec{OA} + \vec{OB} + \vec{OC}$.

a. En remarquant que $\vec{AM} = \vec{AO} + \vec{OM}$, justifier que $\vec{AM} \cdot \vec{BC} = (\vec{OC} + \vec{OB}) \cdot (\vec{OC} - \vec{OB})$.

b. En déduire que M appartient à la hauteur du triangle ABC issue de A.

c. Montrer de la même façon que M appartient à la hauteur du triangle ABC issue de B et en déduire que M est confondu avec H.

3. Montrer que $\vec{OH} = 3\vec{OG}$ et conclure.

89 Soit un triangle ABC d'aire S.

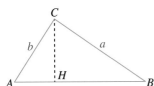

1. Exprimer $\cos(\hat{A})$ en fonction de a, b et c.

2. En déduire que $\sin^2(\hat{A}) = \dfrac{4b^2c^2 - (a^2 - b^2 - c^2)^2}{4b^2c^2}$.

3. On note p le demi-périmètre du triangle ABC :
$$p = \frac{1}{2}(a + b + c).$$
Montrer que :
$$\sin(\hat{A}) = \frac{2}{bc}\sqrt{p(p-a)(p-b)(p-c)}.$$

4. En utilisant la relation démontrée dans l'exercice 64, en déduire que $S = \sqrt{p(p-a)(p-b)(p-c)}$.

Cette formule est appelée formule de Héron, du nom du mathématicien grec Héron d'Alexandrie, Ier siècle après J.-C.

5. **ALGO** **a.** Écrire un algorithme qui calcule l'aire d'un triangle connaissant les longueurs a, b et c de ses côtés lorsque c'est possible et sinon, affiche « a, b et c ne sont pas les côtés d'un triangle ».

b. Qu'affichera cet algorithme dans le cas d'un triangle équilatéral de côté 4, puis dans celui d'un triangle dont les côtés sont 3, 4 et 5 ?

90 **PRISE D'INITIATIVE** **Épave de bateau**

Chercher, représenter

On considère la carte suivante munie d'un repère orthonormé, où une unité graphique correspond à 1 km.

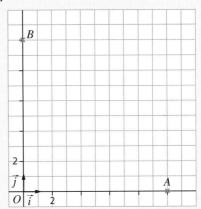

Pour localiser une épave, un bateau équipé d'un sonar a relevé que celle-ci se situait à 8 km du point O, à 5 km du point A et à plus de 15 km du point B.

• Déterminer les coordonnées du point E correspondant à l'emplacement de l'épave.

On peut d'abord faire une conjecture à l'aide d'un logiciel de géométrie dynamique.

91 Soit d une droite du plan et A un point n'appartenant pas à d. On note H le projeté orthogonal de A sur d et M un point quelconque de d.

1. Justifier que $AM^2 \geqslant AH^2$. En déduire que la distance AH est la plus petite des distances de A aux points de d. AH est appelée la **distance du point A à la droite d**.

2. Le plan est muni d'un repère orthonormé $(O\,;\vec{i},\vec{j})$. On note $(x_A\,;y_A)$ les coordonnées de A, $(x_H\,;y_H)$ les coordonnées de H et $ax + by + c = 0$ une équation cartésienne de d.

a. Démontrer que le vecteur $\vec{n}\begin{pmatrix} a \\ b \end{pmatrix}$ et le vecteur $\vec{AH}$ sont colinéaires.

b. En exprimant le produit scalaire $\vec{AM} \cdot \vec{n}$ de deux façons différentes, démontrer que $AH = \dfrac{|ax_A + by_A + c|}{\sqrt{a^2 + b^2}}$.

3. **ALGO** **PYTHON** Écrire le script d'une fonction Python dont les arguments sont les coordonnées respectives de trois points A, B et C et qui renvoie la hauteur du triangle ABC issue de A.

92 $ABCD$ est un rectangle tel que $AB = 5$ cm et $AD = 3$ cm. E est un point du segment $[AB]$ et on appelle F le point d'intersection des droites (ED) et (AC).

1. Dans cette question, on suppose que $AE = 4$ cm. Calculer les longueurs EC et ED.

En déduire une mesure en degré de l'angle $\widehat{DEC}$.

2. a. Justifier que $\overrightarrow{AC} \cdot \overrightarrow{ED} = \|\overrightarrow{AD}\|^2 - \|\overrightarrow{AB}\| \times \|\overrightarrow{AE}\|$.

b. En déduire où placer le point E pour que les droites (AC) et (DE) soient perpendiculaires.

3. **PRISE D'INITIATIVE** On note x la longueur en centimètre du segment $[AE]$.

a. Démontrer que $\overrightarrow{EC} \cdot \overrightarrow{ED} = x^2 - 5x + 9$.

b. En déduire pour quelle valeur de x le produit scalaire $\overrightarrow{EC} \cdot \overrightarrow{ED}$ est minimal.

Que peut-on alors dire de l'angle $\widehat{DEC}$?

93 **Remorquage d'un cargo**

Un remorqueur tracte un cargo comme sur la figure ci-dessous sur un parcours rectiligne $[AB]$ de 1 500 m avec une force constante $\vec{F}$ et à la vitesse de 5 km·h^{-1}.

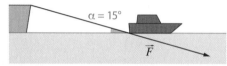

Le travail W de la force $\vec{F}$ sur le trajet $[AB]$, exprimé en joule (J), est $W = \vec{F} \cdot \overrightarrow{AB}$. On suppose que $F = 5 \times 10^6$ N. La puissance de la force de traction $\vec{F}$ exprimée en watt (W) est donnée par $P = \dfrac{W}{t}$, où t désigne le temps du trajet exprimé en seconde.

• Calculer la puissance de la force $\vec{F}$ lors de ce trajet.

94 Dans un repère orthonormé $(O\,;\vec{i},\vec{j})$, on considère les points $A(2\,;3)$, $B(5\,;0)$ et $M(x\,;y)$, où x et y sont deux nombres réels. k est un nombre réel.

1. Calculer $\overrightarrow{AM} \cdot \overrightarrow{AB}$ en fonction de x et y.

2. En déduire l'ensemble des points M tels que :
$$\overrightarrow{AM} \cdot \overrightarrow{AB} = k.$$

3. Tracer ces ensembles pour $k = -1$, $k = 1$ et $k = 3$.

95 **QCM**

Le plan est muni d'un repère orthonormé $(O\,;\vec{i},\vec{j})$. On considère les points $A(2\,;5)$, $B(11\,;1)$ et $C(6\,;-4)$. Donner la seule réponse exacte parmi les trois proposées, sans justifier.

1. Le triangle ABC est :

(a) rectangle et non isocèle ;

(b) rectangle et isocèle ;

(c) isocèle et non rectangle.

2. $\cos(\widehat{BAC})$ vaut :

(a) $\dfrac{72}{97}$ (b) $\dfrac{36}{97}$ (c) $\dfrac{65}{97}$

3. L'ensemble des points M tels que $\overrightarrow{MA} \cdot \overrightarrow{MB} = 5$ est :

(a) un cercle ; (b) une droite ; (c) ni l'un ni l'autre.

4. L'ensemble des points M tels que $\overrightarrow{MA} \cdot \overrightarrow{AB} = 5$ est :

(a) un cercle ; (b) une droite ; (c) ni l'un ni l'autre.

96 Dans le plan muni d'un repère orthonormé $(O\,;\vec{i},\vec{j})$, on considère les points $A(-2\,;1)$, $B(1\,;2)$ et $C(1\,;-1)$.

1. a. Calculer le produit scalaire $\overrightarrow{AB} \cdot \overrightarrow{AC}$ puis les longueurs AB et AC.

b. En déduire une valeur approchée arrondie au degré de l'angle $\widehat{BAC}$.

2. On appelle (E) l'ensemble des points M tels que :
$$\overrightarrow{MB} \cdot \overrightarrow{MC} = 7.$$

a. Vérifier que $A \in (E)$.

b. Soit $M(x, y)$ un point du plan. Exprimer $\overrightarrow{MB} \cdot \overrightarrow{MC}$ en fonction de x et y.

c. On a programmé l'algorithme suivant sur un logiciel.

```
i ← 0
Pour x allant de –10 à 10 :
    Pour y allant de –10 à 10 :
        Si x² + y² – 2x – y – 1 = 7 :
            i ← i + 1
```

À la fin de son exécution, la variable i contient la valeur 4. Que représente cette valeur dans le contexte de l'exercice ?

d. En utilisant le théorème de la médiane, déterminer et représenter l'ensemble (E), puis retrouver graphiquement le résultat de la question précédente.

97 Soient A et B deux points distincts du plan. On cherche à déterminer l'ensemble (E) des points M tels que $MA = 2MB$.

1. a. Vérifier que les points K et L, respectivement définis par :
$$\overrightarrow{AK} = \frac{2}{3}\overrightarrow{AB} \text{ et } \overrightarrow{AL} = 2\overrightarrow{AB},$$

appartiennent à (E).

b. Démontrer que :
$$\overrightarrow{KA} + 2\overrightarrow{KB} = \vec{0} \text{ et } \overrightarrow{LA} - 2\overrightarrow{LB} = \vec{0}.$$

2. a. Justifier que :
$$MA = 2MB \Leftrightarrow (\overrightarrow{MA} + 2\overrightarrow{MB}) \cdot (\overrightarrow{MA} - 2\overrightarrow{MB}) = 0.$$

b. En utilisant les points K et L, simplifier la relation précédente et conclure.

98 Sur la figure ci-dessous, $ABCD$ est un trapèze rectangle tel que $AB = 7$, $AD = 5$ et $DC = 3$.

E est le point du segment $[AB]$ tel que $AE = 3$; I est le milieu du segment $[EC]$.

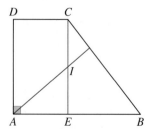

• Les droites (AI) et (BC) sont-elles perpendiculaires ? Si non, quelle valeur donner à la longueur du segment $[AB]$ pour que ce soit le cas ?

99 Trajectoires de sous-marins

On considère deux sous-marins se déplaçant en ligne droite, chacun à vitesse constante. À chaque instant t, exprimé en minute, le premier sous-marin est repéré par le point $S_1(t)$ et le second par le point $S_2(t)$ dans un repère orthonormé $(O\,;\vec{i},\vec{j})$ dont l'unité est le mètre. La droite $(O\,;\vec{i})$ représente le niveau de la mer.

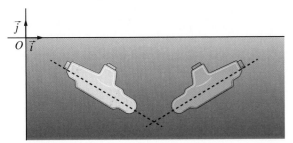

1. On admet que, pour tout $t \geqslant 0$, le point $S_1(t)$ a pour coordonnées $(140 - 60t\,;-170 - 30t)$.
a. Donner les coordonnées du sous-marin au début de l'observation.
b. Calculer la distance parcourue par le premier sous-marin en une minute. En déduire sa vitesse exprimée en $\text{km}\cdot\text{h}^{-1}$.
c. Calculer le produit scalaire $\overrightarrow{S_1(0)\,S_1(1)} \cdot \vec{i}$.
En déduire l'angle α que forme la trajectoire du sous-marin avec le niveau de la mer.
On donnera l'arrondi de α à $0,1$ degré près.
2. Au début de l'observation, le second sous-marin se trouve au point $S_2(0)$ de coordonnées $(68\,;-68)$ et atteint au bout de trois minutes le point de coordonnées $(-202\,;-248)$.
À quel instant t, exprimé en minute, les deux sous-marins sont-ils à la même profondeur ?
3. Au bout de dix minutes, quelle distance séparera les deux sous-marins ?

D'après Bac, Liban, mai 2018

100 PRISE D'INITIATIVE

Dans la figure ci-dessous, les angles α et β sont-ils égaux ?

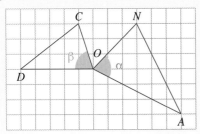

101 On a représenté ci-dessous, dans un repère ortho-normé, la fonction f définie sur $[0\,;10]$ par $f(x) = \sqrt{x}$.

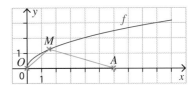

On note A le point de coordonnées $(6\,;0)$, O l'origine du repère. Soit x un nombre réel de l'intervalle $[0\,;10]$, on note M le point de la courbe d'abscisse x.
1. Exprimer le produit scalaire $\overrightarrow{MO} \cdot \overrightarrow{MA}$ en fonction de x.
2. Déterminer pour quelle(s) valeur(s) de x le triangle OMA est rectangle en M.
3. Écrire en Python une fonction angle dont l'argument est l'abscisse x de M et qui renvoie l'angle $\widehat{OMA}$ en degré.
4. On donne le script Python suivant d'une fonction M.

```
6 def M(pas):
7     x=pas
8     M=angle(x)
9     while x<=10:
10        A=angle(x)
11        if A>M:
12            M=A
13        x=x+pas
14    return M
```

a. Que renvoie cette fonction si l'on écrit dans la console l'instruction $\text{M}(0.1)$?
b. Que calcule cette fonction dans le contexte de l'exercice ?

102 Le plan est muni d'un repère orthonormé $(O\,;\vec{i},\vec{j})$. Soit d la droite d'équation cartésienne :
$$2x - y - 3 = 0.$$
On note A le point de coordonnées $(a\,;a^2)$, où a est un nombre réel.
1. Justifier que, quelle que soit la valeur de a, le point A n'appartient pas à la droite d.
2. Soit $\mathcal{D}$ la droite passant par A et perpendiculaire à d. Soit M un point de la droite $\mathcal{D}$.
a. Justifier que le vecteur $\vec{v}\begin{pmatrix} 2 \\ -1 \end{pmatrix}$ est orthogonal à tout vecteur directeur de la droite d.
b. En déduire qu'il existe un nombre réel t tel que $\overrightarrow{AM} = t\vec{v}$.
c. Exprimer la distance AM en fonction de t.
Soit H le projeté orthogonal de A sur la droite d.
La distance AH est appelée distance du point H à la droite d.
Existe-t-il une valeur de a pour laquelle la distance AH du point A de coordonnées $(a\,;a^2)$ à la droite d est minimale ? Justifier la réponse.

D'après Bac, Métropole, 2017

Exercices

 Milieu

Soient ABC et ADE deux triangles rectangles et isocèles en A.
On appelle I le milieu de $[CE]$.

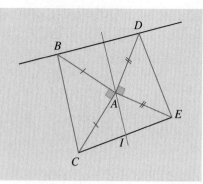

Questions Va piano

1. a. [LOGICIEL DE GÉOMÉTRIE]
Réaliser la figure à l'aide d'un logiciel de géométrie dynamique.
b. Que peut-on conjecturer pour les droites (AI) et (BD) ?
2. a. Justifier que :
$$\overrightarrow{AI} = \frac{1}{2}(\overrightarrow{AC} + \overrightarrow{AE})$$
et $\overrightarrow{BD} = \overrightarrow{BA} + \overrightarrow{AD}$.
b. En déduire le produit scalaire $\overrightarrow{AI} \cdot \overrightarrow{BD}$ et démontrer la conjecture émise à la question **1 b.**

Questions Moderato

1. a. Exprimer l'angle $\widehat{BAD}$ en fonction de l'angle $\widehat{CAE}$.
b. Soit B' le symétrique de B par rapport à A.
Vérifier que $\widehat{DAB'} = \widehat{CAE}$ et que :
$$\overrightarrow{AC} \cdot \overrightarrow{AE} = \overrightarrow{AD} \cdot \overrightarrow{AB'}.$$
c. En déduire que $\overrightarrow{AC} \cdot \overrightarrow{AE} = -\overrightarrow{AB} \cdot \overrightarrow{AD}$ puis que $\overrightarrow{DC} \cdot \overrightarrow{BE} = 0$ (utiliser la relation de Chasles appropriée).
d. Que peut-on en conclure pour les droites (DC) et (BE) ?
2. Démontrer que $DC = BE$.

Questions Allegro

1. Justifier que :
$$CE^2 = AC^2 + AE^2 - 2\overrightarrow{AC} \cdot \overrightarrow{AE}.$$
2. a. On admet que :
$$\cos(a - b) = \cos(a)\cos(b) + \sin(a)\sin(b)$$
(cette formule a été démontrée dans l'exercice 67 p. 232).
Justifier que $\cos(\widehat{BAD}) = -\cos(\widehat{CAE})$.
b. En déduire que :
$$BD^2 = AC^2 + AE^2 + 2\overrightarrow{AC} \cdot \overrightarrow{AE}$$
3. Démontrer que $BD = 2AI$.

---

104 **Figures**

Sur la figure ci-contre, $ABCD$ est un carré, $BEFC$ un rectangle et CFG un triangle rectangle isocèle en G.
On pose $AB = a$ et $BE = b$, où a et b sont des nombres réels positifs.

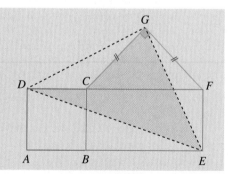

Questions Va piano

On suppose que $b = 2a$.
1. Dans le repère orthonormé(A ; $\overrightarrow{AB}, \overrightarrow{AD}$), écrire les coordonnées des points A, B, C, D et E.
2. On appelle H le projeté orthogonal de G sur (CF).
Calculer les coordonnées de H.
3. Justifier que CHG est un triangle rectangle isocèle en H.
En déduire les coordonnées de G.
4. Calculer $\overrightarrow{GE} \cdot \overrightarrow{GD}$.
Que peut-on en conclure ?

Questions Moderato

1. a. Exprimer la longueur GC en fonction de b.
b. Calculer les produits scalaires $\overrightarrow{GC} \cdot \overrightarrow{FE}$ et $\overrightarrow{CD} \cdot \overrightarrow{GF}$ en fonction de a et b.
2. En utilisant la relation de Chasles, démontrer que :
$$\overrightarrow{GE} \cdot \overrightarrow{GD} = \overrightarrow{GC} \cdot \overrightarrow{FE} + \overrightarrow{CD} \cdot \overrightarrow{GF}.$$
3. En déduire la nature du triangle GDE.

Questions Allegro

1. Comment choisir les nombres a et b pour que les droites (BF) et (GE) soient perpendiculaires ?
2. Avec les valeurs des nombres a et b précédentes, calculer l'aire totale de la figure coloriée en fonction de a.

No problem!

1 Magnitude

a and b are two vectors.
We denote $|a|$ the length (or magnitude) of vector a and θ the angle between a and b.
Fill in the gap of the definition below.

> To ... the dot product of ... vectors, we ... the ... of vector a by the length of vector b then multiply by the ... of the angle between ... and ... .
> The dot product gives a ... as an answer.

2 Coordinates

1. Vector a has magnitude 3, vector b has magnitude 4 and the angle between a and b is $\frac{\pi}{3}$.

What is the value of $a \cdot b$?

2. $a\begin{pmatrix} -3 \\ 4 \end{pmatrix}$ and $b\begin{pmatrix} 12 \\ 5 \end{pmatrix}$ are two vectors in a rectangular coordinate.

Use the dot product to find the size of the angle between a and b.

3. Which of the following pairs of vectors are perpendicular?

$$a\begin{pmatrix} 4 \\ 3 \end{pmatrix} \quad b\begin{pmatrix} 4 \\ -3 \end{pmatrix} \quad c\begin{pmatrix} -3 \\ 4 \end{pmatrix} \quad d\begin{pmatrix} -3 \\ -4 \end{pmatrix}$$

3 Algorithm

We are given three points in a rectangular coordinate:
$A(a ; b)$, $H(c ; d)$ and $T(e ; f)$.
The algorithm below is written in "Python language":

```python
def surprise(a,b,c,d,e,f):
    if (a-c)*(a-e)+(b-d)*(b-f)==0:
        print('yes')
    else:
        print('no')
```

1. What will be the result of this algorithm if we enter the formula: surprise(0,2,4,−2,−1,1)?
2. Thanks to the previous result what can you say about HAT triangle?
3. Find three points that give "no" as an answer.
4. Explain the second line of the algorithm. What is the goal of this algorithm?

4 Methane molecule

A methane molecule composed with one carbon atom and four hydrogen ones, has a shape of a regular tetrahedron as shown below.
• Determine the angle between each chemical bond.

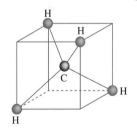

 Pair Work Noughts and Crosses

Step 1: Choose a square.
Step 2: Solve the problem linked to that square.
Step 3: If your answer is correct, write your symbol (a nought or a cross) in the square.
The aim of the game is to get a winning line of three noughts or three crosses in either a horizontal, vertical or diagonal row.
To play this game, you need to use a square $ABCD$ with center O and with sides equal to a.
You will have to give some dot products in terms of a and to explain your result to your classmate.

A1. $\overrightarrow{DC} \cdot \overrightarrow{BC}$ **A2.** $\overrightarrow{CD} \cdot \overrightarrow{CA}$ **A3.** $\overrightarrow{OC} \cdot \overrightarrow{BD}$ **B1.** $\overrightarrow{OC} \cdot \overrightarrow{BC}$ **B2.** $\overrightarrow{CB} \cdot \overrightarrow{AC}$
B3. $\overrightarrow{OA} \cdot \overrightarrow{OC}$ **C1.** $\overrightarrow{DA} \cdot \overrightarrow{BD}$ **C2.** $\overrightarrow{DO} \cdot \overrightarrow{BO}$ **C3.** $\overrightarrow{OC} \cdot \overrightarrow{BO}$

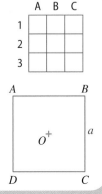

8

Géométrie repérée

Construire des cercles avec Apollonius

Apollonius

Apollonius est un géomètre et astronome grec du IIIe siècle avant J.-C. Né à Perga dans l'actuelle Turquie, il étudie puis enseigne à Alexandrie. Il est célèbre pour son traité sur les *Coniques*, ensemble de courbes sur lesquelles ses prédécesseurs, comme Euclide, ont déjà travaillé. Dans ce traité de huit livres, il synthétise les résultats déjà obtenus et les complète de manière remarquablement rigoureuse pour l'époque.

Dans le *Traité des contacts*, Apollonius travaille sur la construction de cercles sous diverses conditions. On y trouve des constructions de cercles passant par trois points donnés, tangents à des droites ou à d'autres cercles.

Il énonce notamment la proposition suivante :
« Le lieu des points dont la distance à un point donné *A* est un multiple de la distance à un point donné *B*, est un cercle. »

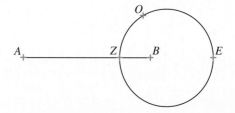

Reproduire et expliquer le schéma illustrant la proposition ci-dessus, en fixant $AB = 4$ cm et $\dfrac{AZ}{BZ} = \dfrac{AO}{BO} = \dfrac{AE}{BE} = 3$.

Justifier la position des points Z et E sur la droite (AB) et en déduire le rayon du cercle et la position de son centre sur la droite (AB).

Réviser ses GAMMES

❶ Vecteurs directeurs (1)

On se place dans un repère orthonormé du plan.

Déterminer par lecture graphique les coordonnées d'un vecteur directeur de chacune des droites représentées ci-dessous.

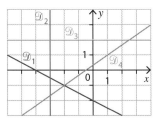

❷ Vecteurs directeurs (2)

On se place dans un repère orthonormé du plan.

Déterminer les coordonnées d'un vecteur directeur de chacune des droites dont une équation est donnée ci-dessous.

a. $2x - 3y + 1 = 0$

b. $x + y - 3 = 0$

c. $3y - 1 = 0$

d. $x = \sqrt{2}$

e. $y = -\dfrac{1}{2}x + 3$

❸ Colinéarité

Les vecteurs $\vec{u}$ et $\vec{v}$ sont-ils colinéaires dans chacun des cas suivants ?

1. $\vec{u}\begin{pmatrix} 2 \\ -1 \end{pmatrix}$ et $\vec{v}\begin{pmatrix} -1 \\ 2 \end{pmatrix}$.

2. $\vec{u}\begin{pmatrix} 3 \\ 0 \end{pmatrix}$ et $\vec{v}\begin{pmatrix} 4 \\ 1 \end{pmatrix}$.

3. $\vec{u}\begin{pmatrix} -3 \\ 1 \end{pmatrix}$ et $\vec{v}\begin{pmatrix} \dfrac{5}{3} \\ \dfrac{-5}{9} \end{pmatrix}$.

4. $\vec{u}\begin{pmatrix} 0 \\ \sqrt{5} \end{pmatrix}$ et $\vec{v}\begin{pmatrix} 0 \\ -32 \end{pmatrix}$.

❹ Milieux

Soient $A(-3\,;2)$ et $B(5\,;4)$ deux points du plan.

1. Calculer les coordonnées du milieu I du segment $[AB]$.

2. Calculer les coordonnées du point C sachant que le point B est le milieu du segment $[AC]$.

❺ Produit scalaire

On se place dans un repère orthonormé.

1. Calculer le produit scalaire $\vec{u}\cdot\vec{v}$ dans chacun des cas suivants.

a. $\vec{u}\begin{pmatrix} -3 \\ 2 \end{pmatrix}$ et $\vec{v}\begin{pmatrix} 1 \\ 4 \end{pmatrix}$.

b. $\vec{u}\begin{pmatrix} \sqrt{3}-1 \\ 0 \end{pmatrix}$ et $\vec{v}\begin{pmatrix} \sqrt{3}+1 \\ 1 \end{pmatrix}$.

c. $\vec{u}\begin{pmatrix} \sqrt{2} \\ 4 \end{pmatrix}$ et $\vec{v}\begin{pmatrix} \sqrt{2} \\ -\dfrac{1}{2} \end{pmatrix}$.

2. Quelle est la paire de vecteurs orthogonaux ?

❻ Identités remarquables

Développer les identités remarquables suivantes.

1. $(x+3)^2$

2. $(y-7)^2$

3. $(y+\dfrac{1}{2})^2$

4. $(x-\sqrt{2})^2$

❼ Système

Résoudre le système d'équations suivant.

$$\begin{cases} -x + 5y - 4 = 0 \\ 4x + y - 5 = 0 \end{cases}$$

❽ Équation cartésienne

On se place dans un repère orthonormé.

Déterminer une équation cartésienne des droites suivantes.

1. La droite (AB) avec $A(-8\,;4)$ et $B(0\,;3)$.

2. La droite passant par le point $C(-2\,;5)$ et de vecteur directeur $\vec{u}\begin{pmatrix} -1 \\ 2 \end{pmatrix}$.

❾ Alignement

Soient $A(-1\,;3)$, $B(4\,;2)$ et $C(0\,;1)$ trois points du plan.

• Les points A, B et C sont-ils alignés ?

Situation ❶ Paires orthogonales

Objectif
Conjecturer
les coordonnées
d'un vecteur normal
à une droite dont
on connaît
une équation
cartésienne.

Dans un repère orthonormé du plan, on considère les vecteurs :

$$\vec{u}\begin{pmatrix} -4 \\ 1 \end{pmatrix}, \quad \vec{v}\begin{pmatrix} 0 \\ -3 \end{pmatrix}, \quad \vec{w}\begin{pmatrix} -3 \\ 0 \end{pmatrix}, \quad \vec{z}\begin{pmatrix} 4 \\ -3 \end{pmatrix}, \quad \vec{t}\begin{pmatrix} 1 \\ 4 \end{pmatrix} \quad \text{et} \quad \vec{n}\begin{pmatrix} -3 \\ -4 \end{pmatrix}.$$

① Représenter ces vecteurs dans un repère orthonormé, puis reconstituer les paires de vecteurs orthogonaux en justifiant par le calcul.

② Soit $\mathscr{D}$ une droite d'équation cartésienne $ax + by + c = 0$, où a, b et c sont trois réels donnés, tels que a et b ne sont pas nuls simultanément.
Exprimer les coordonnées d'un vecteur directeur de $\mathscr{D}$ en fonction de a et b.

③ Si $\vec{u}\begin{pmatrix} -4 \\ 1 \end{pmatrix}$ est un vecteur directeur de $\mathscr{D}$, que valent a et b ?

Exprimer alors les coordonnées du vecteur orthogonal à $\vec{u}\begin{pmatrix} -4 \\ 1 \end{pmatrix}$ trouvé à la question **1** en fonction de a et b.

④ Reprendre la question **3** en remplaçant le vecteur $\vec{u}\begin{pmatrix} -4 \\ 1 \end{pmatrix}$ par le vecteur $\vec{z}\begin{pmatrix} 4 \\ -3 \end{pmatrix}$.

⑤ Quelle conjecture peut-on émettre sur les coordonnées d'un vecteur orthogonal à un vecteur directeur d'une droite d'équation cartésienne $ax + by + c = 0$?

Situation ❷ Second degré `LOGICIEL DE GÉOMÉTRIE`

Objectif
Conjecturer l'équation
réduite de l'axe
de symétrie
d'une parabole.

On considère la fonction polynôme f définie sur $\mathbb{R}$ par : $\quad f(x) = x^2 - 6x + 8$.
On a tracé la représentation graphique de cette fonction sur un logiciel de géométrie dynamique.

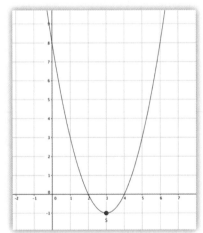

① Lire graphiquement les coordonnées du point S.

② Reproduire la figure sur un logiciel de géométrie dynamique.

③ Tracer la droite Δ perpendiculaire à l'axe (Ox) et passant par le point S.

④ Quelle est l'équation réduite de Δ ?

⑤ Justifier que le point $A\,(1\,;3)$ appartient à la courbe représentative de la fonction.
Placer ce point sur la figure.

⑥ Construire le symétrique du point A par rapport à la droite Δ.
On peut utiliser le bouton « symétrie axiale » du logiciel.

⑦ Placer de même deux autres points sur la courbe et tracer leurs symétriques respectifs par rapport à Δ.

⑧ Que peut-on conjecturer ?

Situation 3 **Équations de courbes** LOGICIEL DE GÉOMÉTRIE

Objectif
Conjecturer
l'équation
cartésienne
d'un cercle.

Dans un repère orthonormé du plan d'origine O, Théodore a dessiné des courbes sur un logiciel de géométrie dynamique. Il a mélangé les équations de chacune d'elles.

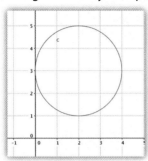

Courbe 1

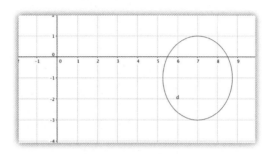

Courbe 2

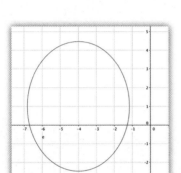

Courbe 3

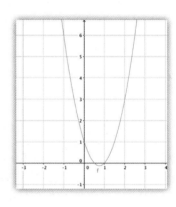

Courbe 4

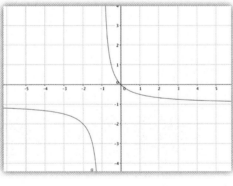

Courbe 5

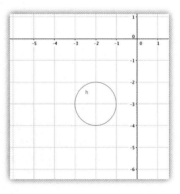

Courbe 6

1. Associer à chacune des six équations ci-dessous une des courbes ci-dessus.

  (a) $(x + 2)^2 + (y + 3)^2 = 1$ (b) $(x + 1)(y + 1) = 1$

  (c) $\dfrac{(x - 7)^2}{3} + \dfrac{(y + 1)^2}{4} = 4$ (d) $y = 2x^2 - 3x + 1$

  (e) $(x - 2)^2 + (y - 3)^2 = 4$ (f) $\dfrac{(x + 4)^2}{2} + \dfrac{(y - 1)^2}{3} = 4$

2. Lesquelles sont des équations de cercle ?
Donner les coordonnées du centre et le rayon.

3. Proposer une équation du cercle de centre O et de rayon 2.
Vérifier à l'aide d'un logiciel de géométrie dynamique.

4. Reprendre la question précédente avec le cercle de centre A (1 ; 3) et de rayon 2.

1. Vecteur normal à une droite

Dans tout ce chapitre, le plan est muni d'un repère orthonormé.

1. Définition

Définition

Soit $\mathscr{D}$ une droite de vecteur directeur $\vec{u}$.
Soit $\vec{n}$ un vecteur non nul du plan.
$\vec{n}$ est un **vecteur normal** à $\mathscr{D}$ lorsque $\vec{n} \cdot \vec{u} = 0$.

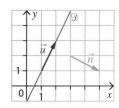

∨ Exemple

Le vecteur $\vec{n}\begin{pmatrix} -2 \\ 1 \end{pmatrix}$ est orthogonal au vecteur $\vec{u}\begin{pmatrix} 1 \\ 2 \end{pmatrix}$.

En effet, $\vec{n} \cdot \vec{u} = -2 \times 1 + 1 \times 2 = 0$.
$\vec{u}$ est un vecteur directeur de $\mathscr{D}$, donc $\vec{n}$ est un vecteur normal à $\mathscr{D}$.

Propriétés

> DÉMO
> en ligne

Soient $\mathscr{D}$ une droite et $\vec{n}$ un vecteur non nul.
- Si $\vec{n}$ est un vecteur normal à $\mathscr{D}$, alors tout vecteur non nul colinéaire à $\vec{n}$ est un vecteur normal à $\mathscr{D}$.
- Tout vecteur normal à $\mathscr{D}$ est orthogonal à tout vecteur directeur de $\mathscr{D}$.

∨ Exemple

Soit $\mathscr{D}$ une droite de vecteur normal $\vec{n}$.
Les vecteurs $\vec{n}$ et $-2\vec{n}$ sont colinéaires, donc le vecteur $-2\vec{n}$ est aussi un vecteur normal à $\mathscr{D}$.

Propriété

> DÉMO
> en ligne

Soient $\mathscr{D}$ une droite passant par un point A et de vecteur normal $\vec{n}$.
Un point M appartient à $\mathscr{D}$ si et seulement si $\overrightarrow{AM} \cdot \vec{n} = 0$.

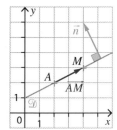

∨ Exemple

Soit $\mathscr{D}$ la droite passant par le point $A(1 ; 2)$ et de vecteur normal $\vec{n}\begin{pmatrix} -1 \\ 3 \end{pmatrix}$.
Soit le point $B(4 ; 3)$.
$\overrightarrow{AB} \cdot \vec{n} = (4-1) \times (-1) + (3-2) \times 3 = -3 + 3 = 0$
Le point B appartient donc à $\mathscr{D}$.

2. Équation cartésienne d'une droite

Propriété

> DÉMO
> p. 249

Soient a, b et c trois réels tels que a et b ne sont pas nuls simultanément.
Une droite $\mathscr{D}$ a pour équation cartésienne $ax + by + c = 0$ si et seulement si $\vec{n}\begin{pmatrix} a \\ b \end{pmatrix}$ est un vecteur normal à $\mathscr{D}$.

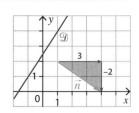

∨ Exemple

Soit $\mathscr{D}$ la droite d'équation cartésienne $3x - 2y + 5 = 0$.
On identifie les coefficients :
$$a = 3, b = -2 \text{ et } c = 5.$$
Le vecteur $\vec{n}$ de coordonnées $\begin{pmatrix} 3 \\ -2 \end{pmatrix}$ est un vecteur normal à $\mathscr{D}$.

Exercice résolu 1 — Identifier des vecteurs normaux à une droite

On considère la droite $\mathscr{D}$ dont le vecteur $\vec{u}$ est un vecteur directeur.

• Quels sont, parmi les vecteurs $\vec{n}$, $\vec{w}$, $\vec{v}$ et $\vec{z}$ représentés sur la figure ci-contre, les deux vecteurs normaux à $\mathscr{D}$?

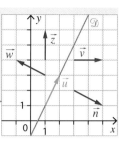

∨ Solution commentée

D'après la figure, on conjecture que les deux vecteurs normaux à $\mathscr{D}$ sont $\vec{n}$ et $\vec{w}$.

Le vecteur $\vec{u}$ a pour coordonnées $\begin{pmatrix} 1 \\ 2 \end{pmatrix}$. Le vecteur $\vec{n}$ a pour coordonnées $\begin{pmatrix} 2 \\ -1 \end{pmatrix}$.

Or $\vec{n} \cdot \vec{u} = 2 \times 1 + (-1) \times 2 = 2 - 2 = 0$. Les vecteurs $\vec{n}$ et $\vec{u}$ sont donc orthogonaux.

On en déduit que $\vec{n}$ est un vecteur normal à $\mathscr{D}$.

Le vecteur $\vec{w}$ a pour coordonnées $\begin{pmatrix} -2 \\ 1 \end{pmatrix}$. On a donc $\vec{w} = -\vec{n}$.

$\vec{n}$ et $\vec{w}$ sont donc deux vecteurs colinéaires, or $\vec{n}$ est normal à $\mathscr{D}$, donc $\vec{w}$ l'est aussi.

❯EXERCICE 2 p. 258

Exercice résolu 2 — Déterminer les coordonnées d'un vecteur normal à une droite donnée.

1 Soit $\mathscr{D}_1$ la droite passant par le point $A\,(2\,;5)$ et de vecteur directeur $\vec{u}\begin{pmatrix} -1 \\ 3 \end{pmatrix}$.
Déterminer les coordonnées d'un vecteur normal à la droite $\mathscr{D}_1$.

2 Soit $\mathscr{D}_2$ la droite dont une équation cartésienne est $-x - 4y + 1 = 0$.
Déterminer les coordonnées d'un vecteur normal à la droite $\mathscr{D}_2$.

∨ Solution commentée

1 Le vecteur $\vec{u}\begin{pmatrix} -1 \\ 3 \end{pmatrix}$ est un vecteur directeur de $\mathscr{D}_1$ donc $\mathscr{D}_1$ admet une équation cartésienne de la forme

$3x + y + c = 0$ avec $c \in \mathbb{R}$. On en déduit que le vecteur $\vec{n}\begin{pmatrix} 3 \\ 1 \end{pmatrix}$ est un vecteur normal à $\mathscr{D}_1$.

On peut vérifier que les vecteurs $\vec{n}$ et $\vec{u}$ sont bien orthogonaux : $\vec{n} \cdot \vec{u} = 3 \times (-1) + 1 \times 3 = 0$.

2 L'équation cartésienne donnée est de la forme $ax + by + c = 0$, avec $a = -1$ et $b = -4$. Donc un vecteur

normal à $\mathscr{D}_2$ a pour coordonnées $\begin{pmatrix} a \\ b \end{pmatrix}$, soit ici $\begin{pmatrix} -1 \\ -4 \end{pmatrix}$.

❯EXERCICE 7 p. 258

Exercice résolu 3 — Déterminer une équation cartésienne de droite

Soit Δ une droite passant par le point $A\,(2\,;1)$ et dont le vecteur $\vec{n}$ de coordonnées $\begin{pmatrix} -1 \\ 2 \end{pmatrix}$ est un vecteur normal.

• Déterminer une équation cartésienne de Δ.

∨ Solution commentée

$M\,(x\,;y)$ appartient à $\mathscr{D} \Leftrightarrow \vec{n} \cdot \overrightarrow{AM} = 0 \Leftrightarrow -1 \times (x - 2) + 2 \times (y - 1) = 0$

$$\Leftrightarrow -x + 2 + 2y - 2 = 0$$

$$\Leftrightarrow -x + 2y = 0$$

On en déduit qu'une équation cartésienne de Δ est $-x + 2y = 0$.

❯EXERCICE 9 p. 258

2. Équation cartésienne d'un cercle et d'une parabole

1. Équation cartésienne d'un cercle

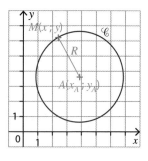

Propriété et définition

Soient $A(x_A ; y_A)$ un point du plan et R un réel strictement positif.
L'ensemble des points $M(x ; y)$ du plan vérifiant l'égalité
$(x - x_A)^2 + (y - y_A)^2 = R^2$ est le cercle $\mathscr{C}$ de centre A et de rayon R.
Cette égalité est une **équation cartésienne** du cercle $\mathscr{C}$.

⌄ Exemple

On considère l'équation $(x - 3)^2 + (y + 1)^2 = 4$.
Cette équation est équivalente à $(x - 3)^2 + (y - (-1))^2 = 4$.
C'est celle du cercle de centre $A(3 ; -1)$ et de rayon $R = \sqrt{4} = 2$ unités de longueur.

Remarque

Dans le cas où un cercle $\mathscr{C}$ est défini par la donnée d'un de ses diamètres $[AB]$, on peut trouver
une équation cartésienne de $\mathscr{C}$:
- en utilisant l'équivalence $M \in \mathscr{C} \Leftrightarrow \overrightarrow{MA} \cdot \overrightarrow{MB} = 0$;
- ou en déterminant les coordonnées du centre I et la valeur du rayon qui est égal à la longueur AI.

2. Équation cartésienne d'une parabole

DÉMO
p. 248

Définition et propriété

Soient a, b et c trois réels donnés tels que $a \neq 0$.
Soit f une fonction polynôme de degré 2 définie, pour tout réel x,
par $f(x) = ax^2 + bx + c$.
La courbe représentative de la fonction f, qui a pour équation
$y = ax^2 + bx + c$, est une **parabole**.

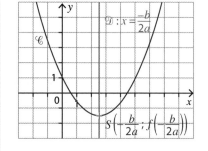

Cette courbe admet :
- pour axe de symétrie la droite d'équation $x = -\dfrac{b}{2a}$;

- pour sommet le point $S\left(-\dfrac{b}{2a} ; f\left(-\dfrac{b}{2a}\right)\right)$.

⌄ Exemple

On considère l'équation $y = -x^2 + 2x - 5$.
Cette équation est celle d'une parabole.
Par identification des coefficients, on obtient $a = -1$, $b = 2$ et $c = -5$.

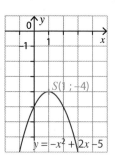

D'après la propriété, cette parabole admet un axe de symétrie dont une équation
est $x = -\dfrac{b}{2a}$, soit $x = -\dfrac{2}{2 \times (-1)}$, soit $x = 1$.

Son sommet S a :
- pour abscisse $x_S = -\dfrac{b}{2a} = 1$;

- pour ordonnée $y_S = -1^2 + 2 \times 1 - 5 = -1 + 2 - 5 = -4$.

Donc S a pour coordonnées $(1 ; -4)$.

Exercice résolu **1** Déterminer une équation de cercle

Soient les points $A(1\,;1)$ et $B(5\,;-2)$.

• Déterminer une équation du cercle $\mathscr{C}$ de diamètre $[AB]$.

• Déterminer les coordonnées de son centre et la valeur de son rayon.

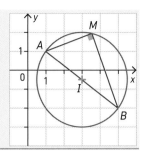

∨ Solution commentée

1re méthode : Soit un point $M(x\,;y)$. On a $\overrightarrow{MA}\begin{pmatrix} 1-x \\ 1-y \end{pmatrix}$ et $\overrightarrow{MB}\begin{pmatrix} 5-x \\ -2-y \end{pmatrix}$.

$M \in \mathscr{C} \Leftrightarrow \overrightarrow{MA} \cdot \overrightarrow{MB} = 0$

$\Leftrightarrow (1-x)(5-x) + (1-y)(-2-y) = 0$

$\Leftrightarrow x^2 - 6x + y^2 + y = -3$

$\Leftrightarrow (x-3)^2 - 9 + \left(y + \dfrac{1}{2}\right)^2 - \dfrac{1}{4} = -3$

$\Leftrightarrow (x-3)^2 + \left(y + \dfrac{1}{2}\right)^2 = \dfrac{25}{4}$.

On en déduit que le cercle a pour centre le point $I\left(3\,;-\dfrac{1}{2}\right)$ et pour rayon $\sqrt{\dfrac{25}{4}}$, soit $\dfrac{5}{2}$.

2e méthode : Le centre du cercle $\mathscr{C}$ est le point I de coordonnées $\left(\dfrac{1+5}{2}\,;\dfrac{1-2}{2}\right)$, donc $\left(3\,;-\dfrac{1}{2}\right)$.

Le carré du rayon du cercle $\mathscr{C}$ est égal à $AI^2 = (3-1)^2 + \left(-\dfrac{1}{2} - 1\right)^2 = \dfrac{25}{4}$. Son rayon vaut $\sqrt{\dfrac{25}{4}}$, soit $\dfrac{5}{2}$.

Donc $\mathscr{C}$ admet pour équation $(x-3)^2 + \left(y + \dfrac{1}{2}\right)^2 = \dfrac{25}{4}$.

> EXERCICE 36 p. 261

Exercice résolu **2** Déterminer l'équation d'une parabole

On considère une parabole dont le sommet S a pour coordonnées $(3\,;5)$ et qui passe par le point $A(0\,;10)$.

• Déterminer une équation de cette parabole.

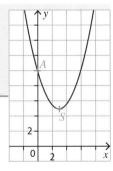

∨ Solution commentée

On cherche l'équation de la parabole sous la forme $y = ax^2 + bx + c$, où a, b et c sont trois réels donnés tels que $a \neq 0$.

L'abscisse du sommet S vaut $-\dfrac{b}{2a} = 3$.

On en déduit que $-b = 3 \times 2a$, soit $b = -6a$.

De plus, l'ordonnée du point S est 5, on en déduit donc que $5 = a \times 3^2 + b \times 3 + c$, ce qui équivaut à $9a + 3b + c = 5$.

Par ailleurs la parabole passe par le point de coordonnées $(0\,;10)$, donc $c = 10$.

On obtient donc le système suivant :

$\begin{cases} c = 10 \\ b = -6a \\ 9a + 3b + c = 5 \end{cases} \Leftrightarrow \begin{cases} c = 10 \\ b = -6a \\ 9a + 3b = -5 \end{cases} \Leftrightarrow \begin{cases} c = 10 \\ b = -6a \\ 9a + 3 \times (-6a) = -5 \end{cases} \Leftrightarrow \begin{cases} c = 10 \\ b = -6a \\ -9a = -5 \end{cases} \Leftrightarrow \begin{cases} c = 10 \\ b = -6 \times \dfrac{5}{9} = \dfrac{-10}{3} \\ a = \dfrac{5}{9} \end{cases}$.

Donc une équation de la parabole est $y = \dfrac{5}{9}x^2 - \dfrac{10}{3}x + 10$.

> EXERCICE 29 p. 260

Comprendre une démonstration

On présente la démonstration de la propriété suivante. La lire attentivement puis répondre aux questions posées.
On se place dans un repère orthonormé du plan.

> Soient a, b et c trois réels tels que $a \neq 0$.
> La parabole $\mathcal{P}$ d'équation $y = ax^2 + bx + c$ admet pour axe de symétrie la droite d'équation $x = -\dfrac{b}{2a}$.

∨ Démonstration

• On va montrer que, pour tout point A appartenant à $\mathcal{P}$ et distinct de son sommet, il existe un point B distinct de A appartenant à $\mathcal{P}$ et ayant la même ordonnée que A.
Soient deux points $A\,(x_A\,;\,y_A)$ et $B\,(x_B\,;\,y_B)$ appartenant à $\mathcal{P}$.
On a donc $y_A = a{x_A}^2 + bx_A + c$ et $y_B = a{x_B}^2 + bx_B + c$.

$$y_A = y_B \Leftrightarrow a{x_A}^2 + bx_A + c = a{x_B}^2 + bx_B + c$$
$$\Leftrightarrow a({x_A}^2 - {x_B}^2) + b(x_A - x_B) = 0$$
$$\Leftrightarrow (x_A - x_B)[a(x_A + x_B) + b] = 0 \qquad (1)$$
$$\Leftrightarrow (x_A - x_B) = 0 \text{ ou } a(x_A + x_B) + b = 0 \quad (2)$$
$$\Leftrightarrow x_A = x_B \text{ ou } x_A + x_B = -\frac{b}{a}$$

Donc, si un point $A\,(x_A\,;\,y_A)$ distinct du sommet de la parabole appartient à $\mathcal{P}$, le point $B\left(-\dfrac{b}{a} - x_A\,;\,y_A\right)$ appartient à $\mathcal{P}$, est distinct de A et a la même ordonnée que A.
La courbe admet donc bien deux points distincts d'ordonnée y_A.

• On va déterminer les coordonnées du milieu I de $[AB]$.
Les points A et B ont même ordonnée donc $y_I = \dfrac{y_A + y_B}{2} = \dfrac{2y_A}{2} = y_A$.

De plus, d'après ce qui précède, $x_A + x_B = -\dfrac{b}{a}$, donc $\dfrac{x_A + x_B}{2} = -\dfrac{b}{2a}$, et donc $x_I = \dfrac{x_A + x_B}{2} = -\dfrac{b}{2a}$.
On en déduit donc que $I\left(-\dfrac{b}{2a}\,;\,y_A\right)$.

• Soit Δ la droite d'équation $x = -\dfrac{b}{2a}$. Les points A et B ont même ordonnée, donc le vecteur $\overrightarrow{AB}$ a pour coordonnées $\begin{pmatrix} x_B - x_A \\ 0 \end{pmatrix}$. Un vecteur directeur de Δ est $\vec{j}\begin{pmatrix} 0 \\ 1 \end{pmatrix}$. Or $\overrightarrow{AB} \cdot \vec{j} = (x_B - x_A) \times 0 + 0 \times 1 = 0$.
Les vecteurs sont donc orthogonaux, donc la droite Δ est orthogonale au segment $[AB]$.
De plus, le point I, milieu de $[AB]$, appartient à Δ. Donc Δ est la médiatrice du segment $[AB]$.
B est donc le symétrique de A par rapport à Δ.
• Si A est le point de la courbe d'abscisse $-\dfrac{b}{2a}$, alors A appartient à Δ, c'est le sommet de la parabole.

Donc A est invariant par symétrie par rapport à Δ. On a alors $x_A = x_B$.
Tout point de la parabole admet ainsi un symétrique par rapport à Δ, ce qui signifie que Δ est axe de symétrie de la parabole.

---

❶ Quelle égalité traduit le fait que A appartient à la parabole ? Même question pour le point B.

❷ Quelle propriété permet de passer de l'égalité (1) à l'égalité (2) ?

❸ Quelle(s) égalité(s) relie(nt) les abscisses des deux points A et B ?

❹ Dans quel cas a-t-on $x_A = x_B$?

❺ Quelles sont les principales étapes qui permettent de prouver que le symétrique du point A par rapport à la droite Δ est le point B ?

Rédiger une démonstration

1 On souhaite démontrer la propriété suivante.

> Soient a, b et c trois réels tels que a et b ne sont pas nuls simultanément.
> Une droite $\mathscr{D}$ a pour équation cartésienne $ax + by + c = 0$ si et seulement si $\vec{n}\begin{pmatrix} a \\ b \end{pmatrix}$ est un vecteur normal à $\mathscr{D}$.

En utilisant les indications suivantes, rédiger la démonstration de la propriété.
- Considérer $A(x_A \, ; y_A)$ un point de $\mathscr{D}$.

Donner une proposition sur les vecteurs $\overrightarrow{AM}$ et $\vec{n}$ équivalente à la proposition :

« Le point $M(x \, ; y)$ appartient à la droite $\mathscr{D}$ de vecteur normal $\vec{n}\begin{pmatrix} a \\ b \end{pmatrix}$. »

- Traduire cette équivalence avec les coordonnées des vecteurs.
- Conclure.

2 On souhaite démontrer la propriété suivante.

> Soit $A(x_A \, ; y_A)$ un point du plan. Soit R un réel strictement positif.
> L'ensemble des points $M(x \, ; y)$ du plan vérifiant l'égalité $(x - x_A)^2 + (y - y_A)^2 = R^2$ est le cercle de centre A et de rayon R.

En utilisant les indications suivantes, rédiger la démonstration de la propriété.
- Considérer la proposition : « $M(x \, ; y)$ est un point du cercle de centre A et de rayon R ».

À quelle égalité de longueur cette proposition est-elle équivalente ?
- Traduire cette égalité avec les coordonnées des points.
- Conclure.

Utiliser différents raisonnements

Soient $\mathscr{D}_1$ et $\mathscr{D}_2$ deux droites de vecteurs normaux respectifs $\vec{n_1}\begin{pmatrix} a \\ b \end{pmatrix}$ et $\vec{n_2}\begin{pmatrix} a' \\ b' \end{pmatrix}$.

Démontrer les deux propriétés ci-dessous en raisonnant par équivalences.

- $\mathscr{D}_1$ est **parallèle** à $\mathscr{D}_2$
si et seulement si $ab' - a'b = 0$.

- $\mathscr{D}_1$ est **perpendiculaire** à $\mathscr{D}_2$
si et seulement si $aa' + bb' = 0$.

Raisonner par équivalences

Pour démontrer une équivalence, on peut, dans certains cas, partir d'une des propositions et arriver à la seconde en utilisant des propositions équivalentes. C'est ce qu'on appelle raisonner par équivalences.

Vecteur normal à une droite

On se place dans un repère orthonormé du plan.
Soit $\vec{u}$ un vecteur directeur d'une droite $\mathcal{D}$.
$\vec{n}$ est **un vecteur normal** à $\mathcal{D}$ si et seulement si
$\vec{n} \cdot \vec{u} = 0$.

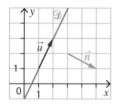

Appartenance d'un point à une droite

On se place dans un repère orthonormé du plan.
Soit $\mathcal{D}$ une droite de vecteur normal $\vec{n}$ et passant par un point A.
Un point M appartient à $\mathcal{D}$ si et seulement si
$\overrightarrow{AM} \cdot \vec{n} = 0$.

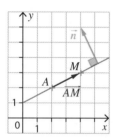

Équation cartésienne d'une droite

On se place dans un repère orthonormé du plan.
Soient a, b et c trois réels tels que a et b ne sont pas nuls simultanément.
Une droite $\mathcal{D}$ a une équation cartésienne du type

$ax + by + c = 0$ si et seulement si $\vec{n}\begin{pmatrix} a \\ b \end{pmatrix}$ est un vecteur normal de $\mathcal{D}$.

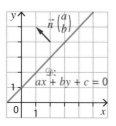

Équation cartésienne d'un cercle

Soient $A(x_A\,; y_A)$ un point du plan et R un réel strictement positif.
L'ensemble des points $M(x\,; y)$ du plan vérifiant l'égalité $(x - x_A)^2 + (y - y_A)^2 = R^2$ est le cercle $\mathcal{C}$ de centre A et de rayon R.
Cette égalité est une **équation cartésienne** du cercle $\mathcal{C}$.

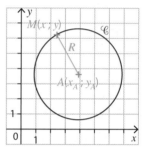

Équation d'une parabole

Soient a, b et c trois réels tels que a n'est pas nul.
Soit f une fonction polynôme de degré deux définie pour tout réel x par :
$$f(x) = ax^2 + bx + c.$$
● Sa courbe représentative est une **parabole** d'équation $y = ax^2 + bx + c$.
● La parabole admet un axe de symétrie d'équation $x = -\dfrac{b}{2a}$.
● La parabole admet un sommet S d'abscisse $-\dfrac{b}{2a}$.

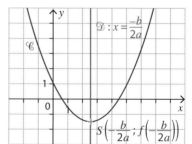

Effectuer les exercices ❶ à ❻ et vérifier les réponses.
Si nécessaire, réviser les points de cours en texte ou en vidéo.

Dans tous les exercices, on se place dans un repère orthonormé du plan.

❶ Déterminer les coordonnées d'un vecteur normal à la droite $\mathscr{D}$ dans chacun des cas suivants.

1.

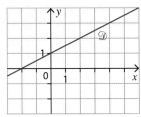

2. $\mathscr{D}$ passe par le point $A\,(5\,;1)$ et a pour vecteur directeur le vecteur $\vec{u}\begin{pmatrix}-1\\3\end{pmatrix}$.

3. Une équation cartésienne de $\mathscr{D}$ est :
$$5x - 4y + 6 = 0.$$

4. L'équation réduite de $\mathscr{D}$ est :
$$y = -\frac{1}{2}x + \frac{7}{4}.$$

❷ Soient les points $A\,(0\,;-2)$, $B\,(3\,;-1)$ et $C\,(2\,;1)$.
• Déterminer une équation de la hauteur issue de B dans le triangle ABC.

❸ Soit $\mathscr{C}$ le cercle d'équation :
$$(x-1)^2 + (y+2)^2 = 25.$$
1. Donner les coordonnées de son centre et son rayon.
2. Prouver que le point $A\,(4\,;2)$ appartient à ce cercle.
3. Calculer les coordonnées du point du cercle diamétralement opposé à A.

❹ On considère la parabole d'équation :
$$y = 8x^2 + 6x + 1.$$
1. Déterminer les coordonnées du point de la parabole d'abscisse 2.
2. Déterminer les coordonnées du sommet de la parabole.
3. La parabole coupe-t-elle l'axe des abscisses ? Si oui, quelles sont les coordonnées du (ou des) point(s) d'intersection ?

❺ Déterminer une équation de l'axe de symétrie de chacune des paraboles dont une équation est donnée ci-dessous.
1. $y = 5x^2 + 8x - 4$
2. $y = \frac{1}{2}x^2 - \frac{5}{4}x + 3$
3. $y = -2(x+3)^2 - 8$

❻ Déterminer une équation de la parabole de sommet $S\,(-2\,;1)$ qui passe par le point $C\,(-3\,;0)$.

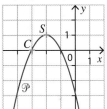

➤ CORRIGÉS DES EXERCICES

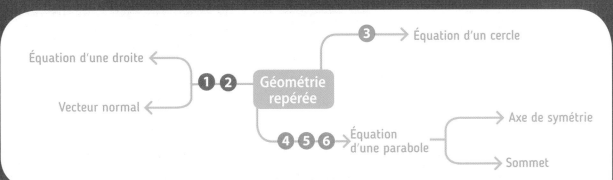

TP 1 Intersections

Objectif
Étudier une parabole.

Soient a, b, c et d quatre réels fixés, tels que a est non nul. Dans un repère orthonormé du plan, on considère une droite $\mathcal{D}$ d'équation $y = d$ et une parabole d'équation $y = ax^2 + bx + c$.

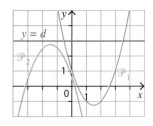

① Zoé a écrit la fonction ci-dessous.

```python
def sommet(a,b,c):
    if a!=0:
        return -(b**2-4*a*c)/(4*a)
    return False
```

a. Que réalise la fonction à la ligne 2 ?
Pourquoi ?
b. Donner un exemple d'utilisation de cette fonction qui renvoie False.
c. Que renvoie sommet(3, 4, 1) ?
d. Quelle est la formule utilisée à la ligne 3 ?
e. Dans le cas où a est non nul, que renvoie cette fonction pour la parabole ?
f. Déterminer des valeurs pour les réels a, b et c de sorte que l'appel de la fonction renvoie la valeur 0. Quelle est, dans ce cas, la position de la parabole par rapport à l'axe des abscisses ?

② Andrea a écrit une seconde fonction qui utilise la fonction précédente.

```python
def Intersection(a,b,c,d):
    if a>0 :
        if sommet(a,b,c)>d:
            return 0
        elif sommet(a,b,c)==d:
            return 1
        return 2
    elif a<0 :
        if sommet(a,b,c)<d:
            return 0
        elif sommet(a,b,c)==d:
            return 1
        return 2
    else :
        return False
```

a. Quelles sont les valeurs possibles renvoyées par cette fonction ?
b. Dans quel cas la fonction renvoie-t-elle False ?
c. Que renvoie Intersection(1, 2, 3, 0) ?
d. Que renvoie Intersection(-2, 0, 1, -1) ?
e. Déterminer une valeur de d différente de –1 pour laquelle l'appel Intersection(-2, 0, 1, d) renvoie la valeur 2.
f. Illustrer par un dessin à main levée les lignes 9, 10 et 11 du code ci-dessus.
g. Que réalise cette fonction ?
h. Proposer un appel de la fonction qui renvoie la valeur 1 dans le cas où $a < 0$.

TP ❷ Droites perpendiculaires

Objectif
Déterminer
une équation
cartésienne
de droite.

On considère une droite $\mathcal{D}$ de vecteur directeur $\vec{u}\begin{pmatrix}\alpha\\\beta\end{pmatrix}$ dans un repère orthonormé du plan.

① Exprimer les coordonnées d'un vecteur normal à $\mathcal{D}$ en fonction de celles de $\vec{u}$.

② On considère la droite Δ perpendiculaire à $\mathcal{D}$ et passant par un point $A(x_A ; y_A)$.
Cette droite admet une équation cartésienne de la forme $ax + by + c = 0$, où a, b et c sont des réels donnés tels que a et b ne sont pas nuls simultanément.
Écrire une fonction DroitePerpendiculaire en langage Python, qui prend en arguments les variables α, β, x_A et y_A et renvoie les valeurs des coefficients a, b et c de l'équation cartésienne de Δ.
Cette fonction teste en particulier que les coefficients a et b ne sont pas simultanément nuls et renvoie False si c'est le cas.

③ On se place dans le cas où $\vec{u}\begin{pmatrix}3\\-2\end{pmatrix}$ et $A(-1 ; 4)$ et on veut déterminer une équation cartésienne de Δ.

Comment doit-on utiliser la fonction DroitePerpendiculaire ?

④ Reprendre la question **3** dans le cas où $\mathcal{D}$ a pour équation cartésienne $5x - 2y + 1 = 0$ et A est le point situé sur l'axe des abscisses qui a pour abscisse 3.

⑤ Quelles sont les équations de droite obtenues aux questions **3** et **4** ? Vérifier si besoin à l'aide d'un logiciel de géométrie dynamique.

TP ❸ Une cible

Objectif
Utiliser une équation
cartésienne de cercle.

Dans un repère orthonormé du plan, on considère le carré $ABCD$ tel que $A(0 ; 0)$, $B(10 ; 0)$, $C(10 ; 10)$ et $D(0 ; 10)$.
Au centre de ce carré, on a modélisé une cible par un cercle de centre I et de rayon 2 unités de longueur.

① Écrire une instruction qui génère aléatoirement deux nombres compris entre 0 et 10. Le premier nombre sera stocké dans une variable x, le second dans une variable y.

② Écrire une fonction cible qui génère les valeurs de x et y et teste si le point de coordonnées (x ; y) est dans le cercle. La fonction renvoie True si c'est le cas et False dans le cas contraire.

③ **a.** Écrire une fonction frequence qui prend en argument un nombre entier n et qui renvoie la fréquence à laquelle le joueur atteint la cible pour n exécutions de la fonction cible.

b. Tester cette fonction pour de grandes valeurs de n.
La valeur de la fréquence semble-t-elle se stabiliser autour d'une valeur particulière ?

Boîte à outils

MÉMENTO PYTHON : VOIR RABATS

• L'instruction conditionnelle Si « *condition* » Alors « instruction » Sinon « instruction » s'écrit de la manière suivante.

```
if condition:
    instructions
```

```
if condition:
    instructions
else:
    instructions
```

```
if condition1:
    instructions
elif condition2:
    instructions
else:
    instructions
```

• Pour calculer une puissance x^n, saisir x**n.

• Pour générer un nombre aléatoire, saisir l'instruction :
from math import randint()
La fonction randint (a,b) génère un nombre compris entre les entiers a et b.

• Pour utiliser la fonction racine carrée, saisir l'instruction :
from math import sqrt

• Pour calculer $\sqrt{x}$, saisir sqrt (x).

TP ④ Orthocentre et symétrie [LOGICIEL DE GÉOMÉTRIE]

Objectif
Étudier
une configuration
du plan
avec un cercle.

On se place dans un repère orthonormé du plan.
On veut déterminer la position de l'orthocentre d'un triangle inscrit dans un cercle donné.
On travaille sur un logiciel de géométrie dynamique.

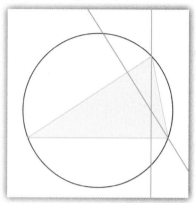

① **a.** Tracer le cercle $\mathscr{C}$ d'équation $(x + 1)^2 + (y - 1)^2 = 10$.
b. Placer les points A et B du cercle dont l'ordonnée vaut 0 (A est le point d'abscisse négative).
c. Placer les points C et D du cercle dont l'abscisse vaut 0 (C est le point d'ordonnée positive).
d. Tracer le triangle ABC.
e. Tracer le point H, orthocentre du triangle ABC.
f. Tracer le symétrique du point D par rapport à la droite (AB).

② Quelle conjecture peut-on émettre ?

③ On souhaite à présent démontrer cette conjecture.
a. Calculer les coordonnées des points A et B.
b. Calculer les coordonnées des points C et D.
c. Quelles sont, parmi les couples $(0 ; 2)$, $(2 ; 0)$ et $(2 ; 2)$, les coordonées du point H ? Justifier.
d. Conclure.

TP ⑤ Avec un paramètre [LOGICIEL DE GÉOMÉTRIE]

Objectif
Discuter
de la nature
d'un ensemble
de points.

Soit m un réel compris entre -5 et 5.
On considère l'ensemble E des points du plan dont les coordonnées $(x ; y)$ vérifient l'égalité :
$$x^2 - x + y^2 + 2y = m.$$
On veut discuter, selon les valeurs du réel m, de la nature de l'ensemble E.

① À l'aide d'un logiciel de géométrie, créer un curseur m dont les valeurs sont comprises entre -5 et 5.

② Tracer l'ensemble E.

③ Conjecturer la nature de cet ensemble, selon les valeurs de m.

④ Démontrer cette conjecture.

TP **6** Tangentes à une parabole [LOGICIEL DE GÉOMÉTRIE]

Objectif
Déterminer
des tangentes
à une parabole.

On se place dans un repère orthonormé du plan.
On considère la parabole d'équation $y = x^2 - 5x + 2$.
On nomme $\mathcal{T}$ la tangente à la parabole au point A d'abscisse 0.
On veut déterminer, s'il existe, un point de la parabole où la tangente est perpendiculaire à $\mathcal{T}$.

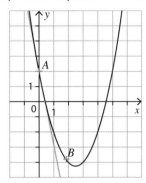

① **a.** À l'aide d'un logiciel de géométrie, tracer la parabole et placer le point A.
   b. Tracer la tangente à la parabole au point A.
   c. Créer un curseur a.
   d. Créer un point B d'abscisse a situé sur la parabole.
   e. Tracer la tangente en B à la parabole.
   f. Afficher sur l'écran l'angle formé par les deux tangentes.

② Déplacer le curseur.
Existe-t-il un point de la parabole tel que les deux tangentes tracées à la question **1** soient perpendiculaires ?

③ On souhaite à présent démontrer cette conjecture.
   a. Déterminer les coordonnées d'un vecteur directeur de la tangente $\mathcal{T}$ à la parabole.
   b. Déterminer les coordonnées d'un vecteur normal à cette tangente.
   c. En déduire la valeur du nombre dérivé au point B.
   d. En déduire les coordonnées du point B.

Boîte à outils

Logiciel de géométrie

- Pour tracer un cercle, on peut au choix :
  – entrer l'équation dans l'onglet

  Saisie: $(x + 2)^2 + (y - 1)^2 = 8$

  – utiliser **Cercle (centre–point)**
  Centre, point du cercle[créés ou non]

- Pour créer un curseur, utiliser :

  Curseur
  Cliquer dans Graphique pour positionner le curseur

- Pour tracer une tangente à une courbe, utiliser :

  Tangentes
  Point[créé ou non] puis cercle ou conique ou fonction[créés]

- Pour afficher la mesure d'un angle, utiliser :

  Angle
  Point, Sommet, Point[créés ou non], ou deux lignes

Calcul mental

Le plan est muni d'un repère orthonormé.

1 **1.** Soit $\mathcal{D}$ la droite passant par le point $A(-1\,;2)$ et de vecteur directeur $\vec{u}\begin{pmatrix} 4 \\ -3 \end{pmatrix}$.

Soit $\vec{n}\begin{pmatrix} 3 \\ 4 \end{pmatrix}$ un vecteur du plan.

Le vecteur $\vec{n}$ est-il normal à $\mathcal{D}$?

2. Soit $\mathcal{D}$ la droite passant par le point $A(-1\,;2)$ et le point $B(0\,;-1)$.

Le vecteur $\vec{n}\begin{pmatrix} 5 \\ 2 \end{pmatrix}$ est-il un vecteur normal de $\mathcal{D}$?

3. Soit $\mathcal{D}$ la droite d'équation $-5x + 7y - 2 = 0$.

Le vecteur $\vec{n}\begin{pmatrix} 10 \\ 14 \end{pmatrix}$ est-il un vecteur normal de $\mathcal{D}$?

2 On considère le cercle $\mathcal{C}$ de centre $A(-2\,;1)$ et de rayon 3.
1. Le point $O(0\,;0)$ est-il situé sur le cercle ?
2. Même question pour le point $B(3\,;3)$.

3 Déterminer une équation de l'axe de symétrie des paraboles définies par les équations suivantes.
1. $y = 6x^2 - 3x + 1$
2. $y = -x^2 - x + 3$
3. $y = x^2 + 12$
4. $y = \frac{1}{2}x^2 + \frac{1}{5}x + 6$

4 Dire si chacune des équations suivantes est celle d'un cercle. Si oui, préciser les coordonnées de son centre et son rayon.
1. $x^2 + y^2 - 2 = 0$
2. $(x-1)^2 + (y+3)^2 + 4 = 0$
3. $x^2 + y^2 + 2 = 1$
4. $x^2 + 2x + y^2 - 2y = -2$

5 On considère la parabole d'équation $y = -x^2 - x + 3$.
• Déterminer l'ordonnée du sommet de la parabole.

DIAPORAMA
CALCUL MENTAL
EN PLUS

Automatismes

Le plan est muni d'un repère orthonormé.

6 Soit d une droite de vecteur normal $\vec{n}\begin{pmatrix} 2 \\ -1 \end{pmatrix}$ et passant par le point $A(4\,;3)$.
1. Déterminer une équation de d.
2. Déterminer une équation de la droite d' perpendiculaire à d passant par A.
3. Déterminer une équation de la droite d_2 parallèle à d et passant par l'origine du repère.

7 Soit $\mathcal{D}$ la droite dont une équation cartésienne est $3x - 5y + 1 = 0$.
Soit $\mathcal{D}'$ la droite de vecteur normal $\vec{n}\begin{pmatrix} -4 \\ 2 \end{pmatrix}$ qui passe par l'origine du repère.
• Les droites $\mathcal{D}$ et $\mathcal{D}'$ sont-elles perpendiculaires ?

8 On considère les trois droites d'équations suivantes.
$d_1 : x - 2y + 7 = 0$
$d_2 : y = 3 - 8x$
$d_3 : y = 1 - 2x$
• Justifier que les points d'intersection de ces trois droites sont les sommets d'un triangle rectangle.

9 Soient deux points $A(1\,;2)$ et $B(-2\,;-3)$.
1. Déterminer une équation du cercle de centre A et de rayon 3.
2. Déterminer une équation du cercle de centre $I(5\,;-3)$ et passant par le point $A(2\,;1)$.
3. Déterminer une équation du cercle de diamètre $[AB]$.

10 On considère deux paraboles $\mathcal{P}_1$ et $\mathcal{P}_2$ dont les équations sont données ci-dessous.
$\mathcal{P}_1 : y = x^2 + 2x + 1$
$\mathcal{P}_2 : y = -2x^2 + 4x - 3$
1. Calculer les coordonnées du sommet de chacune des paraboles.
2. En déduire le nombre de points d'intersection entre chaque parabole et l'axe des abscisses.

11 Soit Δ une droite du plan. On considère le point $A(2\,;-3)$ dont on note H le projeté orthogonal sur Δ.
• Calculer les coordonnées du point H dans les cas suivants.
• $\Delta : x = 1$
• $\Delta : y = -1$
• $\Delta : 2x - 3y = 0$

12 Soit $\mathcal{D}$ la droite d'équation $x - y + 1 = 0$. Le projeté orthogonal sur $\mathcal{D}$ de chaque point de la colonne de gauche se trouve dans la colonne de droite.
• Retrouver les paires de points associés.

$A(3\,;0)$	$R(2\,;3)$
$B(0\,;-1)$	$S(-1\,;0)$
$C(2\,;-1)$	$T(0\,;1)$
$D(4\,;1)$	$U(1\,;2)$

13 Le point $C(1,5\,;2)$ appartient-il à l'axe de symétrie de la parabole d'équation $y = x^2 - 3x + 1$?

Préparation d'un oral

Préparer une trace écrite permettant de présenter à l'oral une argumentation indiquant si les propositions suivantes sont vraies ou fausses.

On se place dans un repère orthonormé du plan.

1 La droite passant par le point $A(2 ; 5)$ et de vecteur normal $\vec{n}\begin{pmatrix} -2 \\ 1 \end{pmatrix}$ admet pour équation cartésienne $-2x + y + 1 = 0$.

2 Le sommet de la parabole d'équation $y = -5x^2 + 7x$ est situé au-dessus de l'axe des abscisses.

3 Soit $\mathscr{D}$ la droite d'équation $3x - 4y + 10 = 0$. Soit $\mathscr{D}'$ la droite d'équation $3x + 4y - 3 = 0$. Tout vecteur normal de $\mathscr{D}$ est un vecteur directeur de $\mathscr{D}'$.

4 L'intersection entre le cercle de centre $A(2 ; 4)$ et de rayon 3 et la droite d'équation $x = 5$ est réduite à un point.

Travail en groupe · 45 min

Constituer des groupes de 4 élèves qui auront chacun un des rôles suivants.
Résoudre tous ensemble la situation donnée. Remettre une trace écrite de cette résolution.

 Animateur
- responsable du niveau sonore du groupe
- distribue la parole pour que chacun s'exprime

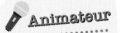 **Rédacteur en chef**
- responsable de la trace écrite rédigée par tous les membres du groupe

Ambassadeur
- porte-parole du groupe, seul autorisé à communiquer avec le professeur et, éventuellement, d'autres groupes

Maître du temps
- responsable de l'avancement du travail du groupe
- veille au respect du temps imparti

Lors d'un coup d'approche, la trajectoire d'une balle de golf peut être modélisée par une parabole. La balle part du sol, atteint une hauteur maximale de 10 mètres et retombe sur le sol 90 mètres plus loin. À 60 mètres du point de départ et sur sa trajectoire, la balle rencontre un arbre de 6 mètres de haut.
- La balle passera-t-elle au-dessus de cet obstacle ?

Exposé

▶ voir p. 240

Après avoir effectué les recherches indiquées, préparer une présentation orale, un poster ou un diaporama.

Les courbes coniques tirent leur nom du fait qu'elles ont été définies comme l'intersection d'un cône de révolution avec un plan. C'est Apollonius qui leur a attribué leurs noms actuels dans son traité *Éléments des coniques*.

1. Rechercher les noms des trois coniques et les associer aux différentes figures obtenues ci-dessous.

2. Identifier parmi les sections ci-contre celle qui correspond à l'image extraite du traité d'Apollonius.

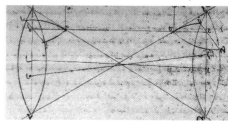

Dans tous les exercices, le plan est muni d'un repère orthonormé $(O\,;\vec{i},\vec{j})$.

Vecteur normal

1 **Calculer**
Déterminer les coordonnées d'un vecteur normal à $\mathcal{D}$ si un vecteur directeur est :

a. $\vec{u}\begin{pmatrix} -1 \\ 3 \end{pmatrix}$ 　　　　b. $\vec{u}\begin{pmatrix} 2 \\ -5 \end{pmatrix}$

c. $\vec{u}\begin{pmatrix} 0 \\ -4 \end{pmatrix}$ 　　　　d. $\vec{u}\begin{pmatrix} \frac{1}{3} \\ \frac{-2}{5} \end{pmatrix}$

2 Parmi les vecteurs représentés ci-dessous, lesquels sont des vecteurs normaux à la droite $\mathcal{D}$? Justifier graphiquement.

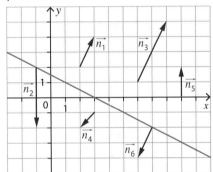

3 Déduire du graphique ci-dessous les coordonnées d'un vecteur normal à chacune des quatre droites. Justifier.

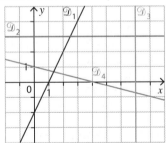

4 Déterminer les coordonnées d'un vecteur normal à $\mathcal{D}$ dans chacun des cas suivants.
1. $\mathcal{D} : 4x - y + 8 = 0$
2. $\mathcal{D} : -2x + 5y - 3 = 0$
3. $\mathcal{D} : x - y = 0$
4. $\mathcal{D} : y = \frac{1}{3}x + 2$
5. $\mathcal{D} : y = -3$

5 Déterminer les coordonnées d'un vecteur normal à la droite (AB) dans chacun des cas suivants.
1. $A(-3\,;2)$ et $B(3\,;-2)$.
2. $A(0\,;-1)$ et $B(-3\,;-12)$.
3. $A(1\,;-3)$ et $B(3{,}23\,;-4{,}5)$.

6 **Représenter**
Reproduire la figure ci-dessous et tracer six droites telles que chaque vecteur représenté soit normal à l'une de ces droites.

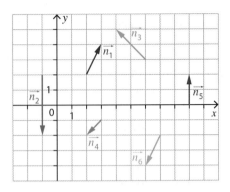

7 Déterminer les coordonnées d'un vecteur normal à $\mathcal{D}$ dans les deux cas suivants.
1. $\mathcal{D}$ est la droite passant par le point $A(-5\,;0)$ et de vecteur directeur $\vec{u}\begin{pmatrix} -3 \\ 5 \end{pmatrix}$.
2. $\mathcal{D}$ a pour équation cartésienne $3x + 2y - 5 = 0$.

8 **Calculer**
En utilisant les vecteurs normaux, déterminer dans chaque cas si les droites suivantes sont perpendiculaires.
1. $d : x - 3y + 8 = 0$ et $d' : 3x - y + 2 = 0$.
2. $d : 2x + y + 4 = 0$ et $d' : 4x - 8y - 3 = 0$.
3. $d : y = 3x$ et $d' : -3x - y + 5 = 0$.
4. $d : 2x - (1 + \sqrt{3})y - 5 = 0$ et $d' : x - (1 - \sqrt{3})y + 2 = 0$.

Équation de droite

9 Déterminer, dans chacun des cas suivants, une équation cartésienne de la droite Δ qui passe par le point A et qui a pour vecteur normal le vecteur $\vec{n}$.

1. $A(-1\,;2)$ et $\vec{n}\begin{pmatrix} 8 \\ -9 \end{pmatrix}$. 　　**2.** $A(10\,;-4)$ et $\vec{n}\begin{pmatrix} 0 \\ 4 \end{pmatrix}$.

3. $A(5\,;-2)$ et $\vec{n}\begin{pmatrix} \frac{1}{2} \\ \frac{-1}{4} \end{pmatrix}$. 　　**4.** $A(0\,;-7)$ et $\vec{n}\begin{pmatrix} 1 \\ -1 \end{pmatrix}$.

10 Soient les points $B(4\,;-1)$ et $C(2\,;8)$.
1. Calculer les coordonnées du milieu du segment $[BC]$.
2. Soit Δ la droite d'équation $-3x + 2y - 5 = 0$.
Déterminer les coordonnées d'un vecteur $\vec{n}$ normal de Δ.
3. Le vecteur $\overrightarrow{BC}$ est-il colinéaire au vecteur $\vec{n}$?
4. Δ est-elle la médiatrice du segment $[BC]$?

11 Soient les points $A(8 ; -5)$, $B(-1 ; 1)$ et $C(-3 ; 4)$. Soit $\mathcal{D}$ la droite passant par A et perpendiculaire à la droite (BC). On souhaite déterminer une équation cartésienne de $\mathcal{D}$.
1. Calculer les coordonnées d'un vecteur directeur de (BC).
2. Que représente un vecteur directeur de (BC) pour la droite $\mathcal{D}$?
3. En déduire que $\mathcal{D}$ a une équation du type $-2x + 3y + c = 0$, où c est un réel.
4. Conclure en utilisant les coordonnées du point A.

12 Soit $\mathcal{D}$ la droite passant par un point $K(-2 ; 1)$ et de vecteur directeur $\vec{u}\begin{pmatrix} -1 \\ 3 \end{pmatrix}$.
• Déterminer une équation cartésienne de la droite passant par le point $A(1 ; 1)$ et perpendiculaire à $\mathcal{D}$.

13 Soit $\mathcal{D}$ la droite d'équation $-4x + 2y = 0$.
1. Déterminer une équation cartésienne de la droite passant par le point $B(0 ; -2)$ et perpendiculaire à $\mathcal{D}$.
2. Déterminer une équation cartésienne de la droite passant par le point $C(3 ; 3)$ et parallèle à $\mathcal{D}$.

14 On considère la droite Δ qui passe par le point $A(2 ; -4)$ et qui est perpendiculaire à la droite $\mathcal{D}$ d'équation $-x + 2y + 21 = 0$.
• Le point $E(-2 ; 5)$ appartient-il à Δ ?

15 `LOGICIEL DE GÉOMÉTRIE`
Raisonner, calculer, représenter
Soient trois points $A(3 ; 1)$, $B(2 ; -3)$ et $C(-1 ; 0)$.
1. Déterminer une équation de la hauteur issue de A.
2. Déterminer une équation de la médiatrice de $[AB]$.

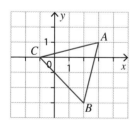

3. Construire la figure sur un logiciel de géométrie dynamique et vérifier les résultats.

16 Soient $D(3 ; -2)$ et $D'(5 ; 6)$ deux points du plan. Soit Δ la droite d'équation $y = x - 2$.
1. Déterminer les coordonnées du milieu du segment $[DD']$.
2. Déterminer les coordonnées d'un vecteur normal à la droite Δ.
3. Le vecteur $\overrightarrow{DD'}$ est-il colinéaire au vecteur normal de Δ ?
4. D' est-il le symétrique de D par rapport à la droite d'équation $y = x - 2$?

17 On considère la droite Δ d'équation cartésienne :
$$x - y - 2 = 0.$$
Soient $A(4 ; 2)$ et $H(1 ; -1)$ deux points du plan.
1. Vérifier que le point H appartient à la droite Δ.
2. Le vecteur $(\overrightarrow{AH})$ est-il un vecteur normal à Δ ?
3. Le point H est-il le projeté orthogonal de A sur Δ ?

18 `LOGICIEL DE GÉOMÉTRIE`
Soit Δ la droite d'équation $3x + y - 2 = 0$.
1. Associer à chaque point de la colonne de gauche son projeté orthogonal sur Δ, dans la colonne de droite.

$A(-8 ; 6)$	$R(-1 ; 5)$
$B(0 ; 2)$	$S(-2 ; 8)$
$C(2 ; 6)$	$T(0 ; 2)$

2. Vérifier les résultats en effectuant les tracés sur un logiciel de géométrie dynamique.

19 Soit Δ la droite d'équation $x - 2y + 1 = 0$. Soit H le point de coordonnées $(-1 ; 0)$.
1. Vérifier que le point H appartient à la droite Δ.
2. Déterminer les coordonnées d'un point du plan dont H est le projeté orthogonal sur Δ.

Équation de parabole

20 Déterminer une équation de l'axe de symétrie de chacune des paraboles définies par les équations suivantes
• $y = 5x^2 - 3x + 1$
• $y = -x^2 - x$
• $y = 3x^2 + 9$
• $y = (x - 2)(3x - 1)$
• $y = \sqrt{2}x^2 - \sqrt{6}x + 1$

21 Indiquer dans chacun des cas suivants si le point B appartient à l'axe de symétrie de la parabole $\mathcal{P}$.
• $B(-1 ; 3)$ et $\mathcal{P} : y = x^2 + 2x - 1$.
• $B(5 ; -1)$ et $\mathcal{P} : y = x^2 - 5x - 12$.
• $B(4 ; 4)$ et $\mathcal{P} : y = 2x^2 + 16x - 9$.
• $B(-2 ; 2)$ et $\mathcal{P} : y = 35x^2 + 140x - 77$.

22 Soient $\mathcal{P}$ et $\mathcal{P}'$ deux paraboles d'équations :
$$\mathcal{P} : y = x^2 + 2x + 1$$
$$\text{et } \mathcal{P}' : y = -2x^2 + 4x - 3.$$
• Pour chacune de ces paraboles, déterminer les coordonnées de son sommet et en déduire le nombre de points d'intersection entre la parabole et l'axe des abscisses.

23 `CALCULATRICE`
On considère la parabole $\mathcal{P}$ d'équation $y = -3x^2 + x + 2$.
1. Afficher $\mathcal{P}$ à la calculatrice.
2. Afficher les coordonnées du point d'intersection de $\mathcal{P}$ avec l'axe des ordonnées.
3. $\mathcal{P}$ coupe-t-elle l'axe des abscisses ? Si oui, afficher les coordonnées du ou des point(s).
4. Retrouver les coordonnées des différents points par le calcul.

24 On considère la parabole d'équation :
$$y = -3x^2 + x - 2.$$
1. Déterminer les coordonnées du point de la parabole d'abscisse −1.
2. La parabole admet-elle des points d'ordonnée 4 ?

25 Parmi les paraboles suivantes, laquelle a pour équation $y = -x^2 + x + 5$? Justifier.

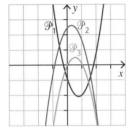

26 On considère une parabole $\mathcal{P}$ qui passe par les points $A(-2 ; 4)$ et $B(3 ; 4)$.
• Déterminer une équation de l'axe de symétrie de $\mathcal{P}$.

27 On considère une parabole $\mathcal{P}$ qui passe par le point $A(3 ; -2)$ et dont une équation de l'axe de symétrie est $x = 7$.
• Déterminer les coordonnées d'un autre point de $\mathcal{P}$.

28 Déterminer les équations de deux paraboles distinctes qui admettent la droite d'équation $x = -3$ pour axe de symétrie.

29 Déterminer une équation de la parabole de sommet $S\left(\dfrac{1}{2} ; \dfrac{1}{2}\right)$ qui passe par le point $T(0 ; -1)$.

30 On considère la parabole $\mathcal{P}$ d'équation $y = -x^2 + 4x - 3$.
• $\mathcal{P}$ coupe-t-elle la droite d'équation $y = \dfrac{3}{2}$? Justifier.

31 **Prolifération bactérienne**
Modéliser, calculer
Un scientifique étudie la prolifération d'un certain type de bactéries. Il modélise le nombre de bactéries en millier, par une fonction N du temps exprimé en seconde définie par $N(t) = -3t^2 + 69t + 150$.

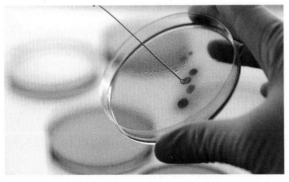

1. Au bout de combien de temps le nombre de bactéries sera-t-il maximal ?
2. Combien y aura-t-il alors de bactéries ?

32 **Impesanteur**

Le CNES réalise depuis 1998 des expériences scientifiques et technologiques en situation à bord de l'Airbus A300-Zéro G. L'avion effectue une série de 30 paraboles pendant lesquelles on accède à des conditions semblables à l'absence de pesanteur (appelée maintenant impesanteur plutôt qu'apesanteur) ressentie dans l'espace.
Dans la pratique, l'appareil, d'abord en vol horizontal à 6 300 m d'altitude, se cabre à 45° puis descend. Il reprend alors son vol horizontal à 6 300 m pour enchaîner une autre parabole.
On se place dans le repère d'origine O tracé en vert sur le schéma ; l'équation de la parabole d'impesanteur est :
$$y = -4{,}48t^2 + 112t,$$
où t est le temps en seconde.

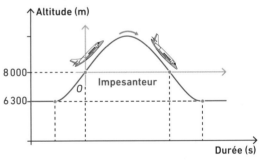

1. L'avion amorce sa trajectoire en forme de parabole. Au bout de combien de secondes atteint-il le sommet de celle-ci ?
2. Quelle est la durée de l'état d'impesanteur ? Est-il possible de réaliser une expérience qui dure 20 secondes ?

Équation de cercle

33 On considère des cercles dont les équations sont données ci-dessous.
Pour chacun d'entre eux, déterminer les coordonnées de son centre et la valeur de son rayon.
1. $(x - 2)^2 + (y + 1)^2 = 3$

2. $(x + 3)^2 + (y - 2)^2 = 1$

3. $(x - \sqrt{2})^2 + y^2 = 4$

4. $\left(x - \dfrac{1}{3}\right)^2 + \left(y + \dfrac{1}{2}\right)^2 = 12$

34 Soit B le point du plan de coordonnées $(-2\,;1)$. On considère les cercles définis par les équations ci-dessous. À quel(s) cercle(s) le point B appartient-il ?
1. $(x-4)^2 + (y-3)^2 = 3$
2. $(x+2)^2 + (y-2)^2 = 1$
3. $x^2 + (y-1)^2 = 4$
4. $x^2 + 2x + y^2 - 2y = -1$

35 Soit (E) l'ensemble des points dont les coordonnées vérifient l'équation :
$$x^2 - 2x + y^2 - 4y - 9 = 0.$$
1. Recopier et compléter les égalités suivantes.
a. $x^2 - 2x = (x - \ldots)^2 - \ldots$
b. $y^2 - 4y = (y - \ldots)^2 - \ldots$
2. En déduire que (E) est un cercle dont on précisera le centre et le rayon.

36 **Les anneaux olympiques**
Andrea a dessiné les anneaux olympiques sur un logiciel de géométrie dynamique.

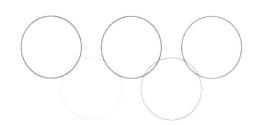

1. Dans la fenêtre *Algèbre* du logiciel se trouvent les informations suivantes.

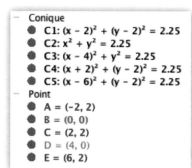

```
−  Conique
   ●  C1: (x − 2)² + (y − 2)² = 2.25
   ●  C2: x² + y² = 2.25
   ●  C3: (x − 4)² + y² = 2.25
   ●  C4: (x + 2)² + (y − 2)² = 2.25
   ●  C5: (x − 6)² + (y − 2)² = 2.25
−  Point
   ●  A = (−2, 2)
   ●  B = (0, 0)
   ●  C = (2, 2)
   ●  D = (4, 0)
   ●  E = (6, 2)
```

Associer à chaque cercle de couleur son équation et son centre.
2. Vérifier les résultats en reproduisant la figure sur un logiciel de géométrie dynamique.

37 Dans chacun des cas suivants, donner une équation du cercle de centre $A(x_A\,;y_A)$ et de rayon R.
1. $x_A = 1$, $y_A = 2$ et $R = 5$.
2. $x_A = -3$, $y_A = 0$ et $R = \dfrac{1}{2}$.
3. $x_A = \dfrac{2}{3}$, $y_A = \dfrac{1}{4}$ et $R = \dfrac{4}{5}$.
4. $x_A = \sqrt{2}$, $y_A = 2\sqrt{3}$ et $R = \sqrt{2}$.

38 On considère la figure suivante réalisée sur un logiciel de géométrie dynamique.
• À l'aide des informations lues sur cette figure, déterminer une équation cartésienne de chacun des cercles tracés. Les abscisses et ordonnées des centres des cercles, les rayons sont des nombres entiers.

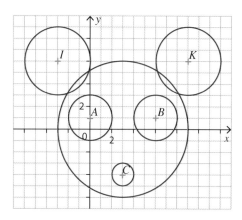

39 Dans chacun des cas suivants, donner une équation du cercle de diamètre $[AB]$.
1. $A(-3\,;7)$ et $B(0\,;0)$.
2. $A(1\,;5)$ et $B(-3\,;-1)$.
3. $A\left(\dfrac{\sqrt{2}}{2}\,;\dfrac{\sqrt{2}}{2}\right)$ et $B\left(-\dfrac{1}{2}\,;\dfrac{\sqrt{3}}{2}\right)$.

40 On considère la figure suivante réalisée sur un logiciel de géométrie dynamique.
• Déterminer une équation cartésienne du cercle circonscrit au carré $ABCD$.

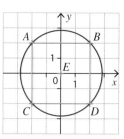

41 **Raisonner, représenter**
1. Déterminer une équation du cercle de centre $A(1\,;-3)$ et passant par l'origine du repère.
2. Déterminer une équation du cercle de centre $A(-2\,;1)$ et passant $B(0\,;-3)$.

42 VRAI OU FAUX
Pour chacune des propositions suivantes, dire si elle est vraie ou fausse. Justifier la réponse.
Soit a un réel.
On considère le cercle $\mathscr{C}$ d'équation :
$$(x+a)^2 + (y-a)^2 = 4.$$
1. Si $a = 0$, alors $\mathscr{C}$ coupe l'axe des ordonnées au plus une fois.
2. Si $a = 1$, alors $\mathscr{C}$ coupe l'axe des abscisses au moins une fois.
3. Si $a = -3$, alors $\mathscr{C}$ coupe l'axe des ordonnées au plus une fois.
4. Si $a \leqslant 2$, alors $\mathscr{C}$ coupe l'axe des abscisses au moins une fois.

Dans tous les exercices, le plan est muni d'un repère orthonormé $(O ; \vec{i}, \vec{j})$.

43 Soient les droites d et d' d'équations respectives :
$$x + 3y - 1 = 0 \quad \text{et} \quad y = -\frac{1}{3}x + 1.$$
Montrer que d et d' sont parallèles de trois façons :
a. avec des vecteurs directeurs ;
b. avec des vecteurs normaux ;
c. avec des équations réduites de droites.

44 On considère les points $B(3 ; 2)$ et $C(-2 ; 8)$.
Soit Δ la droite d'équation:
$$x - y + 3 = 0.$$
• Δ est-elle la médiatrice du segment $[BC]$? Justifier.

45 Soient $D(0 ; 4)$ et $D'(-3 ; 2)$ deux points du plan.
Soit Δ la droite d'équation :
$$2x - y = 0.$$
• Le point D' est-il le symétrique de D par rapport à la droite Δ ? Justifier.

46 **Raisonner, représenter**
Déterminer une équation du cercle :
a. de centre $C(4 ; 2)$ et tangent à l'axe des ordonnées ;
b. de centre $D(-1 ; 1)$ et tangent à l'axe des abscisses.

47 `LOGICIEL DE GÉOMÉTRIE`
Représenter, calculer
On considère le cercle $\mathscr{C}$ d'équation :
$x^2 + 2x + y^2 - 2y - 7 = 0$.
1. Le cercle $\mathscr{C}$ coupe la droite d'équation $x = 1$ en deux points A et B.
Calculer les coordonnées de ces deux points.
2. Le cercle $\mathscr{C}$ coupe la droite d'équation $y = 2$ en deux points C et D.
Calculer les coordonnées de ces deux points.
3. Sur un logiciel de géométrie dynamique, tracer le cercle $\mathscr{C}$ et placer les points A, B, C et D. Vérifier les résultats obtenus aux questions **1** et **2**.

48 `ALGO`
Soient A un point et $\vec{n}$ un vecteur du plan.
On nomme Δ la droite qui passe par A et dont $\vec{n}$ est un vecteur normal.
• Écrire une fonction surdelta qui prend en arguments les coordonnées de A, celles de $\vec{n}$ ainsi que celles d'un point M et qui renvoie True si le point M appartient à Δ, False dans le cas contraire.

49 **Calculer**
Les équations ci-dessous sont celles de cercles. Pour chacun d'eux, déterminer les coordonnées de son centre et son rayon.
1. $x^2 - 6x + 9 + y^2 = 25$
2. $x^2 + 2x + y^2 - 2y + 2 = 16$
3. $x^2 - 10x + y^2 + 20y + 125 = 121$
4. $x^2 + 4x + y^2 - 8y = -16$

50 Déterminer les coordonnées du projeté orthogonal de A sur Δ dans chacun des cas suivants.
1. $\Delta : x = 1$ et $A(3 ; 1)$.
2. $\Delta : y = -2$ et $A(3 ; 4)$.
3. $\Delta : x + y - 2 = 0$ et $A(-1 ; 2)$.
4. $\Delta : 3x - 5y + 2 = 0$ et $A(1 ; 1)$.

51 `LOGICIEL DE GÉOMÉTRIE`
Soient Δ la droite d'équation $-3x + y - 1 = 0$ et $A(-2 ; 4)$.
1. Déterminer les coordonnées du projeté orthogonal de A sur Δ.
2. Vérifier le résultat avec un logiciel de géométrie dynamique.

52 **Chercher, communiquer**
On souhaite déterminer la distance du point $B(4 ; 0)$ à la droite $\mathscr{D}$ d'équation $2x + y - 1 = 0$.
1. Pour conjecturer cette distance, Kylian a réalisé les tracés suivants sur un logiciel de géométrie dynamique.

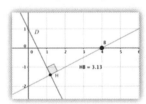

a. Détailler les étapes du protocole de construction de Kylian.
b. La valeur affichée est-elle bien celle de la distance cherchée ?
2. En suivant le protocole de construction établi précédemment, retrouver la valeur exacte de cette distance par le calcul.

53 On considère les points $A(-2 ; 1)$ et $B(4 ; -1)$.
1. Déterminer une équation cartésienne de la droite (AB).
2. On considère le point $C(3 ; 2)$.
C appartient-il à la droite (AB) ?
3. Déterminer les coordonnées d'un vecteur $\vec{n}$ normal à (AB).
4. On appelle H le projeté orthogonal de C sur la droite (AB). HC est la distance de C à la droite (AB).
Expliquer pourquoi il existe un réel $k \neq 0$ tel que $\vec{CH} = k\vec{n}$.
5. Calculer $\vec{CH} \cdot \vec{n}$ de deux manières différentes et en déduire la distance CH du point C à la droite (AB).

54 **Raisonner, communiquer**
Parmi les trois paraboles ci-dessous, laquelle a pour équation $y = x^2 + 4x + 5$?

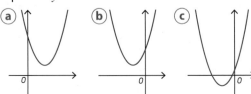

55 On considère le système d'équations à deux inconnues suivant.
$$\begin{cases} 5x + \dfrac{2}{3}y - 1 = 0 \\ -\dfrac{3}{2}x - \dfrac{1}{5}y + 4 = 0 \end{cases}$$

On nomme $\mathcal{D}_1$ la droite d'équation $5x + \dfrac{2}{3}y - 1 = 0$ et $\mathcal{D}_2$ celle d'équation $-\dfrac{3}{2}x - \dfrac{1}{5}y + 4 = 0$.

1. Déterminer un vecteur normal de chacune de ces deux droites.
2. En déduire leur position relative et discuter du nombre possible de solutions du système précédent.
3. Quel est l'ensemble $\mathcal{S}$ des solutions de ce système ?

56 **1.** Déterminer le nombre de solutions du système d'équations à deux inconnues suivant.
$$\begin{cases} -\dfrac{1}{2}x + \dfrac{3}{4}y - 3 = 0 \\ x - y + 1 = 0 \end{cases}$$

2. Quel est l'ensemble $\mathcal{S}$ des solutions de ce système ?

57 `LOGICIEL DE GÉOMÉTRIE`
Soient $A(0\,;0)$, $B(5\,;6)$ et $C(-1\,;5)$ trois points du plan.
1. Justifier qu'une équation cartésienne de la hauteur issue de C est $5x + 6y - 25 = 0$.
2. Déterminer une équation cartésienne de la hauteur issue de B.
3. En déduire les coordonnées de l'orthocentre (c'est-à-dire le point d'intersection des hauteurs) du triangle ABC.
4. Vérifier ces résultats en réalisant une figure sur un logiciel de géométrie dynamique.

58 `LOGICIEL DE GÉOMÉTRIE`
On considère un rectangle $ABCD$ tel que $A(0\,;3)$, $B(2\,;5)$ et $C(5\,;2)$.
1. Calculer les coordonnées du point D.
2. Déterminer une équation cartésienne du cercle circonscrit au rectangle $ABCD$.
3. Vérifier ces résultats en reproduisant la figure sur un logiciel de géométrie dynamique.

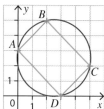

59 Soit a un réel fixé. On considère la droite $\mathcal{D}$ d'équation $x + y + 1 = 0$, le point B de coordonnées $(3\,;0)$ et le point A de coordonnées $(a\,;a)$.
1. Déterminer les coordonnées du point H, projeté orthogonal du point A sur la droite $\mathcal{D}$.
2. Les coordonnées de H dépendent-elles de a ?
3. Pour quelle(s) valeur(s) de a le triangle ABH est-il isocèle en H ?

60 On considère la parabole tracée ci-dessous, qui passe par les points T, H et E dont les coordonnées sont respectivement $(-2\,;0)$, $(0\,;-2)$ et $(1\,;3)$.

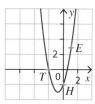

1. Déterminer une équation cartésienne de cette parabole.
2. Déterminer les coordonnées du point d'intersection entre la parabole et l'axe des abscisses qui a une abscisse positive :
a. en résolvant une équation du second degré ;
b. en calculant les coordonnées du symétrique de T par rapport à l'axe de symétrie de la parabole.

61 Déterminer une équation cartésienne de la parabole passant par le point $A(1\,;2)$ et de sommet $S(0\,;4)$.

62 Déterminer une équation cartésienne de la parabole passant par le point $B(0\,;4)$ et de sommet $(1,5\,;6,25)$.

63 `LOGICIEL DE GÉOMÉTRIE`
Soient A et B les points du plan dont les coordonnées respectives sont $(1\,;-1)$ et $(2\,;3)$.
Soit d la droite d'équation $y = 3$.
1. Réaliser une figure sur un logiciel de géométrie dynamique.
2. Tracer le cercle Γ passant par les points A et B, dont le centre C se trouve sur la droite d.
3. Déterminer une équation de la médiatrice du segment $[AB]$.
4. En déduire les coordonnées du point C puis une équation du cercle Γ.
5. Vérifiez les résultats obtenus sur le logiciel de géométrie dynamique.

64 `ALGO`
On considère une droite $\mathcal{D}$ d'équation cartésienne $ax + by + c = 0$ et un point $M(x_M\,;y_M)$.
• Écrire un algorithme en language naturel qui donne une équation cartésienne de la droite perpendiculaire à $\mathcal{D}$ passant par M.

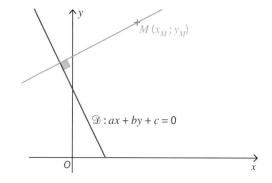

65 **Modélisation d'une planche d'équilibre**
Modéliser, calculer
Joseph veut fabriquer une planche d'équilibre.

Il a modélisé cet objet de la façon suivante : le cylindre est représenté par un cercle de centre $A(1 ; 3)$ et de rayon 5. La planche est un segment tangent au cercle en $B(4 ; 7)$.
1. Déterminer une équation du cercle de centre A et de rayon 5.
2. Vérifier que le point B appartient à ce cercle.
3. Déterminer l'équation de la tangente au cercle au point B.
4. En déduire les coordonnées du point d'intersection entre la planche et le sol.

66 `ALGO` `PYTHON`
1. Recopier et compléter le programme ci-dessous qui définit la fonction qui renvoie la distance entre le point A et le point B dont les coordonnées $(x_A ; y_A)$ et $(x_B ; y_B)$ sont passées en arguments.

```
1 from math import sqrt
2 def distance(xA,yA,xB,yB):
3     return ...
```

2. Recopier et compléter le programme ci-dessous qui définit la fonction SurCercle qui renvoie True si le point A appartient au cercle de centre O et de rayon R, False dans le cas contraire.
Cette fonction appelle la fonction distance définie à la question ci-dessus.

```
5 def SurCercle(xA,yA,xO,yO,R):
6     if distance (...,...,...,...) == ... :
7         return True
8     return ...
```

3. Que renvoie l'instruction SurCercle(1, 2, 0, 0, 3) ?
4. Trouver un couple de valeurs $(x_A ; y_A)$ tel que l'instruction SurCercle(xA, yA, 0, 0, 3) renvoie True.

67 On considère un losange $ABCD$. On munit le plan d'un repère centré en A comme l'indique la figure ci-dessous.

On note c l'abscisse du point C et b l'ordonnée du point B.
1. Exprimer les coordonnées de tous les points de la figure en fonction de b et c.
2. Déterminer les coordonnées d'un vecteur normal à (AC) et les coordonnées d'un vecteur directeur de (BD).
3. Quelle propriété peut-on alors démontrer ?

68 **Chercher, calculer**
On considère une droite d d'équation :
$$2x - y - \frac{1}{2} = 0.$$
On veut déterminer une équation de la droite symétrique de l'axe (Ox) par rapport à d.
1. Déterminer les coordonnées du point A, point d'intersection de d et de l'axe (Ox).
2. Soit B le point de l'axe (Ox) d'abscisse 1.
Quelle est l'ordonnée de B ?
3. Déterminer les coordonnées du point B', symétrique de B par rapport à d.
4. Déduire des questions précédentes l'équation de la droite Δ symétrique de l'axe (Ox) par rapport à la droite d.

69 `ALGO`
L'objectif de cet exercice est d'écrire un programme en langage Python qui teste si un point $M(x ; y)$ est équidistant d'un point $A(x_A ; y_A)$ et de l'axe des abscisses.
1. Étude d'un cas particulier :
a. On pose $A(2 ; 4)$ et $M(3 ; 5)$. Faire une figure à main levée en plaçant les axes du repère et les points A, M.
b. Calculer la distance AM.
c. Calculer la distance du point M à l'axe des abscisses.
d. Justifier que le point M n'est pas équidistant du point A et de l'axe des abscisses.
e. Déterminer les coordonnées d'un point B tel que M est équidistant de B et de l'axe des abscisses.
2. Écrire une fonction DistancePoints qui prend en arguments les coordonnées du point A, celles du point M et renvoie la valeur de la distance AM.
3. Écrire une fonction DistanceAxe qui prend en arguments les coordonnées du point M et renvoie sa distance à l'axe des abscisses.
4. Écrire une fonction Equidistant qui prend en arguments les coordonnées du point A, celles du point M et renvoie True si le point M est équidistant du point A et de l'axe des abscisses, et False dans le cas contraire.

70 Déterminer une équation du cercle $\mathscr{C}$ passant par le point $A\,(1\;;\;2)$ et tangent à la droite $\mathscr{D}$ d'équation $x + y = 7$.

71 PRISE D'INITIATIVE

Soit $A\,(3\;;\;2)$ un point.
1. Tracer un cercle dont deux des tangentes sont perpendiculaires en A.
2. Y a-t-il unicité de ce cercle ?

72 **Chercher, raisonner, communiquer**
Soient $A\,(-1\;;\;2)$, $B\,(1\;;\;-4)$ et $C\,(3\;;\;0)$ trois points du plan.
1. Justifier que ces trois points ne sont pas alignés.
2. Tracer dans un repère du plan, un cercle passant par les trois points A, B et C. Détailler le protocole de construction.

73 Soient $A\,(0\;;\;5)$, $B\,(-1\;;\;-2)$ et $C\,(8\;;\;1)$ trois points du plan.
On veut déterminer une équation cartésienne du cercle passant par les trois points ci-dessus.
1. Calculer les coordonnées du point I milieu du segment $[AB]$.
2. Calculer les coordonnées du point J milieu du segment $[BC]$.
3. Déterminer une équation cartésienne de la droite d_1 médiatrice du segment $[AB]$.
4. Déterminer une équation cartésienne de la droite d_2 médiatrice du segment $[BC]$.
5. a. Justifier que les droites d_1 et d_2 ne sont pas parallèles.
b. Calculer les coordonnées de leur point d'intersection O.
c. Que représente O pour le cercle ? Justifier.
6. En déduire le rayon du cercle puis son équation cartésienne.

74 ALGO PYTHON

Chercher, raisonner
Soit $\mathscr{P}$ la parabole d'équation $y = -2x^2 + 3x - 4$.
1. Écrire en langage Python une fonction SurParabole qui prend en arguments les coordonnées d'un point D et renvoie True si ce point est sur la parabole et False sinon.
2. Écrire en langage Python, une fonction Symétrique qui prend en arguments les coordonnées d'un point D, vérifie si ce point appartient bien à la parabole $\mathscr{P}$ et si c'est le cas, renvoie les coordonnées de son symétrique par rapport à l'axe de symétrie de la parabole.

75 ALGO

Représenter, calculer
Soit A un point du plan et $\mathscr{C}$ un cercle de centre O et de rayon R.
• Écrire un algorithme en langage naturel qui renvoie la distance entre le point A et le point de $\mathscr{C}$ le plus proche de A, en fonction des coordonnées du point A, celles du centre O du cercle ainsi que la valeur du rayon R.

76 LOGICIEL DE GÉOMÉTRIE

Représenter, calculer, communiquer
Soient $F\,(-2\;;\;2)$ un point, $\mathscr{C}$ le cercle de centre F et de rayon 2,5 unités de longueur et $\mathscr{D}$ la droite d'équation :
$$x + 2y = 0.$$
On veut déterminer les équations des tangentes au cercle $\mathscr{C}$ parallèles à $\mathscr{D}$ si elles existent.
1. a. À l'aide d'un logiciel de géométrie dynamique, placer le point F, tracer le cercle $\mathscr{C}$ et la droite $\mathscr{D}$.
b. Tracer les potentielles tangentes Δ et Δ' au cercle $\mathscr{C}$ et parallèles à $\mathscr{D}$.
c. Détailler le protocole de construction.
2. a. Déterminer une équation cartésienne du cercle $\mathscr{C}$.
b. Déterminer une équation cartésienne de la droite d perpendiculaire à $\mathscr{D}$ et passant par F.
c. Calculer les coordonnées des deux points d'intersection du cercle $\mathscr{C}$ et de la droite d.
d. En déduire les équations cartésiennes de Δ et Δ'.
e. Vérifier la conformité des résultats avec l'affichage obtenu sur le logiciel de géométrie dynamique.

77 Approfondissement

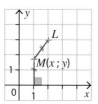

On considère un point $L\,(2\;;\;3)$ du plan.
On veut déterminer l'ensemble des points $M\,(x\;;\;y)$ équidistants du point L et de l'axe (Ox).
1. Exprimer la distance LM en fonction de x et y.
2. Exprimer la distance du point M à l'axe (Ox) en fonction de y.
3. En déduire que M est équidistant de L et de l'axe (Ox) si et seulement si $y^2 = (x-2)^2 + (y-3)^2$ et $y > 0$.
4. Simplifier l'expression obtenue et déterminer la nature de l'ensemble ainsi décrit par le point M.

78 On considère la parabole d'équation :
$$y = -\frac{1}{2}(x+3)(x-2)\,.$$
On note A son sommet, B et C ses points d'intersection avec l'axe des abscisses, comme indiqué sur la figure ci-dessous.

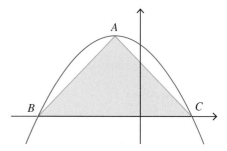

1. Quelle est la nature du triangle ABC ?
2. Combien vaut l'aire de ce triangle ?

Dans tous les exercices, le plan est muni d'un repère orthonormé $(O ; \vec{i}, \vec{j})$.

79 PRISE D'INITIATIVE

Soit m un nombre réel.
On considère la parabole d'équation $y = mx^2 - 2x + 4$ et la droite d'équation $y = 2m$.
• Discuter, suivant les valeurs de m, du nombre de points d'intersection entre la droite et la parabole.

80 LOGICIEL DE GÉOMÉTRIE **Lieu géométrique**

On considère la parabole $\mathcal{P}$ d'équation $y = x^2$ et le point $A(0 ; 1)$. Une droite $\mathcal{D}_m$ de coefficient directeur m passe par le point A et coupe la parabole $\mathcal{P}$ en deux points que l'on nomme B et C. Soit I le milieu de $[BC]$.
1. À l'aide d'un logiciel de géométrie, tracer la parabole et placer le point $A(0 ; 1)$. Définir un curseur m et tracer la droite $\mathcal{D}_m$. Utiliser le mode *Trace* et conjecturer à quel ensemble le point I semble appartenir lorsque les points B et C varient.
2. a. Montrer que les abscisses des points B et C vérifient l'équation $x^2 - mx - 1 = 0$.
b. Combien de solutions cette équation admet-elle ?
3. Exprimer les coordonnées du point I en fonction des solutions de l'équation précédente. En déduire que les coordonnées du point I vérifient l'équation $y = 2x^2 + 1$.
4. Réciproquement, justifier que, lorsque m décrit l'ensemble des réels, le point I décrit toute la courbe d'équation $y = 2x^2 + 1$.
5. Conclure sur la conjecture émise à la question 1.

81 ALGO PYTHON

1. On considère deux cercles du plan. Discuter, suivant la position de ces deux cercles, leur nombre de points d'intersection. Illustrer par des dessins.
2. Écrire une fonction en langage Python qui renvoie le nombre de points d'intersection entre deux cercles donnés. Cette fonction prend en arguments les coordonnées des centres des deux cercles ainsi que les rayons de chacun d'eux.

82 **Représenter, chercher, raisonner**

Soient $A(-1 ; 2)$ et $B(5 ; 4)$ deux points. On s'intéresse à l'ensemble des cercles passant par A et B.
1. Dans un repère du plan, placer A et B puis tracer un cercle passant par A et B.
2. Quel est l'ensemble L des centres des cercles passant par A et B ?
3. Donner une équation cartésienne de cet ensemble L.
4. Soit S un point qui appartient à l'ensemble L. Soit s l'abscisse du point S.
Déterminer une équation cartésienne du cercle de centre S passant par A et B.
5. Tracer alors trois cercles différents passant par A et B. Pour chacun de ces cercles, donner les coordonnées du centre et le rayon.

83 LOGICIEL DE GÉOMÉTRIE

Représenter, chercher
Dans un repère orthonormé $(O ; \vec{i}, \vec{j})$, on considère les points :
$$A(3 ; 2), B(-1 ; -2) \text{ et } C(-2 ; 2).$$
1. a. LOGICIEL Réaliser une figure à l'aide d'un logiciel de géométrie dynamique.
b. Tracer sur cette figure les trois médianes du triangle ABC. On note G leur point d'intersection (appelé centre de gravité du triangle ABC).
c. Tracer sur cette figure les trois hauteurs du triangle ABC. On note H leur point d'intersection (appelé orthocentre du triangle ABC).
d. Tracer sur cette figure les trois médiatrices du triangle ABC. On note I leur point d'intersection (I est le centre du cercle circonscrit au triangle ABC).
e. Que peut-on conjecturer sur la position des points G, H et I ?
On vérifiera sur le logiciel les résultats des questions suivantes au fur et à mesure.
2. a. Déterminer les équations des trois médianes du triangle ABC puis les coordonnées de G.
b. Déterminer les équations des trois hauteurs du triangle ABC puis les coordonnées de H.
c. Déterminer les équations des trois médiatrices du triangle ABC puis les coordonnées de I. Déterminer une équation du cercle circonscrit au triangle ABC.
d. Démontrer la conjecture établie à la question 1 e.
3. On note :
• J, K et L les milieux respectifs des segments $[BC]$, $[AC]$ et $[AB]$;
• M, N et O les pieds des hauteurs respectivement issues de A, B et C ;
• P, Q et R les milieux respectifs des segments $[AH]$, $[BH]$ et $[CH]$.
a. Placer ces points sur la figure et conjecturer qu'ils appartiennent à un même cercle dont on précisera le centre et le rayon.
b. Calculer les coordonnées de ces points et démontrer la conjecture énoncée à la question précédente.
La droite à laquelle les points G, H et I précédemment cités appartiennent est appelée **droite d'Euler**.
Leonhard Euler est un mathématicien et physicien suisse, né en 1707 à Bâle et décédé en 1783 à Saint-Pétersbourg. Il était membre de l'Académie royale des sciences de Prusse à Berlin et est considéré comme l'un des plus grands mathématiciens de tous les temps.

84 On considère la droite $\mathcal{D}$ d'équation $-3x + 2y - 1 = 0$ et la droite Δ d'équation $y = 3x - 1$.
• Déterminer une équation de la droite $\mathcal{D}'$ symétrique de la droite $\mathcal{D}$ par rapport à la droite Δ.

85 Soient $A(-5 ; 6)$, $B(11 ; 2)$ et $C(-3 ; -1)$ trois points du plan.
• Déterminer une équation cartésienne du cercle passant par ces trois points.

86 On considère deux cercles $\mathscr{C}_1$ et $\mathscr{C}_2$ d'équations respectives :

$$x^2 + y^2 = 16$$
$$\text{et } x^2 + y^2 - 8x - 6y + 16 = 0.$$

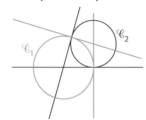

1. Déterminer le centre et le rayon de $\mathscr{C}_1$ et de $\mathscr{C}_2$.
2. Déterminer les coordonnées des points d'intersection de $\mathscr{C}_1$ et de $\mathscr{C}_2$.
3. Justifier la position relative des tangentes à chacun des deux cercles en ces deux points.

87 `LOGICIEL DE GÉOMÉTRIE`

Soient $A(2 ; -2)$, $B(4 ; 4)$ et $C(-2 ; 0)$ trois points du plan.
1. a. Sur un logiciel de géométrie dynamique, placer les trois points et tracer le cercle Γ circonscrit au triangle ABC.
b. Soit M le point du cercle Γ d'ordonnée 0 et distinct du point C. Tracer les points I, J et K projetés orthogonaux de M sur (AC), (AB) et (CB).

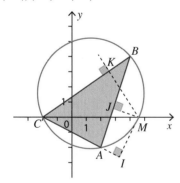

c. Émettre une conjecture sur la position relative des points I, J et K.
2. L'objectif de cette question est de démontrer la conjecture émise à la question précédente.
a. Déterminer une équation du cercle Γ circonscrit au triangle ABC.
b. En déduire l'abscisse du point M, qui appartient au cercle Γ, a une ordonnée nulle et est distinct du point C.
c. Déterminer les coordonnées des points I, J et K.
d. Conclure.
La droite, à laquelle les points I, J et K précédemment cités appartiennent, est appelée **droite de Simson**, du nom du mathématicien écossais Robert Simson.

 **Robert Simson** est un mathématicien écossais né en octobre 1687 et décédé en octobre 1768. Il s'est rendu célèbre pour ses contributions en géométrie.

88 `ALGO` `PYTHON`

Raisonner, communiquer
Écrire une fonction en langage Python qui prend en arguments les coordonnées x_C et y_C du centre et la valeur R du rayon d'un cercle, ainsi qu'un réel m. Cette fonction renvoie le nombre de points d'intersection du cercle et de la droite d'équation $y = m$.

89 Tracer les ensembles de points dont les coordonnées $(x ; y)$ vérifient les inégalités ou systèmes d'inégalités et égalités suivants.
1. $(x - 3)^2 + (y + 2)^2 \leqslant 16$

2. $\begin{cases} (x + 1)^2 + (y - 5)^2 \leqslant 9 \\ x \geqslant 0 \end{cases}$

3. $\begin{cases} (x - 5)^2 + (y + 1)^2 \leqslant 64 \\ y = x^2 \end{cases}$

4. $\begin{cases} (x - 5)^2 + (y + 1)^2 \leqslant 25 \\ x^2 + (y - 1)^2 = 1 \end{cases}$

90 L'objectif de cet exercice est de déterminer une équation de la parabole $\mathscr{P}$ qui passe par les points $A(1 ; -1)$, $B(-1 ; 9)$ et $C(3 ; 5)$.
1. $y = ax^2 + bx + c$ est une équation de $\mathscr{P}$, avec a, b et c trois réels et $a \neq 0$. Établir que les points A, B et C appartiennent à $\mathscr{P}$ si et seulement si :

$$\begin{cases} a + b + c = -1 \\ a - b + c = 9 \qquad (*) \\ 9a + 3b + c = 5 \end{cases}$$

2. Quelle opération a-t-on effectuée sur les lignes 1 et 2 du précédent système pour obtenir le système équivalent suivant ?

$$\begin{cases} a + b + c = -1 \\ 2a + 2c = 8 \qquad (**) \\ 9a + 3b + c = 5 \end{cases}$$

3. Multiplier par 3 la ligne 1 du système $(**)$.
4. Quelle opération a-t-on effectuée sur les lignes 1 et 3 du système $(**)$ pour obtenir le système équivalent suivant ?

$$\begin{cases} 3a + 3b + 3c = -3 \\ 2a + 2c = 8 \qquad (***) \\ -6a + 2c = -8 \end{cases}$$

5. Calculer les valeurs de a et c.
6. En déduire celle de b.
7. Conclure en donnant une équation cartésienne de $\mathscr{P}$.

91 On considère les points $I(1 ; 2)$ et $J(3 ; 0)$.
• Démontrer que l'ensemble des points $M(x ; y)$ du plan tels que les vecteurs $\overrightarrow{MI} + 3\overrightarrow{MJ}$ et $\overrightarrow{MJ} + 3\overrightarrow{MI}$ sont orthogonaux est un cercle dont on précisera le centre et le rayon.

Dans tous les exercices, le plan est muni d'un repère orthonormé $(O\,;\vec{i},\vec{j})$.

92 La première partie de cet exercice permet d'établir une formule donnant la distance d'un point à une droite dont une équation cartésienne est connue. La seconde partie met en application cette formule. Les deux parties peuvent être traitées indépendamment.

Partie 1

On considère une droite $\mathcal{D}$ d'équation cartésienne $ax + by + c = 0$ et un point $M(x_M\,;y_M)$.

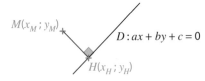

1. Donner les coordonnées d'un vecteur normal à $\mathcal{D}$.
2. Soit $H(x_H\,;y_H)$ le projeté orthogonal de M sur $\mathcal{D}$. Exprimer le produit scalaire $\overrightarrow{MH}\cdot\vec{n}$ en fonction des normes des deux vecteurs.
3. Justifier que $\overrightarrow{MH}\cdot\vec{n} = ax_M + by_M + c$.
4. Déduire des questions **2** et **3** que la distance, notée d, du point M à la droite $\mathcal{D}$ est :
$$d = \frac{|ax_M + by_M + c|}{\|\vec{n}\|}.$$

Partie 2

1. Déterminer la distance du point $M(1\,;2)$ à la droite $\mathcal{D}$ d'équation $x - y + 8 = 0$.
2. Déterminer le rayon du cercle de centre $A(-4\,;4)$ tangent à la droite Δ d'équation $2x - 3y = 0$.
3. a. Justifier que les droites d'équations $5x - 2y + 3 = 0$ et $-2x + y + 1 = 0$ sont sécantes.
b. Déterminer les coordonnées d'un point équidistant de ces deux droites, autre que leur point d'intersection.

93 Raisonner, communiquer

On considère la parabole ci-dessous dont une équation est $y = ax^2 + bx + c$, avec a, b et c trois réels tels que $a \neq 0$.
À l'aide des informations portées sur le graphique, déterminer les valeurs des coefficients a, b et c.

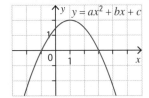

94 Raisonner, communiquer

On considère l'équation :
$$x^2 + y^2 - 4x + 3 = 0.$$
1. Justifier que cette équation est celle d'un cercle $\mathcal{C}$ dont on précisera le centre et le rayon.
2. Soit a un nombre réel. On appelle $\mathcal{D}$ la droite d'équation $y = ax$.
Discuter suivant les valeurs du réel a le nombre de points d'intersection entre la droite $\mathcal{D}$ et le cercle $\mathcal{C}$.

95 On considère le cercle $\mathcal{C}$ de centre $A(-1\,;1)$ et de rayon $\sqrt{5}$.
1. Déterminer une équation cartésienne de $\mathcal{C}$.
2. Déterminer les coordonnées des points D et E d'intersection de $\mathcal{C}$ avec l'axe des abscisses.
3. Déterminer une équation cartésienne des tangentes à $\mathcal{C}$ aux points D et E.
4. Calculer les coordonnées du point F, intersection de ces deux tangentes.
5. Démontrer que les droites (AF) et (DE) sont perpendiculaires.

96 Chercher, calculer
On considère les points $A(-1\,;-1)$, $B(1\,;2)$ et $C(4\,;-1)$.

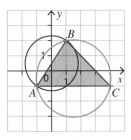

1. Déterminer une équation du cercle $\mathcal{C}$ de diamètre $[AB]$.
On note D son centre.
2. Déterminer une équation du cercle $\mathcal{C}'$ circonscrit au triangle ABC.
On note E son centre.
3. Démontrer que le centre E de $\mathcal{C}'$ appartient au cercle $\mathcal{C}$.
4. Montrer de plusieurs manières que (DE) est perpendiculaire à (AB).

97 QCM
Dans un repère orthonormé d'origine O, on considère les points :
$$A(1\,;0),\ B(0\,;1),\ C(-1\,;0)\ \text{et}\ D(0\,;-1).$$
Choisir la bonne réponse pour chacune des questions posées. Justifier.

1. L'ensemble des points $M(x\,;y)$ tels que :
$$x^2 + y^2 + x + y = 0$$
est :
a. le cercle de diamètre $[CD]$;
b. le cercle de diamètre $[BD]$;
c. la droite (CD) ;
d. la médiatrice du segment $[AB]$.

2. L'ensemble des points $M(x\,;y)$ tels que :
$$x^2 + (y + 1)^2 = (x - 1)^2 + y^2$$
est :
a. la médiatrice du segment $[BC]$;
b. le milieu du segment $[BC]$;
c. le cercle de centre O et de rayon 1 ;
d. la médiatrice du segment $[AD]$.

98

Donner la seule réponse exacte parmi les trois proposées, sans justifier.

1. La droite $\mathcal{D}$ d'équation $3x + 2y - 4 = 0$ et la droite $\mathcal{D}'$ d'équation $-4x + 6y + 1 = 0$:

(a) sont parallèles ;

(b) sont perpendiculaires ;

(c) ne sont ni parallèles ni perpendiculaires.

2. La droite d'équation $y = 3x + 1$ a pour vecteur normal :

(a) $\vec{u}\begin{pmatrix} 3 \\ 1 \end{pmatrix}$;

(b) $\vec{u}\begin{pmatrix} -3 \\ 1 \end{pmatrix}$;

(c) $\vec{u}\begin{pmatrix} 3 \\ -1 \end{pmatrix}$.

3. Le point $A(1 ; 0)$ appartient au cercle d'équation :

(a) $x^2 + y^2 - 3x + y + 3 = 0$;

(b) $x^2 + y^2 + 3x - y + 5 = 0$;

(c) $x^2 + y^2 - 3x + y + 2 = 0$.

4. Les vecteurs $\vec{u}\begin{pmatrix} \dfrac{1}{2} \\ -8 \end{pmatrix}$ et $\vec{v}\begin{pmatrix} 4 \\ -\dfrac{1}{5} \end{pmatrix}$:

(a) sont orthogonaux ;

(b) sont colinéaires ;

(c) ne sont ni orthogonaux ni colinéaires.

5. Les points $A(3 ; 0)$ et $B(0 ; 2)$ appartiennent au cercle d'équation :

(a) $x^2 + y^2 - 3x + y - 1 = 0$;

(b) $(x - 3)^2 = (y - 2)^2$;

(c) $x^2 + y^2 - 3x - 2y = 0$.

99 **Logo design**

Une société de communication a créé le logo ci-dessous.

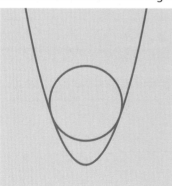

Ce logo peut être modélisé par la parabole d'équation $y = x^2$ et le cercle de centre $O(0 ; 2)$. Le cercle est tangent à la parabole en deux points.

1. Quel est le rayon du cercle ?

2. Quelles sont alors les coordonnées des points d'intersection entre la parabole et le cercle ?

3. Que dire des tangentes au cercle et à la parabole en ces points ?

100 On considère la parabole $\mathcal{P}$ dont la droite d'équation $x = \dfrac{9}{4}$ est axe de symétrie. Cette parabole passe par le point $T(3 ; 0)$.

1. Déterminer les coordonnées du point V, qui est l'autre point d'intersection entre la parabole et l'axe des abscisses.

2. En déduire une équation cartésienne de $\mathcal{P}$.

3. Soit m un réel fixé. Discuter selon les valeurs de m du nombre de points d'intersection de $\mathcal{P}$ avec la droite d'équation $y = m$.

101 On considère deux points A et B de coordonnées respectives $(1 ; 1)$ et $(3 ; -2)$.

1. Déterminer une équation cartésienne de la médiatrice du segment $[AB]$.

2. Soit C le point de coordonnées $(x ; y)$, où x et y sont deux réels quelconques.

a. Traduire en termes de coordonnées l'égalité $AB = AC$.

b. De quel ensemble obtient-on l'équation ?

c. Résoudre le système suivant : $\begin{cases} 2x - 3y - \dfrac{11}{2} = 0 \\ (x-1)^2 + (y-1)^2 = 13 \end{cases}$

d. Que dire du triangle ABC lorsque le couple de coordonnées du point C est solution du système précédent ?

102 On considère une droite Δ de vecteur normal $\vec{n}\begin{pmatrix} 3 \\ -2 \end{pmatrix}$, qui passe par le point $A(1 ; 2)$.

Soit Γ le cercle de centre A et de rayon 3.

Soient B un point quelconque de Γ et B' son symétrique par rapport à Δ.

1. Réaliser une figure.

2. Démontrer sans calcul que B' appartient à Γ.

3. Soient $(1 ; -1)$ les coordonnées du point B.

a. Calculer les coordonnées du point B'.

b. Vérifier par le calcul que B' appartient à Γ.

103 **Raisonner, chercher, calculer**

On veut déterminer les coordonnées d'éventuels points d'intersection entre une parabole et un cercle donnés.

1. Déterminer, si ces points existent, les coordonnées des points d'intersection entre la parabole d'équation $y = x^2 - 2$ et le cercle d'équation $x^2 + y^2 = 4$.

2. Déterminer l'équation d'un cercle qui n'a aucun point d'intersection avec la parabole d'équation $y = x^2 - 2$.

3. On considère la parabole d'équation $y = x^2 + 3$ et le cercle d'équation $x^2 + (y - 1)^2 = 1$.

a. Justifier que la recherche des coordonnées des éventuels points d'intersection entre ces deux figures équivaut à résoudre le système $S : \begin{cases} y = x^2 + 3 \\ x^4 + 5x^2 + 3 = 0 \end{cases}$

b. On effectue le changement d'inconnue suivant en posant $X = x^2$.

Réécrire le système précédent avec la nouvelle inconnue X puis résoudre ce système.

c. En déduire la résolution du système S.

104 Points particuliers dans un triangle

Le plan est muni d'un repère orthonormé.
On considère un triangle ABC dont les sommets ont pour coordonnées respectives $(1\,;1)$, $(5\,;-1)$ et $(6\,;2)$. Sur un logiciel de géométrie dynamique, on a tracé le triangle ABC et ses hauteurs issues de A et de B.

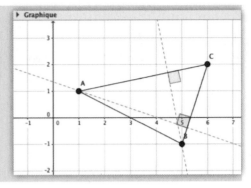

► Graphique

Questions Va piano

1. Dans le menu Algèbre du logiciel, on peut lire :

- d: x + 3y = 4
- e: -5x - y = -24

Attribuer à chaque hauteur son équation. Justifier.

2. **LOGICIEL DE GÉOMÉTRIE**
Tracer ces deux droites sur un logiciel de géométrie dynamique et déterminer graphiquement les coordonnées de l'orthocentre du triangle.

3. Retrouver ce résultat par le calcul.

Questions Moderato

1. Déterminer une équation cartésienne de la hauteur issue de A.

2. Déterminer une équation cartésienne de la hauteur issue de B.

3. En déduire les coordonnées de l'orthocentre H du triangle.

4. Vérifier par le calcul que H appartient bien à la troisième hauteur du triangle.

Questions Allegro

1. Déterminer les coordonnées de l'orthocentre du triangle.

2. Déterminer les coordonnées du centre du cercle circonscrit au triangle.

3. Déterminer les coordonnées du centre de gravité du triangle.

4. Quelle conjecture peut-on émettre sur la position relative de ces trois points ? Démontrer cette conjecture.

105 Deux cercles

Le plan est muni d'un repère orthonormé.
On considère deux cercles $\mathscr{C}_1$ et $\mathscr{C}_2$ d'équations respectives $x^2 + y^2 = 4$ et $(x + 2)^2 + (y - 4)^2 = 16$.

Questions Va piano

1. Déterminer le centre et le rayon de $\mathscr{C}_1$ et de $\mathscr{C}_2$.

2. Prouver que le point $A\,(-2\,;0)$ appartient à $\mathscr{C}_1$ et à $\mathscr{C}_2$.

3. a. **LOGICIEL DE GÉOMÉTRIE** À l'aide d'un logiciel de géométrie, tracer $\mathscr{C}_1$ et $\mathscr{C}_2$ puis placer le point A.

b. Selon le logiciel, $\mathscr{C}_1$ et $\mathscr{C}_2$ sont-ils sécants en un autre point ? Si oui, quelles sont ses coordonnées ?

c. Vérifier par le calcul que ces coordonnées sont bien celles d'un point de $\mathscr{C}_1$ et de $\mathscr{C}_2$.

Questions Moderato

1. Déterminer les coordonnées des éventuels points d'intersection entre $\mathscr{C}_1$ et l'axe des abscisses.

2. Déterminer les coordonnées des éventuels points d'intersection entre $\mathscr{C}_2$ et l'axe des abscisses.

3. Que peut-on en conclure pour l'intersection de $\mathscr{C}_1$ et $\mathscr{C}_2$?

4. Déterminer une équation de la tangente à $\mathscr{C}_1$ au point d'abscisse 1 et d'ordonnée positive.

Questions Allegro

1. Quelle est l'abscisse du point d'intersection des cercles $\mathscr{C}_1$ et $\mathscr{C}_2$ d'ordonnée nulle ?

2. Justifier qu'un point $M\,(x\,;y)$ appartient à $\mathscr{C}_1$ et à $\mathscr{C}_2$ si et seulement si

$$\begin{cases} x^2 + y^2 = 4 \\ x - 2y + 2 = 0 \end{cases}.$$

3. Résoudre ce système et conclure quant aux coordonnées des points d'intersection entre $\mathscr{C}_1$ et $\mathscr{C}_2$.

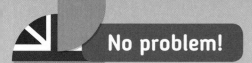

 1 The slope-intercept

In a rectangular coordinate, we are given two lines whose following standard equations are :
$$3x - y - 4 = 0 \text{ and } 2x - 6y = 0.$$
1. Are those two lines perpendicular?
2. Transform each equation to express y in terms of x. This equation is called the slope-intercept equation. Explain why.
3. What can you notice about the gradient/slope of each line?
4. In general:
Let us consider two lines given by each of the equations below.
$$y = mx + p \text{ and } y = m'x + p'$$
Prove that those lines are perpendicular if and only if $m \times m' = -1$.

 2 Equation of a circle

Let us consider two points $A (5 ; 2)$ and $B (-1 ; 3)$ in a rectangular coordinate.
1. Work out length AB and the coordinates of the midpoint M of segment $[AB]$.
2. Find an equation of the circle with diameter segment $[AB]$.
3. We are interested in the centers of circles passing through points A and B.
Show that those centers are all on a same line and give an equation of that line.
4. One of those circles has a center with an abscissa equal to zero.
Give the equation of this circle.

 3 Algorithm test

We are given a line with the following equation $4x + 5y - 3 = 0$ and the algorithm below written in "Python language":
```
def test(x,y):
    return 4*x+5*y-3==0
```
1. What is the result of this algorithm if we enter the formula test(0,1)?
2. What is the result of this algorithm if we enter the formula test(-3,3)?
3. What is the objective of this algorithm?
4. Write a similar algorithm that will test whether a point belongs to the circle center $A(1 ; 1)$ radius 2.

 Pair Work Make your imagination work!

Using the grid below, you have to create a least three triplets in which you will include some information from column A, B and C. Explain and compare your choices with your classmate.

A: circles	B: lines	C: intersection
$(x + 1)^2 + (y + 3)^2 = 7$	$x + y + 4 = 0$	zero point
$x^2 - 2x + y^2 - 2y + 1 = 0$	line (AB)	one point
center $A (1 ; 5)$ and radius equal to 2	$x = -\dfrac{1}{2}$	two points
center $O (0 ; 0)$ passing through $B (2 ; -1)$	x-axis	two points, and the line passes through the center of the circle

Ressources du chapitre
disponibles ici :

www.lycee.hachette-
education.com/barbazo/1re   ou

CHAPITRE

9 Probabilités conditionnelles et indépendance

Calculer des probabilités sous condition

Pierre-Simon de Laplace

Pierre-Simon de Laplace est un mathématicien et physicien français du XVIIIe et du début du XIXe siècle, qui, avec les mathématiciens Moivre et Bayes, fut l'un des premiers à décrire la notion de probabilité conditionnelle.

Il a travaillé également dans le domaine de l'astronomie et de la mécanique. Alors que la mécanique était traitée de façon très géométrique, par Newton notamment, il en donna une approche analytique. Il fut aussi ministre de l'Intérieur durant le Consulat.

Dans son livre *Théorie analytique des probabilités*, publié en 1812, il définit une probabilité comme « une fraction dont le numérateur est le nombre des cas favorables, et dont le dénominateur est celui de tous les cas possibles ». Il poursuit :

« Tous nos jugements sur les choses qui ne sont que vraisemblables (et c'est le plus grand nombre) sont fondés sur un pareil rapport. La différence des données que chaque homme a sur elles, et la manière souvent erronée dont on apprécie ce rapport, donne naissance à cette foule d'opinions que l'on voit exister sur les mêmes objets. »

Pour illustrer son propos, il considère trois urnes A, B et C, dont deux ne contiennent que des boules blanches et dont l'autre ne contient que des boules noires. Une personne tire une boule de l'urne C. Si elle n'a aucune information sur la composition des urnes, la probabilité de tirer une boule noire est égale à $\frac{1}{3}$. Si elle sait que l'urne A ne contient que des boules blanches, la probabilité de tirer une boule noire est égale à $\frac{1}{2}$. Enfin, si elle sait que les urnes A et B ne contiennent que des boules blanches, tirer une boule noire est une certitude.

Expliquer le calcul des probabilités précédentes.

1 Probabilité d'un évènement

Un singe tape au hasard sur une touche d'un clavier où chaque touche correspond à une lettre de l'alphabet français.

Donner la probabilité qu'il tape sur :

a. une voyelle ;

b. une lettre du mot *hasard* ;

c. une voyelle du mot *hasard* ;

d. une voyelle ou une lettre du mot *hasard*.

2 Réunion et intersection

A et B sont deux évènements.

1. Si $P(A) = 0,5$, $P(\overline{B}) = 0,7$ et $P(A \cap B) = 0,12$, que vaut $P(A \cup B)$?

2. Si $P(A) = \dfrac{1}{4}$, $P(B) = \dfrac{3}{5}$ et $P(A \cup B) = \dfrac{7}{10}$, que vaut $P(A \cap B)$?

3 Dé truqué

On lance un dé cubique dont les faces sont numérotées de 1 à 6.

Calculer la probabilité d'obtenir 6 dans chacune des situations suivantes.

Situation n°1 : On suppose que la probabilité d'obtenir 6 est deux fois plus grande que celle de ne pas obtenir 6.

Situation n°2 : La probabilité d'une face est proportionnelle à son numéro.

4 Simulation d'une expérience

On a écrit le script suivant en langage Python.

```
1 from random import randint
2 jeu=randint(1,6)
3 if jeu==6:
4     print("gagné")
5 else:
6     print("perdu")
7
```

1. Quel jeu peut simuler ce script ? Quelle est la probabilité de gagner ?

2. Modifier le script pour que la probabilité de gagner au jeu qu'il simule soit égale à $\dfrac{3}{4}$.

5 Tableau à double entrée

Un magasin propose deux fruits en promotion : des ananas et des bananes. On sait que parmi les 200 clients venus un certain jour :

• 92 ont acheté des ananas en promotion ;

• 113 ont acheté des bananes en promotion ;

• 61 ont profité des deux promotions.

1. Représenter cette situation à l'aide d'un tableau à double entrée.

2. On interroge un client au hasard.

Calculer la probabilité des évènements suivants.

A : « Le client interrogé a acheté des bananes en promotion ».

B : « Le client interrogé n'a acheté que des bananes en promotion ».

C : « Le client interrogé n'a pas acheté d'ananas en promotion ».

D : « Le client interrogé a profité des deux promotions ».

E : « Le client interrogé a profité d'au moins une des deux promotions ».

6 Modélisation d'une expérience

On lance trois fois de suite une pièce de monnaie équilibrée. On note le résultat sous la forme de trois lettres indiquant le résultat de chacun des trois tirages (par exemple FPF pour « Face », « Pile » et « Face »).

1. Dénombrer les issues possibles à l'aide d'un arbre.

2. Quelle est la probabilité de chaque issue ?

3. Calculer la probabilité d'obtenir au moins une fois « Face » lors des trois lancers.

7 Tirage avec ou sans remise

Une urne contient deux boules rouges et une boule verte. On tire successivement deux boules de l'urne.

1. Calculer la probabilité de tirer deux boules de la même couleur lorsqu'on remet la première boule tirée dans l'urne.

2. Reprendre la question précédente en supposant qu'on ne remet pas la première boule dans l'urne.

Situation 1 — Fiabilité d'un test médical

Objectif
Comprendre la notion de probabilité conditionnelle.

Un test permet de dépister les personnes atteintes d'une maladie rare.
Pour étudier les performances de ce test, on a fait une étude statistique sur 5 000 personnes et obtenu les résultats suivants.

	Personnes malades	Personnes non malades
Personnes testées positives	18	300
Personnes testées négatives	2	4680

On choisit au hasard une personne étudiée et on considère les évènements suivants.
T : « La personne testée est positive ».
M : « La personne testée est malade ».

1. Calculer les probabilités $P(M)$, $P(T)$ et $P(T \cap M)$. Interpréter les résultats obtenus.

2. Un médecin affirme que ce test a une efficacité de 90 % sur les malades.
A-t-il raison ?

3. Léa a été dépistée positive.
Doit-elle être inquiète d'être malade ? Expliquer.

Situation 2 — Sachet de bonbons

Objectif
Découvrir et utiliser un arbre pondéré.

Un sachet contient six bonbons : deux au réglisse et quatre à la fraise.
On tire successivement et sans remise deux bonbons.

1. a. Écrire toutes les issues possibles de ce tirage. Ces issues sont-elles équiprobables ?

b. À l'aide d'un arbre de dénombrement, calculer la probabilité d'obtenir deux bonbons à la fraise.

2. a. Quelle est la probabilité que le premier bonbon tiré soit à la fraise ? au réglisse ?

b. On a représenté ci-contre un arbre sur lequel on veut faire figurer les probabilités de certains évènements.
Où peut-on écrire les probabilités trouvées à la question **2 a** ?

3. a. Le premier bonbon qui a été tiré est à la fraise.
Quelle est la probabilité que le deuxième soit aussi à la fraise ?
Où pourrait-on faire figurer cette probabilité sur l'arbre ci-contre ?

b. Compléter les autres pointillés figurant sur l'arbre.

4. a. Passer en couleur le chemin correspondant à l'évènement F :
« Les deux bonbons tirés sont à la fraise ».
Comment peut-on retrouver le résultat obtenu à la question **1 b** ?

b. Calculer la probabilité de l'évènement R : « Les deux bonbons tirés sont au réglisse ».

c. Comment peut-on en déduire la probabilité de l'évènement D : « Les deux bonbons tirés ont le même parfum » ?

Situation ❸ Produits bio

Objectif
Découvrir la notion d'évènements indépendants.

Une chaîne d'hypermarchés souhaite réorganiser ses magasins, notamment en développant la vente de produits bio.

Pour cela, elle triple la surface de rayonnage de ce type de produits dans deux magasins pilotes.

Elle lance ensuite une grande campagne publicitaire et, pour en mesurer l'impact, réalise un sondage auprès de ses clients à la sortie de chacun des deux magasins.

Les résultats obtenus sont les suivants.

Magasin pilote n°1

	A acheté des produits bio	N'a pas acheté des produits bio
A vu la publicité	126	378
N'a pas vu la publicité	99	297

Magasin pilote n°2

	A acheté des produits bio	N'a pas acheté des produits bio
A vu la publicité	267	153
N'a pas vu la publicité	177	303

① **a.** On choisit au hasard un client du magasin 1.
Calculer la probabilité qu'il ait acheté des produits bio.

b. On choisit au hasard un client du magasin 1 ayant vu la publicité.
Calculer la probabilité qu'il ait acheté des produits bio.

② Réaliser une étude analogue pour le magasin 2.

③ Quelles conclusions le directeur de la chaîne d'hypermarchés peut-il tirer quant à l'impact de sa campagne publicitaire ?

1. Probabilités conditionnelles

P est une loi de probabilité définie sur un univers Ω.

 ## 1. Probabilité de B sachant A

Définition

Soient A et B deux évènements avec $P(A) \neq 0$.
La probabilité que l'évènement B se réalise, sachant que l'évènement A est réalisé, est notée $P_A(B)$ et définie par :

$$P_A(B) = \frac{P(A \cap B)}{P(A)}.$$

Remarque

$P_A(B)$ se lit « P de B sachant A ».

⌄ Exemples

On tire une carte au hasard dans un jeu de 32 cartes. On note A l'évènement « La couleur de la carte est rouge » et B l'évènement « La carte est un valet ». Les tirages étant équiprobables, on a les probabilités suivantes :

$P(A) = \dfrac{1}{2}$ et $P(A \cap B) = \dfrac{2}{32} = \dfrac{1}{16}$.

On a alors $P_A(B) = \dfrac{P(A \cap B)}{P(A)} = \dfrac{\frac{1}{16}}{\frac{1}{2}} = \dfrac{1}{8}$.

Parmi les seize cartes rouges, il y a deux valets, la probabilité de tirer un valet sachant que la carte est rouge est donc bien $P_A(B) = \dfrac{2}{16} = \dfrac{1}{8}$.

Par ailleurs $P(B) = \dfrac{4}{32} = \dfrac{1}{8}$, donc $P_B(A) = \dfrac{P(A \cap B)}{P(A)} = \dfrac{\frac{1}{16}}{\frac{1}{8}} = \dfrac{1}{2}$.

Parmi les quatre valets, il y a deux cartes rouges, la probabilité de tirer une carte rouge sachant que la carte est un valet est donc bien $P_B(A) = \dfrac{2}{4} = \dfrac{1}{2}$. En particulier $P_A(B) \neq P_B(A)$.

 ## 2. Propriétés

Propriétés

DÉMO
p. 282

Soient A et B deux évènements de probabilités non nulles.
- $P(A \cap B) = P(A) \times P_A(B) = P(B) \times P_B(A)$
- $P_A(\overline{B}) = 1 - P_A(B)$

⌄ Exemples

À la montagne, 80 % des vacanciers pratiquent le ski alpin et 20 % la randonnée en raquettes. 60 % des skieurs et 50 % des marcheurs sont des hommes. On choisit un vacancier au hasard et on note S l'évènement « Le vacancier choisi pratique le ski » et H l'évènement « Le vacancier choisi est un homme ».
- $P(S \cap H) = P(S) \times P_S(H) = 0,8 \times 0,6 = 0,48$

La probabilité que le vacancier choisi soit un homme et qu'il pratique le ski est égale à 0,48.
- $P_S(\overline{H}) = 1 - P_S(H) = 0,4$

Si l'on sait que le vacancier choisi pratique le ski, la probabilité que ce soit une femme est égale à 0,4.

Exercice résolu 1 — Déterminer des probabilités conditionnelles

Une urne contient sept boules : quatre rouges numérotées 1, 2, 3 et 4, et trois vertes numérotées 1, 2 et 3.

On tire deux boules au hasard, successivement et sans remise.

1 Quelle est la probabilité que la deuxième boule tirée soit rouge sachant que la première boule tirée est rouge ?

2 Quelle est la probabilité que les deux boules tirées soient rouges ?

❯ Solution commentée

1 Après avoir tiré une première boule rouge, il reste six boules : trois vertes et trois rouges.

La probabilité de tirer une boule rouge est alors de $\frac{3}{6} = \frac{1}{2}$.

Donc la probabilité que la deuxième boule tirée soit rouge, sachant que la première boule tirée est rouge, est égale à $\frac{1}{2}$.

2 Si on note R_1 l'évènement « La première boule tirée est rouge » et R_2 l'évènement « La deuxième boule tirée est rouge », alors $P(R_1 \cap R_2) = P(R_1) \times P_{R_1}(R_2)$.

D'après la question **1**, $P_{R_1}(R_2) = \frac{1}{2}$ et $P(R_1) = \frac{4}{7}$.

On a donc $P(R_1 \cap R_2) = \frac{4}{7} \times \frac{1}{2} = \frac{2}{7}$.

❯ EXERCICE 5 p. 292

Exercice résolu 2 — Calculer des probabilités conditionnelles à partir d'un tableau de fréquences

Le tableau ci-dessous donne la répartition des participants à un stage de survie en Aquitaine, en fonction de leur sexe et de leur département d'origine.

	Homme	Femme	Total
Gironde	18	50	68
Landes	11	21	32
Total	29	71	100

On prend au hasard la fiche d'inscription d'un stagiaire.

1 Quelle est la probabilité que ce soit un homme ?

2 Quelle est la probabilité que ce soit un homme originaire des Landes ?

3 Quelle est la probabilité qu'il soit originaire des Landes sachant que c'est un homme ?

❯ Solution commentée

On note H l'évènement « La fiche est celle d'un homme » et L l'évènement « La fiche est celle d'un Landais ».

1 D'après le tableau, 29 hommes participent à ce stage. On a donc $P(H) = \frac{29}{100} = 0{,}29$.

2 D'après le tableau, 11 stagiaires viennent des Landes et sont des hommes, donc $P(H \cap L) = \frac{11}{100} = 0{,}11$.

3 1re méthode : on applique la formule $P_H(L) = \frac{P(H \cap L)}{P(H)} = \frac{0{,}11}{0{,}29} = \frac{11}{29}$.

2e méthode : on lit directement dans le tableau que parmi les 29 hommes, il y a 11 Landais, ce qui donne $P_H(L) = \frac{11}{29}$.

❯ EXERCICE 7 p. 292

2. Arbres pondérés

P est une loi de probabilité définie sur un univers Ω.

1. Règles de calcul dans un arbre pondéré

DÉMO
en ligne

Propriétés

Dans un arbre pondéré :
- La somme des probabilités des branches issues d'un même nœud est égale à 1.
- La probabilité de l'évènement correspondant à un chemin est égale au produit des probabilités inscrites sur les branches de ce chemin.

Remarque

Un chemin passant par un évènement A puis un évènement B correspond à l'intersection de ces deux évènements, soit A ∩ B.

∨ Exemple

Un footballeur tire successivement deux pénaltys. A est l'évènement « Il marque le premier pénalty » et B l'évènement « Il marque le second pénalty ».
On a représenté cette expérience aléatoire sur l'arbre ci-dessous.

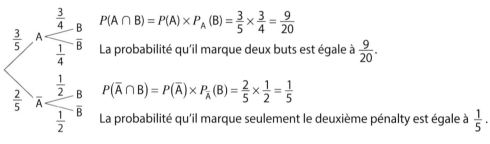

$P(A \cap B) = P(A) \times P_A(B) = \dfrac{3}{5} \times \dfrac{3}{4} = \dfrac{9}{20}$

La probabilité qu'il marque deux buts est égale à $\dfrac{9}{20}$.

$P(\overline{A} \cap B) = P(\overline{A}) \times P_{\overline{A}}(B) = \dfrac{2}{5} \times \dfrac{1}{2} = \dfrac{1}{5}$

La probabilité qu'il marque seulement le deuxième pénalty est égale à $\dfrac{1}{5}$.

2. Formule des probabilités totales

DÉMO
p. 282

Définition et propriété

Soient des évènements non vides A_1, A_2, …, A_n de Ω, deux à deux disjoints et tels que leur réunion forme l'univers Ω.
Soit B un évènement.
- On dit que A_1, A_2, …, A_n constituent une **partition** de Ω.
- $P(B) = P(A_1 \cap B) + P(A_2 \cap B) + \ldots + P(A_n \cap B)$

Remarques

- Les évènements A et $\overline{A}$ forment une partition de Ω. On a donc $P(B) = P(A \cap B) + P(\overline{A} \cap B)$.
- Sur un arbre pondéré, la probabilité d'un évènement correspondant à plusieurs chemins est égale à la somme des probabilités des chemins correspondant à cet évènement.

∨ Exemple

Dans l'exemple précédent, la formule des probabilités totales donne :
$P(B) = P(A \cap B) + P(\overline{A} \cap B) = \dfrac{9}{20} + \dfrac{1}{5} = \dfrac{13}{20}$.

Exercice résolu **1** Représenter une situation par un arbre pondéré

Un fabricant de smartphones achète ses écrans chez deux fournisseurs.

- 60 % des écrans proviennent du fournisseur A, 40 % du fournisseur B.
- Le fournisseur A a un taux d'écrans défectueux de 1 %, le fournisseur B de 2 %.

On prélève au hasard un smartphone dans le stock du fabricant.

1 Représenter la situation à l'aide d'un arbre pondéré.

2 Calculer les probabilités des évènements suivants.

   a. « Le smartphone provient du fournisseur A et est défectueux. »

   b. « Le smartphone provient du fournisseur B et n'est pas défectueux. »

⌄ Solution commentée

1 On note A l'évènement « L'écran provient du fournisseur A », B l'évènement « L'écran provient du fournisseur B » et D l'évènement « L'écran est défectueux ». D'après l'énoncé, on a $P(A) = 0,6$; $P(B) = 0,4$; $P_A(D) = 0,01$ et $P_B(D) = 0,02$.
On a donc :
$$P_A(\overline{D}) = 1 - P_A(D) = 0,99 \text{ et}$$
$$P_B(\overline{D}) = 1 - P_B(D) = 0,98.$$

2 **a.** $P(A \cap D) = P(A) \times P_A(D) = 0,6 \times 0,01 = 0,006$
La probabilité que l'écran provienne du fournisseur A et soit défectueux est 0,006.
b. $P(B \cap \overline{D}) = P(B) \times P_B(\overline{D}) = 0,4 \times 0,98 = 0,392$
La probabilité que l'écran provienne du fournisseur B et ne soit pas défectueux est 0,392.

> **EXERCICE** 13 p. 293

Exercice résolu **2** Utiliser la formule des probabilités totales

Une station de ski des Pyrénées propose deux types de forfaits.

- Le forfait A comprend la journée de ski et la visite de l'observatoire.
- Le forfait B comprend uniquement la journée de ski.

60 % des skieurs choisissent le forfait A et, parmi eux, 70 % sont étrangers. 50 % des skieurs ayant choisi le forfait B sont étrangers. On note E l'évènement « Le skieur est étranger ».

1 Recopier et compléter l'arbre pondéré ci-contre.

2 On interroge un skieur au hasard.

Calculer la probabilité qu'il soit étranger.

⌄ Solution commentée

1 On complète l'arbre en utilisant le fait que la somme des probabilités des branches issues d'un même nœud est égale à 1.

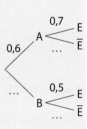

2 Les évènements A et B forment une partition de l'univers.
Donc $P(E) = P(A \cap E) + P(B \cap E)$
$$= P(A) \times P_A(E) + P(B) \times P_B(E)$$
$$= 0,6 \times 0,7 + 0,4 \times 0,5$$
$$= 0,62$$
La probabilité que le skieur soit étranger est égale à 0,62.

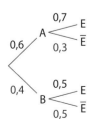

> **EXERCICE** 18 p. 293

3. Indépendance

P est une loi de probabilité définie sur un univers Ω.

1. Évènements indépendants

Définition

On dit que deux évènements A et B sont indépendants lorsque $P(A \cap B) = P(A) \times P(B)$.

Propriété

Soient A et B deux évènements de probabilités non nulles.
A et B sont indépendants $\Leftrightarrow P_B(A) = P(A) \Leftrightarrow P_A(B) = P(B)$.

Remarques

• $P_B(A) = P(A)$ signifie que la réalisation ou non de l'évènement B n'a pas d'influence sur la réalisation de l'évènement A.

• Il ne faut pas confondre évènements indépendants et évènements incompatibles. Deux évènements sont incompatibles lorsque $P(A \cap B) = 0$, ce qui signifie que les évènements A et B ne peuvent pas se réaliser en même temps.

Propriété

Si A et B sont deux évènements indépendants, alors $\overline{A}$ et B sont indépendants.

Remarque

Si A et B sont deux évènements indépendants, alors A et $\overline{B}$ sont aussi indépendants, ainsi que $\overline{A}$ et $\overline{B}$.

2. Succession de deux épreuves indépendantes

Définition

Lorsque deux expériences aléatoires se succèdent et que les résultats de la première expérience n'ont aucune influence sur les résultats de la seconde, on dit qu'il s'agit d'une **succession de deux épreuves indépendantes**.

∨ Exemples

On tire au hasard successivement deux cartes dans un jeu de cartes et on note les deux cartes obtenues.
Dans l'hypothèse où l'on remet la carte tirée dans le paquet, les deux tirages sont indépendants.
Sinon le contenu du paquet après le premier tirage dépend de la carte tirée en premier et les deux tirages ne sont pas indépendants.

Propriété (admise)

Lorsque deux épreuves sont indépendantes, la probabilité d'un couple de résultats est égale au produit des probabilités de chacun d'entre eux.

∨ Exemple

On lance successivement deux fois un dé cubique non truqué. Il s'agit d'une succession de deux épreuves indépendantes, et la probabilité d'obtenir deux fois le numéro 6 est égale à $\frac{1}{6} \times \frac{1}{6} = \frac{1}{36}$.

Exercice résolu 1 Étudier l'indépendance de deux évènements

Une urne contient quatre jetons rouges indiscernables au toucher numérotés de 1 à 4, trois jetons verts numérotés de 5 à 7 et un jeton noir numéroté 8.

On tire au hasard un jeton dans l'urne et on considère les évènements A : « Obtenir un numéro pair », B : « Obtenir un jeton rouge » et C : « Obtenir un jeton vert ».

1 Calculer $P(A)$.

2 a. Les évènements A et B sont-ils indépendants ? Justifier à l'aide de la définition.

b. Reprendre la question précédente avec les évènements A et C.

3 Retrouver les résultats de la question 2 en calculant $P_B(A)$ et $P_C(A)$.

⌄ Solution commentée

1 Il y a quatre jetons dont le numéro est pair, donc $P(A) = \dfrac{4}{8} = \dfrac{1}{2}$.

2 a. $A \cap B$ est l'évènement « Obtenir un numéro pair et rouge », donc $P(A \cap B) = \dfrac{2}{8} = \dfrac{1}{4}$.

$P(B) = \dfrac{1}{2}$, donc $P(A) \times P(B) = \dfrac{1}{2} \times \dfrac{1}{2} = \dfrac{1}{4}$ = et $P(A \cap B) = P(A) \times P(B)$.

Les évènements A et B sont indépendants.

b. $A \cap C$ est l'évènement « Obtenir un numéro pair et vert », donc $P(A \cap C) = \dfrac{1}{8}$.

$P(C) = \dfrac{1}{8}$ donc $P(A) \times P(C) = \dfrac{1}{2} \times \dfrac{1}{8} = \dfrac{1}{16}$ donc $P(A \cap C) \neq P(A) \times P(C)$.

Les évènements A et C ne sont pas indépendants.

3 Parmi les quatre jetons rouges, il y en a deux dont le numéro est pair. Parmi l'ensemble des huit jetons, il y en a quatre dont le numéro est pair.

Ainsi, $P_B(A) = \dfrac{1}{2} = P(A)$.

Le fait que le jeton soit rouge n'influe pas sur la réalisation de l'évènement A : les évènements A et B sont indépendants.

En revanche, parmi les 3 jetons verts, seul l'un d'entre eux possède un numéro pair.

Ainsi, $P_C(A) = \dfrac{1}{3}$ donc $P_C(A) \neq P(A)$: les évènements A et C ne sont pas indépendants.

> **EXERCICE** 27 p. 294

Exercice résolu 2 Étudier une répétition d'expériences aléatoires

Dans une population, 13 % des personnes sont gauchères. On interroge au hasard deux individus et on suppose la population suffisamment importante pour considérer ces deux épreuves indépendantes.

1 Représenter cette expérience aléatoire à l'aide d'un arbre pondéré.

2 Calculer la probabilité que les deux personnes soient gauchères.

3 Calculer la probabilité qu'exactement l'une de ces personnes soit gauchère.

⌄ Solution commentée

1 La probabilité qu'une personne interrogée au hasard soit gauchère est égale à 0,13.
On a donc $P(G_1) = P(G_2) = 0,13$ et $P(\overline{G_1}) = P(\overline{G_2}) = 1 - 0,13 = 0,87$.

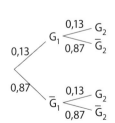

2 La probabilité que les deux personnes soient gauchères est :
$$P(G_1 \cap G_2) = 0,13 \times 0,13 = 0,0169.$$

3 La probabilité qu'exactement l'une de ces personnes soit gauchère
est $P(G_1 \cap \overline{G_2}) + P(\overline{G_1} \cap G_2) = 0,13 \times 0,87 + 0,87 \times 0,13 = 2 \times 0,13 \times 0,87 = 0,2262$.

> **EXERCICE** 43 p. 297

Comprendre une démonstration

On présente la démonstration de la propriété suivante. La lire attentivement puis répondre aux questions posées.

Si A et B sont deux évènements indépendants, alors $\overline{A}$ et B le sont également.

∨ Démonstration

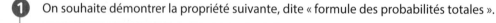

$P(B) = P(A \cap B) + P(\overline{A} \cap B)$

De plus, comme les évènements A et B sont indépendants, on a :
$$P(A \cap B) = P(A) \times P(B).$$

Ainsi $P(B) = P(A) \times P(B) + P(\overline{A} \cap B)$

et donc $P(\overline{A} \cap B) = P(B) - P(A) \times P(B) = P(B) \times (1 - P(A)) = P(B) \times P(\overline{A})$.

On conclut alors que les évènements $\overline{A}$ et B sont indépendants.

1 Justifier que $P(B) = P(A \cap B) + P(\overline{A} \cap B)$.

2 Expliquer pourquoi $P(B) \times (1 - P(A)) = P(B) \times P(\overline{A})$.

Rédiger une démonstration

1 On souhaite démontrer la propriété suivante, dite « formule des probabilités totales ».

Soient A et B deux évènements d'un univers Ω.
- Les évènements A et $\overline{A}$ forment une partition de Ω.
- $P(B) = P(A \cap B) + P(\overline{A} \cap B)$.

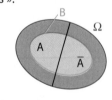

En utilisant les indications suivantes, rédiger la démonstration
de la propriété.
- Que peut-on dire des évènements $A \cap B$ et $\overline{A} \cap B$?
- Expliquer pourquoi la réunion de ces deux évènements est égale à B.
- Conclure.

2 On souhaite démontrer les propriétés suivantes.

Soient A et B deux évènements de probabilités non nulles.
- $P(A \cap B) = P(A) \times P_A(B) = P(B) \times P_B(A)$
- $P_A(\overline{B}) = 1 - P_A(B)$

En utilisant les indications suivantes, rédiger la démonstration de ces propriétés.
- Démontrer la première propriété en utilisant la définition d'une probabilité conditionnelle de deux façons différentes.
- Justifier que $P(A) = P(A \cap B) + P(A \cap \overline{B})$.
- En déduire que $1 = P_A(B) + P_A(\overline{B})$.
- Conclure.

Utiliser différents raisonnements

 Soient A et B deux ensembles.
Dire si les affirmations suivantes sont vraies ou fausses.
Justifier.
a. A ∩ B ⊂ A
b. A ∪ B ⊂ B
c. A ∪ B = A si et seulement si B ⊂ A.
d. A ∩ B = B si et seulement si B ⊂ A.

Utiliser l'inclusion et l'égalité

Un ensemble A est inclus dans un ensemble B, et on note A ⊂ B, lorsque tous les éléments de A appartiennent à B.

Les ensembles A et B sont égaux lorsque A ⊂ B et B ⊂ A.

 Soient A et B deux ensembles.
Dire si les inclusions et les égalités suivantes sont vraies ou fausses. Justifier.
a. $\overline{A \cup B} \subset \overline{A} \cup \overline{B}$
b. $\overline{A \cup B} \subset \overline{A} \cap \overline{B}$
c. $\overline{A \cup B} = \overline{A} \cup \overline{B}$
d. $\overline{A \cup B} = \overline{A} \cap \overline{B}$

Ensemble complémentaire

Le complémentaire d'un ensemble A dans Ω, noté $\overline{A}$, est l'ensemble des éléments de Ω n'appartenant pas à A.

 Dans chacun des cas suivants, décrire les évènements A ∪ B, A ∩ B, $\overline{A \cup B}$ et $\overline{A \cap B}$.
a. On lance un dé à six faces.
On définit les évènements suivants.
A : « Le numéro est pair ».
B : « Le numéro est un multiple de 3 ».
b. On tire une boule dans une urne qui contient trois boules jaunes et cinq boules rouges.
On définit les évènements suivants.
A : « Tirer une boule rouge ».
B : « Tirer une boule jaune ».
c. On achète un billet de loterie parmi une série de 100 billets numérotés de 00 à 99.
On définit les évènements suivants.
A : « Le billet se termine par un 5 ».
B : « Le billet commence par un 3 ».

Conjonctions « Et » et « Ou »

Soient A et B deux évènements d'une même expérience aléatoire.

• L'évènement « A et B » est réalisé si A et B sont réalisés, et il n'est pas réalisé si au moins un des évènements A et B n'est pas réalisé.

• L'évènement « A ou B » est réalisé si au moins un des deux évènements A et B est réalisé, et il n'est pas réalisé si aucun des évènements A et B n'est réalisé.

Partition de l'univers

On dit que des évènements non vides A_1, A_2, ... , A_n de Ω constituent une **partition** de Ω lorsque ces évènements sont deux à deux disjoints et que leur réunion constitue Ω.

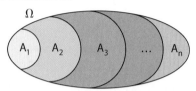

Probabilité conditionnelle

P est une loi de probabilité définie sur un univers Ω.
Définition
Soient A et B deux évènements avec $P(A) \neq 0$

$$P_A(B) = \frac{P(A \cap B)}{P(A)}$$

$P_A(B)$ se lit « P de B sachant A ».

Propriétés
Soient A et B deux évènements de probabilités non nulles.
- $P(A \cap B) = P(A) \times P_A(B)$
$= P(B) \times P_B(A)$
- $P_A(\bar{B}) = 1 - P_A(B)$

Formule des probabilités totales

P est une loi de probabilité définie sur un univers Ω.
Soient B un évènement et A_1, A_2, ... , A_n des évènements formant une partition de Ω.

$P(B) = P(A_1 \cap B) + P(A_2 \cap B) + ... + P(A_n \cap B)$

Dans un arbre, la probabilité d'un évènement est égale à la somme des probabilités des chemins correspondant à cet évènement.

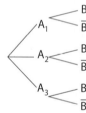

Arbre pondéré

P est une loi de probabilité définie sur un univers Ω.

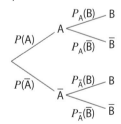

Propriétés
- La somme des probabilités des branches issues d'un même nœud est égale à 1.
- La probabilité d'un chemin est égale au produit des probabilités inscrites sur ce chemin.

Indépendance

P est une loi de probabilité définie sur un univers Ω.
Définitions
- Deux **évènements A et B sont indépendants** lorsque $P(A \cap B) = P(A) \times P(B)$.

- Lorsque deux expériences aléatoires se succèdent et que les résultats de la première expérience n'ont aucune influence sur les résultats de la seconde, on dit que c'est une succession **d'épreuves indépendantes**.

Propriétés
A et B deux évènements de probabilités non nulles.
- A et B sont indépendants $\Leftrightarrow P_B(A) = P(A)$
$\Leftrightarrow P_A(B) = P(B)$
- Si A et B sont deux évènements indépendants, alors $\bar{A}$ et B le sont également.

Effectuer les exercices ❶ à ❽ et vérifier les réponses.
Si nécessaire, réviser les points de cours en texte ou en vidéo.

❶ Soient A et B deux évènements d'une même expérience aléatoire tels que :

$$P(A) = \frac{1}{4}, P(B) = \frac{1}{3} \text{ et } P(A \cap B) = \frac{1}{8}.$$

• Calculer $P_A(B)$ et $P_B(A)$.

❷ Un atelier fabrique deux types de puces électroniques : type A et type B.
On prélève au hasard un lot de 100 puces et on regarde si elles ont un défaut ou pas.
Les résultats sont donnés par le tableau suivant.

	Type A	Type B	Total
Défaut	5	12	17
Sans défaut	35	48	83
Total	40	60	100

Calculer la probabilité que la puce prélevée soit :
a. de type A ;
b. avec un défaut ;
c. de type A sachant qu'elle a un défaut.

❸ Une urne contient quatre boules bleues et cinq boules noires indiscernables au toucher. On effectue deux tirages successifs d'une boule sans remise.
On note A l'évènement « La première boule tirée est bleue » et B l'évènement « La deuxième boule tirée est noire ».
• Calculer $P(A)$ et $P_A(B)$, puis en déduire $P(A \cap B)$.

❹ Une expérience aléatoire est représentée par l'arbre pondéré ci-contre.
a. Recopier et compléter cet arbre.
b. En déduire $P(A \cap B)$ et $P(\overline{A} \cap B)$.

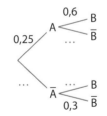

❺ Une expérience aléatoire est représentée par l'arbre pondéré ci-dessous.

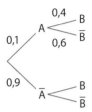

On donne $P(B) = 0,31$.
• Calculer la probabilité de A sachant B.

❻ Soient A et B deux évènements indépendants d'une même expérience aléatoire tels que $P(A) = \frac{3}{7}$ et $P(B) = \frac{2}{5}$.
• Calculer $P(A \cap B)$ et $P(A \cup B)$.

❼ Soient A et B deux évènements indépendants d'une même expérience aléatoire tels que $P_A(B) = \frac{2}{3}$ et $P(A \cap B) = \frac{1}{6}$.
• Calculer $P(B)$ et $P_B(A)$.

❽ Léo a acheté deux tickets pour deux jeux de grattage différents. La probabilité qu'il gagne au premier jeu est de $\frac{1}{3}$, et celle qu'il gagne au deuxième est de $\frac{1}{4}$. Les évènements « Gagner au premier jeu » et « Gagner au deuxième jeu » sont indépendants.
Quelle est la probabilité que Léo :
• gagne aux deux jeux ?
• gagne seulement au premier jeu ?
• ne gagne à aucun des jeux ?

> **CORRIGÉS DES EXERCICES**

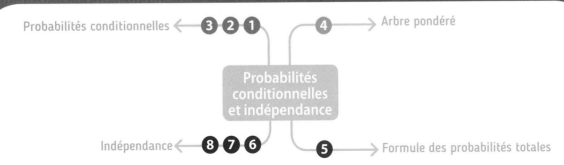

TP ❶ Une première marche aléatoire

Objectif
Simuler
une marche aléatoire.

Un kangourou se trouve en un point d'une route déserte d'Australie occidentale.
À chaque seconde, il saute d'un mètre vers l'avant ou d'un mètre vers l'arrière avec la même probabilité.

① Recopier et compléter la fonction mille_sauts ci-dessous qui simule le déplacement du kangourou et qui renvoie la position du kangourou après avoir effectué mille sauts.

```python
from random import random
def mille_sauts():
    position=0
    for i in ... :
        if ... :
            position=position+1
        else:
            position=position-1
    return position
```

② Exécuter la fonction mille_sauts plusieurs fois.
Quelle est la plus grande valeur renvoyée ?

③ En utilisant la fonction précédente, écrire le script d'une fonction cent_metres qui simule n expériences de mille sauts et qui renvoie le nombre de fois où le kangourou a avancé de plus de 100 mètres à la fin des mille sauts lors de ces n expériences.

④ Exécuter la fonction cent_metres pour $n = 10\ 000$. Commenter.

TP ❷ Une seconde marche aléatoire

Objectif
Représenter
une marche aléatoire.

Le plan est muni d'un repère orthonormé $(O\ ;\ \vec{i}, \vec{j})$. On place un robot à l'origine du repère.
À chaque seconde, le robot se déplace de façon aléatoire en effectuant une translation de vecteur $\vec{i}, \vec{j}, -\vec{i}$ ou $-\vec{j}$, chaque déplacement ayant la même probabilité.

On suppose que l'expérience dure n secondes, où n est un entier naturel différent de 0.
Juliette a écrit une fonction graphique, d'argument n, qui simule le déplacement du robot au cours du temps, affiche son déplacement dans le repère et affiche son point d'arrivée en vert.
Elle a lancé son algorithme pour $n = 50$ et obtenu l'affichage ci-contre.
Dans son script, Juliette a stocké les abscisses des points du graphique dans une liste abscisse et les ordonnées dans une liste ordonnee.

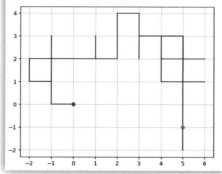

① Quelle est la première valeur à mettre dans la liste abscisse ? dans la liste ordonnee ?

② Lors de sa simulation, quel a été le premier déplacement du robot ? En quel point se trouve le robot 50 secondes après le début de l'expérience ? En déduire abscisse[1], ordonnee[1], abscisse[50], ordonnee[50].

③ Retrouver le script de Juliette.

④ À l'aide de la fonction graphique, simuler la marche aléatoire du robot sur une journée complète.

TP ③ Une approximation de π par la méthode de Monte-Carlo

Objectif
Simuler
une expérience
aléatoire.

Dans un repère $(O \,;\, \vec{i}, \vec{j})$, on considère le carré $OIKJ$ dessiné ci-contre.
On a tracé dans ce carré le quart de disque de centre O et de rayon 1.

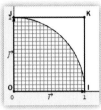

① **a.** Quelle est la probabilité qu'un point M pris au hasard dans ce carré se trouve dans le quart de disque ?

b. On considère l'algorithme ci-contre.
À quoi correspondent les variables N et Q ?
Expliquer l'instruction de la sixième ligne.
À quelle valeur correspond la variable Fréquence à l'issue de l'algorithme ?

N ← 200
Q ← 0
Pour i allant de 1 à N
    x ← un nombre aléatoire entre 0 et 1
    y ← un nombre aléatoire entre 0 et 1
    Si $x^2 + y^2 < 1$ alors
        Q ← Q + 1
Fréquence ← Q/N

c. Comment modifier cet algorithme afin d'obtenir une approximation de π ?

d. Programmer en Python la fonction Montecarlo qui prend en argument le nombre N de points à générer aléatoirement et renvoie l'approximation correspondante de π. La tester pour différentes valeurs de N.

② On souhaite visualiser la simulation faite précédemment.

a. Pour cela, on commence par taper les instructions ci-contre. Expliquer le rôle de ces différentes instructions.

b. Programmer la fonction Montecarlo_graph qui prend en argument le nombre de points à générer aléatoirement et renvoie un graphique comme ci-contre (afin de gagner en rapidité d'exécution, on construira les listes de points avant de les afficher).

```
1 import math
2 import random
3 import matplotlib.pyplot as plt
4
5 plt.axis(xmin=0,xmax=1,ymin=0,ymax=1)
6 ListeX=[x/300 for x in range(301)]
7 ListeY=[math.sqrt(1-x**2) for x in ListeX]
8 plt.plot(ListeX,ListeY,"k.",ms=4)
9 plt.show()
```

③ En s'inspirant de la méthode utilisée ci-dessus, programmer une fonction aire qui prend en argument le nombre de points à générer et renvoie une approximation de l'aire du domaine délimité par la parabole d'équation $y = x^2$, l'axe des abscisses et les droites d'équations $x = 0$ et $x = 1$.

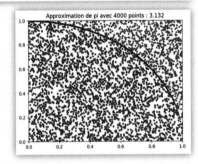

Boîte à outils

MÉMENTO PYTHON : VOIR RABATS

• Créer une liste vide : L=[]

• Générer une liste L de n valeurs en utilisant une *expression* :
    L=[*expression* for x in range(n)]
Ajouter un nombre m à la fin d'une liste L :
        L.append(m)

• random() génère un nombre réel aléatoire compris entre 0 et 1

• Afficher un repère :
    plt.axis(xmin,xmax,ymin,ymax)

• Afficher des points dont les abscisses sont dans ListeX, les ordonnées dans ListeY :
        plt.plot(ListeX,ListeY,"k.",ms=4)
(la marque est un point, ms=4 donne l'épaisseur du point, le code de la couleur est k (noir), r (rouge), b (bleu), g (vert)…)

• Afficher le graphique (à écrire à la fin du programme) :
        plt.show()

TP ④ Paradoxe du duc de Toscane [TABLEUR]

Objectif
Simuler à l'aide d'un tableur.

À la cour de Florence, au XVIIe siècle, de nombreux jeux de société étaient pratiqués. Parmi ceux-ci, l'un faisait intervenir la somme des numéros sortis lors du lancer de trois dés. Le duc de Toscane, qui avait sans doute observé un grand nombre de parties de ce jeu, avait constaté que la somme 10 était obtenue légèrement plus souvent que la somme 9.

① On veut réaliser une feuille de tableur comme ci-dessous pour effectuer une simulation de 100 lancers des trois dés.

	A	B	C	D	E	F	G	H
1								
2								
3	Lancer n°	Dé n°1	Dé n°2	Dé n°3	Somme		Nombre	Fréquence d'apparition
4	1	3	6	1	10		9	0,09
5	2	1	5	4	10		10	0,13
6	3	3	2	4	9			
7	4	1	1	6	8			
8	5	3	1	3	7			
9	6	6	4	4	14			
10	7	4	5	6	15			
11	8	1	2	1	4			

a. Quelle formule doit-on entrer dans la cellule B4 pour simuler le lancer d'un dé ?
Étirer alors cette formule vers la droite puis vers le bas.
b. Quelle formule doit-on entrer dans les cellules H4 et H5 pour obtenir les fréquences d'apparition du 9 et du 10 ?
c. Augmenter le nombre de lancers, et appuyer sur F9 pour obtenir d'autres simulations.
Les résultats obtenus confirment-ils l'observation faite par le duc de Toscane ?

② **a.** À l'aide d'un arbre, dénombrer le nombre de tirages possibles.
b. Calculer la probabilité d'obtenir une somme égale à 9, puis celle d'obtenir une somme égale à 10.
c. D'où vient le paradoxe ?

TP ⑤ Maladie rare et faux positif [TABLEUR]

Objectifs
Simuler à l'aide d'un tableur et utiliser des fonctions logiques.

Dans une population, une personne sur 1 000 est atteinte d'une maladie rare.
Un laboratoire propose un test de dépistage et affirme que celui-ci est positif dans 99 % des cas si la personne est atteinte de la maladie, et dans seulement 0,1 % des cas si la personne ne l'est pas. On veut vérifier si ce test est sûr.

① Réaliser une feuille de calcul comme ci-dessous afin de faire une simulation sur 1 000 individus.

	A	B	C	D	E	F	G
1							
2							
3	individu n°	malade (M) ou sain (S)	test positif(+) test négatif(-)		Nombre de tests positifs	Nombre d'individus malades et ayant un test positif	Fréquence des individus malades sachant qu'ils ont un test positif
4	1	S	-		4	3	0,750
5	2	S	-				
6	3	S	-				
7	4	S	-				
8	5	S	-				
9	6	S	-				

a. Pour simuler qu'une personne est malade avec une probabilité de 0,001, entrer la formule
`=SI(ALEA()<=0,001;"M";"S")`.
b. Proposer des formules pour les cellules C4, E4, F4 et G4.

② À l'aide d'un arbre pondéré, calculer la probabilité que la personne soit malade sachant que son test est positif.
Que penser du test ?

TP ⑥ Répétition de lancers de pièce de monnaie [TABLEUR]

Objectif
Simuler une
répétition d'épreuves
indépendantes.

On lance deux fois une pièce de monnaie qui a deux fois plus de chances de tomber sur « Pile »
que sur « Face ». On s'intéresse au nombre de « Face » obtenues.
Dans la feuille de calcul ci-dessous, on a simulé plusieurs fois cette expérience aléatoire.

	A	B	C	D	E	F
				Fréquence de la valeur 0	Fréquence de la valeur 1	Fréquence de la valeur 2
1	Lancer 1	Lancer 2	Total			
2	0	0	0			
3	0	0	0			
4	0	1	1			
5	0	1	1			
6	1	0	1			
7	1	0	1			

A2 f_x =SI(ALEA()<2/3;0;1)

① Expliquer la formule écrite dans la cellule A2.

② **a.** Sur un tableur, recopier cette formule dans la cellule B2.
b. Calculer dans la cellule C2 le nombre de « Face » obtenues à l'issue des deux lancers.
Renouveler l'expérience avec la touche F9.
Quelle semble être la valeur la plus fréquente dans la cellule C2 ? la moins fréquente ?

③ **a.** Simuler 1 000 expériences aléatoires dans la plage A2:C1001.
b. Quelle formule peut-on écrire dans la cellule D2 pour calculer la fréquence de la valeur 0 dans
la colonne C ?
c. Calculer de même, dans la cellule E2, la fréquence d'apparition de la valeur 1, et, dans la cellule F2,
la fréquence d'apparition de la valeur 2.
d. Quel est le nombre de « Face » qui semble être le plus probable lors de cette expérience ?

④ À l'aide d'un arbre, valider ou infirmer le résultat conjecturé dans la question précédente.

Boîte à outils

Tableur
- Appliquer les critères aux cellules de plusieurs plages et compter le nombre de fois où tous les critères sont remplis :

=NB.SI.ENS(plage_critère1;critère1;plage_critère2

critère2 ;...)

- Générer un nombre aléatoire entre 0 et 1 : ALEA()
- Générer un nombre entier aléatoire compris entre Min et Max :

=ALEA.ENTRE.BORNES(Min;Max)

- Afficher la valeur maximale des nombres de la plage : MAX(Plage)
- Spécifier un test logique à effectuer : SI
- Renvoyer vrai si un des arguments est vrai lors d'un test logique : OU
- Renvoie vrai si tous les arguments d'un test logique sont vrais : ET
Ces fonctions peuvent être imbriquées ; par exemple :

=SI(OU(ET(1re condition;2e condition);ET(1re condition;

2e condition));affichage si vrai ; affichage si faux)

Réfléchir, parler & réagir

1 Déterminer le plus rapidement possible la valeur exacte des nombres suivants sous forme d'une fraction irréductible.

a. $\dfrac{\frac{2}{3}}{\frac{3}{4}}$ **b.** $\dfrac{\frac{3}{8}}{\frac{4}{9}}$ **c.** $\dfrac{3}{4} \times \dfrac{5}{6} + \dfrac{1}{4} \times \dfrac{1}{2}$ **d.** $\dfrac{0{,}03}{0{,}36}$

2 À l'aide de l'arbre pondéré ci-dessous, calculer $P(F)$.

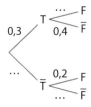

3 **VRAI OU FAUX**

Dire si les affirmations suivantes sont vraies ou fausses.

A et B sont deux évènements d'une même expérience aléatoire tels que $P(A) = 0{,}3$, $P(B) = 0{,}7$ et $P(A \cap B) = 0{,}2$.

a. A et B sont indépendants.

b. $P_A(B) = \dfrac{2}{3}$

4 On choisit au hasard un élève dans un lycée. On définit les évènements A : « L'élève étudie l'anglais » et E : « L'élève est externe ».

1. On donne le tableau de probabilités suivant.

	E	$\overline{\text{E}}$
A	0,12	0,28
$\overline{\text{A}}$	0,08	...

Déterminer :

a. $P_A(E)$ **b.** $P(\overline{E} \cap \overline{A})$ **c.** $P_{\overline{E}}(\overline{A})$

2. Décrire les résultats précédents par une phrase.

5 Un professeur a prévu de donner un contrôle à ses élèves aujourd'hui.

Une fois sur cinq, il se trompe de salle et une fois sur dix il oublie les sujets dans son casier, ces évènements étant indépendants.

• Quelle est la probabilité que le contrôle commence à l'heure ?

6 On tire au hasard une carte dans un jeu de 52 cartes. On considère les évènements A : « La carte tirée est un as » et B : « La carte tirée est un cœur ».

• Les évènements A et B sont-ils indépendants ?

DIAPORAMA
CALCUL MENTAL
EN PLUS

7 A et B sont deux évènements d'une même expérience aléatoire.

Dans chacun des cas suivants, calculer $P(A)$.

1. $P(A \cap B) = \dfrac{1}{3}$ et $P(A \cap \overline{B}) = \dfrac{1}{4}$.

2. $P_B(A) = \dfrac{1}{2}$, $P_{\overline{B}}(A) = \dfrac{1}{6}$ et $P(B) = \dfrac{2}{5}$.

3. $P_A(B) = 0{,}3$, $P_B(A) = 0{,}1$ et $P(B) = 0{,}6$.

8 Dans un tiroir se trouvent 24 chaussettes rouges et 24 chaussettes noires.

• La pièce étant plongée dans le noir, combien faudra-t-il prendre de chaussettes pour être sûr d'avoir une paire de la même couleur ?

9 On lance successivement deux dés équilibrés numérotés de 1 à 6.

1. Est-ce une succession de deux épreuves indépendantes ?

2. Quelle est la probabilité d'obtenir deux 6 lors des deux lancers ?

10 Une alarme incendie possède les propriétés suivantes : en cas de détection de fumée, elle se déclenche avec une probabilité égale à 0,99, mais elle se déclenche également en l'absence de fumée avec une probabilité égale à 0,02.

On suppose que la probabilité d'incendie est égale à 0,001.

1. Représenter cette expérience aléatoire à l'aide d'un arbre pondéré.

2. Calculer la probabilité de l'évènement suivant : « Un incendie se déclare et l'alarme se déclenche ».

11 Une urne contient quatre boules vertes et cinq boules jaunes indiscernables au toucher.

On effectue deux tirages successifs d'une boule sans remise.

Soient A l'évènement « La première boule tirée est verte » et B l'évènement « La deuxième boule tirée est jaune ».

1. Calculer $P(A)$ et $P_A(B)$.

2. En déduire $P(A \cap B)$.

Préparation d'un oral

Préparer une trace écrite permettant de présenter à l'oral une argumentation indiquant si les propositions suivantes sont vraies ou fausses.

P est une loi de probabilité définie sur un univers Ω.

1 Quels que soient les évènements A et B tels que $P(A) \neq 0$, $P_A(B) \leq P(A \cap B)$.

2 Si A et B sont deux évènements indépendants, alors $\overline{A}$ et $\overline{B}$ le sont également.

3 Si A et B sont deux évènements tels que $P(A) = 0{,}3$, $P(B) = 0{,}7$ et $P(A \cup B) = 0{,}8$, alors A et B sont indépendants.

4 Quels que soient les évènements A et B tels que $P(A) \neq 0$ et $P(B) \neq 0$, on a $P_A(B) = P_B(A) \Leftrightarrow P(A) = P(B)$.

Travail en groupe 45 min

Constituer des groupes de 4 élèves qui auront chacun un des rôles suivants.
Résoudre tous ensemble la situation donnée. Remettre une trace écrite de cette résolution.

Animateur
- responsable du niveau sonore du groupe
- distribue la parole pour que chacun s'exprime

Rédacteur en chef
- responsable de la trace écrite rédigée par tous les membres du groupe

Ambassadeur
- porte-parole du groupe, seul autorisé à communiquer avec le professeur et, éventuellement, d'autres groupes

Maître du temps
- responsable de l'avancement du travail du groupe
- veille au respect du temps imparti

Dans le jeu télévisé américain *Let's make a deal*, un joueur devait choisir (sans l'ouvrir) une porte parmi trois, derrière lesquelles étaient cachés un lot de valeur et deux babioles… Le présentateur ouvrait alors une autre porte que celle choisie par le joueur et derrière laquelle on découvrait l'une des babioles. Le joueur avait alors le choix de conserver la porte qu'il avait initialement choisie ou d'en changer.
• L'un de ces deux choix était-il préférable à l'autre pour gagner le lot de valeur ?

Exposé

▶ voir p. 272

Après avoir effectué les recherches indiquées, préparer une présentation orale, un poster ou un diaporama.

Dans son livre *Théorie analytique des probabilités* (1812), Laplace a énoncé le principe suivant.

> **IIe PRINCIPE.** *La probabilité d'un événement futur, tirée d'un événement observé, est le quotient de la division de la probabilité de l'événement composé de ces deux événemens, et déterminée à priori, par la probabilité de l'événement observé, déterminée pareillement à priori.*

Ce théorème a été appelé théorème de Bayes, car Thomas Bayes avait découvert ce résultat indépendamment de Laplace et un peu plus tôt, en 1763.
Énoncer le théorème de Bayes avec les notations actuelles et faire des recherches sur ce théorème et ses applications. Illustrer par des exemples.

Probabilités conditionnelles

1 A et B sont deux évènements d'une même expérience aléatoire tels que $P(A) = 0,8$ et $P_A(B) = 0,6$.
• Calculer $P(A \cap B)$.

2 A et B sont deux évènements d'une même expérience aléatoire tels que $P(A) = 0,3$, $P(B) = 0,7$ et $P(A \cup B) = 0,9$.
• Calculer $P(A \cap B)$, $P_B(A)$ et $P_A(B)$.

3 On lance un dé cubique équilibré.
• Sachant que le résultat est pair, quelle est la probabilité d'obtenir un chiffre inférieur à 4 ?

4 Soient A et B deux évènements d'une même expérience aléatoire tels que $P(B) \neq 0$.
• Montrer que $P_B(A) + P_B(\overline{A}) = 1$.

5 Une boîte de bonbons contient 30 caramels et 20 nougats. On choisit deux bonbons au hasard, successivement et sans remise.

1. Quelle est la probabilité que le deuxième bonbon choisi soit un caramel sachant que le premier est un nougat ?
2. Quelle est la probabilité que le deuxième bonbon choisi soit un nougat sachant que le premier était un nougat ?

6 **Élèves gauchers**

Une enquête sur les gauchers porte sur une population de 8 735 élèves de cinq régions françaises.
On a recensé 1 130 gauchères et gauchers répartis en 681 garçons et 449 filles.
On choisit au hasard un élève ayant participé à cette enquête.
On donnera les résultats arrondis au centième.
1. Quelle est la probabilité que l'élève soit gaucher ?
2. Quelle est la probabilité que l'élève soit une fille gauchère ?
3. Quelle est la probabilité que l'élève soit une fille sachant que c'est un élève gaucher ?

7 Le tableau ci-dessous donne la répartition des employés d'une entreprise selon deux critères : être cadre (C) ou non ; parler anglais (A) ou non.

	C	$\overline{C}$	Total
A	20	20	40
$\overline{A}$	10	50	60
Total	30	70	100

On interroge au hasard un employé de cette entreprise.
1. Quelle est la probabilité qu'il ne soit pas cadre et ne parle pas anglais ?
2. Sachant que ce n'est pas un cadre, quelle est la probabilité qu'il parle anglais ?

8 **Représenter**
Dans une population, 65 % des individus ont les yeux marron, 15 % ont les cheveux blonds et 5 % ont les yeux marron et les cheveux blonds.
1. Recopier et compléter le diagramme ci-dessous.

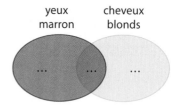

yeux marron   cheveux blonds

2. On choisit un individu au hasard dans cette population.
a. Quelle est la probabilité qu'il ait les yeux marron ou les cheveux blonds ?
b. On constate que cet individu a les yeux marron. Quelle est la probabilité qu'il ait aussi les cheveux blonds ?
c. On constate que cet individu a les cheveux blonds. Quelle est la probabilité qu'il ait aussi les yeux marron ?

9 On considère une population d'adultes formée de 45 % d'hommes. On sait que 7 % des hommes et 3,7 % des femmes pratiquent la course à pied.
On choisit un individu au hasard dans cette population et on considère les évènements H : « L'individu est un homme » et C : « L'individu pratique la course à pied ».
• Donner toutes les probabilités qui peuvent être déduites de cet énoncé.

10 Dans un magasin de sport, une étude statistique a montré que 60 % des clients achètent des baskets. Parmi eux, 40 % achètent des articles soldés alors qu'une personne sur quatre qui n'achète pas de baskets profite des soldes.
On choisit un client au hasard et on considère les évènements B : « Le client achète des baskets » et S : « Le client profite des soldes ».
• Calculer les probabilités suivantes et les traduire par une phrase.
a. $P_B(\overline{S})$ b. $P(B \cap \overline{S})$ c. $P(\overline{B} \cap S)$

Arbres pondérés

11 1. On a représenté une expérience aléatoire par l'arbre pondéré ci-contre. Recopier et compléter cet arbre sachant que :

$P(\overline{A}) = 0,7$; $P_A(B) = 0,6$ et $P_{\overline{A}}(\overline{B}) = 0,2$.

2. Même question sachant que $P(A) = 0,8$, $P_A(B) = 0,4$ et $P(\overline{A} \cap \overline{B}) = 0,1$.

12 On a représenté une expérience aléatoire par l'arbre pondéré ci-dessous.
Déterminer les probabilités suivantes.

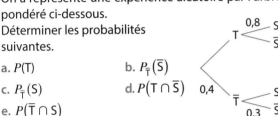

a. $P(T)$ b. $P_{\overline{T}}(\overline{S})$

c. $P_{\overline{T}}(S)$ d. $P(T \cap \overline{S})$

e. $P(\overline{T} \cap S)$

13 Dans le tiroir de Léo, il y a huit chaussettes vertes et douze chaussettes rouges. Le matin, n'étant pas très réveillé, il en choisit deux au hasard, successivement et sans remise.
1. Représenter cette expérience aléatoire par un arbre pondéré.
2. Quelle est la probabilité que Léo parte au lycée avec deux chaussettes de couleurs différentes ?

14 Dans une salle de réunion, il y a 65 % de femmes. Parmi les femmes, une sur deux porte des lunettes, alors que c'est le cas d'un homme sur trois.
• Quelle est la probabilité qu'une personne prise au hasard dans cette salle porte des lunettes ?

15 1. On a représenté une expérience aléatoire par l'arbre pondéré ci-dessous.
Recopier et compléter cet arbre.

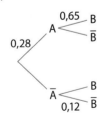

2. En déduire les probabilités $P(A \cap B)$, $P(A \cup B)$, $P(B)$ et $P_B(A)$.

16 Une urne contient huit boules blanches et deux boules noires. On tire successivement et sans remise deux boules de cette urne.
a. Quelle est la probabilité que la deuxième boule du tirage soit blanche ?
b. Quelle est la probabilité que la deuxième boule du tirage soit noire ?

17 Dans une réserve africaine zoologique, il y a 20 % de lions, 30 % d'éléphants et 50 % de zèbres. La probabilité que ces animaux aient faim est respectivement de 50 %, 20 % et 30 %.
1. On croise un animal.
a. Quelle est la probabilité que ce soit un zèbre ?
b. Quelle est la probabilité qu'il soit affamé ?
2. On croise un animal affamé.
Quelle est la probabilité qu'il s'agisse d'un lion ?

18 On sait que 1 % d'une population est atteint d'une certaine maladie orpheline.
On dispose de tests de dépistage de cette maladie ainsi que des données suivantes :
• si la personne est atteinte de cette maladie, alors le test est positif dans 90 % des cas ;
• si la personne n'est pas atteinte de cette maladie, alors le test est néanmoins positif dans 5 % des cas.
On considère les évènements M : « La personne est atteinte par la maladie » et T : « Le test est positif ».
1. Représenter la situation par un arbre pondéré.
2. Quelle est la probabilité que le test soit positif ?
3. Quelle est la probabilité qu'une personne soit réellement atteinte de la maladie sachant que son test est positif ?

19 Discothèque

Laurent, grand amateur de musique, classe ses albums selon le genre de musique et leur ancienneté (s'ils datent d'avant 2000, ils sont considérés comme anciens).
Sa discothèque se compose ainsi :
• les albums de rock représentent 45 % de l'ensemble et 50 % sont anciens.
• les albums de rap représentent 30 % de l'ensemble et 70 % sont anciens.
• les albums de jazz représentent le reste et 40 % sont anciens.
Il choisit un album de façon aléatoire et l'écoute.
1. Traduire cette expérience aléatoire à l'aide d'un arbre pondéré.
2. Quelle est la probabilité que l'album écouté par Laurent soit ancien ?
3. Sachant que l'album écouté est ancien, quelle est la probabilité que ce soit du rock ?

20 Il y a deux types de jumeaux.
• des jumeaux monozygotes, dans un cas sur trois : ils sont issus d'un même œuf et ils ont exactement le même patrimoine génétique.
• des jumeaux hétérozygotes : ils sont issus de deux œufs distincts et ont donc des patrimoines génétiques différents.
On vient d'apprendre à Najla qu'elle attend des jumeaux.
• A-t-elle plus de chances de donner naissance à deux bébés de même sexe ou à deux bébés de sexes différents ?

21 `ALGO`
Pour simuler le déplacement aléatoire d'un mobile sur un axe dont l'unité graphique est le mètre, Yasmine a écrit l'algorithme suivant.

```
position ← 0
Pour i allant de 1 à 3 :
    Si un nombre aléatoire entier de l'intervalle
    [1 , 4] est égal à 1 alors :
        position ← position + 1
    sinon :
        position ← position – 1
```

1. Quelle est la distance parcourue par le mobile ?
2. Quelle est la probabilité qu'à la fin de cet algorithme, la variable *position* contienne la valeur 3 ?

22 `PRISE D'INITIATIVE`
Lors d'une soirée d'anniversaire, on compte 15 hommes, 20 femmes et 10 enfants. Sur une table, il y a trois sacs numérotés 1, 2 et 3 contenant des jetons de couleurs. Chaque sac contient respectivement 20 %, 40 % et 60 % de jetons rouges. Un animateur aux yeux bandés désigne une personne au hasard et lui demande :
• si c'est un homme, de tirer un jeton dans le sac 1 ;
• si c'est une femme, de tirer un jeton dans le sac 2 ;
• si c'est un enfant, de tirer un jeton dans le sac 3.
La personne annonce avoir tiré un jeton rouge.
L'animateur qui se dit magicien, décide d'annoncer si la personne désignée est un homme, une femme ou un enfant.
• Que doit-il annoncer pour avoir le moins de risque de se tromper ?

23 Un ballotin de chocolats contient 13 chocolats noirs et 7 chocolats au lait. On choisit au hasard un chocolat du ballotin, que l'on mange, puis un deuxième, que l'on mange également.
1. Calculer la probabilité de manger un chocolat de chaque sorte puis celle de manger au moins un chocolat noir.
2. Sachant qu'on a mangé au moins un chocolat noir, quelle est la probabilité d'avoir mangé un chocolat de chaque sorte ?

Indépendance

24 Pour une certaine expérience aléatoire, on considère deux évènements A et B tels que $P(A) = 0,3$, $P(B) = 0,2$ et $P(A \cap B) = 0,06$.
• Les évènements A et B sont-ils indépendants ?

25 Pour une certaine expérience aléatoire, on considère deux évènements A et B indépendants tels que $P(A) = 0,3$ et $P(B) = 0,7$.
• Calculer $P(A \cap B)$ et $P(A \cup B)$.

26 Une expérience aléatoire est représentée par l'arbre pondéré suivant.

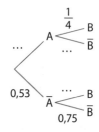

• Les évènements A et B sont-ils indépendants ?

27 Une urne contient :
• cinq jetons jaunes qui portent chacun une lettre différente du mot « jaune ».
• cinq jetons blancs qui portent chacun une lettre différente du mot « blanc ».
On tire au hasard un jeton dans l'urne et on considère les évènements A : « Obtenir une voyelle », B : « Obtenir un jeton jaune » et C : « Obtenir un jeton blanc ».
1. Les évènements A et B sont-ils indépendants ?
2. Les évènements A et C sont-ils indépendants ?
3. Proposer un évènement D indépendant des évènements B et C.

28 Jeanne prend son parapluie pour se rendre au travail un jour sur dix.
Elle a remarqué que lorsqu'elle avait son parapluie, il pleuvait dans 80 % des cas et, lorsqu'elle ne l'avait pas, il pleuvait dans 15 % des cas.
Les évènements A : « Jeanne prend son parapluie » et B : « Il pleut » sont-ils indépendants ?

29 Un réparateur a identifié deux causes de panne sur les ordinateurs portables. 20 % des ordinateurs ont des problèmes de batterie et 17 % des problèmes de processeur. On choisit au hasard un ordinateur.
On considère les évènements B : « L'ordinateur a un problème de batterie » et P : « L'ordinateur a un problème de processeur ».
On suppose que les évènements B et P sont indépendants.
• Calculer la probabilité que l'ordinateur choisi ait au moins l'un des deux problèmes.

30 **Étude de satisfaction**

Une association de consommateurs a réalisé une étude de satisfaction auprès des clients de trois fournisseurs internet : Orage, Boggie et Fluide.

• 70 % des clients sont abonnés à Orage et, parmi eux, 80 % sont satisfaits.

• 20 % des clients sont abonnés à Boggie et, parmi eux, 90 % sont satisfaits.

• Les autres clients sont abonnés à Fluide et, parmi eux, 60 % sont satisfaits.

On choisit un client au hasard.

On considère les évènements O : « Le client est abonné à Orage », B : « Le client est abonné à Boggie », F : « Le client est abonné à Fluide » et S : « Le client est satisfait ».

1. Calculer $P(S)$.

2. Les évènements suivants sont-ils indépendants ? Justifier.

a. O et S.   b. B et S.

c. F et S.   d. O et B.

3. Sachant qu'un client n'est pas satisfait, quelle est la probabilité qu'il soit abonné à Orage ?

31 On choisit au hasard un élève dans un lycée. On définit les évènements A : « L'élève étudie l'anglais » et E : « L'élève est externe ». On suppose que les évènements A et E sont indépendants.

• Compléter le tableau de probabilités suivant.

	E	$\bar{E}$
A	0,12	0,48
$\bar{A}$	...	...

32 VRAI OU FAUX

Raisonner, communiquer

Dire si les propositions suivantes sont vraies ou fausses. Justifier la réponse.

A et B sont deux évènements d'une même expérience aléatoire.

1. $P(A \cap B) = P(A) \times P(B)$

2. Si A et B sont indépendants et $P(B) \neq 0$, alors $P(A) = \dfrac{P(A \cap B)}{P(B)}$.

3. Si $P_{\bar{B}}(A) = P(A)$, alors les évènements A et B sont des évènements indépendants.

4. Si $P(A) = 0,2$; $P_A(B) = 0,15$ et $P_{\bar{A}}(\bar{B}) = 0,9$, alors les évènements A et B sont des évènements indépendants.

33 Michel prend son scooter tous les matins pour se rendre au lycée, mais il est souvent en retard. En effet, il a une panne de réveil une fois sur quinze, son scooter ne démarre pas une fois sur vingt et il croise un camion-poubelle qui ralentit la circulation une fois sur quatre, ces trois évènements étant indépendants deux à deux.

• Quelle est la probabilité que Michel arrive à l'heure au lycée aujourd'hui ?

34 **Expériences indépendantes ?**

communiquer

Dire si les expériences aléatoires suivantes sont des successions d'épreuves indépendantes, en justifiant la réponse, puis calculer la probabilité demandée.

1. Une urne contient deux boules vertes et cinq boules noires. On tire successivement et avec remise deux boules de l'urne.

Quelle est la probabilité de tirer deux boules vertes ?

2. Une branche compte deux fleurs blanches et huit fleurs roses réparties au hasard. On cueille successivement deux fleurs.

Quelle est la probabilité d'avoir deux fleurs blanches ?

3. On lance deux fois un dé à six faces bien équilibré.

Quelle est la probabilité d'obtenir deux fois le numéro 6 ?

35 ALGO PYTHON

Une urne contient cinq bulletins verts et trois bulletins bleus.

Jérôme a écrit le script Python d'une fonction tirage.

```
1 from random import randint
2 def tirage():
3     tirage=[]
4     for i in range(2):
5         if randint(1,8)<=3:
6             tirage.append("bleu")
7         else :
8             tirage.append("vert")
9     return(tirage)
```

1. Que renvoie cette fonction ?

2. Quelle est la probabilité que cette fonction renvoie le couple ['bleu','bleu'] ?

3. Modifier le script de la fonction tirage pour qu'elle renvoie le nombre de bulletins bleus obtenus lors de deux tirages sans remise dans l'urne.

36 **Indépendance et statistiques**

Représenter, communiquer

En 2018, le taux global de réussite au bac était de 88,3 %. Le document suivant donne le taux de réussite pour les filles et les garçons ainsi que le taux des mentions.

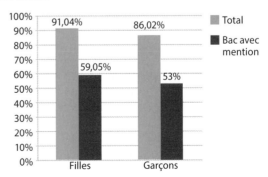

• À l'aide de ce document et en utilisant un vocabulaire lié aux probabilités, justifier que le fait d'être une fille a une influence sur la réussite au baccalauréat.

37 **Étude de marché**
Modéliser, représenter

En 2018, une étude marketing est réalisée sur un échantillon représentatif de la population française composé de 1 500 individus. La première question posée est : « Connaissez-vous le commerce équitable ? »
Le tableau ci-dessous donne la répartition des réponses par âge.

	Moins de 25 ans	25-39 ans	40-59 ans	60 ans et plus	Total
Oui	156	171	150	48	525
Non	258	297	273	147	975
Total	414	468	423	195	1 500

1. On interroge une personne au hasard.
a. Quelle est la probabilité que cette personne connaisse le commerce équitable ?
b. On sait que cette personne a moins de 25 ans. Quelle est la probabilité qu'elle connaisse le commerce équitable ?
c. On sait que cette personne connaît le commerce équitable. Quelle est la probabilité qu'elle ait moins de 40 ans ?
2. On pose à présent une seconde question : « Connaissez-vous le label AB de l'agriculture biologique ? »
• Parmi les personnes connaissant le commerce équitable, 504 connaissent le label AB.
• Parmi les personnes ne connaissant pas le commerce équitable, 546 connaissent le label AB.
On interroge une personne au hasard et on considère les évènements A et C suivants :
• A : « La personne interrogée connaît le label AB » ;
• C : « La personne interrogée connaît le commerce équitable ».
a. Montrer que $P_C(A) = 0,96$ et $P_{\overline{C}}(A) = 0,56$.
b. Recopier et compléter l'arbre pondéré ci-contre.
c. Calculer les probabilités $P(C \cap A)$ et $P(\overline{C} \cap A)$.
d. Un journaliste déclare : « 70 % de la population française connaît le label AB. »
L'affirmation du journaliste est-elle vraie ?
e. Les évènements A et C sont-ils indépendants ?

38 **Tournoi de foot**
Lors d'un tournoi de football, il y a huit équipes engagées parmi lesquelles celles de Paul et de Killian. L'organisateur détermine par tirage au sort les matchs du premier tour.
• Quelle est la probabilité que les équipes de Paul et de Killian se rencontrent au premier tour ?

39 **Classe de risque**
Une compagnie d'assurance répartit ses clients en trois classes : R1, les risques forts, R2, les risques moyens et R3, les risques faibles.
Les effectifs de ces trois classes représentent 20 % de la population totale des clients pour la classe R1, 50 % pour la classe R2 et 30 % pour la classe R3. Les statistiques indiquent que les probabilités d'avoir un accident au cours de l'année, pour une personne de chacune de ces trois classes, sont respectivement de 0,05, 0,15 et 0,3.
1. Quelle est la probabilité qu'une personne choisie au hasard parmi les clients de cette compagnie ait un accident dans l'année ?
2. Gaëlle n'a pas eu d'accident cette année. Quelle est la probabilité qu'elle appartienne à la classe R1 ? à la classe R2 ? à la classe R3 ?

40 **Lutte anti-dopage**
Une agence de lutte contre le dopage a mis au point un test pour détecter un nouveau produit dopant.
On estime que :
• 2 % des sportifs utilisent ce produit dopant ;
• si un sportif a ingéré ce produit, le test est positif dans 99 % des cas ;
• s'il n'a pas pris le produit, le test est positif dans 1,5 % des cas (on parle alors de faux positifs).
1. Un sportif est testé positif. Quelle est la probabilité qu'il soit dopé ?
2. Suite à diverses améliorations, la probabilité d'avoir un faux positif, notée p, a pu être diminuée de telle sorte que la probabilité qu'un sportif soit dopé, sachant qu'il est testé positif, soit égale à 95 %.
Calculer la valeur de p.

41 Une compagnie aérienne a étudié le profil de ses passagers.
• 72 % de ses clients ont acheté leur billet par internet et parmi eux, 68 % sont des femmes.
• Quatre femmes sur cinq ont acheté leur billet par internet.
a. On choisit au hasard la fiche de réservation d'un client. Quelle est la probabilité que ce soit celle d'une femme ?
b. On choisit un client au hasard parmi les hommes. Quelle est la probabilité qu'il ait acheté son billet sur internet ?

42 Une expérience aléatoire consiste à lancer un dé bien équilibré à six faces.

On dispose de six urnes numérotées de 1 à 6 contenant chacune un ticket gagnant et un nombre de tickets perdants égal au numéro de l'urne.

On lance le dé. Le numéro obtenu indique l'urne dans laquelle on doit piocher un ticket.
• Quelle est la probabilité de piocher un ticket gagnant ?

43 Une boîte contient cinq jetons numérotés de 1 à 5.

On tire un premier jeton, on note son numéro puis on le remet dans la boîte et on en tire un second.

1. Les deux tirages sont-ils indépendants ?
2. On considère les évènements P : « Le produit des deux numéros est supérieur à 11 » et S : « La somme des deux numéros est impaire ».
Les évènements P et S sont-ils indépendants ?

44

Raisonner

Pour chacune des situations décrites, donner la seule bonne réponse parmi les trois proposées.

1. On a représenté une expérience aléatoire par l'arbre pondéré suivant.

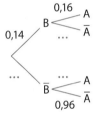

(a) $P(A) = 0{,}16$ (b) $P(A) = 0{,}0224$
(c) $P(A) = 0{,}0568$

2. Dans un club sportif, 60 % des adhérents ont moins de 18 ans. 70 % des moins de 18 ans participent à des compétitions contre seulement 30 % parmi les plus de 18 ans.

Un adhérent participe à une compétition, la probabilité qu'il ait moins de 18 ans est :
(a) inférieure à 0,5 ;
(b) comprise entre 0,5 et 0,75 ;
(c) supérieure à 0,75.

3. Dans un restaurant, on a constaté que trois personnes sur cinq prennent une entrée. Parmi elles, une sur quatre prend un dessert. On choisit un client au hasard. On considère les évènements A : « Le client prend une entrée » et B : « Le client prend un dessert ».
(a) A et B sont indépendants ;
(b) A et B ne sont pas indépendants ;
(c) On ne peut pas savoir si A et B sont indépendants.

4. On lance deux fois de suite une pièce bien équilibrée. La probabilité d'obtenir exactement une fois « Face » est égale à :
(a) $\frac{1}{2}$;   (b) $\frac{1}{4}$;   (c) $\frac{3}{4}$.

45 `ALGO` `PYTHON`

On lance deux fois un dé bien équilibré. Pour simuler cette expérience aléatoire, Jules a écrit le script en Python suivant.

```
1 from random import randint
2 def deux_lancers():
3     nombre=0
4     for i in range(2):
5         if randint(1,6)==6:
6             nombre=nombre+1
7     return nombre
```

1. Que renvoie la fonction deux_lancers ?
2. On considère l'évènement A : « Obtenir exactement une fois le numéro 6 lors des deux lancers ».
a. À l'aide la fonction précédente, écrire le script d'une fonction repetition d'argument n qui simule n expériences aléatoires et qui renvoie la fréquence de réalisation de l'évènement A.
b. En déduire une estimation de la probabilité de A.
3. Retrouver le résultat précédent par le calcul.

46 **Raisonner**

Une expérience aléatoire est représentée par l'arbre pondéré suivant.

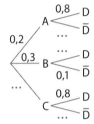

1. Vérifier que les évènements C et D ne sont pas indépendants.
2. Est-il possible, en modifiant uniquement la valeur de $P_C(D)$, que les évènements C et D soient indépendants ?

47 Un joueur de tennis a une probabilité $p \in\ ]0\ ;\ 1[$ de réussir son premier service. Si le joueur rate son premier service, il a alors une probabilité $q \in\ ]0\ ;\ 1[$ de réussir son second service.
1. Exprimer en fonction de p et de q la probabilité que le joueur fasse une double faute, c'est-à-dire qu'il rate ses deux services. Réaliser l'application numérique dans le cas où $p = 0{,}9$ et $q = 0{,}3$.
2. On suppose que $q = 1 - p$.
Pour quelle valeur de p la probabilité de faire une double faute est-elle maximale ?

48 **Raisonner, communiquer**
Soit P une loi de probabilité définie sur un univers Ω. Soient A et B deux évènements de Ω.
1. Déterminer une condition nécessaire pour que A et B soient indépendants et incompatibles.
2. Cette condition est-elle suffisante ?

49 On lance un dé cubique dont les faces sont numérotées de 1 à 6. On considère les évènements A : « Le numéro obtenu est pair » et B : « Le numéro obtenu est au moins égal à 5 ».

1. Si le dé est bien équilibré, les évènements A et B sont-ils indépendants ?

2. On se place dans le cas où le dé est truqué. Une étude statistique a conduit à l'estimation suivante.

• Les faces de 1 à 5 ont la même probabilité de sortie.

• La probabilité d'obtenir la face 6 est le double de celle d'obtenir 1.

Les évènements A et B sont-ils indépendants ?

50 **Pôle emploi**

Une agence de Pôle emploi étudie l'ensemble des demandeurs d'emploi selon deux critères, le sexe et le niveau d'étude. Les résultats de l'étude sont résumés dans le tableau suivant.

	Sans diplôme	Bacheliers	Diplôme niveau bac +5	Total
Homme	23 %	16 %	9 %	48 %
Femme	26 %	20 %	6 %	52 %
Total	49 %	36 %	15 %	100 %

On prend la fiche d'un demandeur d'emploi au hasard et on note les évènements :

• F : « La fiche tirée est celle d'une femme » ;

• S : « La fiche tirée est celle d'une personne sans diplôme » ;

• B : « La fiche tirée est celle d'un bachelier » ;

• D : « La fiche tirée est celle d'un diplômé niveau bac +5 ».

1. Déterminer les probabilités suivantes.

a. $P(B)$ **b.** $P(\overline{F})$ **c.** $P_F(S)$

d. $P_D(\overline{F})$ **e.** $P(F \cap S)$ **f.** $P(\overline{F} \cup D)$

2. Les évènements F et B sont-ils indépendants ?

51 Tous les lundis, Marie interroge au hasard un de ses élèves de CE1 sur la poésie du mois.

On a remarqué que la probabilité qu'un élève du premier rang soit interrogé est $\frac{1}{7}$, et qu'un élève situé au fond de la classe a deux fois plus de chances d'être interrogé qu'un élève situé entre le premier et le dernier rang.

Romain, qui a du mal à apprendre ses poésies, n'arrive à se mettre au premier rang qu'un lundi sur cinq, et se retrouve contraint de s'asseoir au fond de la classe trois lundis sur cinq.

• Calculer la probabilité que Romain récite la poésie.

52 **Accidents de la route**

Le document ci-dessous donne la répartition des accidents de la route répertoriés en France métropolitaine pendant l'année 2017 selon la typologie du conducteur impliqué.

(source ONISR-bilan de la sécurité routière 2017).

Conducteur…	Nombre de personnes tuées	Nombre de personnes blessées
avec un taux d'alcool supérieur à 0,5 g/L	778	3 410
avec un test positif aux stupéfiants	494	1 653
avec une attention perturbée	231	2 913
fatigué ou ayant eu un malaise	349	1 772
de poids lourd	418	1 405
Total	3 448	27 732

1. Quelle est la probabilité qu'une personne blessée lors d'un accident de la route en 2017 l'ait été à cause d'un manque d'attention du conducteur ?

2. À l'aide de ce document et en utilisant un vocabulaire lié aux probabilités, classer les causes d'accidents mortels.

53 **ALGO** **PYTHON**

Modéliser

Un robot est posé au centre d'une table en forme de carré de 90 cm de côté. Toutes les secondes, il effectue de façon aléatoire un pas de 10 cm dans une des quatre directions.

1. Écrire un algorithme en langage naturel simulant cette expérience.

2. Programmer cet algorithme en Python et déterminer une estimation du temps durant lequel le robot reste sur la table.

54 Un sac contient trois jetons. L'un de ces jetons a deux faces noires, un autre deux faces blanches et le troisième a une face blanche et une face noire.

On tire au hasard un jeton du sac et on le pose sur la table. La face visible est noire.

• Quelle est la probabilité que le jeton tiré ait deux faces noires ?

55

Une urne contient au départ trois boules blanches et une boule noire indiscernables au toucher. On tire au hasard une boule de l'urne.
• Si la boule tirée est blanche, on la remet dans l'urne et on ajoute n boules blanches supplémentaires.
• Si la boule tirée est noire, on la remet dans l'urne et on ajoute n boules noires supplémentaires.
On tire ensuite au hasard une seconde boule de l'urne.
On note A l'évènement : « Les deux boules tirées sont de même couleur ».
• Existe-t-il une valeur de n pour laquelle $P(A) = \dfrac{3}{4}$?

56

Chercher, communiquer

Une boîte contient treize cases. Un pion est placé dans la case centrale.

On lance une pièce de monnaie bien équilibrée. Si on obtient « Face », on déplace le pion d'une case vers la droite ; sinon, on le déplace d'une case vers la gauche.
Un trajet est une succession de six déplacements. On s'intéresse à l'évènement A : « Le pion est revenu à la case départ après six déplacements ».
On a simulé l'expérience sur la feuille de calcul suivante.

	A	B	C	D	E	F	G	H	I
	Simulation	Départ	Etape	Etape	Etape	Etape	Etape	Etape	Fréquence
1	n°		1	2	3	4	5	6	de A
2	1	0	1	0	1	0	-1	0	
3	2	0	1	2	3	4	3	4	
4	3	0	1	0	-1	0	-1	0	
5	4	0	-1	-2	-3	-2	-1	-2	
6	5	0	-1	-2	-3	-2	-3	-4	

1. a. Dans quelle case est arrivé le pion à la première simulation ?
b. Quelle est la fréquence de l'évènement A à l'issue des cinq simulations affichées ?
2. Quelle formule écrire dans la cellule C2 puis étirer vers la droite pour simuler un trajet ?
3. Recopier cette feuille de calcul sur un tableur et simuler 10 000 expériences.
4. Quelle formule doit-on écrire dans la cellule I2, pour calculer la fréquence de l'évènement A ?
5. En déduire une estimation de la probabilité de l'évènement A.

57 **Représenter**

Un sachet contient dix bonbons, certains au goût cola, d'autres au goût fraise.
On tire successivement de façon aléatoire et sans remise deux bonbons du sachet.
La probabilité d'avoir au moins un bonbon cola est égale à $\dfrac{8}{15}$.
• Combien y a-t-il de bonbons cola dans le sachet ?

58 Dans un aéroport, les portiques de sécurité servent à détecter les objets métalliques emportés par les voyageurs.
On choisit au hasard un voyageur franchissant un portique.
On note les évènements :
• S : « Le voyageur fait sonner le portique ».
• M : « Le voyageur porte un objet métallique ».
On considère qu'un voyageur sur 500 porte sur lui un objet métallique.
On admet que :
• lorsqu'un voyageur franchit le portique avec un objet métallique, la probabilité que le portique sonne est égale à 0,98 ;
• lorsqu'un voyageur franchit le portique sans objet métallique, la probabilité que le portique ne sonne pas est aussi égale à 0,98.
1. a. Interpréter les données de l'énoncé en termes de probabilités.
b. Recopier et compléter l'arbre pondéré suivant.

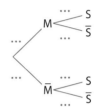

c. Montrer que $P(S) = 0,021\,92$.
d. En déduire la probabilité qu'un passager porte un objet métallique sachant qu'il a fait sonner le portique (arrondir le résultat à 10^{-3}).
2. Deux personnes s'apprêtent à passer le portique de sécurité. On suppose que, pour chaque personne, la probabilité que le portique sonne est égale à 0,021 92. Calculer la probabilité qu'une seule des deux personnes fasse sonner le portique.

D'après Bac Liban 2018

59 Approfondissement

Une urne contient trois jetons sur lesquels est inscrite la lettre A, deux jetons sur lesquels est inscrite la lettre B et un jeton sur lequel est inscrite la lettre C.
Tous les jetons sont indiscernables au toucher.
1. On tire successivement trois jetons de l'urne avec remise.
a. Représenter cette expérience aléatoire à l'aide d'un arbre pondéré.
b. Quelle est la probabilité d'obtenir les lettres B, A et C dans cet ordre ?
c. Calculer la probabilité d'obtenir un tirage où ne figure pas la lettre A.
2. Reprendre les questions précédentes en supposant que le tirage s'effectue sans remise.
3. Si l'on souhaite avoir le maximum de chances d'obtenir les lettres B, A et C dans cet ordre, faut-il procéder à un tirage avec ou sans remise ?

60 `ALGO` `PYTHON`

Chercher, calculer

Arnaud, Béa et Charline jouent à la balle.

On sait que :

• lorsqu'Arnaud a la balle, la probabilité qu'il l'envoie à Béa est de 0,75 et la probabilité qu'il l'envoie à Charline est de 0,25 ;

• lorsque Béa a la balle, la probabilité qu'elle l'envoie à Arnaud est de 0,75 et la probabilité qu'elle l'envoie à Charline est de 0,25 ;

• Charline envoie toujours la balle à Béa.

Pour n entier naturel supérieur ou égal à 1, on s'intéresse aux probabilités a_n, b_n et c_n des évènements « Arnaud a la balle à l'issue du n-ième lancer », « Béa a la balle à l'issue du n-ième lancer » et « Charline a la balle à l'issue du n-ième lancer ».

1. On suppose qu'Arnaud a la balle au départ.

Donner les valeurs de a_1, b_1 et c_1 puis celles de a_2, b_2 et c_2.

2. Exprimer a_{n+1}, b_{n+1} et c_{n+1} en fonction de a_n, b_n et c_n.

3. a. Compléter le script de la fonction suivante pour qu'elle renvoie les valeurs de a_n, b_n et c_n lorsque $a_0 = a$, $b_0 = b$ et $c_0 = c$.

```
1  def suite(a,b,c,n):
2      for i in range(n):
3          a,b,c=...
4      return a,b,c
```

b. En déduire quel est le joueur qui a la plus grande probabilité d'avoir la balle à l'issue du centième lancer. Ce résultat dépend-il du joueur qui avait la balle au départ ?

61 **Approfondissement** `PRISE D'INITIATIVE`

Modéliser

On lance plusieurs fois une pièce de monnaie.

1. La pièce est bien équilibrée. A-t-on plus de chances d'obtenir une fois « Face » sur deux lancers ou deux fois « Face » sur quatre lancers ?

2. Reprendre la question précédente en supposant que la pièce est truquée de telle sorte que la probabilité d'obtenir « Face » est deux fois plus grande que celle d'obtenir « Pile ».

62 `PRISE D'INITIATIVE`

Modéliser

Une alarme anti-intrusion installée au domicile d'un particulier indique dans sa notice les statistiques suivantes.

• La probabilité d'être victime d'un cambriolage pendant les vacances est de 0,01.

• La probabilité que l'alarme se déclenche, sachant que les cambrioleurs sont présents, est de 0,98.

• La probabilité que l'alarme se déclenche sans raison est de 0,03.

Un client veut étudier la fiabilité de ce modèle.

• Pour cela, quels évènements peut-il définir et quelles probabilités peut-il calculer ?

63 `ALGO` `PYTHON` **Une approximation de π**

Chercher, raisonner

Dans son *Essai d'arithmétique morale* publié en 1777, Georges Louis Leclerc comte de Buffon présente le célèbre problème de l'aiguille : « Si on laisse tomber une aiguille de longueur a sur un parquet formé de lames de largeur b, quelle est la probabilité que l'aiguille coupe une des raies de ce parquet ? »

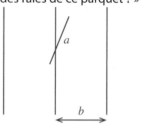

1. Une démonstration selon Émile Borel (1871-1956)

On ne tient pas compte de la longueur des lames du parquet. On admet que, quelle que soit la forme de l'aiguille, la probabilité qu'elle coupe le bord d'une lame est proportionnelle à sa longueur et inversement proportionnelle à la largeur des lames ; elle peut donc s'écrire $\frac{ka}{b}$.

On souhaite déterminer k.

a. Borel a imaginé une aiguille de forme circulaire, de diamètre b. Quelle est alors la valeur de a ? En déduire la valeur de k.

b. Quelle est alors la probabilité qu'une aiguille coupe le bord d'une lame ?

2. Une simulation

À l'aide de l'algorithme ci-dessous, on souhaite simuler le lancer de N aiguilles de longueur 1 sur un plancher dont les lames parallèles ont pour largeur 1, puis calculer la fréquence de l'évènement « L'aiguille est à cheval sur deux lames ». On se place dans un repère et, pour chaque

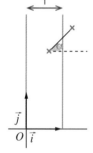

lancer, on choisit aléatoirement l'abscisse x_1 d'une extrémité de l'aiguille dans une bande de largeur 1, ainsi que l'angle α que fait l'aiguille avec l'axe des abscisses. On calcule ensuite l'abscisse x_2 de l'autre extrémité de l'aiguille.

a. Compléter cet algorithme.

```
Acheval ← 0
Pour i allant de 1 à N faire
        x₁ ← un nombre réel au hasard entre 0 et 1
        (1 exclu)
        α ← un nombre réel au hasard entre 0 et 2π
        (2π exclu)
        x₂ ← ...
        Si x₁ = 0 ou x₂ ≤ ... ou x₂ ≥ ... alors
                Acheval = Acheval + 1
fréquence = Acheval / N
```

b. Comment peut-on modifier cet algorithme afin d'obtenir une approximation de π ?

c. Programmer cet algorithme en Python et le tester pour différentes valeurs de N.

ALGO **PYTHON** Approfondissement

Chercher, modéliser

Un homme à la démarche titubante tente de rentrer chez lui à pied en empruntant un pont sans garde-corps de quinze pas de long et quatre pas de large. Sa démarche est très particulière :
- soit il avance d'un pas en avant ;
- soit il se déplace d'un pas en diagonale vers la gauche (c'est-à-dire un pas vers la gauche et un pas vers l'avant) ;
- soit il se déplace d'un pas en diagonale vers la droite (c'est-à-dire un pas vers la droite et un pas vers l'avant).

Ces trois déplacements sont aléatoires et équiprobables. On suppose qu'au début de la traversée, l'individu se situe au milieu du pont (dans le sens de la largeur).

1. Écrire en Python une fonction titube permettant de représenter le trajet effectué par l'individu.

On obtient par exemple le graphique suivant (pour gagner en vitesse, il est préférable de construire les listes de points, avant de faire tracer le parcours).

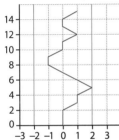

2. a. Modifier la fonction précédente pour simuler N traversées du pont, où N est un entier naturel supérieur ou égal à 1, et renvoyer la fréquence des traversées réussies.

b. Conjecturer une valeur approchée de la probabilité qu'a l'individu d'arriver de l'autre côté du pont sain et sauf.

 Hérédité et risque génétique

Représenter, raisonner

On considère une maladie génétique humaine due à la présence d'un gène spécifique noté M réparti dans la population indépendamment du sexe, et on suppose que seuls les porteurs de la combinaison homozygote MM développent la maladie. Les porteurs de la combinaison MX (où X désigne un allèle autre que M) sont des porteurs sains (c'est-à-dire qu'ils ne développent pas la maladie).

Par ailleurs, le père et la mère transmettent chacun un allèle à leur enfant de manière équiprobable. Par exemple, si le père et la mère sont porteurs de la combinaison MX, on peut résumer ainsi les possibilités de génotype pour l'enfant :

		Allèle transmis par le père	
		M	X
Allèle	M	MM (malade)	MX (porteur sain)
transmis			
par la mère	X	MX (porteur sain)	XX (non porteur)

1. Dans cette question, on suppose que la maladie est telle que les personnes porteuses de la combinaison homozygote ne peuvent pas avoir d'enfant. On appelle f la proportion de malades et s la proportion de porteurs sains.

a. Montrer à l'aide d'un arbre pondéré que f et s vérifient la relation $f = \dfrac{s^2}{4}$ et en déduire l'expression de s en fonction de f.

b. La mucoviscidose est une maladie correspondant approximativement à ce modèle. En France, environ 1 enfant sur 2 000 en est atteint. Quelle est la proportion des porteurs sains du gène responsable de cette maladie en France ?

2. On suppose à présent que les personnes malades peuvent avoir des enfants.

a. Montrer à l'aide d'un arbre pondéré que la probabilité qu'un enfant soit malade est égale à $f^2 + fs + \dfrac{s^2}{4}$.

b. Expliquer pourquoi on doit avoir $f^2 + fs + \dfrac{s^2}{4} = f$ et en déduire que $s = 2(\sqrt{f} - f)$.

c. L'hémochromatose génétique est une maladie correspondant à ce modèle. La fréquence de cette maladie est de $\dfrac{5}{1000}$.

Quelle est la proportion des porteurs sains du gène responsable de cette maladie en France ?

Source : statistix.fr (par le Groupe Recherche Formation « Statistique » de l'IREM de Strasbourg)

 Approfondissement

À chaque lancer, un tireur de fléchettes a une probabilité de 0,1 de tirer dans le mille.

1. Il lance quatre fléchettes.

a. Représenter cette expérience aléatoire à l'aide d'un arbre pondéré.

b. Déterminer la probabilité qu'il réussisse le premier tir et qu'il rate les trois suivants.

c. Calculer la probabilité qu'il réussisse exactement un tir.

d. Quelle est la probabilité qu'il rate au moins deux tirs ?

2. Il lance dix fléchettes.

Calculer la probabilité qu'il réussisse le premier tir et qu'il rate les neuf suivants.

67 Approfondissement

On a mélangé dans un sac 30 pièces équilibrées et 20 pièces truquées. La probabilité d'obtenir « Face » avec une pièce truquée est trois fois plus élevée que celle d'obtenir « Pile ».

On prend une pièce au hasard dans le sac et on la lance trois fois. Les lancers sont indépendants. Si on obtient trois fois « Face », on la retire du sac.

On note A l'évènement « On élimine une pièce équilibrée ou on garde une pièce truquée ».

Quelle est la probabilité de A ?

68 **Raisonner**

Une entreprise conditionne du sucre blanc provenant de deux exploitations U et V en paquets de 1 kg et de différentes qualités. Le sucre extra fin est conditionné séparément dans des paquets portant le label « extra fin ».

Les résultats seront arrondis, si nécessaire, au millième.

3 % du sucre provenant de l'exploitation U est extra fin et 5 % du sucre provenant de l'exploitation V est extra fin. On prélève au hasard un paquet de sucre dans la production de l'entreprise et, dans un souci de traçabilité, on s'intéresse à la provenance de ce paquet. On considère les évènements suivants :

• U : « Le paquet contient du sucre provenant de l'exploitation U ».

• V : « Le paquet contient du sucre provenant de l'exploitation V ».

• E : « Le paquet porte le label "extra fin" ».

1. Dans cette question, on admet que l'entreprise fabrique 30 % de ses paquets avec du sucre provenant de l'exploitation U et les autres avec du sucre provenant de l'exploitation V, sans mélanger les sucres des deux exploitations.

a. Quelle est la probabilité que le paquet prélevé porte le label « extra fin » ?

b. Sachant qu'un paquet porte le label « extra fin », quelle est la probabilité que le sucre qu'il contient provienne de l'exploitation U ?

2. L'entreprise souhaite modifier son approvisionnement auprès des deux exploitations afin que, parmi les paquets portant le label « extra fin », 30 % d'entre eux contiennent du sucre provenant de l'exploitation U. Comment doit-elle s'approvisionner auprès des exploitations U et V ?

Toute trace de recherche sera valorisée dans cette question.

D'après Bac Pondichéry 2018

69 Une entreprise est composée de trois services A, B et C d'effectifs respectifs 450, 230 et 320 employés. Une enquête sur le temps de trajet quotidien entre le domicile des employés et l'entreprise a montré que 40 % des employés du service A, 20 % de ceux du service B et 80 % de ceux du service C résident à moins de 30 minutes de l'entreprise.

On choisit au hasard un employé de cette entreprise et on considère les évènements suivants :

A : « L'employé fait partie du service A ».

B : « L'employé fait partie du service B ».

C : « L'employé fait partie du service C ».

T : « L'employé réside à moins de 30 minutes de l'entreprise ».

1. a. Justifier que $P(A) = 0{,}45$.

b. Donner $P_A(T)$.

c. Représenter la situation à l'aide d'un arbre pondéré en indiquant les probabilités associées à chaque branche.

2. Déterminer la probabilité que l'employé choisi soit du service A et qu'il réside à moins de 30 minutes de son lieu de travail.

3. Montrer que $P(T) = 0{,}482$.

4. Sachant qu'un employé de l'entreprise réside à plus de 30 minutes de son lieu de travail, déterminer la probabilité qu'il fasse partie du service C.

D'après Bac Polynésie 2018

70 **Vaccin contre la grippe**

Le virus de la grippe atteint chaque année, en période hivernale, une partie de la population d'une ville. La vaccination contre la grippe est possible ; elle doit être renouvelée chaque année.

L'efficacité du vaccin contre la grippe peut être diminuée en fonction des caractéristiques individuelles des personnes vaccinées ou en raison du vaccin, qui n'est pas toujours totalement adapté aux souches du virus qui circulent. Il est donc possible de contracter la grippe tout en étant vacciné. Une étude menée dans la population de la ville à l'issue de la période hivernale a permis de constater que :

• 40 % de la population est vaccinée ;

• 8 % des personnes vaccinées ont contracté la grippe ;

• 20 % de la population a contracté la grippe.

On choisit une personne au hasard dans la population de la ville et on considère les évènements :

V : « La personne est vaccinée contre la grippe ».

G : « La personne a contracté la grippe ».

1. a. Donner la probabilité de l'évènement G.

b. Reproduire l'arbre pondéré ci-dessous et compléter les pointillés indiqués sur quatre de ses branches.

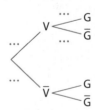

2. Déterminer la probabilité que la personne choisie ait contracté la grippe et soit vaccinée.

3. La personne choisie n'est pas vaccinée. Montrer que la probabilité qu'elle ait contracté la grippe est égale à 0,28.

D'après Bac Métropole 2018

71 Les résultats seront arrondis, si nécessaire, au millième.
Une chocolaterie fabrique des tablettes de chocolat noir, de 100 grammes, dont la teneur en cacao annoncée est de 85 %. À l'issue de la fabrication, la chocolaterie considère que certaines tablettes ne sont pas commercialisables : tablettes cassées, mal emballées, mal calibrées, etc.
La chocolaterie dispose de deux chaînes de fabrication :
• la chaîne A, lente, pour laquelle la probabilité qu'une tablette de chocolat soit commercialisable est égale à 0,98.
• la chaîne B, rapide, pour laquelle la probabilité qu'une tablette de chocolat soit commercialisable est 0,95.
À la fin d'une journée de fabrication, on prélève au hasard une tablette et on définit les évènements suivants :
A : « La tablette de chocolat provient de la chaîne de fabrication A ».
C : « La tablette de chocolat est commercialisable ».
On note x la probabilité qu'une tablette de chocolat provienne de la chaîne A.
1. Montrer que $P(C) = 0,03x + 0,95$.
2. À l'issue de la production, on constate que 96 % des tablettes sont commercialisables et on retient cette valeur pour modéliser la probabilité qu'une tablette soit commercialisable. Justifier que la probabilité que la tablette provienne de la chaîne B est deux fois égale à celle que la tablette provienne de la chaîne A.
3. Les événements A et C sont-ils indépendants ?
4. Une tablette n'est pas commercialisable : quelle est la probabilité qu'elle provienne de la chaîne A ?

D'après Bac Pondichéry 2017

72 **Communiquer, raisonner**
Pour chacune des affirmations suivantes, dire si elle est vraie ou fausse en justifiant soigneusement la réponse.
1. Pour se rendre à son examen, une personne a le choix entre quatre itinéraires : A, B, C et D. La probabilité de choisir A est $\frac{1}{3}$, celle de choisir B est $\frac{1}{4}$ et celle de choisir C est $\frac{1}{4}$.
La probabilité d'arriver en retard avec A est $\frac{1}{20}$, celle d'arriver en retard avec B est $\frac{1}{10}$ et celle d'arriver en retard avec C est $\frac{1}{5}$. En empruntant D, la personne est certaine d'arriver à l'heure.
Affirmation : La probabilité que la personne arrive à l'heure est inférieure à $\frac{11}{12}$.
2. Une boîte contient quinze chaussettes vertes et cinq chaussettes bleues. Une personne tire successivement et sans remise deux chaussettes.
Affirmation : La probabilité qu'elle obtienne deux chaussettes de la même couleur, arrondie à 10^{-3}, est égale à 0,605.

D'après concours d'entrée Science Po

73 **Modéliser**
Albert observe un entraînement au tir à la carabine sur une cible. La cible est constituée de trois disques concentriques de rayons respectifs 5 cm, 10 cm et 15 cm, comme schématisé ci-contre.
Un débutant touche la cible une fois sur deux. Lorsqu'il atteint la cible, la probabilité qu'il atteigne une zone donnée est proportionnelle à l'aire de cette zone.
1. Un tireur débutant touche la cible.
Quelle probabilité a-t-il d'atteindre la couronne extérieure (partie verte) ?
2. Un tireur débutant va appuyer sur la détente. Quelle probabilité a-t-il de toucher la cible et d'atteindre son cœur (partie rouge) ?

D'après CRPE

74 Un circuit électronique est constitué de deux composants identiques numérotés 1 et 2. On note D_1 l'évènement « Le composant 1 est défaillant avant un an » et D_2 l'évènement « Le composant 2 est défaillant avant un an ». On suppose que les deux évènements D_1 et D_2 sont indépendants et que $P(D_1) = P(D_2) = 0,39$.
Deux montages possibles sont envisagés et présentés ci-dessous.

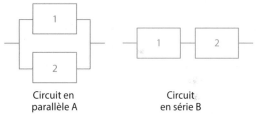

Circuit en parallèle A   Circuit en série B

1. Lorsque les deux composants sont montés « en parallèle », le circuit A est défaillant uniquement si les deux composants sont défaillants en même temps.
Calculer la probabilité que le circuit A soit défaillant avant un an.
2. Lorsque les deux composants sont montés « en série », le circuit B est défaillant dès que l'un au moins des deux composants est défaillant.
Calculer la probabilité que le circuit B soit défaillant avant un an.

D'après Bac Antilles Guyane 2015

75 P étant une loi de probabilité sur un univers Ω, on donne deux évènements A et B tels que $P(A) = \frac{1}{5}$, $P_A(B) = \frac{1}{3}$ et $P(\bar{A} \cap B) = \frac{2}{3}$. Justifier si les affirmations suivantes sont vraies ou fausses.

a. $P_{\bar{A}}(B) = \frac{5}{6}$ **b.** $P(A \cap \bar{B}) = \frac{1}{3}$

c. $P(B) = \frac{11}{15}$ **d.** $P_{\bar{B}}(A) = \frac{2}{15}$

D'après concours FESIC

Exercices

76 Déplacement de robots

Des robots se trouvent au centre de gravité O d'un triangle de sommets S, I et X.

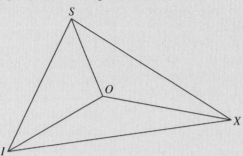

Chacun se déplace de la manière suivante :
- à chaque étape, il passe par l'un des trois sommets S, I et X puis il rejoint le point O ;
- les robots sont programmés de telle sorte que, lors d'une étape, la probabilité de passer par le sommet S est égale à celle de passer par le sommet X, et la probabilité de passer par le sommet S est le double de celle de passer par le sommet I ;
- les différentes étapes sont indépendantes les unes des autres ;
- on ne tient pas compte des passages par O.

Questions Va piano

Un seul robot se trouve au point O.
On note $P(S)$, $P(I)$ et $P(X)$ les probabilités respectives de passer par les sommets S, I et X.
1. Démontrer qu'à chaque étape, la probabilité que le robot passe par le sommet I est égale à $\dfrac{1}{5}$.
En déduire les valeurs de $P(S)$ et $P(X)$.
2. Le robot effectue deux déplacements successifs.
On note E l'évènement « Le robot passe deux fois au sommet I ».
a. Représenter la situation par un arbre pondéré.
b. Calculer $P(E)$.
c. Calculer la probabilité que le robot ne passe pas deux fois par le même sommet.

Questions Moderato

ALGO PYTHON

1. On suppose qu'un seul robot se trouve au point O et qu'il effectue deux déplacements.
L'algorithme ci-dessous, écrit en langage naturel, simule un déplacement du robot.

```
a ← nombre réel aléatoire entre 0 et 5
Si a < 1 alors
        Pos ← I
Sinon
        Si … alors
                Pos ← S
        Sinon
                Pos ← …
```

a. Justifier les deux premières lignes de cet algorithme.
b. Recopier et compléter l'algorithme.
2. Écrire un algorithme permettant de simuler deux déplacements successifs du robot et renvoyant le parcours effectué par le robot sous la forme d'un couple constitué des lettres S, I et X.

Questions Allegro

Approfondissement ALGO PYTHON
Chaque robot effectue trois déplacements successifs.
1. Déterminer la probabilité qu'un robot ne passe pas par les sommets S, I et X dans cet ordre.
2. Des robots se trouvent au point O, leurs déplacements étant indépendants les uns des autres.
a. Écrire en Python une fonction robot permettant de simuler le déplacement d'un robot et renvoyant une liste avec le trajet effectué.
b. Écrire une fonction Simul_n_robots prenant en argument un nombre n de robots, simulant leur déplacement, et renvoyant la fréquence du nombre de robots ayant réalisé le parcours S, I, X dans cet ordre.
c. Conjecturer à l'aide du programme précédent le nombre de robots nécessaires pour qu'au moins 3 % des robots aient effectué le parcours S, I, X dans cet ordre.

No problem!

 Keep your coins

Two fair coins are tossed simultaneously. Let us consider the probability to obtain one head and one tail.
1. Prove that this probability is not one third.
2. Draw a table with all the possible outcomes and their probabilities.
3. Prove that the two events "at least one head" and "at least one tail" are not independent.

2 **Managing**

The manager of a sports store has received a supply of running shoes. 5 % of the boxes have been damaged because of the rain during the trip.
The manager thinks that:
• 60% of the damaged boxes contain at least one damaged shoe.
• 98% of the undamaged boxes do not contain any damaged shoe.
A runner buys one pair of shoes. We denote E the event "The box is damaged" and A the event "The box contains at least one damaged shoe".
1. Find the following probabilities $P(\text{E})$, $P(\bar{\text{E}})$, $P_{\text{E}}(\text{A})$ and $P_{\bar{\text{E}}}(\bar{\text{A}})$.
2. Prove that $P_{\text{E}}(\bar{\text{A}}) = 0.4$ and work out $P_{\bar{\text{E}}}(\text{A})$.
3. Represent this information on a tree-diagram.
4. Find $P(\text{A})$.
5. The customer realizes that one of the shoes he has bought is damaged.
Prove that the probability that the shoe comes from a damaged box is greater than 60%.

3 **Cookies**

If Paul eats a cookie one day, the probability that he will eat one cookie the next day is 0.3.
If he doesn't eat any cookies for one day, the probability that he won't eat any the next day is 0.1.
1. He eats one cookie on Monday. What is the probability that he will eat one cookie on Thursday?
2. Find the probability that he has eaten more than two cookies in four days?
3. Are the events "He eats one cookie on Thursday" and "He eats more than two cookies in four days" independent?

 Teamwork **Creation**

Work in groups of three students.
You have to create an exercise using at least three points from the list below.
Give your exercise to another group and try to solve their exercise.
• Two fair six-sided dice.
• A jar contains red, black and white balls.
• We play with counters numbered 1; 2; 3; 4; 5; 6; 7; 8.
• We repeat the experiment twice.
• We look at the sum of all the results.
• Probability law.
• Tree diagram.
• Grid with all the outcomes.
• Independent.
• Equally likely.
• Even number.
• Multiple of 3.
• Smaller than 3.

Variables aléatoires réelles

Savoir si un jeu de hasard est équitable

Nicolas Bernoulli

Nicolas Bernoulli (1687-1759) est un mathématicien suisse issu d'une grande famille de physiciens et de mathématiciens. Il a travaillé sur les probabilités et en particulier sur un « paradoxe » dit « de Saint-Pétersbourg » que son cousin, Daniel Bernoulli, avait déjà évoqué dans une publication de l'Académie impériale des sciences de Saint-Pétersbourg (d'où son nom).

Le mathématicien D'Alembert a reformulé le paradoxe de Saint-Pétersbourg de la façon suivante.

« Pierre joue avec Paul à croix ou pile, avec cette condition que si Paul amène pile au premier coup, il donnera un écu à Pierre ; s'il n'amène pile qu'au deuxième coup, deux écus ; s'il n'amène pile qu'au troisième coup, quatre écus ; au quatrième, huit écus ; au cinquième, seize ; et ainsi de suite jusqu'à ce que pile vienne ; on demande l'espérance de Paul, ou ce qui est la même chose, ce qu'il doit demander à Pierre avant que le jeu commence, pour jouer avec lui à jeu égal, ou, comme on l'exprime d'ordinaire, pour son enjeu. Les formules connues du calcul des probabilités font voir aisément, et tous les mathématiciens en conviennent, que si Pierre et Paul ne jouent qu'en un coup, Paul doit donner à Pierre un demi-écu ; s'ils ne jouent qu'en deux coups, deux demis-écus ; s'ils ne jouent qu'en trois coups, trois demis-écus ; en quatre coups, quatre demis-écus, etc. »

Pourquoi Paul doit-il demander une certaine somme à Pierre avant que le jeu commence ? Expliquer le passage : « si Pierre et Paul ne jouent qu'en un coup, Paul doit donner à Pierre un demi-écu ; s'ils ne jouent qu'en deux coups, deux demis-écus ».

Réviser ses GAMMES

① Séries statistiques

On présente deux séries statistiques.

Série A

Valeurs	−5	−1	0	1	3
Fréquences	0,2	0,3	0,1	0,1	0,3

Série B

Valeurs	−3	−1	0	1	2
Fréquences	0,1	0,4	0,2	0,2	0,1

1. Calculer la moyenne et l'écart type de chaque série.

2. Comparer ces deux séries.

② Probabilités

L'arbre de probabilité pondéré ci-contre modélise une situation. Déterminer les probabilités suivantes.

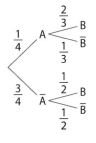

1. $P(A \cap B)$

2. $P_A(B)$

3. $P(B)$

4. $P_B(A)$

③ Probabilité conditionnelle

Charles lance un dé équilibré sans voir le résultat. Camilla l'informe que l'évènement E : « Le 6 n'est pas sorti. » est réalisé.

• Calculer, de deux manières différentes, la probabilité de l'évènement F : « Le numéro sorti est pair. »

④ Pièce truquée

Une pièce est truquée : la probabilité d'obtenir « Face » vaut $\frac{3}{4}$. On lance deux fois cette pièce.

1. Représenter cette situation par un arbre pondéré.

2. Quelle est la probabilité d'obtenir deux fois « Pile » ?

3. Représenter cette situation par un tableau à double entrée.

⑤ Probabilité

Un tiroir contient cinq stylos rouges et sept stylos bleus. Un professeur y pioche au hasard un stylo, le remet dans le tiroir, puis en pioche un deuxième.

• Calculer la probabilité que les deux stylos choisis soient de couleur différente.

⑥ Tableau croisé d'effectifs

Dans un lycée, la répartition des élèves est donnée par le tableau suivant :

	Seconde	Première	Terminale
Filles	230	180	140
Garçons	190	160	100

On choisit un élève au hasard dans cette population.

1. Quelle est la probabilité que ce soit un garçon ?

2. Quelle est la probabilité que ce soit un(e) élève de Première ?

3. Sachant que c'est une fille, quelle est la probabilité que ce soit une élève de Terminale ?

4. Sachant que c'est un(e) élève de Seconde, quelle est la probabilité que ce soit un garçon ?

⑦ Simulations

On entre dans un tableur la formule :

```
= ALEA.ENTRE.BORNES(0;3) + ALEA.ENTRE.BORNES(0;3).
```

1. Expliquer ce que renvoie cette formule.

2. Quelle expérience aléatoire cette formule peut-elle simuler ?

3. Donner une formule permettant de simuler, dans un tableur, la somme du lancer de trois dés cubiques équilibrés.

⑧ Évènements indépendants

a. Pour une certaine expérience aléatoire, on considère deux évènements A et B tels que $P(A) = 0,6$, $P(B) = 0,8$ et $P(A \cap B) = 0,5$.

Les évènements A et B sont-ils indépendants ?

b. Pour une certaine expérience aléatoire, on considère deux évènements indépendants C et D tels que $P(C) = 0,1$ et $P(D) = 0,46$.

Calculer $P(C \cup D)$.

Situation A Des nombres dépendant du hasard

Objectifs
Modéliser le résultat
numérique
d'une expérience
aléatoire et découvrir
la notion de variable
aléatoire réelle
sur un univers fini.

Maëlys écrit sur neuf cartons identiques les lettres du mot ALEATOIRE et les place dans un sac.
Elle propose à son amie Jade le jeu suivant.
Jade tire au hasard un carton dans le sac et observe la lettre obtenue :
• si elle obtient la lettre O, elle gagne dix points ;
• si elle obtient une consonne, elle gagne cinq points ;
• sinon, elle perd huit points (on dira que son gain est alors égal à –8).

(1) Décrire l'univers Ω de cette expérience aléatoire.

(2) Le gain de Jade à ce jeu est ainsi un nombre dépendant du hasard : c'est une **variable aléatoire**, que l'on notera X.

Quelles sont les valeurs possibles de X ?

(3) L'évènement $\{X = 5\}$ est constitué des issues pour lesquelles X prend la valeur 5.

Quelles sont ces issues ?

(4) Calculer la probabilité de l'évènement $\{X = 5\}$, notée $P(X = 5)$.

(5) Recopier et compléter le tableau suivant.

Valeurs k de X			
Probabilité $P(X = k)$			

Ce tableau est appelé « **loi de probabilité de la variable aléatoire X** ».

(6) Jade propose alors à Maëlys de changer les règles du jeu et de n'utiliser que les lettres du mot ALEA.
Maëlys choisit une lettre au hasard, la note puis la remet dans le sac. Elle recommence et note la seconde lettre.
• Si elle obtient deux voyelles, elle perd trois points ;
• si elle obtient deux consonnes, elle gagne cinq points ;
• sinon, elle ne gagne ni ne perd de point.
On note Y le gain de Maëlys à ce jeu.
Déterminer la loi de probabilité de la variable aléatoire Y.

Situation B   **Le jeu des différences** TABLEUR

Objectifs
Découvrir et comprendre le sens de l'espérance d'une variable aléatoire réelle.

Lors du lancer de deux dés cubiques équilibrés, on note X la variable aléatoire réelle égale à la valeur absolue de la différence entre les deux résultats. Un joueur mise deux euros pour jouer et lance les deux dés : X représente la somme d'argent qui lui est alors remise.

① À l'aide du tableur, on souhaite simuler 1 000 parties comme ci-dessous.

	A	B	C	D
1		Dé 1	Dé 2	X
2	Partie 1	6	3	3
3	Partie 2	2	3	1
4	Partie 3	5	4	1
5	Partie 4	6	5	1
6	Partie 5	4	2	2
7	Partie 6	4	1	3
8	Partie 7	3	2	1
9	Partie 8	2	2	0
10	Partie 9	2	3	1
11	Partie 10	1	6	5
12	Partie 11	6	5	1
13	Partie 12	5	3	2
14	Partie 13	3	3	0
15	Partie 14	2	4	2
16	Partie 15	2	2	0

a. Quelles formules a-t-on pu entrer dans les cellules B2, C2 et D2 puis recopier vers le bas ?

b. Simuler une partie puis 1 000 parties de ce jeu.

c. Quel calcul peut-on alors faire pour savoir si le jeu est en faveur du joueur ?

d. Simuler, grâce à la commande F9 (ou Ctrl+maj+F9), plusieurs autres séries de 1 000 parties. Que constate-t-on ?

e. À l'aide du tableur, simuler 10 000 autres parties de ce jeu.

f. Le jeu semble-il en faveur du joueur ?

② **a.** Déterminer la loi de probabilité de la variable aléatoire X.

b. Sur 18 000 parties jouées, combien de fois le joueur peut-il espérer se voir remettre la somme de zéro euro ? un euro ? deux euros ? trois euros ? quatre euros ? cinq euros ?

c. En moyenne, quelle somme le joueur peut-il espérer se voir remettre après le jeu ?

③ Comment rendre ce jeu équitable, c'est-à-dire ni favorable ni défavorable au joueur ?

1. Variable aléatoire réelle sur un ensemble fini

 1. Modélisation du résultat numérique d'une expérience aléatoire

∨ Exemples

On considère l'expérience aléatoire suivante.
Un joueur lance un dé cubique équilibré : si le résultat est 6, le joueur gagne 9 €, sinon le joueur perd 3 €.

Résultat du dé	1	2	3	4	5	6
Valeur du gain	−3	−3	−3	−3	−3	9

On peut considérer le « gain algébrique » du joueur : ce gain est égal soit à 9 (s'il gagne), soit à −3 (s'il perd). Ce gain est donc une variable qui peut prendre deux valeurs selon le résultat de l'expérience aléatoire. On peut modéliser cette expérience aléatoire en définissant un univers composé des six issues correspondant aux résultats du dé, puis en associant à chacune de ces issues une valeur du gain.

 2. Variable aléatoire

Définition

On considère une expérience aléatoire dont l'univers est un ensemble fini noté Ω.
Une **variable aléatoire** X est une fonction définie sur Ω et à valeurs dans $\mathbb{R}$.

Remarque

Définir une variable aléatoire X consiste donc à associer, à chaque issue de l'expérience aléatoire, un nombre réel.

∨ Exemple

On considère le jeu précédent et on note X le gain algébrique du joueur.
X est une variable aléatoire définie sur $\Omega = \{1 ; 2 ; 3 ; 4 ; 5 ; 6\}$, et qui peut prendre les valeurs −3 et 9.
Lorsque le résultat du dé est 1, 2, 3, 4 ou 5, X prend la valeur −3.
On note cet évènement $\{X = -3\}$.
Lorsque le résultat du dé est 6, X prend la valeur 9.
On note cet évènement $\{X = 9\}$.

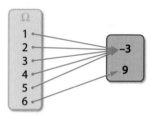

3. Loi de probabilité d'une variable aléatoire

Définition

Donner la **loi de probabilité** d'une variable aléatoire X, c'est donner, pour chaque valeur x_i que peut prendre X, la probabilité de l'évènement $\{X = x_i\}$, notée $P(X = x_i)$.

∨ Exemples

Dans l'exemple précédent, l'évènement $\{X = 9\}$ est réalisé par une seule issue : 6. Sa probabilité vaut $\frac{1}{6}$.
L'évènement $\{X = -3\}$ est réalisé par les issues 1 ; 2 ; 3 ; 4 ; 5. Sa probabilité vaut $\frac{5}{6}$.

La loi de probabilité de la variable aléatoire X est donc donnée dans le tableau ci-contre.

x_i	−3	9
$P(X = x_i)$	$\frac{5}{6}$	$\frac{1}{6}$

Remarque

Pour une variable aléatoire X prenant les valeurs $x_1, x_2, \ldots, x_n$, on a toujours :
$$P(X = x_1) + P(X = x_2) + \ldots + P(X = x_n) = 1.$$

Exercice résolu 1 — Modéliser une situation à l'aide d'une variable aléatoire

On lance un dé équilibré à 6 faces deux fois de suite. Pour chaque lancer, un résultat pair fait gagner 2 € et un résultat impair fait perdre 1 €. On appelle X la variable aléatoire égale au gain algébrique en fin de partie.

1 Quelles sont les valeurs prises par cette variable aléatoire X ?

2 Quelle(s) issue(s) réalise(nt) l'évènement $\{X = 4\}$?

3 Quelle(s) issue(s) réalise(nt) l'évènement $\{X < 0\}$?

▼ Solution commentée

1 On peut avoir :
- deux résultats pairs : le gain est alors égal à 4 € ;
- deux résultats impairs : le gain est alors égal à −2 € ;
- un résultat pair et un impair : le gain est alors égal à 1 €.

Ainsi, les valeurs possibles pour X sont 4, −2 et 1.

2 L'évènement $\{X = 4\}$ est réalisé si on obtient deux résultats pairs. Les issues réalisant cet évènement sont donc : $(2\,;2)\,;(2\,;4)\,;(2\,;6)\,;(4\,;2)\,;(4\,;4)\,;(4\,;6)\,;(6\,;2)\,;(6\,;4)\,;(6\,;6)$.

3 L'évènement $\{X < 0\}$ est réalisé lorsque $X = -2$, c'est à dire si on obtient deux résultats impairs.
Les issues réalisant cet évènement sont donc : $(1\,;1)\,;(1\,;3)\,;(1\,;5)\,;(3\,;1)\,;(3\,;3)\,;(3\,;5)\,;(5\,;1)\,;(5\,;3)\,;(5\,;5)$.

> **EXERCICE** 1 p. 324

Exercice résolu 2 — Déterminer la loi de probabilité d'une variable aléatoire

On rappelle qu'un jeu de 32 cartes est constitué de 4 familles de couleurs (cœur, carreau, trèfle et pique), chacune constituée de trois figures (roi, dame, valet), d'un as et de cartes numérotées de 7 à 10.

Dans un jeu de 32 cartes, on tire successivement et avec remise deux cartes. On définit la variable aléatoire Y de la façon suivante.

Si on tire deux figures, alors $Y = 30$; si on tire une figure et une autre carte, alors $Y = 25$; dans tous les autres cas, $Y = 5$.

1 Déterminer la loi de probabilité de la variable aléatoire Y.

2 Déterminer $P(Y \geqslant 25)$.

▼ Solution commentée

1 On note F_1 l'évènement « On obtient une figure au premier tirage » et F_2 l'évènement « On obtient une figure au second tirage ». On représente cette situation par un arbre pondéré.
On calcule ensuite la probabilité que Y prenne chacune de ses valeurs possibles.

$P(Y = 30) = \dfrac{12}{32} \times \dfrac{12}{32} = \dfrac{9}{64}$

$P(Y = 25) = \dfrac{12}{32} \times \dfrac{20}{32} + \dfrac{20}{32} \times \dfrac{12}{32} = \dfrac{15}{32}$

$P(Y = 5) = \dfrac{20}{32} \times \dfrac{20}{32} = \dfrac{25}{64}$

La loi de probabilité de Y est donc :

y_i	30	25	5
$P(Y = y_i)$	$\dfrac{9}{64}$	$\dfrac{15}{32}$	$\dfrac{25}{64}$

2 $P(Y \geqslant 25) = P(Y = 30) + P(Y = 25)$.

Donc $P(Y \geqslant 25) = \dfrac{9}{64} + \dfrac{15}{32} = \dfrac{39}{64}$.

> **EXERCICE** 7 p. 324

2. Paramètres d'une variable aléatoire

 Espérance, variance et écart type

Définition

On considère une expérience aléatoire d'univers fini Ω et une loi de probabilité P associée à cette expérience.

Soit X une variable aléatoire définie sur Ω et qui prend n valeurs $x_1, x_2, \ldots, x_n$ de probabilités respectives $p_1, p_2, \ldots, p_n$.

x_i	x_1	x_2	...	x_n
$P(X = x_i)$	p_1	p_2	...	p_n

- L'**espérance** de X est le nombre noté $E(X)$ défini par :
$$E(X) = x_1 p_1 + x_2 p_2 + \ldots + x_n p_n.$$

- La **variance** de X est le nombre noté $V(X)$ défini par :
$$V(X) = p_1 (x_1 - E(X))^2 + \ldots + p_n (x_n - E(X))^2.$$

- L'**écart type** de X est le nombre noté $\sigma(X)$ défini par :
$$\sigma(X) = \sqrt{V(X)}.$$

Remarque

On peut également noter :
$$E(X) = \sum_{i=1}^{n} x_i p_i \quad \text{et} \quad V(X) = \sum_{i=1}^{n} p_i (x_i - E(X))^2.$$

⌄ Exemple

Soit X une variable aléatoire dont la loi de probabilité est la suivante.

x_i	-3	9
$P(X = x_i)$	$\dfrac{5}{6}$	$\dfrac{1}{6}$

On a :

- $E(X) = -3 \times \dfrac{5}{6} + 9 \times \dfrac{1}{6} = -1$

- $V(X) = \dfrac{5}{6} (-3 + 1)^2 + \dfrac{1}{6} (9 + 1)^2 = 20$

- $\sigma(X) = \sqrt{20} = 2\sqrt{5}$

Interprétation

- De façon générale, l'espérance d'une variable aléatoire X peut être interprétée comme la moyenne des valeurs prises par X sur un grand nombre de répétitions de cette même expérience aléatoire.

  Dans cet exemple, cette moyenne est égale à -1 €.

  Si la variable aléatoire X désigne le gain d'un jeu, on dit que ce jeu est **équitable** lorsque $E(X) = 0$.

- Par analogie avec les statistiques, de la même façon que $E(X)$ représente une moyenne, $V(X)$ et $\sigma(X)$ sont des indicateurs de dispersion des valeurs de X autour de $E(X)$.

  Plus la variance et l'écart type sont grands, plus les valeurs sont dispersées autour de la moyenne (espérance).

Exercice résolu | 1 | Calculer une espérance, une variance et un écart type

Soit X une variable aléatoire dont la loi de probabilité est donnée ci-contre.

x_i	−1	2	3	5
$P(X = x_i)$	0,4	0,1	0,2	0,3

• Calculer l'espérance de X, sa variance et son écart type.

✓ Solution commentée

1 $E(X) = x_1 p_1 + x_2 p_2 + x_3 p_3 + x_4 p_4 = -1 \times 0,4 + 2 \times 0,1 + 3 \times 0,2 + 5 \times 0,3 = 1,9$.

$V(X) = p_1 (x_1 - E(X))^2 + p^2 (x_2 - E(X))^2 + p_3 (x_3 - E(X))^2 + p_4 (x_4 - E(X))^2$

$= 0,4 \times (-1 - 1,9)^2 + 0,1 \times (2 - 1,9)^2 + 0,2 \times (3 - 1,9)^2 + 0,3 \times (5 - 1,9)^2$

$= 6,49$

$\sigma(X) = \sqrt{6,49} \approx 2,548$

> **EXERCICE** 24 p. 326

Exercice résolu | 2 | Interpréter la notion d'espérance

Dans un jeu, une partie se déroule en deux étapes, dont chacune consiste à faire tourner la roue de loterie ci-contre.

À chaque étape, on gagne le nombre de chamallows indiqué par la flèche rouge.

• Si on joue un très grand nombre de parties, combien peut-on espérer gagner, en moyenne, de chamallows par partie ?

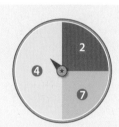

✓ Solution commentée

On définit la variable aléatoire X égale au nombre de chamallows gagnés lors d'une partie.

On sait alors que $E(X)$ représente la moyenne recherchée. On détermine la loi de probabilité de X à l'aide d'un arbre pondéré.

On note A_1 l'évènement « On gagne 2 chamallows à la première étape »,
B_1 l'évènement « On gagne 4 chamallows à la première étape »,
et C_1 l'évènement « On gagne 7 chamallows à la première étape ».
On définit de même A_2, B_2 et C_2 pour la deuxième étape.

$P(X = 4) = P(A_1 \cap A_2) = \dfrac{1}{4} \times \dfrac{1}{4} = \dfrac{1}{16}$

$P(X = 6) = P(A_1 \cap B_2) + P(B_1 \cap A_2) = 2 \times \dfrac{1}{4} \times \dfrac{1}{2} = \dfrac{1}{4}$

$P(X = 8) = P(B_1 \cap B_2) + P(C_1 \cap A_2) = \dfrac{1}{2} \times \dfrac{1}{2} = \dfrac{1}{4}$

$P(X = 9) = P(A_1 \cap C_2) + P(C_1 \cap A_2) = 2 \times \dfrac{1}{4} \times \dfrac{1}{4} = \dfrac{1}{8}$

$P(X = 11) = P(B_1 \cap C_2) + P(C_1 \cap B_2) = 2 \times \dfrac{1}{4} \times \dfrac{1}{2} = \dfrac{1}{4}$

$P(X = 14) = P(C_1 \cap C_2) = \dfrac{1}{4} \times \dfrac{1}{4} = \dfrac{1}{16}$

On obtient la loi de probabilité de X.

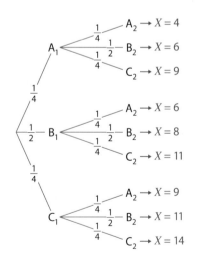

x_i	4	6	8	9	11	14
$P(X = x_i)$	$\dfrac{1}{16}$	$\dfrac{1}{4}$	$\dfrac{1}{4}$	$\dfrac{1}{8}$	$\dfrac{1}{4}$	$\dfrac{1}{16}$

$E(X) = 4 \times \dfrac{1}{16} + 6 \times \dfrac{1}{4} + 8 \times \dfrac{1}{4} + 9 \times \dfrac{1}{8} + 11 \times \dfrac{1}{4} + 14 \times \dfrac{1}{16} = 8,5$

Si on joue un très grand nombre de parties, on peut espérer gagner, en moyenne, 8,5 chamallows par partie.

> **EXERCICE** 36 p. 327

Variable aléatoire

On considère une expérience aléatoire dont l'univers est un ensemble fini noté Ω.
Une **variable aléatoire** X est une fonction définie sur Ω et à valeurs dans $\mathbb{R}$.

Exemple : On lance un dé cubique et on note X la variable aléatoire qui vaut 1 si le numéro tiré est un multiple de 3 et 0 sinon.

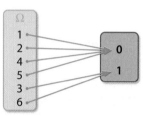

Loi de probabilité d'une variable aléatoire

Donner la **loi de probabilité** d'une variable aléatoire X, c'est donner, pour chaque valeur x_i que peut prendre X, la probabilité de l'évènement $\{X = x_i\}$, notée $P(X = x_i)$.

x_i	x_1	x_2	...	x_n
$P(X = x_i)$	p_1	p_2	...	p_n

On a toujours $p_1 + p_2 + ... + p_n = 1$.

Espérance d'une variable aléatoire

On considère une expérience aléatoire d'univers fini Ω et une loi de probabilité P associée à cette expérience.
Soit X une variable aléatoire définie sur Ω et qui prend n valeurs $x_1, x_2, \ldots, x_n$ de probabilités respectives $p_1, p_2, \ldots, p_n$.

x_i	x_1	x_2	...	x_n
$P(X = x_i)$	p_1	p_2	...	p_n

● L'**espérance** de X est le nombre noté $E(X)$ défini par :
$$E(X) = x_1 p_1 + x_2 p_2 + \ldots + x_n p_n.$$

● L'espérance d'une variable aléatoire X peut être interprétée comme la moyenne des valeurs prises par X sur un grand nombre de répétitions de cette même expérience.

Variance et écart type d'une variable aléatoire

On considère une expérience aléatoire d'univers fini Ω et une loi de probabilité P associée à cette expérience. Soit X une variable aléatoire définie sur Ω et qui prend n valeurs $x_1, x_2, \ldots, x_n$ de probabilités respectives $p_1, p_2, \ldots, p_n$.

x_i	x_1	x_2	...	x_n
$P(X = x_i)$	p_1	p_2	...	p_n

● La **variance** de X est le nombre noté $V(X)$ défini par :
$$V(X) = p_1(x_1 - E(X))^2 + \ldots + p_n(x_n - E(X))^2.$$

● L'**écart type** de X est le nombre noté $\sigma(X)$ défini par : $\sigma(X) = \sqrt{V(X)}$.

● $V(X)$ et $\sigma(X)$ sont des indicateurs de dispersion des valeurs de X autour de $E(X)$.
Plus la variance et l'écart type sont grands, plus les valeurs sont dispersées autour de la moyenne.

Effectuer les exercices ❶ à ❽ et vérifier les réponses.
Si nécessaire, réviser les points de cours en texte ou en vidéo.

❶ On dispose d'une urne contenant des boules rouges, jaune et vertes.
On tire successivement et sans remise deux boules de l'urne.
On gagne 4 € à chaque boule jaune tirée, on gagne 1 € à chaque boule rouge tirée et on perd 5 € à chaque boule verte tirée.
• Modéliser cette situation à l'aide d'une variable aléatoire en précisant les valeurs qu'elle peut prendre.

❷ On lance une pièce équilibrée.
Si on obtient « Face », on lance ensuite un dé tétraédrique équilibré dont les faces sont numérotées de 1 à 4, sinon on lance un dé équilibré à 6 faces.
Dans les deux cas, on note X le numéro obtenu avec le dé lancé.
• Déterminer la loi de probabilité de la variable aléatoire X.

❸ On dispose d'un jeu de 32 cartes.
On tire successivement deux cartes de ce jeu, sans remise.
On gagne 10 € pour chaque figure (valet, dame ou roi) tirée et on perd 2 € pour chaque autre carte tirée.
• Déterminer la probabilité d'être perdant à ce jeu.

❹ On étudie un jeu dans lequel le joueur doit miser 1 € puis obtient des gains définis par le tableau suivant.

Gain du joueur	+5	0	−8
Probabilité	0,4	0,5	0,1

• Déterminer l'espérance de la variable aléatoire égale au gain final du joueur.

❺ On dispose d'une urne contenant 3 boules jaunes et 5 vertes. On tire successivement et sans remise deux boules de l'urne. On gagne 2 € à chaque boule jaune tirée et on perd 1 € à chaque boule verte tirée.
• Ce jeu est-il équitable (c'est-à-dire ni favorable, ni défavorable au joueur) ?

❻ Un jeu consiste à miser une somme d'argent puis à lancer un dé équilibré. Si on obtient un multiple de 3, on gagne 9 €, sinon, on perd 3 €.
• Comment fixer la mise pour que le jeu soit équitable ?

❼ On donne la loi de probabilité d'une variable aléatoire Y dans le tableau suivant.

y_i	−1	−2	3
$P(Y = y_i)$	0,3	0,6	0,1

• Déterminer la variance et l'écart type de Y.

❽ On donne les lois de probabilité de deux variables aléatoires représentant le gain algébrique d'un joueur lors de deux jeux.

Jeu 1

x_i	−2	1	−1
$P(X = x_i)$	0,3	0,6	0,1

Jeu 2

y_i	−1	0	2
$P(Y = y_i)$	0,3	0,6	0,1

• Comparer l'espérance et l'écart type de ces deux variables aléatoires et interpréter ces résultats.

 CORRIGÉS DES EXERCICES

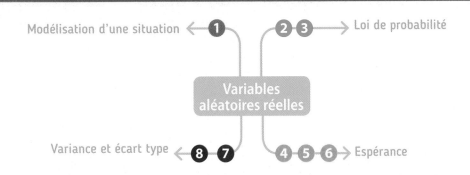

| **TP** **1** | ## Calculer l'espérance, la variance et l'écart type d'une variable aléatoire |

Objectifs
Générer des listes en compréhension, compléter et créer des fonctions informatiques.

Une variable aléatoire G prend ses valeurs dans l'ensemble $\{1 ; 2 ; 3 ; 4 ; 5 ; 6 ; 7 ; 8 ; 9 ; 10\}$. La probabilité de chaque issue est proportionnelle à la valeur de cette issue.

(1) Déterminer la loi de probabilité de G.

(2) On souhaite trouver à l'aide d'un algorithme les paramètres de G : espérance, variance et écart type.

a. Expliquer ce que contient la liste X définie par $X = [\text{x for x in range}(1,11)]$.

b. Créer de façon analogue la liste P des probabilités correspondantes.

c. Recopier et compléter la fonction ci-dessous afin qu'elle renvoie l'espérance de la variable aléatoire X.

```
1 def esperance(X,P):
2     E=0
3     for k in range(...,...):
4         ...
5     return ...
```

d. Écrire une fonction `parametres_dispersion` qui utilise la fonction `esperance` et renvoie la variance et l'écart type de la variable aléatoire G.

(3) À l'aide de ces fonctions, déterminer les paramètres de la variable aléatoire Y dont la loi de probabilité est la suivante.

y_i	2	4	8	16	32	64	128	256	512	1 024
$P(Y = y_i)$	0,15	0,1	0,1	0,1	0,1	0,05	0,1	0,1	0,1	0,1

| **TP** **2** | ## Simuler une variable aléatoire |

Objectifs
Utiliser les fonctions informatiques et les listes pour simuler des échantillons d'une variable aléatoire.

Un robot se déplace sur une droite graduée de façon aléatoire et équiprobable de la manière suivante : à chaque seconde, soit il avance d'une graduation, soit il recule d'une graduation, soit il reste à sa place. Un trajet du robot est une succession de cinq déplacements, le robot étant initialement situé au point d'abscisse 10. On note X la variable aléatoire égale à l'abscisse du robot après un trajet.

(1) Écrire une fonction `deplacement` d'argument A qui simule un déplacement du robot à partir de l'abscisse A et qui renvoie l'abscisse du robot à l'issue de ce déplacement.

(2) On place le robot à l'abscisse 10.

Déduire de ce qui précède une fonction `trajet` qui simule un trajet du robot et qui renvoie la valeur de X.

(3) Compléter la fonction ci-dessous pour qu'elle renvoie un échantillon simulé de taille n de la variable X.

```
1 def echantillon(n):
2     L=[]
3     for k in range(...):
4         L.append(...)
5     return L
```

(4) Simuler un échantillon de 5 trajets puis un échantillon de 12 trajets.

(5) Écrire une fonction `etendue` d'argument n qui renvoie la valeur minimale de X et sa valeur maximale dans un échantillon de taille n. Dans la console, taper plusieurs fois `etendue(10)` puis plusieurs fois `etendue(1000)` et commenter les résultats obtenus.

TP ❸ Faire la distinction entre un modèle et la réalité

Objectifs
Étudier la distance entre la moyenne d'un échantillon simulé de taille n d'une variable aléatoire et l'espérance de cette variable aléatoire.

Le principe d'un jeu est le suivant : on mise 2 € et on lance quatre fois une pièce équilibrée. En cas d'apparition d'un « Pile », le gain est égal au rang de sortie de ce « Pile », si aucun « Pile » ne sort, on perd sa mise.

① On appelle G la variable aléatoire égale au gain algébrique d'un joueur.

a. Déterminer la loi de probabilité de la variable aléatoire G.

b. Déterminer l'espérance de la variable aléatoire G.

② On souhaite étudier la distance entre l'espérance de G et la moyenne des gains algébriques obtenue lors d'un échantillon simulé.

a. La fonction ci-contre permet de simuler une partie de ce jeu et renvoie le gain algébrique du joueur.
Expliquer le rôle des deux conditions de la ligne 6.

b. Créer une fonction simul_n_jeux qui simule n parties de ce jeu et renvoie le gain algébrique moyen du joueur par partie.

c. Simuler la moyenne de gain avec plusieurs échantillons de tailles différentes et comparer les résultats avec l'espérance trouvée à la question **1**.

③ **a.** Expliquer le rôle de la fonction evolmoy ci-contre.

b. Programmer cette fonction puis commenter l'affichage obtenu après exécution.

```python
1 import random as rd
2
3 def jeu():
4     G=-2
5     for i in range(1,5):
6         if (rd.randint(0,1)==0) and G==-2:
7             G=G+i
8     return(G)
```

```python
10 import matplotlib.pyplot as plt
11
12 def evolmoy(nbreexp):
13     s=0
14     n=1
15     L=[]
16     while n<=nbreexp:
17         s=s+jeu()
18         L.append(s/n)
19         n=n+1
20     plt.plot(list(range(1,nbreexp+1)),L,'b.')
21     plt.plot([1,nbreexp],[-3/8,-3/8],'r-')
22     plt.grid()
23     plt.show()
```

Boîte à outils

MÉMENTO PYTHON : VOIR RABATS

• La boucle Pour s'écrit de la manière suivante.
Boucle avec un compteur k variant de a à b :

```python
1 for k in range(a,b+1):
2     instructions
```

• Créer une liste « en extension », c'est entrer un par un les éléments de la liste :

```python
>>> L=['Bonjour','mardi',11,2018]
>>> L
['Bonjour', 'mardi', 11, 2018]
```

• Créer une liste « en compréhension », c'est utiliser une instruction qui permet de construire la liste

```python
>>> L=[x**2 for x in range(4)]
>>> L
[0, 1, 4, 9]
```

• Le premier élément de la liste est L[0], le 2e L[1], etc.

• On peut ajouter un élément à la fin d'une liste :

```python
>>> L=[1,2,3]
>>> L.append(4)
>>> L
[1, 2, 3, 4]
```

• L'affichage d'un point de coordonnées $(x ; y)$ dans un repère se fait par l'instruction plot(x,y).

• L'affichage du graphique se fait par l'instruction show().

TP 4 Observer une fluctuation relative

Objectifs
Simuler N échantillons de taille n d'une variable aléatoire et calculer la proportion des cas où l'écart entre la moyenne d'un échantillon et l'espérance de la variable est inférieur ou égal à $\frac{2\sigma}{\sqrt{n}}$.

En France, il naît environ 105 garçons pour 100 filles.
On s'intéresse à des familles comportant deux enfants issues de grossesses non gémellaires. Pour une telle famille, on note F la variable aléatoire égale au nombre de filles nées dans cette famille.

① Déterminer la loi de probabilité de F ainsi que son espérance μ et son écart type σ.

② On souhaite simuler N échantillons de n familles et étudier la proportion des cas où l'écart entre la moyenne d'un échantillon et μ est inférieur ou égal à $\frac{2\sigma}{\sqrt{n}}$.

a. Créer une fonction famille qui simule la naissance de deux enfants issues de grossesses non gémellaires et renvoie le nombre de filles nées.

```python
1  import random as rd
2  from math import sqrt
3
4  def famille():
5
6
```

b. Compléter la fonction ci-dessous afin qu'elle renvoie le nombre moyen de filles sur n familles simulées ayant deux enfants issus de grossesses non gémélaires.

```python
10  def simul_n_familles(n):
11      filles=...
12      for k in range(n):
13          filles=...
14      moyenne=...
15      return(moyenne)
```

c. Expliquer le rôle de la fonction suivante.

```python
17  def ecart(moyenne,n,mu,sigma):
18      if abs(moyenne-mu)<2*sigma/sqrt(n):
19          return(True)
20      else:
21          return(False)
```

d. Expliquer la ligne 27 de la fonction suivante puis compléter cette fonction.

```python
24  def simul_N_échantillons_de_n_familles(n,N):
25      somme=0
26      for j in range(...):
27          somme=somme+ecart(simul_n_familles(n),n,40/41,sqrt(840/1681))
28      proportion=...
29      return(proportion)
```

③ Exécuter l'instruction simul_N_échantillons_de_n_familles(1000, 100).
Interpréter et commenter les résultats obtenus.

TP **5** Fréquence d'apparition des lettres d'un texte donné

Objectifs
Calculer la fréquence d'apparition des lettres d'un texte donné, en français, en anglais.

On considère la fonction python ci-contre.

```
1 def a(texte):     #le texte est écrit entièrement
2 #en lettres minuscules, sans accent et sans espace
3     nbcar=0
4     for i in range (len(texte)):
5         if texte[i]=="a":
6             nbcar=nbcar+1
7     return(nbcar)
```

① **a.** Expliquer ce que renvoie a("lesmathematiquessontsympathiques").

b. Quel est le rôle de cette fonction ?

② **a.** Créer une fonction alphabet qui renvoie l'effectif de chaque lettre de l'alphabet dans un texte, qui sera l'argument de la fonction.

b. Modifier cette fonction afin qu'elle renvoie la fréquence de chaque lettre de l'alphabet dans un texte.

c. Utiliser cette fonction pour déterminer la lettre qui semble être la plus fréquente dans un texte français donné.

③ Le codage de César consiste à décaler les lettres de l'alphabet d'un certain nombre de rangs. On a codé ainsi l'extrait d'un texte français connu et on a obtenu :

xltecpnzcmplfdfcfylcmcpapcnspepyltepydzympnfyqczxlrpxltecpcpylcoalcwzopfclw
wpnspwftetyelapfacpdnpwlyrlrppemzyuzfcxzydtpfcofnzcmplfbfpgzfdpepduzwtbfp
gzfdxpdpxmwpkmplfdlydxpyetcdtgzecpclxlrpdpclaazceplgzecpawfxlrpgzfdpepdwp
aspytiopdszepdopnpdmztdlnpdxzedwpnzcmplfypdpdpyealdopuztppeazfcxzyecpcd
lmpwwpgztitwzfgcpfywlcrpmpnwltddpezxmpcdlacztp

a. En utilisant les questions précédentes, conjecturer le décalage effectué pour ce codage.

b. À l'aide de cette conjecture, compléter la fonction ci-contre afin qu'elle puisse décoder un texte donné.

c. De quelle œuvre ce texte est-il tiré ?

```
1 def decodage(texte):      #le texte est écrit entièrement
2 #en lettres minuscules, sans accent et sans espace
3     alphabet="abcdefghijklmnopqrstuvwxyz"
4     LT=[]
5     for i in range(...):
6         LT.append(alphabet[...])
7     for i in range(...):
8         LT.append(alphabet[...])
9     textedecode=[]
10    for k in range(len(texte)):
11        textedecode.append(alphabet[LT.index(texte[k])])
12    return("".join(textedecode))
```

Boîte à outils

MÉMENTO PYTHON : VOIR RABATS

- La boucle Pour s'écrit de la manière suivante. Boucle avec un compteur k variant de a à b :

```
1 for k in range(a,b+1):
2     instructions
```

- Créer une liste « en extension », c'est entrer un par un les éléments de la liste :

```
>>> L=['Bonjour','mardi',11,2018]
>>> L
['Bonjour', 'mardi', 11, 2018]
```

- On peut utiliser la longueur d'une liste L, c'est-à-dire le nombre d'éléments de cette liste :
`len(L)`

- Le premier élément de la liste est `L[0]`, le 2e `L[1]`, etc.
- On peut ajouter un élément à la fin d'une liste :

```
>>> L=[1,2,3]
>>> L.append(4)
>>> L
[1, 2, 3, 4]
```

- L.index(n) renvoie l'indice de la première occurrence de n dans la liste L.

```
>>> L=[2,4,6,8]
>>> L.index(6)
2
```

- "".joincode(L) renvoie tous les éléments de la liste L « collés » les uns aux autres.

TP 6 Bandit manchot

Objectifs
Simuler N échantillons de taille n d'une variable aléatoire et calculer la proportion des cas où l'écart entre la moyenne d'un échantillon et l'espérance de la variable est inférieur ou égal à $\frac{2\sigma}{\sqrt{n}}$

Le bandit manchot est un jeu de machine à sous.

Lorsqu'on tire le levier, trois rouleaux tournent et s'arrêtent sur un chiffre compris entre 1 et 9 pour le rouleau le plus à gauche, entre 0 et 9 pour les deux rouleaux suivants. Lorsque le joueur, qui a misé 1 € pour jouer, obtient trois fois le même chiffre, il gagne 70 €.

On suppose que pour chaque rouleau, on a autant de chances de tomber sur chacun des chiffres possibles, et ce, indépendamment de ce que donnent les autres rouleaux.

① On appelle X le gain algébrique du joueur pour une partie.
Déterminer la loi de probabilité de X ainsi que son espérance μ et son écart type σ.

② On souhaite simuler 100 échantillons de 500 parties et étudier la proportion des cas où l'écart entre la moyenne d'un échantillon et μ est inférieur ou égal à $\frac{2\sigma}{\sqrt{500}}$.

Pour cela, on a commencé la feuille de calcul ci-dessous afin de simuler une partie de ce jeu.
Expliquer la formule entrée en cellule B2.

	A	B	C	D
1		Valeur prise par X		
2	Partie 1	-1	`=SI(ALEA()<1/100;69;-1)`	
3	Partie 2			
4	Partie 3			
5	Partie 4			
6	Partie 5			
7	Partie 6			

③ **a.** Simuler un échantillon de 500 parties, puis 100 échantillons de 500 parties.

b. En cellule B505, on a entré une formule qui affiche 1 lorsque la condition est vérifiée et 0 sinon. Quelle formule a-t-on pu rentrer ?

495	Partie 494	69	-1	-1	-1	-1
496	Partie 495	-1	-1	-1	-1	-1
497	Partie 496	-1	-1	-1	-1	-1
498	Partie 497	-1	-1	-1	-1	-1
499	Partie 498	-1	-1	-1	-1	-1
500	Partie 499	-1	-1	-1	-1	-1
501	Partie 500	-1	-1	-1	-1	-1
502	m=	-0,16	-0,16	-0,16	0,12	-0,58
503	µ	-0,3				
504	σ	6,96491206				
505	écart entre m et µ est inférieur ou égal à 2σ/√500 ?	1	1	1	1	1
506	nombre de cas ou l'écart entre m et µ est inférieur ou égal à 2σ/√500	98				

c. Compléter la feuille de tableur comme ci-dessus.

d. Renouveler les simulations avec la touche F9 (ou CTRL+MAJ+F9) et commenter les résultats obtenus.

TP 7 Chuck-a-luck

Objectif
Étudier la distance entre la moyenne d'un échantillon simulé de taille n d'une variable aléatoire et l'espérance de cette variable aléatoire.

Le jeu américain Chuck-a-luck consiste à parier sur un nombre de 1 à 6 puis à lancer trois dés supposés équilibrés.

Si le nombre sur lequel on a parié sort trois fois, on gagne 3 €, s'il sort deux fois, on gagne 2 €, s'il sort une fois, on gagne 1 €, et s'il ne sort pas, on perd 1 €.

Léa a choisi de parier sur le 3.

① On appelle G la variable aléatoire égale au gain algébrique de Léa.
a. Déterminer la loi de probabilité de la variable aléatoire G.

b. Déterminer l'espérance de la variable aléatoire G.

② On souhaite étudier la distance entre l'espérance de G et la moyenne obtenue lors d'un échantillon simulé. Pour cela, on a commencé la feuille de calcul ci-dessous afin de simuler des parties de ce jeu.

	A	B	C	D	E	F	G	H
1	Choix de Léa	3						
2								
3								
4		dé 1	dé 2	dé 3	Nombre de fois où le choix de Léa est sorti	Gain de Léa		
5	Partie 1	1	6	2	0	-1	=SI(E5=0;-1;E5)	
6	Partie 2							
7	Partie 3							
8	Partie 4							
9	Partie 5							

a. Quelle formule a-t-on pu entrer dans les cellules B5, C5, D5 et E5 ?

b. Expliquer la formule entrée en cellule F5.

c. Construire une telle feuille de calcul pour simuler 100 parties de ce jeu.

d. Comparer la moyenne de gain de cet échantillon simulé avec l'espérance trouvée à la question 1.

e. Augmenter le nombre d'experiences simulées et relancer plusieurs fois la simulation (F9 ou Ctrl + MAJ + F9).
Commenter les résultats obtenus.

Boîte à outils

Tableur

• Lorsqu'on rentre une formule, comportant des noms de cellules et qu'on l'étire, le nom des cellules se « décale » si le nom de la cellule ne comporte pas de « $ ».

	B	C	D	E	F	G
	0	2	5	10	15	
	=B1+3	=C1+3	=D1+3	=E1+3	=F1+3	

Options de recopie incrémentée

• La fonction ABS(n) renvoie la valeur absolue de n.

• Lorsqu'on met un « $ » devant la lettre ou le nombre, par recopie vers la droite ou la gauche (ou le haut ou le bas), la référence à la colonne (ou la ligne) ne change pas.

	B	C	D	E	F
	0	2	5	10	15
	3				
	=B1+$B$2	=C1+$B$2	=D1+$B$2	=E1+$B$2	=F1+$B$2

• =SI(condition;valeur 1;valeur2) renvoie la valeur 1 si la condition est vérifiée et la valeur 2 sinon.

• =NB.SI(A100:A200;">=1") compte le nombre de cellules de la colonne A entre les lignes 100 et 200 dont le contenu est supérieur ou égal à 1.

Réfléchir, parler & réagir

1 Calculer le plus rapidement possible.

1. $\frac{2}{3} \times 8 + \frac{1}{3} + 5$

2. $1 - \frac{3}{10} - \frac{1}{5}$

3. $\frac{1}{3} \times 0,3 + \frac{1}{6} \times 0,36 + (-0,4)$

4. $\sqrt{\frac{1}{4}(19-5)^2 + \frac{3}{4}(5-5)^2}$

2 La loi de probabilité d'une variable aléatoire X est donnée par le tableau suivant.

x_i	–2	1	3
$P(X = x_i)$	k	$\frac{k}{2}$	$\frac{k}{3}$

• Que vaut k ?

3 Un jeu donne une répartition des gains selon les probabilités suivantes.

Gain	+5	0	–2
Probabilité	$\frac{1}{6}$	$\frac{1}{4}$	$\frac{7}{12}$

• Ce jeu est-il équitable ?

4 On lance deux fois successivement une pièce équilibrée. On appelle X le nombre de « Face » obtenues.

• Déterminer la loi de probabilité de X.

5 Compléter l'arbre pondéré suivant sachant que $P(X = 5) = 0,18$.

$$0,8 \quad A_1 \begin{array}{l} \cdots A_2 \to X = 5 \\ \overline{A_2} \to X = 2 \end{array} \quad 0,9$$

$$\cdots \quad \overline{A_1} \begin{array}{l} \cdots A_2 \to X = 3 \\ \overline{A_2} \to X = 5 \end{array} \quad \cdots$$

DIAPORAMA
CALCUL MENTAL
EN PLUS

6 « Rien ne sert de courir, il faut partir à point. »

On écrit chaque mot de cette citation sur un carton. On place tous les cartons dans une urne et on tire au hasard un de ces cartons.
• À ce jeu, combien de lettres en moyenne peut-on espérer obtenir sur le carton tiré ?

7 La loi de probabilité d'une variable aléatoire S est donnée dans le tableau suivant.

s_i	–2013	0	2015
$P(S = s_i)$	$\frac{234}{728}$	$\frac{260}{728}$	$\frac{234}{728}$

• Quelle est son espérance ?

8 Un jeu équitable (c'est-à-dire dont l'espérance de gain est nulle) donne une répartition des gains selon les probabilités suivantes.

Gain	...	2	5
Probabilité	$\frac{1}{6}$	$\frac{1}{3}$	...

• Quelles sont les valeurs manquantes ?

9 On donne la loi de probabilité du gain X obtenu lors d'un jeu A et celle du gain Y obtenu à un jeu B.

x_i	–1	0,5	2
$P(X = x_i)$	0,5	0,3	...

y_i	–2,5	0	2
$P(Y = y_i)$	0,2	...	0,4

• À quel jeu vaut-il mieux jouer ?

Préparation d'un oral

Préparer une trace écrite permettant de présenter à l'oral une argumentation indiquant si les propositions sont vraies ou fausses.

1 Sur un panel de 2 527 familles n'ayant que deux enfants, on note X le nombre de garçons de chaque famille. On a $P(X = 2) = \dfrac{1}{2}$.

2 Si toutes les valeurs prises par une variable aléatoire X sont négatives, alors l'espérance de X est négative.

3 L'écart type d'une variable aléatoire est toujours inférieur à sa variance.

Travail en groupe 45 min

Constituer des groupes de 4 élèves qui auront chacun un des rôles suivants.
Résoudre tous ensemble la situation donnée. Remettre une trace écrite de cette résolution.

Animateur
- responsable du niveau sonore du groupe
- distribue la parole pour que chacun s'exprime

Rédacteur en chef
- responsable de la trace écrite rédigée par tous les membres du groupe

Ambassadeur
- porte-parole du groupe, seul autorisé à communiquer avec le professeur et, éventuellement, d'autres groupes

Maître du temps
- responsable de l'avancement du travail du groupe
- veille au respect du temps imparti

Axelle propose à Hapsatou de jouer au dé. Elle sort trois dés d'une boîte : un rouge, un vert et un bleu. Hapsatou s'étonne : « Tes dés sont étranges ! Le rouge a deux « 3 », deux « 4 » et deux « 8 » ! ». Axelle répond : « Oui, ils sont tous spéciaux : le vert a deux « 1 », deux « 5 » et deux « 12 », quant au bleu, il a deux « 2 », deux « 6 » et deux « 7 ». Je te propose de jouer avec : on choisit un dé, on le lance et celui qui fait le plus grand résultat a gagné. Pour te prouver que ce n'est pas truqué, je te laisse choisir ton dé en premier. »

• Que penser de la proposition d'Axelle ?

Exposé

voir p. 306

Après avoir effectué les recherches indiquées, préparer une présentation orale, un poster ou un diaporama.

Dans le jeu *Croix-Pile*, Nicolas Bernoulli écrit : « Pierre joue avec Paul à croix ou pile, avec cette condition que si Paul amène pile au premier coup, il donnera un écu à Pierre ; s'il n'amène pile qu'au deuxième coup, deux écus ; s'il n'amène pile qu'au troisième coup, quatre écus ; au quatrième, huit écus ; au cinquième, seize. »
On suppose que les joueurs jouent en cinq coups au maximum (ils s'arrêtent après). On note X la variable aléatoire égale à la somme reçue par Pierre à la fin d'une partie.
1. Donner la loi de probabilité de X et calculer $E(X)$. Que représente cette valeur pour Paul dans le contexte du problème ?
2. Plus généralement, si le nombre de coups n'est pas limité, ce jeu est à l'origine d'un phénomène appelé « Paradoxe de Saint-Pétersbourg ». Effectuer des recherches sur ce paradoxe et l'expliquer en utilisant la notion de variable aléatoire.

Variable aléatoire et loi de probabilité

1 Un jeu consiste à lancer un dé cubique. On gagne 5 €
si on obtient un multiple de 3 et on perd 4 € sinon. On
note G la variable aléatoire égale au gain algébrique
du joueur.
1. Quel est l'ensemble des valeurs prises par la variable
aléatoire G ?
2. Donner les issues réalisant l'évènement $\{G = -4\}$.
3. Donner les issues réalisant l'évènement $\{G > 0\}$.

2 Un jeu consiste à tirer au hasard une boule dans un sac
contenant 15 boules numérotées de 1 à 15. On gagne
2 € si on obtient un multiple de 2 ; 7 € si on obtient
un multiple de 7 et on perd 10 € sinon.
On note X la variable aléatoire égale au gain algébrique
du joueur.
1. Quel est l'ensemble des valeurs prises par la variable
aléatoire X ?
2. Donner les issues réalisant l'évènement $\{X = 9\}$.
3. Donner les issues réalisant l'évènement $\{X \leqslant 0\}$.

3 X est une variable aléatoire qui suit la loi de probabilité
donnée dans le tableau suivant :

x_i	–2	3	4	7	10
$P(X = x_i)$	0,24	0,12	0,2	0,4	0,04

Calculer $P(X \leqslant 7)$ et $P(X < 5)$.

4 On lance un dé cubique équilibré dont les faces sont
numérotées de 1 à 6. On note X la variable aléatoire
égale au double du numéro obtenu sur la face du
dessus.
• Déterminer la loi de probabilité de la variable aléatoire X.

5 Parmi les tableaux suivants, le(s)quel(s) peuvent représenter la loi de probabilité d'une variable aléatoire X ?

x_i	5	10	15	20
$P(X = x_i)$	0	1,2	0,1	0,7

x_i	5	10	15	20
$P(X = x_i)$	0,32	0,23	0,22	0,23

x_i	5	10	15	20
$P(X = x_i)$	0,3	–0,4	0,8	0,3

x_i	5	10	15	20
$P(X = x_i)$	$\frac{1}{3}$	$\frac{1}{6}$	$\frac{1}{3}$	$\frac{1}{6}$

x_i	5	10	15	20
$P(X = x_i)$	$\frac{1}{8}$	$\frac{7}{16}$	$\frac{3}{8}$	$\frac{3}{16}$

6 **Beignets à la pomme**

À la boulangerie, Sandy demande à la boulangère de
choisir au hasard deux beignets. Il y a six beignets à la
pomme, cinq beignets choco-noisettes et neuf beignets
aux fruits rouges.
On note B la variable aléatoire égale au nombre de
beignets à la pomme choisis.
1. Quel est l'ensemble des valeurs prises par la variable
aléatoire B ?
2. Calculer $P(B = 2)$.
3. Calculer $P(B = 1)$.
4. Calculer $P(B \leqslant 1)$.

7 On lance deux dés tétraédriques équilibrés dont les
faces sont numérotées de 1 à 4. On note S la variable
aléatoire égale à la somme des points obtenus.
1. Lister dans un tableau à double entrée tous les résultats possibles.
2. En déduire la loi de probabilité de la variable aléatoire S.

8 Y est une variable aléatoire qui suit la loi de probabilité
donnée dans le tableau suivant.

y_i	–2	–1	2	5
$P(Y = y_i)$	$\frac{1}{4}$	$\frac{1}{6}$	$\frac{1}{3}$	$\frac{1}{4}$

• Déterminer $P(Y \leqslant 0)$, $P(-1 \leqslant Y \leqslant <5)$ et $P(|Y| = 2)$.

9 Dans une urne, on place dix boules numérotées
de 1 à 10. On y tire une boule au hasard et on note
V la variable aléatoire égale au nombre de voyelles
nécessaires pour écrire en toutes lettres le numéro
de la boule tirée.
• Déterminer la loi de probabilité de V.

10 Dans un jeu de 32 cartes, on tire une carte au hasard.
Si on obtient une figure, on gagne 10 points, sinon, on
perd la valeur de la carte.
• Modéliser cette situation à l'aide d'une variable aléatoire et préciser sa loi de probabilité.

11 QCM

On lance deux fois un dé équilibré à quatre faces numérotées 1, 2, 2 et 3 et on note X la somme des deux numéros obtenus sur la face du dessous.

On dispose par ailleurs d'une urne contenant des boules numérotées 1, 2, 2 et 3 et on tire successivement et sans remise deux boules de cette urne. On note Y la somme des deux numéros obtenus.

Pour chaque affirmation suivante, indiquer la seule proposition correcte en justifiant.

1. L'ensemble des valeurs prises par X est :

(a) $\{1;2;3;4;5;6\}$ (b) $\{3;4;5\}$

(c) $\{2;3;4;5;6\}$ (d) $\{1;2;3\}$

2. L'ensemble des valeurs prises par Y est :

(a) $\{1;2;3;4;5;6\}$ (b) $\{3;4;5\}$

(c) $\{2;3;4;5;6\}$ (d) $\{1;2;3\}$

3. La loi de probabilité de X est :

(a)

x_i	3	4	5
$P(X = x_i)$	$\frac{1}{3}$	$\frac{1}{3}$	$\frac{1}{3}$

(b)

x_i	2	3	4	5	6
$P(X = x_i)$	$\frac{1}{16}$	$\frac{4}{16}$	$\frac{6}{16}$	$\frac{4}{16}$	$\frac{1}{16}$

(c)

x_i	3	4	5
$P(X = x_i)$	$\frac{1}{4}$	$\frac{1}{2}$	$\frac{1}{4}$

(d)

x_i	2	3	4	5	6
$P(X = x_i)$	$\frac{1}{5}$	$\frac{1}{5}$	$\frac{1}{5}$	$\frac{1}{5}$	$\frac{1}{5}$

4. La loi de probabilité de Y est :

(a)

x_y	3	4	5
$P(X = x_y)$	$\frac{1}{3}$	$\frac{1}{3}$	$\frac{1}{3}$

(b)

x_y	2	3	4	5	6
$P(X = x_y)$	$\frac{1}{16}$	$\frac{4}{16}$	$\frac{6}{16}$	$\frac{4}{16}$	$\frac{1}{16}$

(c)

x_y	3	4	5
$P(X = x_y)$	$\frac{1}{4}$	$\frac{1}{2}$	$\frac{1}{4}$

(d)

x_y	2	3	4	5	6
$P(X = x_y)$	$\frac{1}{5}$	$\frac{1}{5}$	$\frac{1}{5}$	$\frac{1}{5}$	$\frac{1}{5}$

12 Dans une urne contenant deux boules rouges, trois vertes et dix oranges, on tire une boule au hasard. On gagne 3 € si la boule est verte, on perd 1 € si elle est orange, et on gagne 2 € sinon. On appelle G la variable aléatoire égale au gain algébrique du joueur.

• Déterminer la loi de probabilité de G.

13 Lors d'une tombola, on a une chance sur dix de gagner un lot d'une valeur de 100 € et autant de chances de gagner un lot d'une valeur de 20 € que de ne rien gagner.

On note G la variable alétoire égale au gain d'un joueur.

1. Déterminer la loi de probabilité de G.

2. Déterminer la probabilité de gagner à ce jeu.

14 Une boîte contient cinq boules numérotées de 1 à 5. On tire au hasard, successivement et sans remise deux boules dans la boîte. On note S la variable aléatoire égale à la somme des deux numéros obtenus.

1. Représenter cette situation par un arbre pondéré.

2. Déterminer $P(X = 6)$.

3. Déterminer $P(X < 5)$.

4. Déterminer $P(X \geqslant 7)$.

15 Une urne contient dix boules numérotées de 1 à 10. On tire une boule au hasard dans cette urne et on note T la variable aléatoire qui prend la valeur 5 si le numéro est un multiple de 3 et la valeur 0 sinon.

• Déterminer la loi de probabilité de la variable aléatoire T.

16 Le nombre de caisses en service à midi dans un supermarché donné est une variable aléatoire prenant les valeurs 1, 2, 3 et 4. Elle vaut :

• 1 avec la probabilité 0,2 ;

• 2 avec la probabilité 0,3 ;

• 3 avec la probabilité 0,25.

1. Calculer la probabilité que quatre caisses soit en service à midi dans ce supermarché.

2. Calculer la probabilité qu'il y ait au moins deux caisses en service à midi dans ce supermarché.

17 VRAI OU FAUX

On donne la loi de probabilité d'une variable aléatoire T dans le tableau suivant.

t_i	-2	-1	3	5
$P(T = t_i)$	$\frac{1}{16}$	$\frac{7}{16}$	$\frac{3}{8}$	$\frac{1}{8}$

Pour chacune des affirmations suivantes, dire si elle est vraie ou fausse en justifiant la réponse.

1. $P(T \leqslant 4) = \frac{7}{8}$ **2.** $P(T \geqslant 3) = \frac{7}{8}$

3. $P(T = 0) = 0$ **4.** $P(T > -3) = 0$

5. On ne peut pas calculer $P(T < 6)$.

18 **Raisonner, calculer**

Z est une variable aléatoire prenant les valeurs 10, 20, 30 et 40.

On a $P(Z = 10) = P(Z = 30) = \dfrac{1}{5}$ et $P(Z = 20) = \dfrac{1}{2}P(Z = 40)$.

• Quelle est la loi de probabilité de Z ?

19 On choisit au hasard un nombre entier entre 15 et 25 et on note S la somme des chiffres du nombre choisi.

• Quelle est la loi de probabilité de la variable aléatoire S ?

20 **Tirage au hasard**

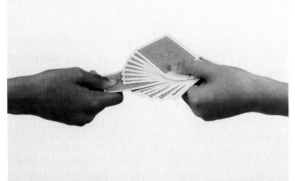

Un jeu consiste à tirer au hasard une carte dans un jeu de 52.

• si on tire un as, on gagne 5 € ;
• si on tire une figure, on gagne 2 € ;
• dans tous les autres cas, on perd 1 €.

• Déterminer la loi de probabilité du gain algébrique d'un joueur.

21 ALGO PYTHON

Communiquer

On s'intéresse à la fonction suivante écrite en Python.

```python
1  from random import randint
2
3  def gain():
4      tirage=randint(1,11)
5      if tirage==2:
6          G=3
7      elif tirage==4:
8          G=-5
9      else:
10         G=-10
11     return(G)
```

• Inventer une situation dans laquelle cette fonction pourrait être utilisée.

22 Lors d'une animation dans un supermarché, on distribue 200 enveloppes contenant des bons d'achat. Deux de ces enveloppes contiennent un bon de 50 €, dix contiennent un bon de 20 € et les autres contiennent un bon de 10 €.

On interroge au hasard un client qui a obtenu une enveloppe et on note R la variable aléatoire égale au montant du bon de réduction obtenu.

• Déterminer la loi de probabilité de R.

Espérance et écart type d'une variable aléatoire

23 Un lot de dix pièces contient trois pièces défectueuses. On tire successivement et au hasard deux pièces de ce lot (sans remise). X désigne le nombre de pièces défectueuses parmi les pièces tirées.

1. Calculer l'espérance de X ainsi que son écart type.

2. Quelle est la probabilité que parmi les deux pièces tirées, au moins une soit défectueuse ?

24 Une variable aléatoire Z a la loi de probabilité suivante.

z_i	0	2	4
$P(Z = z_i)$	$\dfrac{21}{32}$	$\dfrac{6}{32}$	$\dfrac{5}{32}$

• Calculer l'espérance et l'écart type de Z.

25 Une urne contient douze boules, des bleues, des vertes et des blanches. Six sont bleues et une seule est blanche.

On tire au hasard une boule de l'urne et on définit une variable aléatoire X égale au gain algébrique obtenu sachant que :

• on perd 3 € si la boule tirée est bleue ;
• on gagne 1 € si la boule tirée est verte ;
• on gagne 7 € si la boule tirée est blanche.

1. Déterminer la loi de probabilité de X.

2. Déterminer l'espérance de X.

3. Déterminer l'écart-type de X.

26 **Appels reçus**

À l'accueil d'une agence bancaire, on étudie le nombre d'appels reçus dans un laps de temps de 5 minutes. La loi de probabilité déduite de cette étude est la suivante.

Nombre d'appels	0	1	2	3
Probabilité	0,08	0,25	0,48	0,19

1. Quelle est la probabilité de recevoir au moins deux appels pendant ce laps de temps ?

2. On considère que cette étude reste valable quelle que soit l'heure de la journée. Quel est le nombre moyen d'appels dans un laps de temps de 5 minutes dans cette agence ?

27 On lance trois fois de suite une pièce de monnaie équilibrée et on note les résultats obtenus.
Par exemple, (Face ; Face ; Pile) est une issue que l'on notera FFP.
1. Représenter cette expérience par un arbre pondéré.
2. Déterminer la probabilité pour que le troisième lancer de la pièce donne « Face ».
3. À chaque tirage, on associe 20 points pour « Pile » et 10 points pour « Face ».
On note X la somme des points obtenus.
Donner la loi de probabilité de X et calculer son espérance. Interpréter cette valeur.

28 On lance trois fois de suite une pièce de monnaie équilibrée.
Si on obtient trois fois « Pile » ou trois fois « Face », on gagne 10 euros, sinon on perd 2 euros.
1. Déterminer la loi de probabilité de la variable aléatoire égale au gain algébrique du joueur.
2. Déterminer l'espérance de ce gain ainsi que son écart type.
3. A-t-on intérêt à jouer à ce jeu ?

29 Dans un lot de 150 piles, dont 20 sont insuffisamment chargées, on tire successivement et sans remise deux piles.
1. Quelle est la probabilité que, dans ce tirage, les deux piles tirées soient insuffisamment chargées ?
2. Quelle est la probabilité que, dans ce tirage, au plus une pile soit insuffisamment chargée ?
3. Quelle est le nombre moyen de piles insuffisamment chargées obtenues si on réitère un grand nombre de fois un tel tirage ?

30 On donne ci-dessous la représentation graphique de la loi de probabilité d'une variable aléatoire X.

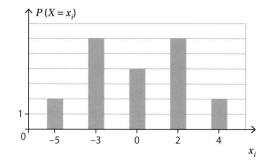

1. Déterminer l'espérance de X.
2. Déterminer l'écart type de X.

31 VRAI OU FAUX
Dire si les affirmations suivantes sont vraies ou fausses et argumenter la réponse.
1. Plus l'espérance d'une variable aléatoire est grande, plus les valeurs qu'elle peut prendre sont dispersées.
2. La variance d'une variable aléatoire est toujours un nombre réel positif.

32 VRAI OU FAUX
On lance deux dés cubiques équilibrés et on note S la variable aléatoire égale à la somme obtenue. L'espérance de S vaut 7.
Parmi les affirmations suivantes, la(les)quelle(s) est (sont) vraie(s) ?
1. Si on obtient 1 avec le premier dé, on obtient forcément 6 avec le second dé.
2. Quel que soit le nombre de fois que l'on répète cette expérience aléatoire, la moyenne de la somme des points obtenus vaut toujours 7.
3. La somme des points obtenus peut valoir 2.
4. La somme des points obtenus peut valoir 1.

33 Une roulette de casino comporte 37 secteurs de même surface. 18 sont rouges, 18 sont noirs et le dernier est vert.
On mise 1 € sur une couleur rouge ou noire et on reçoit le double de sa mise si la couleur annoncée est la bonne. Sinon, on perd sa mise.
• Déterminer l'espérance de gain d'un joueur jouant un grand nombre de parties.

34 Une pièce de monnaie est truquée. On appelle X le nombre de « Pile » obtenus lors d'un lancer (X peut donc prendre la valeur 0 ou 1). On sait que $E(X) = \dfrac{1}{3}$.
• Déterminer la loi de probabilité de X.

35 Des sondeurs interrogent trois personnes au hasard dans la rue. On note G la variable aléatoire égale au nombre d'hommes interrogés par un sondeur pris au hasard.
• Déterminer l'espérance de X et interpréter concrètement cette espérance.

36 Dans un jeu de 52 cartes, on tire successivement et au hasard deux cartes avec remise.
On gagne 3 € si la carte est une figure rouge, 2 € si la carte est une figure noire et 5 € si la carte est un as. On perd 50 centimes dans tous les autres cas.
• A-t-on intérêt à jouer à ce jeu ?

37 Un jeu consiste à lancer une pièce de monnaie. On gagne 2 € si on obtient « Pile » et on perd 1 € si on obtient « Face ».
• Comment peut-on truquer la pièce pour que le jeu soit équitable ?

38 Soit a nombre réel. Y est une variable aléatoire qui représente le gain algébrique à un certain jeu et qui suit la loi de probabilité donnée dans le tableau suivant.

y_i	−2	−1	a
$P(Y = y_i)$	0,5	0,4	0,1

• Déterminer la valeur de a pour que ce jeu soit équitable.

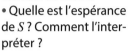

39 Calculer, raisonner

Les caractéristiques de deux jeux sont données dans le tableau ci-dessous.

	Jeu 1		Jeu 2	
Gain	−2	5	−1	3
Probabilité	$\frac{1}{2}$	$\frac{1}{2}$	$\frac{3}{8}$	$\frac{5}{8}$

• À quel jeu est-il préférable de jouer ? Argumenter

40 On lance deux dés équilibrés à 6 faces : un dé rouge et un dé bleu. On note le couple de résultats obtenus $(R\,;B)$, R représentant le résultat du dé rouge et B le résultat du dé bleu, et on considère dans un repère le point M de coordonnées $(R\,;B)$.

On gagne 5 € si ce point appartient à la droite d'équation $y = 2x$, 10 € s'il appartient à la droite d'équation $y = 3x$, sinon, on ne gagne rien.

1. Quelle est la loi de probabilité du gain ?

2. Quel gain moyen peut-on espérer ?

41 Raisonner, calculer, représenter

Compléter les valeurs manquantes sur l'arbre suivant sachant que $P(X = 3) = \dfrac{3}{20}$.

$$\frac{1}{7}\ R_1 \begin{cases} \dfrac{7}{10}\ R_2 \to X = 2 \\ \ldots\ N_2 \to X = 3 \end{cases}$$
$$\ldots\ N_1 \begin{cases} \ldots\ R_2 \to X = 1 \\ N_2 \to X = 3 \\ \ldots \end{cases}$$

42 `ALGO`

On considère l'algorithme suivant.

```
k ← 0
L ← liste vide
Tant que k < 5
    k ← k + 1
    ajouter à L l'élément (nombre entier
    aléatoire entre 1 et 4 + nombre
    entier aléatoire entre 1 et 4)
```

1. Écrire un contenu possible de la liste L après l'exécution de ce programme.

2. Écrire un énoncé de problème pour lequel ce programme pourrait être utile.

43 On considère une rangée de quatre cases numérotées de 1 à 4 et un jeton initialement placé sur la case 1.

1	2	3	4
⦾			

On lance une pièce équilibrée trois fois de suite. Si elle tombe sur « Pile », le jeton avance d'une case, sinon, il ne bouge pas. On note N le numéro de la case occupée au final par le jeton.

• Déterminer la loi de probabilité de N.

44 Raisonner, calculer

On lance simultanément deux dés équilibrés et on note S la somme obtenue.

• Quelle est l'espérance de S ? Comment l'interpréter ?

45 X est une variable aléatoire prenant les valeurs −2 ; −1 ; 0 et 10.

On a :

• $P(X = -2) = P(X = 10)$

• $P(X = -1) = \dfrac{1}{2} P(X = 0)$

• $P(X = -2) = 3P(X = 0)$

• Quelle est la loi de probabilité de la variable aléatoire X ?

46 Représenter

On dispose d'un cube en bois de côté 3 cm et on le peint en rouge. On découpe ce cube en 27 petits cubes de 1 cm de côté que l'on place dans un sac opaque. On tire un cube de ce sac et on note R le nombres de faces peintes en rouge du cube tiré.

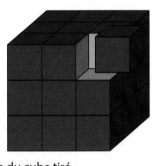

• Déterminer la loi de probabilité de la variable R.

47 Dans une ville comportant 15 000 foyers, une enquête portant sur les habitudes en matière d'écologie a donné les résultats suivants :

• 10 500 foyers pratiquent le tri sélectif ;

• parmi les foyers pratiquant le tri sélectif, 30 % consomment des produits bio ;

• parmi les foyers ne pratiquant pas le tri sélectif, 450 consomment des produits bio.

On choisit un ménage au hasard et on note :

T l'évènement : « Le foyer pratique le tri sélectif. » ;

B l'évènement : « Le foyer consomme des produits bio. »

1. Déterminer $P(\text{T})$, $P(\overline{\text{T}} \cap \text{B})$ et $P(\text{T} \cap \text{B})$.

2. Justifier que $P(\text{B}) = 0,24$.

3. Cette ville décide de favoriser les ménages ayant un comportement éco-citoyen. Pour cela, elle offre chaque année un chèque de 50 € aux foyers qui pratiquent le tri sélectif et un chèque de 20 € aux foyers qui consomment des produits bio (les deux récompenses pouvant être cumulées).

Soit S la somme d'argent reçue par un ménage choisi au hasard.

a. Donner les différentes valeurs que peut prendre S.

b. Déterminer la loi de probabilité de S.

c. Calculer l'espérance de S et interpréter ce résultat.

48 ALGO

Une variable aléatoire X prend toutes les valeurs entières de 1 à 100.

On a, pour tout k entier entre 1 et 100 :

$$P(X = k) = \frac{k}{5050}.$$

• Écrire un algorithme en langage naturel qui calcule l'espérance de X.

49 ALGO PYTHON

Communiquer

On considère la fonction suivante écrite en Python.

```python
1  from random import random
2
3  def gain():
4      tirage=floor(random()*6+1)
5      if tirage<=2:
6          X=5
7      elif tirage==4:
8          X=-3
9      else:
10         X=-20
11     return(X)
```

• Inventer une situation dans laquelle cette fonction pourrait être utile.

50 On considère une roue partagée en 15 secteurs angulaires identiques numérotés de 1 à 15 comme représentée ci-dessous.

On fait tourner cette roue et la flèche rouge arrive dans un des 15 secteurs dont on note le numéro.

1. Déterminer la probabilité des évènements suivants :

a. A : « Le numéro est un multiple de 5. »

b. B : « Le numéro n'est pas un multiple de 3. »

c. C : « Le numéro est pair et strictement inférieur à 10. »

d. A ∩ B

e. B ∪ C

2. On définit la variable aléatoire X en associant à la couleur bleue sur la roue le nombre 80, à la couleur verte le nombre 20, à la couleur rose le nombre 10 et à la couleur orange le nombre 0.

a. Déterminer la loi de probabilité de X.

b. On suppose que ces nombres correspondent à des gains en euros. Quelle doit être la mise de départ pour que le jeu soit équitable ?

51 On lance une fois un dé non truqué à six faces numérotées de 1 à 6.

1. Soit X la variable aléatoire égale au nombre de points obtenus. Quelle est l'espérance de X ?

2. On suppose qu'on reçoit 12 € si on obtient 1, rien si on obtient 2, 3 ou 4, et 6 € si on obtient 5 ou 6.

Soit G la variable aléatoire égale au gain à ce jeu.

a. Quelle est la loi de probabilité de G ?

b. Que vaut le gain moyen ?

3. On suppose maintenant qu'on reçoit 27 € pour l'obtention d'un 1 et rien sinon.

Est-il préférable de jouer au jeu de la question **2** ou à celui-ci ? Argumenter.

52 ALGO

On considère l'algorithme suivant.

> Gain ← −10
> Pour i allant de 1 à 50
> T ← nombre entier aléatoire entre 1 et 6
>   Si $T > 2$
>   Gain ← Gain + 3
>   Sinon
>   Gain ← Gain − 2

• Écrire un énoncé de problème pour lequel cet algorithme pourrait servir.

53 Un organisateur de jeux dispose d'une roue divisée en huit secteurs identiques : trois bleus, un vert et quatre rouges.

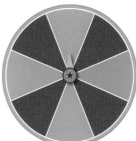

Il propose un jeu : le joueur fait tourner la roue, s'il obtient vert, il gagne 11 €, s'il obtient bleu, il perd, s'il obtient rouge, il refait tourner la roue : s'il obtient vert, il gagne 8 €, s'il obtient bleu, il gagne 6 €, s'il obtient rouge, il perd.

• Quel prix l'organisateur doit-il faire payer pour que chaque partie lui rapporte en moyenne 2 € ?

54 **Raisonner, calculer**

Marion possède quatre cartes dont trois sont rouges et une est bleue. Elle les pose à l'envers devant Emma sur une table et lui propose le jeu suivant : Emma retourne une carte au hasard. Si elle obtient la carte bleue, Marion lui donne x billes ; si elle obtient une carte rouge, elle donne y billes à Marion.

1. Comment choisir x et y pour que le jeu soit équitable pour Emma ?

2. L'est-il aussi alors pour Marion ?

55 On considère l'ensemble E des entiers de 1 à 100. On choisit dans l'ensemble E un entier au hasard et on considère la variable aléatoire X qui prend pour valeur cet entier.

1. Quelle est la loi de probabilité suivie par la variable aléatoire X ?

2. Quelle est l'espérance de la variable aléatoire X ?

3. Déterminer les probabilités suivantes.

a. $P(X = 43)$

b. $P(X \leqslant 20)$

c. $P(X > 61)$

d. $P(30 \leqslant X < 40)$

e. $P(X \in [45\,;67])$

f. $P_{\{X \leqslant 60\}}(X > 35)$

g. $P(\{X < 50\} \cup \{X > 80\})$

56 `ALGO` `PRISE D'INITIATIVE`

Une entreprise produisant des céréales décide de glisser des bons de réduction de 1 €, 2 € et 3 € dans les paquets de céréales qu'elle fabrique. Lors d'un contrôle de qualité sur 500 paquets, on trouve cinq bons de 3 €, 52 bons de 2 € et 101 bons de 1 €.

On s'intéresse à l'expérience suivante : on prend un paquet de céréales au hasard et on note X le montant de la réduction obtenue.

1. Quel modèle de probabilité paraît le plus adapté à cette situation ?

2. Écrire un algorithme en langage naturel permettant de simuler cette variable aléatoire X.

3. Quelle est la réduction moyenne par paquet à laquelle peut s'attendre un gros consommateur de ces céréales ?

57 Maelle achète un nouveau téléphone portable à 200 €. Elle hésite à prendre une assurance supplémentaire à 50 €. Elle a lu qu'environ 10 % des adolescents cassent ou perdent leur téléphone portable, et l'assurance lui permettrait d'être remboursée au prix du neuf.
• Aider Maelle à prendre sa décision.

58 Un jeu consiste à lancer simultanément une pièce équilibrée et un dé cubique équilibré. On gagne 10 points si on obtient « Pile » et un multiple de 3, on gagne 3 points si on obtient « Pile » mais pas de multiple de 3, on perd 5 points dans tous les autres cas.

On note X le nombre de points obtenus par le joueur à la fin d'une partie.

1. Interpréter l'évènement $\{X = -5\}$ dans le contexte de ce jeu.

2. Calculer $P(X \geqslant 4)$.

3. Déterminer la loi de probabilité de X.

4. Calculer l'espérance de la variable aléatoire X.

5. Déterminer l'écart type de X.

59 Dans une population d'animaux où il y a deux fois plus de femelles que de mâles, on choisit au hasard deux individus et on note X le nombre de femelles obtenues.
• L'évènement le plus probable est-il $\{X = 2\}, \{X = 1\}$ ou $\{X = 0\}$?

60 **Raisonner, calculer**

Un club de sport propose à ses adhérents trois types de pratique : la compétition (C), le loisir (L) et la remise en forme (R). Chaque adhérent ne peut pratiquer qu'une sorte d'activité.

La répartition des adhérents est donnée par le tableau suivant.

Activité	C	L	R
Proportion des adhérents	12 %	36 %	52 %

L'adhésion annuelle aux sections L ou R coûte 50 € et celle à la section C coûte 80 €.

De plus, le club organise chaque année une sortie en extérieur (S) pour laquelle une participation de 40 € est demandée.

Un tiers des adhérents de la section C, un quart de ceux de la section L et la moitié de ceux de la section R participent à cette journée.

1. Recopier et compléter le tableau suivant.

	C	L	R	Total
S				
$\bar{S}$				
Total				100 %

2. On choisit une personne de ce club au hasard. On note M la variable aléatoire qui, à chaque adhérent, associe le montant annuel à payer au club.

a. Quelles sont les valeurs prises par M ?

b. Donner la loi de probabilité de M.

c. À quel prix le directeur du club de sport doit-il fixer la sortie s'il veut que le montant moyen par adhérent ne dépasse pas 65 € ?

61 `PRISE D'INITIATIVE`

Raisonner, calculer

Gaëlle et Célia jouent à lancer une pièce équilibrée selon les règles suivantes :

Gaëlle lance deux fois la pièce et Célia trois fois ; si Gaëlle obtient plus de « Pile » que Célia, elle gagne 10 €, si elle en obtient autant, elle gagne 1 € et si elle en obtient moins, elle perd 5 €.
• Le jeu est-il favorable à Gaëlle ou à Célia ?

62 `PRISE D'INITIATIVE`

Raisonner

Florane joue au basket. Elle a fait des statistiques sur ces paniers et a obtenu les résultats suivants :
• tirs à 2 points réussis : 70 % ;
• tirs à 3 points réussis : 40 %.
• Quel type de tirs devrait-elle privilégier pour marquer un maximum de points ?

63 **Au restaurant**

Un restaurant propose à sa carte deux types d'entrées : chaude ou froide. Une entrée chaude est vendue 4 € et une froide 3 €. Chaque client choisit une entrée et un plat à 7 €. Il peut prendre éventuellement en supplément un café à 1,50 €.

Le restaurant a eu 250 clients et 60 % d'entre eux ont choisi une entrée froide.

Le restaurateur a remarqué que :
• parmi les clients ayant pris une entrée froide, 80 % prennent un café ;
• parmi les clients ayant pris une entrée chaude, 70 % prennent un café ;

On interroge au hasard un client de ce restaurant et on considère la variable aléatoire S correspondant à la somme payée par le client.

1. Déterminer la loi de probabilité de S.

2. Déterminer l'espérance de S et l'interpréter dans le contexte de l'exercice.

64 **TABLEUR**

Un sac contient trois jetons jaunes et sept jetons mauves. On tire au hasard un jeton du sac. On note sa couleur et on le remet dans le sac. On réitère une fois ce tirage. Si on obtient deux jetons de même couleur, on gagne 15 €, sinon, on perd 5 €.

1. On souhaite simuler cette expérience aléatoire.

a. Expliquer pourquoi, avec un tableur, la formule $=\text{ENT(ALEA()} + 0,3)$ renvoie 0 avec la probabilité 0,7 et 1 avec la probabilité 0,3.

b. Simuler 10 000 expériences.

c. Donner alors une valeur approchée du gain moyen à ce jeu.

2. a. Déterminer la loi de probabilité de la variable aléatoire donnant le gain à ce jeu.

b. Quel est le gain moyen ?

65 Dans un pays, 9 % des habitants sont atteints par une épidémie. Le test de dépistage de la maladie a quelques défauts :
• si l'individu est touché par la maladie, le test se révèle quand même négatif dans 0,5 % des cas ;
• si l'individu n'est pas atteint, le test se révèle tout de même positif dans 1,5 % des cas.

On fait passer le test à tous les habitants et on décide de donner un traitement à tous les individus dont le test est positif.

1. On choisit au hasard le dossier médical d'un individu dans cette population.

On note A l'évènement : « L'individu choisi est atteint par la maladie. » et T l'évènement : « L'individu a pris le traitement. ».

a. Compléter l'arbre pondéré ci-contre.

b. Quelle est la probabilité que cet individu ait pris ce traitement ?

c. À quel pourcentage de la population le traitement est-il donné à tort ?

2. On tire au hasard un échantillon de deux individus dans la population. On note N le nombre d'individus de l'échantillon ayant été traité pour cette épidémie. Déterminer la loi de probabilité de la variable aléatoire T, ainsi que son espérance, sa variance et son écart type, arrondis à 0,001 près.

66 **Représenter, Raisonner**

Dans une association sportive, un quart des femmes et un tiers des hommes adhèrent à la section tennis. On sait également que 30 % de l'ensemble des membres de cette association adhèrent à la section tennis.

On choisit au hasard un membre de cette association et on note :
• F l'évènement « Le membre choisi est une femme » ;
• T l'évènement « Le membre choisi adhère à la section tennis ».

1. Montrer que la probabilité de l'événement F est égale à $\dfrac{2}{5}$.

2. On choisit un membre parmi les adhérents à la section tennis.

Quelle est la probabilité que ce membre soit une femme ?

3. Pour financer une sortie, les membres de cette association organisent une loterie chaque semaine pendant deux semaines. Chaque semaine, un membre de l'association est choisi au hasard de manière indépendante pour tenir la loterie. Lors de ces deux semaines, on note X le nombre d'adhérents de la section tennis choisis pour tenir la loterie.

a. Quelles sont les valeurs possibles de X ?

b. Déterminer la loi de probabilité de X.

67 On lance trois fois de suite un dé cubique équilibré et on note X le nombre de valeurs distinctes obtenues. Par exemple, si on obtient 2, 6 et 1, alors $X = 3$, si on obtient 4, 4 et 2, alors $X = 2$.
• Quelle est la loi de probabilité de X ? Quelle est son espérance ?

68 Une urne contient n jetons ($n \geqslant 9$) indiscernables au toucher dont sept sont noirs et les autres blancs.
On tire successivement et sans remise deux jetons de cette urne.
1. Dans cette question, on suppose que $n = 10$.
Calculer la probabilité des évènements suivants :
A : « Les deux jetons sont blancs. » ;
B : « Les deux jetons sont de la même couleur. » ;
C : « Les deux jetons sont de couleurs différentes. »
2. On suppose maintenant que n est un entier naturel quelconque supérieur ou égal à 9. On note X la variable aléatoire indiquant le nombre de couleurs différentes obtenues lors d'un tirage.
a. Déterminer la loi de probabilité de X en fonction de n.
b. Montrer que $E(X) = \dfrac{n^2 + 13n - 98}{n(n-1)}$.
c. Déterminer n afin que l'espérance soit maximale.

69 Dix chevaux, quatre blancs et six alezans, entrent en piste un par un au hasard.
On appelle X la variable aléatoire égale au nombre de chevaux blancs précédant le premier cheval alezan.
• Déterminer la loi de probabilité et l'espérance de X.

70 On lance un dé trois fois de suite et on s'intéresse au nombre L de lancers nécessaires pour obtenir le premier 6 ; si l'on n'obtient pas de 6 au bout des trois lancers, alors L prend la valeur 0.
• Déterminer la loi de probabilité et l'espérance de L.

71 **Raisonner, calculer**
On lance deux dés bien équilibrés à six faces et on note S la somme des points obtenus et P leur produit.
1. On note les évènements A : « $S = 7$ ou $P = 6$. » et B : « $S = 6$ ou $P = 4$. ».
Quel est le plus probable de ces deux évènements ?
2. On note les évènements C : « $S = 7$ et $P = 6$. » et D : « $S = 4$ et $P = 4$. ».
Quel est le plus probable de ces deux évènements ?

72 **Trois cyclistes**

Benoît, Sandrine et Éric sont en colocation et partent ensemble au travail en vélo.
Benoît a des pneus de mauvaise qualité et crève une fois sur quatre. Lorsque cela lui arrive, il continue à pied et arrive bien évidemment en retard !
Éric a des problèmes de santé qui font qu'il n'arrive à l'heure au travail que trois fois sur cinq.
Si l'un des deux est en retard, il en informe Sandrine, qui, très influençable, décide une fois sur trois, par solidarité, d'arriver elle aussi en retard.
On note X la variable aléatoire donnant le nombre de personnes de cette maisonnée arrivant à l'heure au travail.
• Déterminer la loi de probabilité et l'espérance de X. Interpréter.

73 L'entreprise EKTR fabrique des casques audio. Dans sa production, 5 % d'entre eux ne sont pas conformes (ils ont un défaut). Le contrôle de production mis en place dans cette entreprise rejette 96 % des casques défaillants et malheureusement, il rejette aussi 7 % des casques qui n'ont pas de défaut.
1. Quelle est la probabilité qu'un casque, choisi au hasard dans cette production, ne soit pas conforme et ne soit pas rejeté par le contrôle ?
2. Quelle est la probabilité qu'il y ait une erreur de contrôle ?
3. Quelle est la probabilité qu'un casque pris au hasard ne soit pas rejeté par ce premier contrôle ?
4. Un second contrôle de production est réalisé, indépendamment du premier contrôle. La probabilité qu'un casque de cette entreprise ne soit pas rejeté après ce deuxième contrôle est égale à 0,94. Un casque subit les deux contrôles : l'entreprise EKTR réalise un bénéfice de 89 € s'il n'est rejeté par aucun contrôle ; elle perd 40 € s'il est rejeté par les deux contrôles et elle réalise un bénéfice de 29 € sinon.
Soit B la variable aléatoire égale au bénéfice en euros réalisé par EKTR sur la fabrication d'un casque.
Déterminer l'espérance de B et interpréter ce résultat.

74 Poissons d'ornement

Deux éleveurs produisent une race de poissons d'ornement qui ne prennent leur couleur définitive qu'à l'âge de trois mois :
• pour les alevins du premier élevage, entre l'âge de deux mois et l'âge de trois mois, 10 % n'ont pas survécu, 75 % deviennent rouges et les 15 % restants deviennent gris.
• pour les alevins du deuxième élevage, entre l'âge de deux mois et l'âge de trois mois, 5 % n'ont pas survécu, 65 % deviennent rouges et les 30 % restants deviennent gris.
Une animalerie achète les alevins, à deux mois : 60 % au premier éleveur, 40 % au second.
1. Un enfant achète un poisson le lendemain de son arrivée à l'animalerie, c'est-à-dire à l'âge de deux mois.
a. Montrer que la probabilité que le poisson soit vivant un mois plus tard vaut 0,92.
b. Déterminer la probabilité qu'un mois plus tard le poisson soit rouge.
2. L'animalerie décide de garder les alevins jusqu'à l'âge de trois mois, afin qu'ils soient vendus avec leur couleur définitive. Elle gagne 1 € si le poisson est rouge, 0,25 € s'il est gris et perd 0,10 € s'il ne survit pas.
Soit X la variable aléatoire égale au gain algébrique de l'animalerie par poisson acheté.
Déterminer la loi de probabilité de X et son espérance, arrondie au centime.

75 Lors d'un jeu, un joueur mise 5 €. Ensuite, il tire au sort une carte parmi quatre cartes bleues numérotées 0, 1, 2 et 3 et une autre carte parmi quatre cartes rouges numérotées 1, 2, 3 et 4.
Il gagne 2 € si le produit des deux résultats obtenus est inférieur à 5 et il gagne le produit des deux résultats en euros si ce produit est supérieur à 5.
1. Combien l'organisateur de ce jeu peut-il espérer gagner quotidiennement si 50 parties par jour sont réalisées ?
2. Il modifie la mise du joueur pour que les 50 parties journalières lui rapportent en moyenne 120 € par jour. Quelle est la nouvelle mise ?

76 Approfondissement

On considère une expérience aléatoire d'univers fini Ω, un modèle de probabilité P associé à cette expérience et X une variable aléatoire définie sur Ω dont la loi de probabilité est la suivante.

x_i	x_1	x_2	...	x_n
$P(X = x_i)$	p_1	p_2	...	p_n

1. a. Rappeler l'expression de l'espérance $E(X)$ de la variable aléatoire X.
b. Soient a et b deux réels.
Donner la loi de probabilité de la variable aléatoire $aX + b$.
En déduire que, pour tous réels a et b, on a :
$$E(aX + b) = aE(X) + b.$$
2. Soit x un nombre réel.
On considère la variable aléatoire $Y = (X - x)^2$.
a. Donner l'expression développée et réduite de Y.
b. Démontrer que la fonction $f : x \to E[(X - x)^2]$ admet un minimum sur $\mathbb{R}$.
Pour quelle valeur de x est-il atteint et que représente alors ce minimum ?

77 Approfondissement

On considère une expérience aléatoire d'univers fini Ω, un modèle de probabilité P associé à cette expérience et X une variable aléatoire définie sur Ω.
L'objectif de cet exercice est de démontrer la formule de König-Huygens :
$$V(X) = E(X^2) - E(X)^2.$$
1. a. Soit a un nombre réel. Montrer que $E(aX) = aE(X)$.
b. Soit Y une autre variable aléatoire définie sur Ω.
Montrer que $E(X + Y) = E(X) + E(Y)$.

On dit que **l'espérance est linéaire** car elle vérifie ces deux premières propriétés.

c. Soit Z une variable aléatoire constante et égale à a sur Ω.
Expliquer pourquoi $E(Z) = a$.
2. a. Expliquer pourquoi on peut écrire :
$$V(X) = E[(X - E(X))^2].$$
b. En utilisant les propriétés démontrées au 1, montrer que :
$$V(X) = E(X^2) - 2E[XE(X)] + E[E(X)^2].$$
c. Justifier que $E[XE(X)] = E(X)^2$ et que $E[E(X)^2] = E(X)^2$.
d. Conclure.
3. Soit X une variable aléatoire suivant la loi de probabilité décrite ci-dessous.

x_i	-2	-3	5	6
$P(X = x_i)$	$0,2$	$0,1$	$0,6$	$0,1$

a. Déterminer l'espérance de X.
b. En utilisant la formule de König-Huygens démontrée plus haut, calculer la variance de X puis son écart type.

78 **Calculer, raisonner**

On lance deux fois un dé à six faces. On définit une variable aléatoire Y en associant à chaque tirage le nombre :

- –10 si on obtient le 1 ;
- 10 si on obtient le 6 ;
- 0 dans tous les autres cas.

1. On suppose que le dé est parfaitement équilibré. Donner la loi de probabilité de Y.

2. On suppose maintenant que le dé est truqué : la probabilité d'obtenir un 6 est deux fois plus élevée que celle d'obtenir un 2 ; toutes les autres faces sont équiprobables, de probabilité 0,13. Le jeu est-il équitable ?

79 **Représenter, calculer**

Une boîte contient trois jetons rouges et deux verts. On tire au hasard des jetons dans la boîte, un par un et sans remise, jusqu'à obtenir un jeton vert. X est la variable aléatoire qui donne le rang de l'obtention du jeton vert.

1. À l'aide d'un arbre pondéré, déterminer la loi de probabilité de X.

2. Calculer $E(X)$. Interpréter ce résultat.

3. Calculer $V(X)$ et $\sigma(X)$.

80 **Raisonner, calculer**

Un jeu consiste à miser une somme puis à tirer au hasard une carte dans un jeu de 52 cartes.
Si le joueur tire un as, il gagne quatre fois sa mise ; si le joueur tire un roi, il gagne deux fois sa mise ; si le joueur tire une dame ou un valet, il récupère sa mise ; si le joueur tire une autre carte, il perd sa mise.

On considère que chaque carte a la même probabilité d'être tirée.

Soit X la variable aléatoire égale au gain final du joueur.

1. Déterminer la loi de probabilité de X.

2. Le jeu est-il équitable ? Discuter selon les valeurs de la mise.

81 Dans un club de tir à l'arc, on a relevé les résultats suivants pour les deux meilleurs tireurs, Chloé et Karim.

- En quel joueur peut-on avoir le plus confiance au vu de ces résultats ?

Nombre de points	3	5	7
Chloé	14 %	35 %	51 %
Karim	16 %	23 %	61 %

82 [ALGO]

On considère des familles de deux enfants prises au hasard dans une population où une naissance sur deux donne un garçon.

1. Compléter cet algorithme afin qu'il simule le tirage de 1 000 de ces familles et que la variable Moyenne contienne, après exécution, le nombre moyen de garçons dans ce tirage.

```
Somme ← …
Pour i allant de … à …
        Naissance1 ← …
        Naissance2 ← …
        Somme ← …
Moyenne ← …
```

2. Quelle notion a-t-on approchée ainsi ?

83 [QCM]

Dans une foire, Luc décide de participer à un jeu qui se déroule de la manière suivante : il tire au hasard un jeton dans une urne qui contient quatre jetons rouges et deux jetons bleus. Si le jeton tiré est bleu, Luc gagne et le jeu s'arrête ; sinon, sans remettre dans l'urne le premier jeton tiré, il tire au hasard un deuxième jeton. Si ce jeton est bleu, Luc gagne et le jeu s'arrête ; sinon, sans remettre dans l'urne le deuxième jeton tiré, il tire au hasard un troisième jeton dans l'urne. Si ce jeton est bleu, Luc gagne et le jeu s'arrête ; sinon le jeu s'arrête et Luc a perdu.

Pour chaque affirmation, indiquer la seule proposition correcte.

1. La probabilité que Luc gagne à ce jeu à l'issue du deuxième tirage est :

(a) $\frac{19}{15}$ (b) $\frac{2}{5}$ (c) $\frac{11}{15}$ (d) $\frac{4}{15}$

2. La probabilité que Luc gagne à ce jeu à l'issue du troisième tirage est :

(a) $\frac{1}{5}$ (b) $\frac{1}{2}$ (c) $\frac{2}{15}$ (d) $\frac{1}{9}$

3. La probabilité que Luc gagne à ce jeu après avoir effectué au moins deux tirages est :

(a) $\frac{3}{5}$ (b) $\frac{4}{15}$ (c) $\frac{7}{15}$ (d) $\frac{1}{3}$

D'après Bac

84 Raisonner, calculer

Un magazine est proposé sous deux versions, l'une papier, l'autre numérique. L'éditeur a chargé une plateforme d'appels de démarcher une liste de clients potentiels. Le centre d'appel contacte une personne au hasard sur cette liste. On considère les évènements :

P : « La personne contactée s'abonne à la version papier. » et N : « La personne contactée s'abonne à la version numérique. ».

Une étude a montré que :
• la probabilité qu'une personne contactée s'abonne à la version papier est de 0,18 ;
• la probabilité qu'une personne contactée s'abonne à la version numérique est de 0,22 ;
• la probabilité qu'une personne contactée ne s'abonne à aucune des deux versions est de 0,83.

Pour chacune des personnes appelée par le centre, l'éditeur paie au centre d'appels :
• 1 € si la personne ne s'abonne pas ;
• 5 € si la personne s'abonne seulement à la version numérique ;
• 6 € si la personne s'abonne seulement à la version papier ;
• 10 € si la personne s'abonne aux deux versions.

On appelle S la variable aléatoire indiquant la somme reçue par la plateforme d'appels pour une personne contactée.

1. Déterminer la loi de probabilité de S.

2. Donner une estimation de la somme perçue par la plateforme si elle parvient à contacter 10 000 clients potentiels.

 85 Calculer

Une urne contient 10 boules blanches et n boules rouges, n étant un entier naturel supérieur ou égal à 2. On fait tirer à un joueur des boules de l'urne. À chaque tirage, toutes les boules ont la même probabilité d'être tirées.

Pour chaque boule blanche tirée, il gagne 2 euros, et pour chaque boule rouge tirée, il perd 3 euros.

On désigne par X la variable aléatoire correspondant au gain algébrique obtenu par le joueur.

Le joueur tire deux fois successivement et sans remise une boule de l'urne.

1. Démontrer que :

$$P(X = -1) = \frac{20n}{(n+10)(n+9)}.$$

2. Calculer, en fonction de n, la probabilité correspondant aux deux autres valeurs prises par la variable aléatoire X.

3. Vérifier que l'espérance de la variable aléatoire X vaut :

$$E(X) = \frac{-6n^2 - 14n + 360}{(n+10)(n+9)}$$

4. Déterminer les valeurs de n pour lesquelles l'espérance est strictement positive.

D'après Bac

86 Un joueur lance une bille qui part de A puis emprunte obligatoirement une des branches indiquées sur l'arbre ci-dessous pour arriver à l'un des points D, E, F et G.

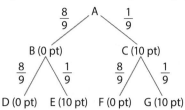

On a marqué, sur chaque branche de l'arbre, la probabilité que la bille l'emprunte après être passée par un nœud. Les nombres entre parenthèses indiquent les points gagnés par le joueur lors du passage de la bille. On note X la variable aléatoire qui correspond au nombre total de points gagnés à l'issue d'une partie, c'est-à-dire une fois la bille arrivée en D, E, F ou G.

1. Déterminer la loi de probabilité de X.

2. Calculer l'espérance de X.

D'après Bac

87 Lors des journées classées « rouges » selon Bison Futé, l'autoroute qui relie Paris à Marseille est surchargée. Bison Futé a publié les résultats d'une étude portant sur les habitudes des automobilistes sur le trajet Paris-Marseille lors de ces journées « rouges ». Il s'avère que :
• 40 % des automobilistes prennent l'itinéraire de délestage entre Beaune et Valence ;
• parmi les automobilistes ayant suivi l'itinéraire de délestage entre Beaune et Valence, 30 % prennent la route départementale de Valence à Marseille ;
• parmi les automobilistes n'ayant pas suivi l'itinéraire de délestage entre Beaune et Valence, 60 % prennent la route départementale de Valence à Marseille.

On note B l'évènement « L'automobiliste prend l'itinéraire de délestage entre Beaune et Valence. » et V l'évènement « L'automobiliste prend la route départementale entre Valence et Marseille. ».

1. a. Montrer que $P(\bar{B} \cap \bar{V}) = 0,24$ et interpréter ce résultat.

b. Calculer la probabilité que l'automobiliste ne choisisse pas la route départementale entre Valence et Marseille.

2. On donne les temps de parcours suivants : Paris-Beaune (par autoroute) : 4 heures ; Beaune-Valence : (par autoroute, en passant par Lyon) : 5 heures ; Beaune-Valence (par itinéraire de délestage, en ne passant pas par Lyon) : 4 heures ; Valence-Marseille (par autoroute) : 5 heures ; Valence-Marseille (par la route départementale) : 3 heures.

a. Calculer les temps de parcours entre Paris et Marseille, selon l'itinéraire choisi.

b. Donner la loi de probabilité de la durée du trajet (en heure) pour se rendre de Paris à Marseille selon l'itinéraire choisi.

c. Calculer l'espérance de la variable aléatoire égale à la durée du trajet en heure et en donner une interprétation.

D'après Bac

88 Des urnes

On considère les deux urnes ci-dessous. L'urne A contient quatre boules numérotées 1, 1, 5 et 8 et l'urne B contient trois boules numérotées 1, 2 et 8.

Urne A

Urne B

Questions Va piano

Un jeu consiste à payer 5 euros pour jouer et à piocher au hasard une boule dans l'urne A puis une boule dans l'urne B : si la somme des numéros obtenus est supérieure ou égale à 9, on reçoit 20 euros, sinon on perd sa mise.

1. À l'aide d'un tableau à double entrée, visualiser l'ensemble des issues possibles de l'expérience aléatoire associée à ce jeu.
2. On note G la variable aléatoire égale au gain algébrique du joueur.
Déterminer la loi de probabilité de G.
3. Ce jeu est-il favorable au joueur ?

Questions Moderato

Un jeu consiste à payer 5 euros pour jouer et à piocher au hasard une boule dans l'urne A puis une boule dans l'urne B : si on obtient au moins un « 1 », on perd sa mise, si on obtient au moins un « 8 », on reçoit 7 euros, sinon on reçoit x euros ($x \geqslant 6$). On note G le gain algébrique du joueur à ce jeu.

1. À l'aide d'un arbre pondéré, déterminer la probabilité de perdre de l'argent à ce jeu.
2. Déterminer la loi de probabilité de G en fonction de x.
3. Déterminer la valeur de x pour que le jeu soit équitable.

Questions Allegro

Un jeu consiste à miser une certaine somme m en euros pour jouer et à piocher au hasard une boule dans l'urne A, puis, sans remise, une deuxième boule dans l'urne A et enfin une boule dans l'urne B : on reçoit une somme d'argent égale à la somme des trois numéros obtenus.

• Déterminer la valeur de m pour qu'un tel jeu soit équitable.

89 Une roue variable

Une roue de loterie comporte des secteurs identiques, dont trois secteurs verts, quatre secteurs noirs et n secteurs gris, n entier naturel non nul.

Léo fait tourner la roue : si elle s'arrête sur un secteur vert, Léo gagne 6 points, si elle s'arrête sur un secteur noir, Léo perd 3 points et sinon, Léo refait tourner la roue : si le vert sort, Léo gagne 1 point, si le noir sort, Léo perd 2 points, sinon, Léo ne gagne ni ne perd de point.

Questions Va piano

On prend $n = 5$ et on note X la variable aléatoire égale au gain algébrique de Léo.
1. Réaliser un arbre pondéré illustrant l'expérience aléatoire liée à ce jeu.
2. Donner l'ensemble des valeurs prises par la variable aléatoire X.
3. Calculer $P(X = -3)$.
4. Déterminer la loi de probabilité de X.
5. Calculer l'espérance et l'écart type de X.

Questions Moderato

On note X_n la variable aléatoire égale au gain algébrique de Léo.
1. Démontrer que :
$$P(X_n = 0) = \frac{n^2}{(n+7)^2}.$$
2. Déterminer la loi de probabilité de X_n.
3. Léo veut savoir s'il a plus de chances de gagner une somme d'argent strictement positive avec cinq secteurs gris ou avec six secteurs gris. Aider Léo à répondre à la question.

Questions Allegro

On note X_n la variable aléatoire égale au gain algébrique de Léo.
1. Déterminer la loi de probabilité de X_n en fonction de n.
2. Calculer l'espérance de X_n en fonction de n.
3. Déterminer n pour que Léo gagne en moyenne 0,5 point par partie.

No problem!

① A race organisation

Three runners give their running number to the race organizer for registration. Then the organizer gives them back the running numbers at random.

We denote D the random variable associated to the number of runners that were given back their own running number.

1. Represent this information on a tree-diagram.

2. The distribution law of the random variable D is given by the grid below:

D	0	1	2	3
$P(D)$	$\dfrac{2}{6}$	$\dfrac{1}{2}$	0	$\dfrac{1}{6}$

Comment that grid and explain the probabilities given in the second line.

3. Work out the expectancy and the standard deviation of variable D.

4. Use your calculator to check the results found in the previous question.

② A city walk

Philip wants to go downtown. He can choose between three different bus routes.

When he arrives at the bus stop, he discovers that he has:
- 5 chances over 8 to wait for bus 1 for 10 minutes;
- 1 chance over 4 to wait for bus 2 for 15 minutes;
- 1 chance over 8 to wait for bus 3 for 20 minutes.

1. What is the probability that he waits for more than 15 minutes?

2. Compute the average waiting time.

③ A strange dice

A game involves rolling twice an unbiased six-sided dice with faces marked 1, 1, 1, 2, 2, 3.

At the end of the game we add up the two numbers we had.

1. a. Draw a tree diagram representing the results after two throws.

b. If the sum of the score is greater than 5, the player wins 50 p.

If the sum of the score is 3 or 4 the player wins 20 p.

Otherwise he loses 1 pound.

Let X be the random variable "Amount of player wins in pence". Find the probability distribution of X.

c. What is the probability to win money?

d. Is it a fair game? Why?

e. Change a single number in question **1 b** to have a fair game.

2. We play the same game with the same rules but we have to pay 10 p.

Answer questions **1 b** to **1 e**.

Individual work   Crosswords

1. Two events that have the same probability to happen.

2. An issue which is not related to another issue.

3. Something which is not rig.

4. Random in probability and input for a function.

5. The chance that something will occur.

6. If the experiment is fair, all the outcomes will be unplanned.

7. A diagram that represents a probability space in probability theory.

8. In probability, it is when something happens.

9. It's a law.

1. Fonctions

Appuyer sur la touche `mode` et vérifier que le mode **FONCTION** est selectionné.

a. Entrer une fonction

Taper sur `f(x)` et entrer l'expression de la fonction en utilisant la touche `x,T,θ,n` pour écrire la variable x puis appuyer sur `entrer`.

Remarque : Pour écrire le carré, utiliser la touche `x²` ou `^` `2`.

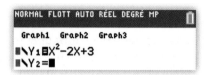

b. Calculer un nombre dérivé

Quitter le menu précédent et taper sur `math` puis choisir **8:nbreDérivé(** et `entrer`. On obtient l'affichage $\frac{d}{d\square}(\square)|_{\square=\square}$.

En complétant les champs manquants comme ci-contre, on calcule le nombre dérivé de la fonction précédente en 3.

$$\frac{d}{dX}(X^2-2X+3)|_{X=3}$$
$$4$$

Remarque : Parfois, la calculatrice donne des valeurs approchées.

c. Afficher un tableau de valeurs

En tapant d'abord sur `2nde` `fenêtre`, choisir le début et le pas de la table.

En tapant ensuite sur `2nde` `graphe`, afficher le tableau de valeurs.

```
CONFIG TABLE
  DébutTbl=-4
  ΔTbl=1
Indpnt :  Auto  Demande
Dépndte : Auto  Demande
```

```
NORMAL FLOTT AUTO RÉEL DEGRÉ MP
APP SUR + POUR ΔTbl
  X      Y₁
 -4      27
 -3      18
 -2      11
 -1      6
```

d. Afficher une représentation graphique

En tapant d'abord sur `fenêtre`, choisir la fenêtre d'affichage puis taper `graphe`, pour afficher la courbe représentative.

```
FENÊTRE
  Xmin=-4
  Xmax=4
  Xgrad=1
  Ymin=-1
  Ymax=10
  Ygrad=1
```

e. Effectuer des lectures graphiques

Lorsque la courbe est affichée, taper sur `trace` pour activer le mode **Trace**. Un curseur apparaît sur la courbe que l'on peut déplacer.

Pour placer ce curseur au point d'abscisse 3, il suffit de taper sur `3` `entrer`.

En tapant sur `2nde` `trace`, on accède au menu **CALCULER** qui permet de faire des lectures graphiques (extremums, racines, intersection…).

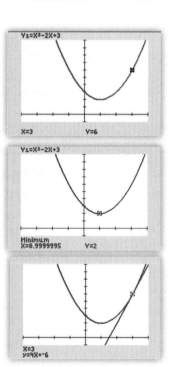

Exemple : En sélectionnant **3:minimum** et après avoir précisé la **borne gauche**, la **borne droite**, une **valeur initiale** et en appuyant sur `entrer`, on obtient une valeur approchée du minimum de la fonction sur l'intervalle [**borne gauche;borne droite**].

f. Tracer une tangente et obtenir une équation

Lorsque la courbe est affichée, taper sur `2nde` `prgm` puis choisir **5:Tangente(** .

Pour obtenir la tangente en 3, il suffit de taper sur `3` `entrer`.

2. Suites

Appuyer sur la touche [mode] et sélectionner sur la cinquième ligne le mode **SUITE**.

a. Entrer une suite

Taper sur [f(x)].

Suite définie par une formule explicite :
Selectionner avec les flèches le type de suite
SUITE(n) . Entrer la valeur minimale de n puis
l'expression de la suite en utilisant la touche [x,T,θ,n]
pour écrire la variable n.

Exemple 1 :

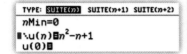

Suite définie par récurrence :
Selectionner avec les flèches le type de suite
SUITE(n+1) . Entrer la valeur minimale de n puis

l'expression de la suite en utilisant [2nde] [7] pour
écrire u et entrer la valeur $u(0)$.

Exemple 2 :

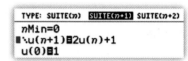

b. Calculer des termes

En tapant d'abord sur [2nde] [fenêtre] (déf table f2), choisir le début et le pas de la table.

Taper ensuite sur [2nde] [graphe] (table f5) pour afficher le tableau de valeurs.

```
CONFIG TABLE
 DébutTbl=0
 ⊿Tbl=1
Indpnt : Auto Demande
Dépndte : Auto Demande
```

Exemple 1 :

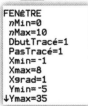

Exemple 2 :

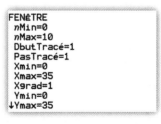

c. Représenter une suite

En tapant d'abord sur [fenêtre], choisir la fenêtre d'affichage.

Exemple 1 :
```
FENêTRE
 nMin=0
 nMax=10
 DbutTracé=1
 PasTracé=1
 Xmin=-1
 Xmax=8
 Xgrad=1
 Ymin=-5
↓Ymax=35
```

Exemple 2 :
```
FENêTRE
 nMin=0
 nMax=10
 DbutTracé=1
 PasTracé=1
 Xmin=0
 Xmax=35
 Xgrad=1
 Ymin=0
↓Ymax=35
```

Taper sur [2nde] [zoom] (format f3) pour sélectionner le type de graphique.

Pour représenter une suite par un **nuage de points**,
sélectionner avec les flèches **Heure**. Taper sur [graphe]
puis, en tapant sur [trace], on parcourt le nuage.

Exemple 1 :

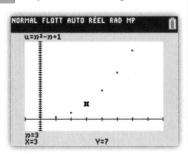

Pour représenter une **suite définie par récurrence**,
sélectionner avec les flèches **Toile**. Taper sur [graphe]

puis [trace] et [▶] pour construire au fur et à mesure la
représentation graphique.

Exemple 2 :

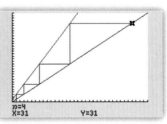

3. Calcul d'une somme

Taper sur `math` puis choisir $\blacksquare$somme Σ(et `entrer`. On obtient alors l'affichage $\sum\limits_{\square=\square}^{\square}(\square)$.

En complétant les champs manquants, la calculatrice donne la somme des termes d'une suite.

Exemple : On a calculé ci-contre la somme des 100 premiers carrés.

4. Trigonométrie

Pour mettre la calculatrice en radians, taper sur `mode`, la ligne **RADIAN   DEGRÉ** permet de choisir l'unité d'angle.

Taper sur `trig`, puis utiliser les flèches pour sélectionner les différentes fonctions trigonométriques.

Remarque : Pour les valeurs remarquables, la calculatrice donne des valeurs exactes.

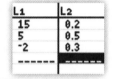

5. Probabilités

Pour calculer l'espérance et l'écart type d'une variable aléatoire, taper sur `stats`, sélectionner **EDIT** puis choisir **1:Modifier…** et `entrer`.

Dans la colonne L_1, recopier les valeurs prises par la variable aléatoire et dans la colonne L_2 leurs probabilités respectives.

Taper ensuite sur `stats`, sélectionner **CALC** puis choisir **1:Stats 1 Var** et `entrer`.

Dans **Xliste**, écrire la liste des valeurs (ici L_1) et dans **ListeFréq** la liste des probabilités (ici L_2). Puis taper `entrer` pour obtenir les résultats.

La valeur de l'espérance est donnée par $\bar{x}$ et la valeur de l'écart type par σx.

Remarque : Pour effacer la liste L_1, sélectionner dans le tableau **L1** et appuyer sur la touche `annul` puis `◄►`.

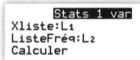

6. Résolution d'une équation ou d'un système

Appuyer sur les touches `2nde` et `résol`. Taper sur `9` pour selectionner **9:PlySmlt2** .

a. Résoudre une équation de degré 2

Taper sur `1` pour choisir **1:RACINES D'UN POLYNôME** .

Selectionner le degré du polynôme et taper sur `alpha` `graphe` pour accéder à la page suivante et entrer les valeurs des coefficients du polynôme en utilisant les flèches. Enfin taper sur `alpha` `graphe` pour obtenir les éventuelles solutions.

Remarque : En appuyant sur la touche `◄►`, on obtient des valeurs approchées.

b. Résoudre un système d'équations

Taper sur `2` pour choisir **2:SOLVEUR SYST D'ÉQUATIONS**. Selectionner le nombre d'équations et d'inconnues puis entrer les valeurs des coefficients du système. Taper sur `alpha` `graphe` pour résoudre le système.

1. Les fonctions

a. Entrer une fonction

Taper sur | MENU | puis choisir le menu 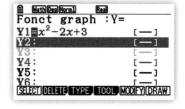. Entrer l'expression de la fonction
en utlisant la touche | X,θ,T | pour écrire la variable x puis appuyer sur | EXE |.

Remarque : Pour écrire le carré, utiliser la touche | x^2 | ou | ∧ | | 2 |.

b. Calculer un nombre dérivé

Taper sur | MENU | puis choisir le menu 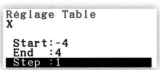 et | EXE |. Taper sur | OPTN | puis **CALC** (F4), **d/dx** (F2).

On obtient l'affichage $\frac{d}{dx}(\square)|_{x=\square}$.

En complétant les champs manquants comme ci-contre, on calcule le nombre
dérivé de la fonction précédente en 3.

$$\frac{d}{dx}(x^2-2x+3)\Big|_{x=3}$$
$$4$$

Remarque : Parfois, la calculatrice donne des valeurs approchées.

c. Afficher un tableau de valeurs

Choisir le menu 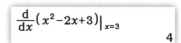. Utiliser **SET** (F5),
et choisir le début, la fin et le pas de la table.

Taper ensuite sur | EXIT | et utiliser **TABLE** (F6) pour
afficher le tableau de valeurs.

```
Réglage Table
X

 Start:-4
 End  :4
 Step :1
```

X	Y1
-4	27
-3	18
-2	11
-1	6

d. Afficher une représentation graphique

Choisir le menu 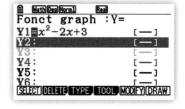. En tapant d'abord sur | SHIFT | (F3),

choisir la fenêtre d'affichage puis taper sur | EXIT | et utiliser **DRAW** (F6)

pour afficher la courbe représentative.

```
Fen-V
Xmin :-4
 max  :4
 scale:1
 dot  :0.02116402
Ymin :-1
 max  :10
```

e. Effectuer des lectures graphiques

Lorsque la courbe est affichée, taper sur | SHIFT | (F1) pour activer le mode
Trace. Un curseur apparaît sur la courbe que l'on peut déplacer. Pour placer
ce curseur au point d'abscisse 3, il suffit de taper sur | 3 | | EXE |.

En tapant sur | SHIFT | (F5), on fait apparaître les icônes du menu **G-Solve**
qui permet de faire des lectures graphiques (extremums, racines,
intersections…).

Exemple : En tapant sur (F3), on obtient le minimum de la fonction.

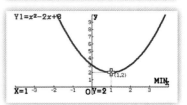

f. Tracer une tangente et obtenir une équation

Taper sur | SHIFT | | MENU | et sélectionner **Derivative :On** (F1).

Lorsque la courbe est affichée, taper sur | SHIFT | (F4) puis utiliser **Tangent** (F2).

Pour obtenir la tangente en 3, il suffit de taper sur | 3 | | EXE |

et à nouveau | EXE | pour afficher son équation.

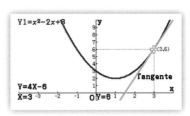

2. Suites

Taper sur MENU puis choisir le menu 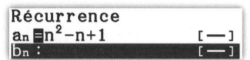 .

a. Entrer une suite

Suite définie par une formule explicite :
Utiliser **TYPE** (F3) puis [**an**] (F1).
Entrer l'expression de la suite en utilisant **n** (F4) puis (F1)) pour écrire la variable n.

Exemple 1 :

Utiliser **SET** (F5), et choisir le début, la fin et le pas de la table.

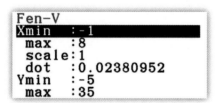

Suite définie par récurrence :
Utiliser **TYPE** (F3) puis [**an+1**] (F2).
Entrer l'expression de la suite en utilisant **n.an···** (F4) puis **an** (F2) pour écrire a_n.

Exemple 2 :

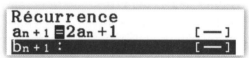

Utiliser **SET** (F5) pour entrer la valeur de a_0 et choisir le début, la fin et le pas de la table.

b. Calculer des termes

Taper ensuite sur EXIT et utiliser **TABLE** (F6) pour afficher le tableau de valeurs.

Exemple 1 :

n	an
0	1
1	1
2	3
3	7

Exemple 2 :

n+1	an+1
0	1
1	3
2	7
3	15

c. Représenter une suite

En tapant d'abord sur SHIFT F3 , choisir la fenêtre d'affichage.

Exemple 1 :

```
Fen-V
Xmin  :-1
 max  :8
 scale:1
 dot  :0.02380952
Ymin  :-5
 max  :35
```

Exemple 2 :

```
Fen-V
Xmin  :0
 max  :35
 scale:1
 dot  :0.09259259
Ymin  :0
 max  :35
```

Pour représenter une suite par un **nuage de points**, taper sur EXIT , utiliser **TABLE** (F6) puis **GPH-PLT** (F6).

En tapant sur SHIFT F1 , on parcourt le nuage.

Exemple 1 :

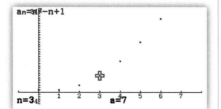

Pour représenter une **suite définie par récurrence**, taper sur EXIT , utiliser **TABLE** (F6) puis **WEB-GPH** (F4) et appuyer sur EXE pour construire au fur et à mesure la représentation graphique.

Exemple 2 :

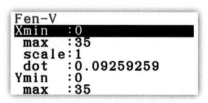

3. Calcul d'une somme

Taper sur MENU puis choisir le menu [Exe-Mat] et EXE . Taper sur OPTN puis CALC (F4), ▷ (F6) et .Σ((F3).

On obtient alors l'affichage $\sum_{\square=\square}^{\square}(\square)$. En complétant les champs manquants, la calculatrice donne la somme des termes d'une suite.

Exemple : On a calculé ci-contre la somme des 100 premiers carrés.

$$\sum_{N=1}^{100}(N^2)$$
$$338350$$

4. Trigonométrie

Pour mettre la calculatrice en radians, taper sur taper sur SHIFT MENU , la ligne **Angle   :Rad** permet de choisir l'unité d'angle(F2 pour choisir le radian)

Remarque : Pour les valeurs remarquables, la calculatrice donne des valeurs exactes.

$$\cos(\pi \div 6)$$
$$\frac{\sqrt{3}}{2}$$

5. Probabilités

Pour calculer l'espérance et l'écart type d'une variable aléatoire, taper sur MENU

puis choisir le menu [Statistique] , dans la colonne **List 1**, recopier les valeurs prises par la variable aléatoire et dans la colonne **List 2** leurs probabilités respectives.

	List 1	List 2
SUB		
1	15	0.2
2	5	0.5
3	-2	0.3
4		

Utiliser CALC (F2) puis SET (F6) pour paramétrer les calculs.

Dans **1Var XList**, on écrit la liste des valeurs (ici **List 1**) et dans **1Var Freq** la liste des probabilités (ici **List 2** en tapant F2 2).

```
1Var XList  :List1
1Var Freq   :List2
```

Puis taper sur EXE et choisir 1-VAR (F1) pour obtenir les résultats.

La valeur de l'espérance est donnée par $\bar{x}$ et la valeur de l'écart type par σx.

Remarque : Pour effacer une liste, sélectionner une valeur de la liste, puis ▷ (F6) et utiliser DEL-ALL(F4).

```
1 variable
x̄    =4.9
Σx   =4.9
Σx²  =58.7
σx   =5.88982172
sx   =
n    =1          ↓
```

6. Résolution d'une équation ou d'un système

Taper sur MENU puis choisir le menu [Équation] .

a. Résoudre une équation de degré 2
Utiliser POLY (F2).
Selectionner le degré du polynôme 2 (F1) et entrer les valeurs des coefficients du polynôme en utilisant les flèches et EXE .
Enfin utiliser SOLVE (F1) pour obtenir les éventuelles solutions.

Remarque : La calculatrice affiche des valeurs exactes et des valeurs approchées de chaque solution.

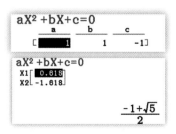

```
aX² +bX+c=0
    a     b     c
[   1     1    -1]
```
```
aX² +bX+c=0
X1[ 0.618]
X2[-1.618]
```
$$\frac{-1+\sqrt{5}}{2}$$

b. Résoudre un système d'équations
Utiliser SIMUL (F1). Choisir le nombre d'inconnues 2 (F1) et entrer les valeurs des coefficients du système. Enfin utiliser SOLVE (F1) pour obtenir les éventuelles solutions.

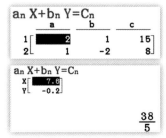

```
aₙ X+bₙ Y=Cₙ
    a     b     c
1[  2     1    15]
2[  1    -2     8]
```
```
aₙ X+bₙ Y=Cₙ
X[ 7.6]
Y[ -0.2]
```
$$\frac{38}{5}$$

Utilisation de la NUMWORKS

1. Les fonctions

a. Entrer une fonction

Taper sur (⌂) et choisir le menu 📊 puis sélectionner

`Ajouter une fonction` et (EXE).

Entrer l'expression de la fonction en utilisant la touche (x,n,t) pour écrire la variable x puis appuyer sur (EXE).

Remarque : Pour écrire le carré, utiliser la touche (x^2) ou (x^y) (2^x).

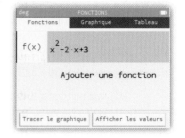

b. Calculer un nombre dérivé

Taper sur (⌂) et choisir le menu 📊 et taper sur (📋).

Dans le menu déroulant, sélectionner `Calculs` puis (EXE) et choisir `diff(f(x),x,a)`.

En écrivant dans la parenthèse l'expression de la fonction et 3, on calcule le nombre dérivé de la fonction précédente en 3.

Remarque : La calculatrice donne des valeurs approchées.

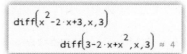
$$\text{diff}\left(x^2-2\cdot x+3,x,3\right)$$
$$\text{diff}\left(3-2\cdot x+x^2,x,3\right) \approx 4$$

c. Afficher un tableau de valeurs

Taper sur (⌂) et choisir le menu 📊 .

Avec les flèches, sélectionner le menu `Tableau` puis le menu `Regler l'intervalle` et choisir le début, la fin et le pas de la table.

Enfin, sélectionner `Valider` pour afficher le tableau de valeurs.

X debut	-4
X fin	4
Pas	1
Valider	

x	f(x)
-4	27
-3	18
-2	11
-1	6
0	3

d. Afficher une représentation graphique

Sélectionner le menu `Graphique` puis le menu `Axes` pour choisir la fenêtre d'affichage.
Sélectionner ensuite `Valider` pour afficher la courbe représentative.

Axes	
Xmin	-4
Xmax	4
Y auto	⊘
Ymin	-1
Ymax	10

e. Effectuer des lectures graphiques

Lorsque la courbe est affichée, il y a un curseur que l'on peut déplacer pour lire des images. Si l'on souhaite déplacer le curseur au point d'abscisse 3, taper sur la touche (ok) puis sélectionner `Aller a` et écrire la valeur 3 et `Valider`.
En tapant sur la touche (ok), puis `Calculer` et (EXE), on accède à un menu qui permet de faire des lectures graphiques (extremums, racines, intersections…).

Exemple : En choisissant `Minimum`, on obtient le minimum de la fonction.

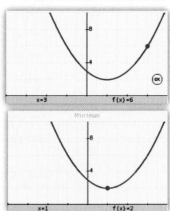

f. Tracer une tangente et obtenir une équation

En mettant le curseur au point d'abscisse 3 puis, en choisissant `Tangente` dans le menu `Calculer`, on obtient la tangente à la courbe en 3.

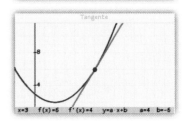

2. Suites

Choisir le menu 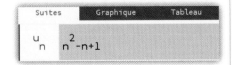 puis sélectionner `Ajouter une suite` et (`EXE`).

a. Entrer une suite

Suite définie par une formule explicite :
Choisir le type de suite u_n.

Entrer l'expression de la suite en utilisant la touche
(`x,n,t`) pour écrire la variable n puis appuyer sur (`EXE`).

Exemple 1 :

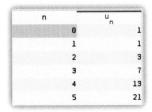

Suite définie par récurrence :
Choisir le type de suite u_{n+1}.

Entrer l'expression de la suite en utilisant (`paste`) u_n
pour écrire u_n puis écrire la valeur de u_0 et appuyer
sur (`EXE`).

Exemple 2 :

b. Calculer des termes

Avec les flèches, sélectionner le menu `Tableau` puis le menu `Regler l'intervalle` et choisir le début, la fin et le pas de la table.
Sélectionner `Valider` pour afficher le tableau de valeurs.

Regler l'intervalle	
N debut	0
N fin	10
Pas	1
Valider	

Exemple 1 :

n	u_n
0	1
1	1
2	3
3	7
4	13
5	21

Exemple 2 :

n	u_n
0	1
1	3
2	7
3	15
4	31
5	63

c. Représenter une suite

Sélectionner le menu `Graphique` puis le menu `Axes` pour choisir la fenêtre d'affichage.

Exemple 1 :

Axes	
Xmin	-1
Xmax	8
Y auto	◯
Ymin	-5
Ymax	35

Exemple 2 :

Axes	
Xmin	-1
Xmax	6
Y auto	◯
Ymin	-5
Ymax	70

Sélectionner ensuite `Valider` pour afficher le nuage de points représentant la suite.

Exemple 1 :

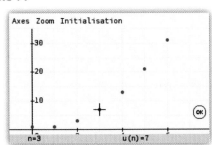

Exemple 2 :

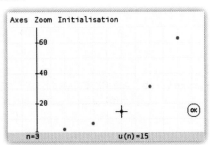

3. Calcul d'une somme

Taper sur ⌂ puis sélectionner le menu [+−/×≡] et taper sur [paste]. Dans le menu déroulant, sélectionner

Calculs puis EXE et choisir sum(f(n),n,nmin,nmax). On obtient alors l'affichage $\sum\limits_{n=|}^{\blacksquare}(\blacksquare)$.

En complétant les champs manquants, la calculatrice donne la somme des termes d'une suite.

Exemple : On a calculé ci-contre la somme des 100 premiers carrés.

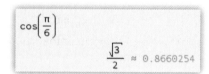

$$\sum_{n=1}^{100}\left(n^2\right)$$

$$\sum_{n=1}^{100}\left(n^2\right) \approx 338350$$

4. Trigonométrie

Pour mettre la calculatrice en radians, taper sur ⌂

puis sélectionner le menu [dice] et taper sur la touche EXE .

La ligne Unite d'angle puis EXE permet de choisir l'unité d'angle.

Remarque : Pour les valeurs remarquables, la calculatrice donne des valeurs exactes.

$$\cos\left(\frac{\pi}{6}\right)$$

$$\frac{\sqrt{3}}{2} \approx 0.8660254$$

5. Probabilités

Pour calculer l'espérance et l'écart type d'une variable aléatoire, taper sur ⌂ choisir le menu [chart] puis sélectionner le menu Donnees .

Dans la colonne **Valeurs V1**, recopier les valeurs prises par la variable aléatoire et dans la colonne **Effectifs N1** leurs probabilités respectives.

Sélectionner le menu Stats pour obtenir les résultats.

La valeur de l'espérance est donnée par la ligne Moyenne et l'écart type par la ligne Ecart type.

Remarque : Pour effacer des valeurs, on utilise la touche [clear].

Valeurs V1	Effectifs N1
15	0.2
5	0.5
−2	0.3

	V1/N1
Effectif total	1
Minimum	−2
Maximum	15
Etendue	17
Moyenne	4.9
Ecart type	5.889822

6. Résolution d'une équation ou d'un système

Taper sur ⌂ puis sélectionner le menu [x=] . Appuyer sur EXE

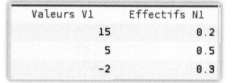

deg — EQUATIONS

$$x^2+x-1=0$$

a. Résoudre une équation de degré 2

Dans le menu déroulant, sélectionner x²+x+1=0 puis EXE .

Écrire l'équation à résoudre puis utiliser Resoudre l'equation pour obtenir les éventuelles solutions.

Remarque : La calculatrice affiche des valeurs exactes et des valeurs approchées de chaque solution.

x0	$\frac{-1-\sqrt{5}}{2}$	≈ -1.618034
x1	$\frac{-1+\sqrt{5}}{2}$	≈ 0.618034
$\Delta=b^2-4ac$	5	

b. Résoudre un système d'équations

Dans le menu déroulant, sélectionner x+y=0 . Écrire la première équation puis selectionner Ajouter une equation et écrire la seconde.

Utiliser Resoudre le systeme pour obtenir les éventuelles solutions.

$$\begin{cases} 2 \cdot x+y=15 \\ x-2 \cdot y=8 \end{cases}$$

x	$\frac{38}{5}$	= 7.6
y	$-\frac{1}{5}$	= −0.2

Chapitre 1

3 $v_1 = 3v_0 - 4 = 3 \times 3 - 4 = 5$

$v_2 = 3v_1 - 4 = 3 \times 5 - 4 = 11$

$v_3 = 3v_2 - 4 = 3 \times 11 - 4 = 29$

9 $\begin{cases} u_0 = -4 \\ u_{n+1} = u_n + 5 \text{ pour tout entier naturel } n \end{cases}$

$\begin{cases} v_0 = 300 \\ v_{n+1} = 2v_n \text{ pour tout entier naturel } n \end{cases}$

$\begin{cases} w_0 = 0 \\ w_{n+1} = n + 1 + 3w_n \text{ pour tout entier naturel } n \end{cases}$

16 a. Pour tout entier naturel n, $u_n = -2 + 3n = f(n)$, avec f affine, donc la suite (u_n) est arithmétique de premier terme $u_0 = -2$ et de raison $r = 3$.

b. $u_0 = 2 \times 0^2 + 3 = 3$; $u_1 = 2 \times 1^2 + 3 = 5$;

$u_2 = 2 \times 2^2 + 3 = 11$

$u_1 - u_0 = 5 - 3 = 2$ et $u_2 - u_1 = 11 - 5 = 6 \neq 2$, donc la suite (u_n) n'est pas arithmétique.

c. Pour tout entier naturel n :

$$u_{n+1} - u_n = \frac{n+1+5}{2} - \frac{n+5}{2} = \frac{1}{2},$$

donc la suite (u_n) est arithmétique de premier terme $u_0 = \frac{5}{2}$ et de raison $r = \frac{1}{2}$.

d. $u_0 = 3 - \frac{1}{0+1} = 2$; $u_1 = 3 - \frac{1}{1+1} = \frac{5}{2}$;

$u_2 = 3 - \frac{1}{2+1} = \frac{8}{3}$

$u_1 - u_0 = \frac{5}{2} - 2 = \frac{1}{2}$ et $u_2 - u_1 = \frac{8}{3} - \frac{5}{2} = \frac{1}{6} \neq \frac{1}{2}$, donc la suite (u_n) n'est pas arithmétique.

e. Pour tout entier naturel n, $u_n = 2n - 4 = f(n)$, avec f affine, donc la suite (u_n) est arithmétique de premier terme $u_0 = -4$ et de raison $r = 2$.

f. Pour tout entier naturel n :

$$u_{n+1} - u_n = (n+1)\sqrt{2} - n\sqrt{2} = \sqrt{2},$$

donc la suite (u_n) est arithmétique de premier terme $u_0 = 0$ et de raison $r = \sqrt{2}$.

19 $u_8 = u_0 + 8r$ et $u_{12} = u_0 + 12r$, donc $u_{12} - u_8 = 4r$, c'est-à-dire $25 - 15 = 4r$, d'où $r = 2,5$.

$u_0 = u_8 - 8r = 15 - 8 \times 2,5 = -5$.

23 a. $\frac{u_1}{u_0} = \frac{8}{4} = 2$ et $\frac{u_2}{u_1} = \frac{12}{8} = 1,5 \neq 2$, donc la suite (u_n) n'est pas géométrique.

b. Pour tout entier naturel n, $u_n = 3 \times (-2)^n = u_0 \times q^n$, donc la suite (u_n) est géométrique de premier terme $u_0 = 3$ et de raison $q = -2$.

c. Pour tout entier naturel n :

$$u_{n+1} = \frac{2^{n+1}}{3} = 2 \times \frac{2^n}{3} = 2 \times u_n,$$

donc la suite (u_n) est géométrique de premier terme $u_0 = \frac{1}{3}$ et de raison $q = 2$.

d. Pour tout entier naturel n, $u_n = 1 \times \left(\sqrt{2}\right)^n = u_0 \times q^n$, donc la suite (u_n) est géométrique de premier terme $u_0 = 1$ et de raison $q = \sqrt{2}$.

e. Pour tout entier naturel n :

$u_{n+1} = 3^{n+1+2} = 3 \times 3^{n+2} = 3 \times u_n$, donc la suite (u_n) est géométrique de premier terme $u_0 = 9$ et de raison $q = 3$.

f. $u_0 = 0$ et $u_1 = 2 \neq q \times u_0$, donc la suite (u_n) n'est pas géométrique.

25 1. $u_7 = 1\,000 \times 0,2^7 = 0,0128$

2. Par définition, la suite (v_n) est géométrique et $v_5 = 2 \times (-4)^5 = -2\,048$.

31 1. a. $1 + 2 + 3 + \dots + 1\,000 = \dfrac{1\,000 \times 1\,001}{2}$

$$= 500\,500.$$

b. $501 + 502 + 503 + \dots + 1\,000$

$= (1 + 2 + 3 + \dots + 1\,000) - (1 + 2 + 3 + \dots + 500)$

$= 500\,500 - \dfrac{500 \times 501}{2} = 375\,250$

2.

```
S ← 0
Pour k allant de 1 à 1 000 faire
        S ← S + k
```

```
S ← 0
Pour k allant de 501 à 1 000 faire
        S ← S + k
```

35 $1 + 2 + 2^2 + \dots + 2^{11} = \dfrac{1 - 2^{12}}{1 - 2} = 4\,095$

Au bout de 1 an, l'entreprise aura versé à cette association 40,95 €.

$1 + 2 + 2^2 + \dots + 2^{23} = \dfrac{1 - 2^{24}}{1 - 2} = 16\,777\,215$

Au bout de 2 ans, l'entreprise aura versé à cette association 167 772,15 €.

38 D'après le graphique, f semble décroissante sur $\mathbb{R}^+$. Donc la suite (u_n) semble décroissante.

D'après le graphique, g semble décroissante sur $[0 ; 5]$ puis croissante sur $[5 ; +\infty[$.

La suite (v_n) semble donc décroissante jusqu'au rang 5, puis croissante à partir du rang 5.

41 Pour tout entier naturel n :

$u_{n+1} - u_n = (n+1)^2 - 8(n+1) + 2 - (n^2 - 8n + 2)$
$= n^2 + 2n + 1 - 8n - 8 + 2 - n^2 + 8n - 2 = 2n - 7$

Ainsi :

pour $n \leq 3$, $u_{n+1} - u_n \leq 0$ puis pour $n \geq 4$, $u_{n+1} - u_n \geq 0$.
Donc la suite (u_n) est décroissante jusqu'au rang 4 puis croissante à partir du rang 4.

42 Une suite arithmétique est croissante si sa raison est positive et elle est décroissante si sa raison est négative.
Donc les suites (u_n), (v_n) et (t_n) sont croissantes et la suite (w_n) est décroissante.

45 Comme $u_0 = -3$ alors la suite (u_n) est représentée par le graphique n°1 et donc la suite (v_n) est représentée par le graphique n°2.
D'après ces graphiques, on peut conjecturer que $\lim\limits_{n \to +\infty} u_n = +\infty$ et $\lim\limits_{n \to +\infty} v_n = -\infty$.

47

u_0	–1	0	0,25	0,5	1	2
$\lim\limits_{n \to +\infty} u_n$	$-\infty$	0	0,5	0,5	0	$-\infty$

56 1. $\dfrac{664 - 800}{800} \times 100 = -17$, donc le pourcentage de compression est de 17 %.

2. a. $t_{n+1} = t_n - 0,17 t_n = 0,83 t_n$
b. D'après la question précédente, la suite (t_n) est une suite géométrique de premier terme 800 et de raison 0,83. Donc on a $t_n = 800 \times 0,83^n$ pour tout entier naturel n.

3. On cherche à la calculatrice le premier entier naturel n tel que $t_n < 50$, on trouve $n = 15$. Il faut donc au minimum 15 compressions successives pour que le fichier ait une taille finale inférieure à 50 Ko.

67 a.

```
L1   u ← 1
L2   S ← 1
L3   n ← 0
L4   Tant que S ⩽ 10 000
L5   u ← u + 0,1
L6   S ← S + u
L7   n ← n + 1
```

b. On reprend l'algorithme de la question a et on remplace la ligne 5 par :

```
L5   u ← 1,01u
```

c. On reprend l'algorithme de la question a et on remplace la ligne 5 par :

```
L5   u ← 2u + 1
```

71 1. On note p_n la population en Angleterre l'année $1800 + n$, exprimée en million.
D'après les hypothèses de Thomas Malthus, la suite (p_n) est la suite géométrique de premier terme $p_0 = 8,3$ et de raison $q = 1,02$.
On note a_n le nombre de personnes en Angleterre pouvant être nourries par la production agricole anglaise l'année $1800 + n$, exprimée en million.
D'après les hypothèses de Thomas Malthus, la suite (a_n) est la suite arithmétique de premier terme $a_0 = 8,3$ et de raison $r = 0,4$.

2. $p_1 = 8,3 \times 1,02 = 8,466$ et $a_1 = 8,3 + 0,4 = 8,7$
Selon les hypothèses de Malthus, la population en Angleterre en 1801 est de 8,466 millions d'habitants et la production agricole anglaise cette année-là permet de nourrir 8,7 millions de personnes.

3. On cherche le premier entier naturel n tel que $a_n < p_n$.
D'après la calculatrice, on trouve $n = 80$: d'après les hypothèses de Malthus, c'est en 1880 que la production agricole anglaise ne permettra pas, pour la première fois, de nourrir l'ensemble de la population anglaise.

80 1. $L_1 = 1$; $L_2 = 3$.

2. Pour déplacer une tour à $n + 1$ disques, il faut d'abord avoir déplacé les n disques du dessus de T_1 à T_2, soit L_n déplacements, puis déplacer le plus grand disque de T_1 en T_3, soit 1 déplacement et enfin déplacer à nouveau la tour des n disques de T_2 en T_3, soit L_n déplacements. D'où la formule de récurrence.

3. On a pour tout entier $n \geq 1$, $L_{n+1} = 2L_n + 1$. On cherche le nombre n de disques nécessaires pour que $L_n \geq 3\,600$. On utilise la calculatrice pour afficher les premiers termes de la suite (L_n). On obtient $L_{11} = 2\,047$ et $L_{12} = 4\,095$.
12 est nombre minimal de disques nécessaires pour que le jeu dure au moins une heure.

4. a. Le nombre minimal de déplacements nécessaires pour transporter une tour de 3 disques de T_1 en T_3 est $L_3 = 7$, donc la réponse est non.
b. 1er déplacement : petit disque de T_1 en T_3.
2e déplacement : moyen disque de T_1 en T_2.
3e déplacement : petit disque de T_3 en T_2.
4e déplacement : grand disque de T_1 en T_3.
5e déplacement : petit disque de T_2 en T_1.
6e déplacement : moyen disque de T_2 en T_3.
7e déplacement : petit disque de T_1 en T_3.

82 1. $u_1 = 0,8u_0 + 18 = 0,8 \times 65 + 18 = 70$ et $u_2 = 0,8u_1 + 18 = 0,8 \times 70 + 18 = 74$

2. a. $v_{n+1} = u_{n+1} - 90 = 0,8u_n + 18 - 90$
$$= 0,8(v_n + 90) - 72 = 0,8v_n$$
$v_0 = u_0 - 90 = 65 - 90 = -25$.
Donc la suite (v_n) est géométrique de raison $q = 0,8$ et de premier terme $v_0 = -25$.

b. Pour tout entier naturel n, on a donc :
$v_n = v_0 \times q^n = -25 \times 0,8^n$.
Or $u_n = v_n + 90$ donc $u_n = 90 - 25 \times 0,8^n$.

3. ab. Ligne 3 : Tant que $u < 85$.
À la calculatrice, on obtient les termes successifs de la suite : u_8 est le premier terme supérieur ou égal à 85, donc la valeur de n à la fin de l'exécution de l'algorithme est 8.

4. a. En juillet 2017, 65 particuliers avaient souscrit l'abonnement ce qui correspond au terme de rang 0 de la suite (u_n). Chaque mois, 20 % des abonnements sont résiliés, donc il en reste 80 % et 18 particuliers supplémentaires souscrivent à l'abonnement. On passe donc d'un mois n au mois suivant $n + 1$, en multipliant le nombre d'abonnés par 0,8 et en ajoutant 18. Ainsi, la suite (u_n), définie par $u_0 = 65$ et la relation de récurrence $u_{n+1} = 0,8u_n + 18$, modélise bien le nombre d'abonnés au panier bio.

b. On cherche l'entier n tel que $52u_n \geq 4\,420$.
Or $52u_n \geq 4\,420 \Leftrightarrow u_n \geq 85$. Ainsi, d'après la question 3. b. c'est au bout de 8 mois que la recette mensuelle dépassera 4 420 €.
Sachant que $n = 0$ correspond au mois de juillet 2017, c'est donc à partir du mois de mars 2018.

c. On conjecture que $\lim\limits_{n \to +\infty} u_n = 90$ et $52 \times 90 = 4\,680$.
Ainsi, la recette mensuelle semble tendre vers 4 680 €.

Chapitre 2

1 1. Canonique ; factorisée ; développée.

2. On développe les formes 1 et 2 pour obtenir la forme 3.

3. a. Vrai : la forme développée donne directement $f(0) = 6$.

b. Vrai : en utilisant la forme factorisée, l'équation $f(x) = 0$ est une équation produit nul qui admet exactement deux solutions -1 et 2.

c. Vrai : $a = 3$, donc f admet un minimum ; sa valeur $-\dfrac{27}{4}$ est directement donnée par la forme canonique.

d. Vrai : la forme canonique de $f(x)$ indique que la droite d'équation $x = \dfrac{1}{2}$ est l'axe de symétrie de la parabole représentant la fonction f et donc $f\left(\dfrac{1}{2} - \dfrac{1}{3}\right) = f\left(\dfrac{1}{2} + \dfrac{1}{3}\right)$ soit $f\left(\dfrac{1}{6}\right) = f\left(\dfrac{5}{6}\right)$.

6 La forme développée de $f(x)$ est $3x^2 - x + 7$ avec $a = 3$, $b = -1$ et $c = 7$.
Sa forme canonique est $a(x - \alpha)^2 + \beta$, avec $\alpha = -\dfrac{b}{2a} = \dfrac{1}{6}$
et $\beta = f\left(\dfrac{1}{6}\right) = 3\left(\dfrac{1}{6}\right)^2 - \dfrac{1}{6} + 7 = \dfrac{1}{12} - \dfrac{1}{6} + 7$
$$= \dfrac{1 - 2 + 84}{12} = \dfrac{83}{12}. \text{ Ainsi } f(x) = 3\left(x - \dfrac{1}{6}\right)^2 + \dfrac{83}{12}.$$

7 1. L'écriture canonique de $f(x)$, avec $a = -2$, indique que la fonction f admet un maximum égal à 100, atteint en 50.
f est strictement croissante sur $]-\infty ; 50]$ et strictement décroissante sur $[50 ; +\infty[$.

2. L'écriture canonique de $f(x)$, avec $a = 3$, indique que la fonction f admet un minimum égal à $-\dfrac{1}{4}$, atteint en -1. f est strictement décroissante sur $]-\infty ; -1]$ et strictement croissante sur $[-1 ; +\infty[$.

3. L'écriture canonique de $f(x)$, avec $a = 0,6$ indique que la fonction f admet un minimum égal à 0, atteint en $-0,2$.
f est strictement décroissante sur $]-\infty ; -0,2]$ et strictement croissante sur $[-0,2 ; +\infty[$.

4. $a = -6 < 0$, donc f admet un maximum en
$\alpha = -\dfrac{b}{2a} = -\dfrac{1}{3} \times \left(\dfrac{1}{2 \times (-6)}\right) = \dfrac{1}{36}$ égal à :
$$g\left(\dfrac{1}{36}\right) = -\dfrac{431}{216}.$$
g est donc strictement croissante sur $\left]-\infty ; \dfrac{1}{36}\right]$ et strictement décroissante sur $\left[\dfrac{1}{36} ; +\infty\right[$.

5. f a les mêmes variations que la fonction « carré ».

18 1. $f(x) = \dfrac{1}{2}x^2 - 4x + 8 = \dfrac{1}{2}(x^2 - 8x + 16)$
$$= \dfrac{1}{2}(x - 4)^2.$$

2. $f(x) = 0,01x^2 + 0,8x - 4,25 = 0,01(x^2 + 80x - 425)$.
$\Delta = 8100$, $x_1 = 5$ et $x_2 = -85$, d'où $f(x) = 0,01(x - 5)(x + 85)$.

3. $f(x) = \dfrac{1}{2}x^2 - \dfrac{2}{3}x + 1$.
$\Delta < 0$, donc le trinôme ne se factorise pas.

4. $f(x) = 2x^2 + x\sqrt{2} - 1$

$\Delta = 10$, $x_1 = \dfrac{-\sqrt{2} - \sqrt{10}}{4}$ et $x_2 = \dfrac{-\sqrt{2} + \sqrt{10}}{4}$.

$f(x) = 2\left(x - \dfrac{-\sqrt{2} - \sqrt{10}}{4}\right)\left(x - \dfrac{-\sqrt{2} + \sqrt{10}}{4}\right)$

21 **1.** $-2x^2 + x - 1 = 0$. $\Delta = -7 < 0$, pas de solution réelle.

2. $2x^2 - 2x - 1 = 0$. $\Delta = 12$, $x_1 = \dfrac{2 - 2\sqrt{3}}{4} = \dfrac{1 - \sqrt{3}}{2}$ et

$x_2 = \dfrac{2 + 2\sqrt{3}}{4} = \dfrac{1 + \sqrt{3}}{2}$.

3. $5x^2 - 2x + 1 = 0$. $\Delta = -16 < 0$, pas de solution.

4. $2x^2 + 4 = -6x$ équivaut à $2x^2 + 6x + 4 = 0$.
$\Delta = 4$, $x_1 = -2$ et $x_2 = -1$.

5. $x(2x - 1) = 1$ équivaut à $2x^2 - x - 1 = 0$.
$\Delta = 9$, $x_1 = 1$ et $x_2 = -\dfrac{1}{2}$.

6. $x^2 = -5x - 1$ équivaut à $x^2 + 5x + 1 = 0$. $\Delta = 21$,

$x_1 = \dfrac{-5 - \sqrt{21}}{2}$ et $x_2 = \dfrac{-5 + \sqrt{21}}{2}$.

7. $-x + 3x^2 - 1 = 0$.

$\Delta = 13$, $x_1 = \dfrac{1 - \sqrt{13}}{6}$ et $x_2 = \dfrac{1 + \sqrt{13}}{6}$.

8. $x(8 - x) + 1 = 0$ équivaut à $-x^2 + 8x + 1 = 0$.
$\Delta = 68$, $x_1 = 4 - \sqrt{17}$ et $x_2 = 4 + \sqrt{17}$.

9. $2x^2 + 6x + \dfrac{9}{2} = 0$. $\Delta = 0$, $x_1 = x_2 = -1{,}5$.

10. $x^2 + 2\sqrt{3}x + 3 = 0$ équivaut à $\left(x + \sqrt{3}\right)^2 = 0$.
La solution est $-\sqrt{3}$.

11. $-3x^2 + x = -\dfrac{1}{4}$ équivaut à $-3x^2 + x + \dfrac{1}{4} = 0$.

$\Delta = 4$, $x_1 = \dfrac{1}{2}$ et $x_2 = -\dfrac{1}{6}$.

12. $2x(5 + 2x) = 9 - 2x$ équivaut à $4x^2 + 12x - 9 = 0$.

$\Delta = 288$, $x_1 = \dfrac{-3 - 3\sqrt{2}}{2}$ et $x_2 = \dfrac{-3 + 3\sqrt{2}}{2}$.

24 **1.** -1 est racine évidente de $f(x)$.

2. Soit x_2 la deuxième racine, $-1 \times x_2 = \dfrac{c}{a} = \dfrac{2}{3}$.

Donc $x_2 = -\dfrac{2}{3}$.

On a alors $f(x) = 3(x + 1)\left(x + \dfrac{2}{3}\right) = (x + 1)(3x + 2)$.

34 **1.** $f : x \mapsto 2x^2 + 5x + 4$. $\Delta = -7 < 0$
Pour tout x réel, $f(x)$ a le signe de $a = 2 > 0$.

2. $g : x \mapsto 4x^2 - 7x + 3$
$\Delta = 1$, le trinôme a le signe de $a = 1 > 0$, sauf entre ses

racines 1 et $\dfrac{3}{4}$.

3. $h : x \mapsto x^2 + x + \dfrac{1}{4}$.

On a $x^2 + x + \dfrac{1}{4} = \left(x + \dfrac{1}{2}\right)^2$. $h\left(-\dfrac{1}{2}\right) = 0$ et pour tout

$x \neq -\dfrac{1}{2}$, $h(x) > 0$.

4. $i : x \mapsto 2x^2 - 2x - 1$.
$\Delta = 12$, le trinôme a le signe de $a = 2 > 0$ sauf entre

ses racines $\dfrac{1 - \sqrt{3}}{2}$ et $\dfrac{1 + \sqrt{3}}{2}$.

5. $j : x \mapsto -7x^2 + 12x - 6$.
$\Delta = -24 < 0$. Pour tout x réel, $f(x)$ a le signe de :
$$a = -7 < 0.$$

6. $l : x \mapsto 4x^2 - 2{,}4x + 0{,}36$. $\Delta = 0$, le trinôme a une seule

racine $\dfrac{3}{10}$ et, pour tout $x \neq \dfrac{3}{10}$, $h(x) > 0$.

36 **1.** $x^2 - 0{,}4x + 0{,}04 \leqslant 0$ équivaut à $(x - 0{,}2)^2 \leqslant 0$.
La seule solution est $0{,}2$.

2. $-x^2 + 5x < 7$ équivaut à $-x^2 + 5x - 7 < 0$.
On étudie le signe du trinôme $-x^2 + 5x - 7$.
$\Delta = -3 < 0$, donc, pour tout x réel, le trinôme a le signe
de $a = -1 < 0$.
L'ensemble des solutions de l'inéquation est $\mathbb{R}$.

3. $\dfrac{2}{3}x^2 \geqslant 4x - 6$ équivaut à $\dfrac{2}{3}x^2 - 4x + 6 \geqslant 0$ équivaut

à $\dfrac{2}{3}\left(x^2 - 6x + 9\right) = \dfrac{2}{3}(x - 3)^2 \geqslant 0$.

Or, pour tout x réel, $\dfrac{2}{3}(x - 3)^2 \geqslant 0$.

L'ensemble des solutions de l'inéquation est $\mathbb{R}$.

4. $11x^2 + 16x - 9 < 10x + 8$ équivaut à $11x^2 + 6x - 17 < 0$.
$\Delta = 784$, le trinôme a le signe de $a = 11 > 0$ sauf entre

ses racines $\dfrac{17}{11}$ et 1.

L'ensemble des solutions est $\left]\dfrac{17}{11}\,;\,1\right[$.

54 Soit f la fonction définie sur $\mathbb{R}\backslash\{1\}$ par $f(x) = \dfrac{1}{x - 1}$

et soit g la fonction définie sur $\mathbb{R}$ par $g(x) = x - 1$.
La position relative des courbes représentatives de f
et g est donnée par le signe de $f(x) - g(x)$ pour $x \neq 1$.

$f(x) - g(x) = \dfrac{1}{x - 1} - (x - 1) = \dfrac{-x^2 + 2x}{x - 1}$ pour $x \neq -1$.

$-x^2 + 2x$ est un trinôme du second degré dont les
racines sont 0 et 2. Il a le signe de $a = -1 < 0$ sauf
entre les racines. D'où le tableau de signes :

x	$-\infty$		0		1		2		$+\infty$
$-x^2 + 2x$		$-$	0	$+$		$+$	0	$-$	
$x - 1$		$-$		$-$	0	$+$		$+$	
$f(x) - g(x)$		$+$	0	$-$	‖	$+$	0	$-$	

$f(x) - g(x) > 0$ équivaut à $f(x) > g(x)$: la courbe de f est
au-dessous de celle de g sur les intervalles $]-\infty\,;\,0[$ et
$]1\,;\,2[$. Les deux courbes sont sécantes en leurs points
d'abscisses 0 et 2.

92 1. L'équation $3x^2 + bx + 4 = 0$ admet une unique solution, égale à $-\dfrac{b}{2a}$, si et seulement si son discriminant, $b^2 - 48$, est égal à 0.

Donc $b = -\sqrt{48} = -4\sqrt{3}$ et la solution est $\dfrac{2\sqrt{3}}{3}$, ou $b = \sqrt{48} = 4\sqrt{3}$ et la solution est $-\dfrac{2\sqrt{3}}{3}$.

2. L'équation $3x^2 + bx + c = 0$ admet deux solutions réelles distinctes si et seulement si son discriminant $b^2 - 12c$ est strictement positif. Il suffit de choisir par exemple $b = 5$ et $c = 2$.

3. a. L'équation $ax^2 + bx + c = 0$ admet deux solutions réelles distinctes si et seulement si son discriminant $b^2 - 4ac$ est strictement positif. Comme $a > 0$, il suffit de choisir $c < 0$.

b. Cette condition n'est pas nécessaire : l'équation $(x - 1)(x - 2) = 0$ admet deux solutions distinctes, avec $a = 1 > 0$ et $c = 2 > 0$.

4. L'équation $2x^2 - x + c = 0$ n'admet pas de solution réelle si et seulement si son discriminant $b^2 - 8c$ est strictement négatif, ce qui équivaut à $c \in \left] \dfrac{1}{8} ; +\infty \right[$.

5. $x^3 + ax^2 + x = 0$ est équivalente à $x(x^2 + ax + 1) = 0$. 0 est solution de cette équation ; elle admet donc exactement deux solutions distinctes si et seulement si le trinôme $x^2 + ax + 1$ admet une seule racine, donc si et seulement si le discriminant $a^2 - 4 = 0$, ce qui équivaut à $a = 2$ ou $a = -2$.

Chapitre 3

2

Angle en degré	150	12	40	195
Angle en radian	$\dfrac{5\pi}{6}$	$\dfrac{\pi}{15}$	$\dfrac{2\pi}{9}$	$\dfrac{13\pi}{12}$

3

Angle en radian	$\dfrac{2\pi}{9}$	$\dfrac{7\pi}{24}$	$\dfrac{5\pi}{12}$
Angle en degré	40	52,5	75

4 En plaçant les points M et N sur le cercle trigonométrique, on se rend compte que M a aussi pour image $\dfrac{\pi}{4}$ et N a aussi pour image $-\dfrac{\pi}{3}$. La longueur de l'arc de cercle d'extrémités M et N est donc $\dfrac{\pi}{4} + \dfrac{\pi}{3} = \dfrac{7\pi}{12}$.

6 1. a. I' b. J c. J' d. I e. I'

2. a. A b. B c. C

3. a. G b. C c. H d. C

4. $\dfrac{2\pi}{3}$, $\dfrac{2\pi}{3} + 2\pi$, $-\dfrac{4\pi}{3}$, $-\dfrac{4\pi}{3} + 2\pi$ et $\dfrac{2\pi}{3} - 2\pi$.

10

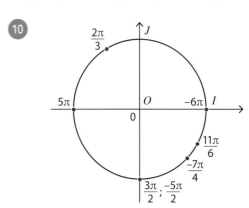

13 1. $\sin\left(\dfrac{\pi}{3}\right) = \dfrac{\sqrt{3}}{2}$

2. $\cos\left(\dfrac{5\pi}{6}\right) = \cos\left(\pi - \dfrac{\pi}{6}\right) = -\cos\left(\dfrac{\pi}{6}\right) = -\dfrac{\sqrt{3}}{2}$

3. $\sin\left(\dfrac{7\pi}{4}\right) = \sin\left(-\dfrac{\pi}{4}\right) = -\dfrac{\sqrt{2}}{2}$

4. $\cos\left(\dfrac{2\pi}{3}\right) = -\dfrac{1}{2}$

5. $\cos\left(\dfrac{19\pi}{3}\right) = \cos\left(6\pi + \dfrac{\pi}{3}\right) = \cos\left(\dfrac{\pi}{3}\right) = \dfrac{1}{2}$

6. $\sin\left(\dfrac{25\pi}{6}\right) = \sin\left(4\pi + \dfrac{\pi}{6}\right) = \sin\left(\dfrac{\pi}{6}\right) = \dfrac{1}{2}$

17 1. Le cosinus d'un nombre est toujours compris entre -1 et 1, donc on ne peut pas trouver de valeur x telle que $\cos(x) = 1{,}4$.

2. a. et b.

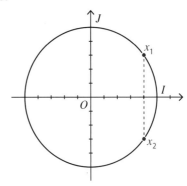

c. Il existe plusieurs valeurs telles que $\cos(x) = 0{,}8$. Il y a toutes celles de la forme $x_1 + 2k\pi$, avec $k \in \mathbb{Z}$ et celles de la forme $x_2 + 2k\pi$, avec $k \in \mathbb{Z}$.

d. À la calculatrice, on trouve que $\cos(x) = 0{,}8$ pour $x \approx 0{,}6$.

25 $A = \cos(0) + \cos\left(\dfrac{\pi}{2}\right) + \cos(\pi) + \cos\left(\dfrac{3\pi}{2}\right)$

$= 1 + 0 + (-1) + 0 = 0$

$B = \cos\left(\dfrac{\pi}{6}\right) + \cos\left(\dfrac{\pi}{3}\right) + \cos\left(\dfrac{2\pi}{3}\right) + \cos\left(\dfrac{5\pi}{6}\right)$

$= \dfrac{\sqrt{3}}{2} + \dfrac{1}{2} + \left(-\dfrac{1}{2}\right) + \left(\dfrac{\sqrt{3}}{2}\right) = 0$

28 1. a. Les solutions de l'équation $\sin(x) = 0{,}5$ sont $\left\{\dfrac{\pi}{6} ; \dfrac{5\pi}{6}\right\}$.

b. Les solutions de l'équation $\sin(x) = 1$ sont $\left\{\dfrac{\pi}{2}\right\}$.

c. Les solutions de l'équation $\sin(x) = 0$ sont $\{-\pi ; 0 ; \pi\}$.

2. On visualise ces solutions sur le cercle trigonométrique.

33 1. Pour tout réel x, $-1 \leqslant \cos(x) \leqslant 1$. On en déduit que, pour tout réel x, $1 \leqslant \cos(x) + 2 \leqslant 3$.

Le dénominateur ne s'annule pas donc la fonction f est définie sur $\mathbb{R}$.

2. Soit x un réel, $f(-x) = \dfrac{2}{2 + \cos(-x)} = \dfrac{2}{2 + \cos(x)} = f(x)$.

On en déduit que la fonction f est paire.

3. Soit x un réel, $f(x + 2\pi) = \dfrac{2}{2 + \cos(x + 2\pi)}$

$= \dfrac{2}{2 + \cos(x)} = f(x)$.

On en déduit que la fonction f est périodique de période 2π.

35 1. On conjecture à la calculatrice que la fonction f est périodique et a pour période 2π.

2. Soit x un réel.

$f(-x) = \cos(2 \times (-x)) - \cos(-x) = \cos(2x) - \cos(x) = f(x)$

3. On en déduit que la fonction f est paire.

39 1.

x	$\dfrac{\pi}{4}$	$-\dfrac{\pi}{4}$	$\dfrac{3\pi}{4}$	$\dfrac{7\pi}{4}$	$\dfrac{9\pi}{4}$
$\cos(x)$	$\dfrac{\sqrt{2}}{2}$	$\dfrac{\sqrt{2}}{2}$	$-\dfrac{\sqrt{2}}{2}$	$\dfrac{\sqrt{2}}{2}$	$\dfrac{\sqrt{2}}{2}$
$\sin(x)$	$\dfrac{\sqrt{2}}{2}$	$-\dfrac{\sqrt{2}}{2}$	$\dfrac{\sqrt{2}}{2}$	$-\dfrac{\sqrt{2}}{2}$	$\dfrac{\sqrt{2}}{2}$

2.

x	$\dfrac{\pi}{6}$	$-\dfrac{\pi}{6}$	$\dfrac{3\pi}{6}$	$\dfrac{7\pi}{6}$	$\dfrac{9\pi}{6}$
$\cos(x)$	$\dfrac{\sqrt{3}}{2}$	$\dfrac{\sqrt{3}}{2}$	0	$-\dfrac{\sqrt{3}}{2}$	0
$\sin(x)$	$\dfrac{1}{2}$	$-\dfrac{1}{2}$	1	$-\dfrac{1}{2}$	-1

51 1. On a la relation $\cos^2(x) + \sin^2(x) = 1$, donc $\sin^2(x) = 1 - \cos^2(x) = 1 - (-0{,}8)^2 = 0{,}36$.

De plus, $\dfrac{\pi}{2} \leqslant x \leqslant \pi$, donc la valeur de $\sin(x)$ est positive.

On conclut que $\sin(x) = \sqrt{0{,}36} = 0{,}6$.

2. On a la relation : $\cos^2(x) + \sin^2(x) = 1$, donc $\cos^2(x) = 1 - \sin^2(x) = 1 - \left(\dfrac{2}{3}\right)^2 = 1 - \dfrac{4}{9} = \dfrac{5}{9}$.

De plus, $0 \leqslant x \leqslant \dfrac{\pi}{2}$, donc la valeur de $\cos(x)$ est positive.

On conclut que $\cos(x) = \sqrt{\dfrac{5}{9}} = \dfrac{\sqrt{5}}{3}$.

3. On a la relation $\cos^2(x) + \sin^2(x) = 1$, donc $\sin^2(x) = 1 - \cos^2(x) = 1 - (0{,}6)^2 = 0{,}64$.

De plus, $\dfrac{3\pi}{2} \leqslant x \leqslant 2\pi$, donc la valeur de $\sin(x)$ est négative.

On conclut que $\sin(x) = -\sqrt{0{,}64} = -0{,}8$.

52 1. $\sin(-x) + \cos(-x) = -\sin(x) + \cos(x)$

2. $\sin(-x) - \sin(\pi + x) = -\sin(x) - (-\sin(x))$

$= -\sin(x) + \sin(x) = 0$

3. $\cos(\pi - x) + \cos(3\pi + x) = -\cos(x) - \cos(x) = -2\cos(x)$

4. $\sin\left(x + \dfrac{\pi}{2}\right) - 3\cos\left(-\dfrac{\pi}{2} - x\right) - 4\sin(\pi - x)$

$= \cos(x) - 3 \times (-\sin(x)) - 4\sin(x) = \cos(x) - \sin(x)$

65 1. Pour $x = \dfrac{\pi}{2}$:

$\left(\cos\left(\dfrac{\pi}{2}\right) + 2\sin\left(\dfrac{\pi}{2}\right)\right)^2 + \left(2\cos\left(\dfrac{\pi}{2}\right) - \sin\left(\dfrac{\pi}{2}\right)\right)^2$

$= (0 + 2 \times 1)^2 + (2 \times 0 - 1)^2 = 4 + 1 = 5$

Pour $x = \dfrac{\pi}{4}$:

$\left(\cos\left(\dfrac{\pi}{4}\right) + 2\sin\left(\dfrac{\pi}{4}\right)\right)^2 + \left(2\cos\left(\dfrac{\pi}{4}\right) - \sin\left(\dfrac{\pi}{4}\right)\right)^2$

$= \left(\dfrac{\sqrt{2}}{2} + 2\dfrac{\sqrt{2}}{2}\right)^2 + \left(2\dfrac{\sqrt{2}}{2} - \dfrac{\sqrt{2}}{2}\right)^2$

$= \left(\dfrac{3\sqrt{2}}{2}\right)^2 + \left(\dfrac{\sqrt{2}}{2}\right)^2 = \dfrac{18}{4} + \dfrac{2}{4} = 5$

2. $(\cos(x) + 2\sin(x))^2 + (2\cos(x) - \sin(x))^2 = \cos^2(x) + 4\cos(x)\sin(x) + 4\sin^2(x) + 4\cos^2(x) - 4\cos(x)\sin(x) + 4\sin^2(x)$

$= 5\cos^2(x) + 5\sin^2(x) = 5(\cos^2(x) + \sin^2(x)) = 5$

73 1. $S = \left\{-\dfrac{\pi}{3}\right\}$

2. $S = \left\{\dfrac{\pi}{4}\right\}$

3. $S = \left\{-\dfrac{5\pi}{6} ; \dfrac{7\pi}{6}\right\}$

4. $S = \left\{-\dfrac{\pi}{2} ; \dfrac{3\pi}{2}\right\}$

Chapitre 4

2 1. Le taux de variation de la fonction cube entre 0 et 1 se calcule ainsi :
$$\frac{1^3 - 0^3}{1 - 0} = \frac{1 - 0}{1} = 1.$$
Le taux de variation de la fonction cube entre 1 et 3 se calcule ainsi :
$$\frac{3^3 - 1^3}{3 - 1} = \frac{27 - 1}{2} = 13.$$
2. Le taux de variation de la fonction inverse entre 0,1 et 1 se calcule ainsi :
$$\frac{1 - \dfrac{1}{0,1}}{1 - 0,1} = \frac{1 - 10}{0,9} = -\frac{9}{0,9} = -\frac{90}{9} = -10.$$
Le taux de variation de la fonction inverse entre 1 et 10 se calcule ainsi :
$$\frac{\dfrac{1}{10} - 1}{10 - 1} = \frac{0,1 - 1}{9} = -\frac{0,9}{9} = -\frac{9}{90} = -0,1.$$

6 1. Le segment de la ligne brisé dont la pente est la plus forte est celui correspondant à la période de 1968 à 1975, donc c'est lors de cette période que la population de Floirac a connu son évolution la plus rapide.

2. Le taux de variation de la population de Floirac entre 1968 et 1990 (en habitants par an) est donné par :
$$\frac{16\,384 - 8\,241}{1\,990 - 1\,968} = \frac{8\,143}{22} \approx 370,1.$$
Le taux de variation de la population de Floirac entre 1990 et 2007 (en habitants par an) est donné par :
$$\frac{15\,794 - 16\,384}{2\,007 - 1\,990} = \frac{-590}{17} \approx -34,7.$$
Le taux de variation de la population de Floirac entre 1968 et 2007 (en habitants par an) est donné par :
$$\frac{15\,794 - 8\,241}{2\,007 - 1\,968} = \frac{7\,553}{39} \approx 193,7.$$
Entre 1968 et 1990, la ville de Floirac a gagné en moyenne environ 370 habitants par an, entre 1990 et 2007 en revanche elle a perdu en moyenne environ 35 habitants par an, mais globalement entre 1968 et 2007 elle a gagné en moyenne environ 194 habitants par an.

7 1. $\dfrac{f(1+h) - f(1)}{1+h-1} = \dfrac{5(1+h)^2 - (1+h) + 7 - 11}{h}$
$$= \frac{5h^2 + 9h}{h} = 5h + 9$$
Le taux de variation de f entre 1 et $1 + h$ est $5h + 9$.

2. Quand h tend vers 0, $5h$ tend aussi vers 0 et donc le taux tend vers 9.

3. On en déduit que $f'(1) = 9$.

17 $f'(0) = 2$, $f'(1) = 0$ et $f'(3) = -2$.

26 La droite verte a semble être tangente à la courbe au point d'abscisse – 4,5 environ.
La droite marron b semble être tangente à la courbe au point d'abscisse 0.
La droite violette c semble être tangente à la courbe au point d'abscisse – 3,7 environ.

30 1. $f(2) = 3 \times 2^2 - 2 \times 2 - 1 = 7$
On sait aussi que $f'(2) = 10$.
On obtient donc $y = 7 + 10(x - 2)$.
L'équation réduite de la tangente à la courbe au point d'abscisse 2 est donc $y = 10x - 13$.

2. $10 \times 5 - 13 = 37$
Les coordonnées de S vérifient l'équation, donc S appartient à cette tangente.

40 1. f est une fonction affine, son taux de variation entre deux valeurs est donc constant, égal au coefficient de son terme en x, donc ici à 23,2. On en déduit donc que $f'(52) = 23,2$.
2. $\dfrac{f(1+h) - f(1)}{1+h-1} = \dfrac{(1+h)^2 - 5 - (-4)}{h} = \dfrac{2h + h^2}{h} = 2 + h$
Le taux de variation de f entre 1 et $1 + h$ est $2 + h$,
donc $f'(1) = 2$.
3. $\dfrac{f(5+h) - f(5)}{5+h-5} = \dfrac{3(5+h-5)(5+h+2) - 0}{h}$
$$= \frac{3h(7+h)}{h} = 21 + 3h$$
Le taux de variation de f entre 5 et $5 + h$ est $21 + 3h$,
donc $f'(5) = 21$.
4. $\dfrac{f(0+h) - f(0)}{0+h-0} = \dfrac{(0+h)^3 + 0 + h + 1 - 1}{h} = \dfrac{h^3 + h}{h}$
$$= h^2 + 1.$$
Le taux de variation de f entre 0 et $0 + h$ est $h^2 + 1$,
donc $f'(0) = 1$.

46 $\dfrac{f(0+h) - f(0)}{h} = \dfrac{h\sqrt{h} - 0}{h} = \sqrt{h}$. Lorsque h tend vers 0, le taux de variation de f entre 0 et $0 + h$ tend vers 0, donc $f'(0) = 0$.

54

x	1	6
$f(x)$	1,4	0,4
$f'(x)$	0	–0,4

61 1. Soit a un réel et h un réel non nul. On calcule le taux de variation entre a et $a + h$:
$$\frac{f(a+h) - f(a)}{a+h-a} = \frac{4(a+h)^2 + a + h - 9 - (4a^2 + a - 9)}{a+h-a}$$
$$= \frac{4h^2 + (8a+1)h}{h} = 4h + 8a + 1$$

Lorsque h tend vers zéro, le taux de variation tend vers le nombre réel $8a + 1$.

La fonction f est donc dérivable en tout réel a avec $f'(a) = 8a + 1$.

2. $f'\left(\dfrac{2}{3}\right) = 8 \times \dfrac{2}{3} + 1 = \dfrac{16}{3}$ $f'(\sqrt{5}) = 8\sqrt{5} + 1$

3. $f(2) = 4 \times 2^2 + 2 - 9 = 9$

$f'(2) = 8 \times 2 + 1 = 17$

On obtient donc $y = 9 + 17(x - 2)$.

L'équation réduite de la tangente à la courbe au point d'abscisse 2 est donc $y = 17x - 25$.

63 1. La vitesse initiale est la vitesse instantanée pour $t = 0$, c'est-à-dire le nombre dérivé, s'il existe, $f'(0)$.

Pour déterminer ce nombre dérivé, on exprime le taux de variation entre 0 et $0 + h$.

$$\frac{f(0 + h) - f(0)}{h} = \frac{5h + 25h - 0}{h} = 25 + h$$

Lorsque h tend vers 0, le taux de variation de f entre 0 et $0 + h$ tend vers 25 donc $f'(0) = 25$.

La vitesse initiale est de 25 m·s^{-1}.

2. L'attaque a duré 8 secondes.

a. En 8 secondes, le faucon a parcouru :

$$f(8) = 5 \times 8^2 + 25 \times 8 = 520 \text{ m}.$$

b. Le faucon a alors pour vitesse moyenne :

$$v = \frac{520}{8} = 65 \text{ m·s}^{-1}$$

c. La vitesse instantanée pour $t = 8$ est donné par le nombre dérivé, s'il existe, $f'(8)$.

Pour déterminer ce nombre dérivé, on exprime le taux de variation entre 0 et $0 + h$.

$$\frac{f(8 + h) - f(8)}{h} = \frac{5(8 + h)^2 + 25(8 + h) - 520}{h}$$

$$= \frac{5(64 + 16h + h^2) + 200 + 25h - 520}{h} = \frac{80h + 5h^2 + 25h}{h}$$

$$= \frac{105h + 5h^2}{h} = 105 + 5h$$

Lorsque h tend vers 0, le taux de variation de f entre 8 et $8 + h$ tend vers 105 donc $f'(8) = 105$.

La vitesse initiale est de 105 m·s^{-1}, soit 378 km·h^{-1} !!

67 1. Montrer que le taux de variation de f entre 1 et $1 + h$, où h est un réel non nul, est égal à :

$$\frac{f(1 + h) - f(1)}{h} = \frac{\sqrt{1 + h + 4} - \sqrt{1 + 4}}{h} = \frac{\sqrt{5 + h} - \sqrt{5}}{h}$$

$$= \frac{\sqrt{5 + h} - \sqrt{5}}{h} \times \frac{\sqrt{5 + h} + \sqrt{5}}{\sqrt{5 + h} + \sqrt{5}} = \frac{\left(\sqrt{5 + h}\right)^2 - \left(\sqrt{5}\right)^2}{h\left(\sqrt{5 + h} + \sqrt{5}\right)}$$

$$= \frac{5 + h - 5}{h\left(\sqrt{5 + h} + \sqrt{5}\right)} = \frac{1}{\sqrt{5 + h} + \sqrt{5}}.$$

2. Lorsque h tend vers 0, le taux de variation de f entre 1 et $1 + h$ tend vers $\dfrac{1}{2\sqrt{5}}$, donc $f'(1) = \dfrac{1}{2\sqrt{5}}$.

82 1. Soit h un réel non nul.

On calcule le taux de variation entre 0 et $0 + h$:

$$\frac{f(0 + h) - f(0)}{0 + h - 0} = \frac{(0 + h)^3 - 2(0 + h) + 1 - 1}{h}.$$

$$= \frac{h^3 - 2h}{h} = h^2 - 2$$

Lorsque h tend vers 0, le taux de variation tend vers –2.

La fonction f est donc dérivable en 0 avec $f'(0) = -2$.

De plus, $f(0) = 1$.

On obtient donc $y = 1 + (-2)(x - 0)$.

L'équation réduite de la tangente à la courbe au point d'abscisse 2 est donc $y = -2x + 1$.

2. $f(x) - (-2x + 1) = x^3 - 2x + 1 - (-2x + 1)$

$\qquad\qquad\qquad = x^3 - 4x = x(x - 2)(x + 2).$

x	$-\infty$		-2		0		2	$+\infty$
Signe de x		$-$		$-$	0	$+$		$+$
Signe de $x - 2$		$-$		$-$		$-$	0	$+$
Signe de $x + 2$		$-$	0	$+$		$+$		$+$
Signe de $x^3 - 4x$		$-$	0	$+$	0	$-$	0	$+$

Sur $]-\infty\,;-2[$, $f(x) - (-2x + 1) < 0$ donc $\mathscr{C}$ est en-dessous de $\mathscr{T}_0$.

Sur $]-2\,;0[$, $f(x) - (-2x + 1) > 0$ donc $\mathscr{C}$ est au dessus de $\mathscr{T}_0$.

Sur $]0\,;2[$, $f(x) - (-2x + 1) < 0$ donc $\mathscr{C}$ est en-dessous de $\mathscr{T}_0$.

Sur $]2\,;+\infty[$, $f(x) - (-2x + 1) > 0$ donc $\mathscr{C}$ est au dessus de $\mathscr{T}_0$.

$\mathscr{C}$ et $\mathscr{T}_0$ sont sécantes aux points d'abscisse – 2, 0 et 2.

90 1. f est définie sur l'ensemble des réels x tels que $x + 1 \neq 0$ c'est-à-dire sur $\mathbb{R}\backslash\{-1\}$.

2. a un réel différent de –1 et h un réel non nul tel que $a + h \in \mathbb{R}\backslash\{-1\}$.

On calcule le taux de variation entre a et $a + h$:

$$\frac{f(a + h) - f(a)}{a + h - a} = \frac{\dfrac{2(a + h) + 1}{a + h + 1} - \dfrac{2a + 1}{a + 1}}{a + h - a}$$

$$= \frac{(2(a + h) + 1)(a + 1) - (a + h + 1)(2a + 1)}{h(a + 1)(a + 1 + h)}$$

$$= \frac{h}{h(a + 1)(a + 1 + h)}$$

$$= \frac{1}{(a + 1)(a + 1 + h)}$$

Lorsque h tend vers zéro, le taux de variation tend vers le nombre réel $\dfrac{1}{(a + 1)^2}$.

La fonction f est donc dérivable en tout réel a avec

$$f'(a) = \frac{1}{(a+1)^2}.$$

3. $f'(-4) = \frac{1}{(-4+1)^2} = \frac{1}{9}$

$f'\left(\frac{5}{7}\right) = \frac{1}{\left(\frac{5}{7}+1\right)^2} = \frac{49}{144}$

4. $f(4) = \frac{2 \times 4 + 1}{4 + 1} = \frac{9}{5}$

$f'(4) = \frac{1}{(4+1)^2} = \frac{1}{25}$

On obtient donc $y = \frac{9}{5} + \frac{1}{25}(x-4)$.

L'équation réduite de la tangente à la courbe au point d'abscisse 4 est donc $y = \frac{1}{25}x + \frac{41}{25}$.

93 1. Soit a un réel et h un réel non nul.
On calcule le taux de variation entre a et $a + h$:

$$\frac{f(a+h) - f(a)}{a+h-a}$$

$$= \frac{2(a+h)^2 - 4(a+h) + 1 - (2a^2 - 4a + 1)}{a+h-a}$$

$$= \frac{2h^2 + (4a-4)h}{h} = 2h + 4a - 4.$$

Lorsque h tend vers zéro, le taux de variation tend vers le nombre réel $4a - 4$.
La fonction f est donc dérivable en tout réel a avec $f'(a) = 4a - 4$.

2. $f\left(-\frac{1}{3}\right) = 2 \times \left(-\frac{1}{3}\right)^2 - 4 \times \frac{-1}{3} + 1 = \frac{23}{9}$

$f'\left(-\frac{1}{3}\right) = 4 \times \left(-\frac{1}{3}\right) - 4 = -\frac{16}{3}$

On obtient donc $y = \frac{23}{9} - \frac{16}{3}\left(x + \frac{1}{3}\right)$.

L'équation réduite de la tangente à la courbe au point d'abscisse 2 est donc $y = -\frac{16}{3}x + \frac{7}{9}$.

Chapitre 5

2 1. f est la somme de deux fonctions $u : x \to 3x^2$ et $v : x \to \sqrt{x+1}$ dérivables sur $[0 ; +\infty[$.

2. On en déduit que f est dérivable sur $\mathbb{R}$ et $f' = u' + v'$.

$u'(x) = 3 \times 2x = 6x$ et $v'(x) = \frac{1}{2\sqrt{x+1}}$, donc

$f'(x) = 6x + \frac{1}{2\sqrt{x+1}}$.

9 1. On calcule le taux d'accroissement de f en -2 :

$$\frac{f(-2+h) - f(-2)}{h}$$

$$= \frac{(-2+h)^2 - 3(-2+h) + 7 - \left((-2)^2 - 3 \times (-2) + 7\right)}{h}$$

$$= \frac{4 - 4h + h^2 + 6 - 3h + 7 - 4 - 6 - 7}{h}$$

$$= \frac{h^2 - 7h}{h} = h - 7.$$

Lorsque h devient très proche de zéro, cette quantité se rapproche de -7 qui est un nombre fini.
La fonction est donc dérivable en a et on a $f'(a) = -7$.

2. f est la somme des fonctions :

$u : x \to x^2$ et $v : x \to -3x + 7$ dérivables sur $\mathbb{R}$.
On en déduit que f est dérivable sur $\mathbb{R}$ et $f' = u' + v'$.
$u'(x) = 2x$ et $v'(x) = -3$, donc $f'(x) = 2x - 3$.
On calcule $f'(-2) = 2 \times (-2) - 3 = -7$ et on retrouve le résultat du 1.

12 a. f est définie et dérivable sur $\mathbb{R}$ et $f'(x) = -2x$.

b. $g(x) = -\pi \times \frac{1}{x}$.

g est définie et dérivable sur $]-\infty ; 0[\cup]0 ; +\infty[$ et $g'(x) = -\pi \times \left(-\frac{1}{x^2}\right) = \frac{\pi}{x^2}$.

c. h est définie sur $[0 ; +\infty[$, dérivable sur $]0 ; +\infty[$ et $h'(x) = 18 \times \frac{1}{2\sqrt{x}} = \frac{9}{\sqrt{x}}$.

d. j est définie sur $[0 ; +\infty[$, dérivable sur $]0 ; +\infty[$ et $j'(x) = -1 + \frac{1}{2\sqrt{x}}$.

e. $k(x) = -3 \times \frac{1}{x} + 3 \times x^2 + 7$.

g est définie et dérivable sur $]-\infty ; 0[\cup]0 ; +\infty[$ et $k'(x) = -3 \times \left(-\frac{1}{x^2}\right) + 3 \times 2x = \frac{3}{x^2} + 6x$.

f. $m(x) = -3\sqrt{2x+5} = -3 \times g(2x+5)$ avec $g(x) = \sqrt{x}$.
$2x + 5 \geqslant 0 \Leftrightarrow 2x \geqslant -5 \Leftrightarrow x \geqslant \frac{-5}{2}$, donc m est définie sur $\left[\frac{-5}{2} ; +\infty\right[$, dérivable sur $\left]\frac{-5}{2} ; +\infty\right[$ et

$m'(x) = -3 \times 2 \times g'(2x+5)$

$\qquad = -3 \times 2 \times \frac{1}{2\sqrt{2x+5}} = \frac{-3}{\sqrt{2x+5}}$.

19 Graphiquement, on détermine le signe de la fonction g'.

g' est positive sur $]-\infty ; 2]$ et négative sur $[2 ; +\infty[$.
On en déduit que g est croissante sur $]-\infty ; 2]$ et décroissante sur $[2 ; +\infty[$.

27 1. f est dérivable sur $\mathbb{R}$ et $f'(x) = -3x^2 + 4x - 2$.
On étudie le signe de f' qui est une fonction polynôme de degré 2.
$\Delta = 4^2 - 4 \times (-3) \times (-2) = 16 - 24 = -8$
$\Delta < 0$, donc il n'y a aucune racine réelle.
$a = -3 < 0$, donc f' est négative sur $\mathbb{R}$ et on en déduit que f est décroissante sur $\mathbb{R}$.

x	$-\infty$		$+\infty$
$f'(x)$		$-$	
$f(x)$		↘	

2. $f(3) = 0$ et f est décroissante sur $\mathbb{R}$, donc on en déduit que f est positive sur $]-\infty\,;3]$ et négative sur $[3\,;+\infty[$.

30 1. f est dérivable sur $[-3\,;2]$ et $f'(x) = 6x^2 + 6x - 12$.

2. On étudie le signe de f' qui est une fonction polynôme de degré 2.
$\Delta = 6^2 - 4 \times 6 \times (-12) = 36 + 288 = 324$
$\Delta > 0$ il y a donc deux racines réelles
$x_1 = \dfrac{-6 - \sqrt{324}}{2 \times 6} = \dfrac{-6 - 18}{12} = -2$
et $x_2 = \dfrac{-6 + \sqrt{324}}{2 \times 6} = \dfrac{-6 + 18}{12} = 1$
$a = 6 > 0$, on en déduit le signe de f' puis le tableau de variations de f.

x	-3		-2		1		2
$f'(x)$		$+$	0	$-$	0	$+$	
$f(x)$	13	↗	24	↘	-3	↗	8

3. Le maximum de f sur $[-3\,;2]$ est 24 atteint pour $x = -2$.

4. Le minimum de f sur $[-3\,;2]$ est -3 atteint pour $x = 1$.

32 1.

x	-10		-9		2		10
$f'(x)$		$-$	0	$+$	0	$-$	
$f(x)$	0	↘	-2	↗	5	↘	-6

2. Le minimum de f sur $[-10\,;10]$ est -2 atteint pour $x = -9$.

3. Le maximum de f sur $[-10\,;10]$ est 5 atteint pour $x = 2$.

48 1. On peut conjecturer que la fonction f est croissante sur $\mathbb{R}$.

2. a. f est dérivable sur $\mathbb{R}$ et $f'(x) = 3x^2 + 8$.

b. Pour tout réel x, $x^2 \geqslant 0$ donc $3x^2 + 8 \geqslant 8$. On en déduit que f' est positive sur $\mathbb{R}$.

c. f' est positive sur $\mathbb{R}$, donc la fonction f est croissante sur $\mathbb{R}$ et on en déduit le tableau de variation de f.

x	$-\infty$		$+\infty$
$f'(x)$		$+$	
$f(x)$		↗	

d. La conjecture est vérifiée.

55 Si on nomme x la longueur du rectangle et l sa largeur, on a l'égalité $2 \times (l + x) = 3$ soit $l = 1,5 - x$.
La hauteur du triangle isocèle rectangle mesure la moitié de l'hypoténuse, donc l'aire de la fenêtre a pour expression :
$$A(x) = x \times (1,5 - x) + \dfrac{x \times \dfrac{x}{2}}{2} = 1,5x - x^2 + 0,25x^2$$
$$= -0,75x^2 + 1,5x.$$
Pour obtenir l'aire maximale, soit on exploite les connaissances sur les polynômes du second degré, soit on utilise la dérivation. Dans les deux cas, on obtient une aire maximale de 1,5 m^2 pour $x = 1$ m.

61 1. f est dérivable sur $\mathbb{R}$ et $f'(x) = 4x - 1$.

2. L'équation de la tangente $\mathscr{T}$ à $\mathscr{C}_f$ au point d'abscisse 2 est $y = f'(2)(x - 2) + f(2)$.
Or, $f(2) = 7$ et $f'(2) = 7$ donc l'équation de $\mathscr{T}$ est : $y = 7(x - 2) + 7 = 7x - 14 + 7 = 7x - 7$.

3. a. $f(x) - g(x) = 2x^2 - x + 1 - (7x - 7) = 2x^2 - 8x + 8$

b. On étudie le signe de $2x^2 - 8x + 8$.
$\Delta = (-8)^2 - 4 \times 2 \times 8 = 64 - 64 = 0$
$\Delta = 0$, il y a donc une racine réelle $x_0 = \dfrac{-(-8)}{2 \times 2} = \dfrac{8}{4} = 2$
$a = 2 > 0$, on en déduit que $2x^2 - 8x + 8$ est positif sur $\mathbb{R}$ et s'annule seulement pour $x = 2$.

c. Pour tout réel x, $2x^2 - 8x + 8 \geqslant 0$ donc $f(x) - g(x) \geqslant 0$, donc $f(x) \geqslant g(x)$.
On en déduit que $\mathscr{C}_f$ est au-dessus de $\mathscr{T}$.
De plus $2x^2 - 8x + 8$ s'annule seulement pour $x = 2$ donc le seul point d'intersection entre $\mathscr{C}_f$ et $\mathscr{T}$ est le point d'abscisse 2.

69 1. On étudie le signe de $2x^2 + 3x - 1$.
$\Delta = 3^2 - 4 \times 2 \times (-1) = 9 + 8 = 17$
$\Delta > 0$, il y a donc deux racines réelles
$$x_1 = \dfrac{-3 - \sqrt{17}}{2 \times 2} = \dfrac{-3 - \sqrt{17}}{4}$$
et $x_2 = \dfrac{-3 + \sqrt{17}}{2 \times 2} = \dfrac{-3 + \sqrt{17}}{4}$.

$a = 2 > 0$, on en déduit le signe de $2x^2 + 3x - 1$ dans le tableau de signes ci-dessous.

On étudie le signe de $x^2 + x - 2$.

$\Delta = 1^2 - 4 \times 1 \times (-2) = 1 + 8 = 9$

$\Delta > 0$, il y a donc deux racines réelles :

$$x_1 = \frac{-1 - \sqrt{9}}{2 \times 1} = \frac{-1 - 3}{2} = -2$$

$$\text{et } x_2 = \frac{-1 + \sqrt{9}}{2 \times 1} = \frac{-1 + 3}{2} = 1.$$

$a = 1 > 0$, on en déduit le signe de $x^2 + x - 2$ dans le tableau de signes ci-dessous.

On en déduit le signe de f.

x	$-\infty$		-2		$\dfrac{-3 - \sqrt{17}}{4}$		$\dfrac{-3 + \sqrt{17}}{4}$		1		$+\infty$
Signe de $2x^2 + 3x - 1$		+		+	0	−	0	+		+	
Signe de $x^2 + x - 2$		+	0	−		−		−	0	+	
Signe de f		+		−	0	+	0	−		+	

2. f est dérivable sur $]-\infty\,;-2[$, sur $]-2\,;1[$ et sur $]1\,;+\infty[$.

f est de la forme $\dfrac{u}{v}$ avec $u(x) = 2x^2 + 3x - 1$;

$u'(x) = 4x + 3$; $v(x) = x^2 + x - 2$ et $v'(x) = 2x + 1$.

On en déduit que f' est de la forme $\dfrac{u'v - uv'}{v^2}$ et on obtient :

$$f'(x) = \frac{(4x + 3)(x^2 + x - 2) - (2x^2 + 3x - 1)(2x + 1)}{(x^2 + x - 2)^2}$$

$$f'(x) = \frac{4x^3 + 4x^2 - 8x + 3x^2}{(x^2 + x - 2)^2}$$
$$+ \frac{3x - 6 - (4x^3 + 2x^2 + 6x^2 + 3x - 2x - 1)}{(x^2 + x - 2)^2}$$

$$f'(x) = \frac{-x^2 - 6x - 5}{(x^2 + x - 2)^2}$$

3. $f'(x)$ est du signe de $-x^2 - 6x - 5$ car $(x^2 + x - 2)^2 \geqslant 0$.

On étudie le signe de $-x^2 - 6x - 5$.

$\Delta = (-6)^2 - 4 \times (-1) \times (-5) = 36 - 20 = 16$

$\Delta > 0$, il y a donc deux racines réelles

$$x_1 = \frac{-(-6) - \sqrt{16}}{2 \times (-1)} = \frac{6 - 4}{-2} = -1$$

$$\text{et } x_2 = \frac{-(-6) + \sqrt{16}}{2 \times (-1)} = \frac{6 + 4}{-2} = -5.$$

$a = -1 < 0$, on en déduit le signe de $-x^2 - 6x - 5$ dans le tableau de signes ci-dessous et celui de $f'(x)$.

x	$-\infty$		-5		-2		-1		1		$+\infty$
Signe de $-x^2 - 6x - 5$		−	0	+		+		−		−	
Signe de $(x^2 + x - 2)^2$		+		+	0	+		+	0	+	
Signe de $f'(x)$		−	0	+		+	0	−		−	

4. On en déduit le tableau de variation de f.

x	$-\infty$		-5		-2		-1		1		$+\infty$
$f'(x)$		−	0	+		+	0	−		−	
$f(x)$		↘	$\dfrac{17}{9}$	↗		↗	1	↘		↘	

80 **1.** $BM = BA - AM = 1 - x$

$BN = BC + CN = 1 + x$

2. Dans le triangle BMN, $C \in [BN]$, $P \in [MN]$.

Les droites (BM) et (PC) sont parallèles car elles sont perpendiculaires à la même droite (BN).

On peut donc appliquer le théorème de Thalès, et on obtient $\dfrac{NC}{NB} = \dfrac{NP}{NM} = \dfrac{PC}{MB}$.

$\dfrac{NC}{NB} = \dfrac{PC}{MB}$, donc $\dfrac{x}{1 + x} = \dfrac{PC}{1 - x}$,

donc $PC = \dfrac{x(1 - x)}{1 + x} = \dfrac{-x^2 + x}{1 + x}$.

3. On considère la fonction définie sur $[0\,;1]$ par $f(x) = \dfrac{-x^2 + x}{1 + x}$.

On cherche le maximum de cette fonction.

f est définie et dérivable sur $[0\,;1]$.

f est de la forme $\dfrac{u}{v}$ avec $u(x) = -x^2 + x$, $u'(x) = -2x + 1$, $v(x) = 1 + x$ et $v'(x) = 1$.

On en déduit que f' est de la forme $\dfrac{u'v - uv'}{v^2}$ et on obtient :

$$f'(x) = \frac{(-2x + 1)(1 + x) - (-x^2 + x) \times 1}{(1 + x)^2}.$$

$$f'(x) = \frac{-2x - 2x^2 + 1 + x - (-x^2 + x)}{(1 + x)^2} = \frac{-x^2 - 2x + 1}{(1 + x)^2}$$

On étudie le signe de $f'(x)$ sur $[0\,;1]$.

$(1 + x)^2 \geqslant 0$, donc $f'(x)$ est du signe de $-x^2 - 2x + 1$.

$\Delta = (-2)^2 - 4 \times (-1) \times 1 = 4 + 4 = 8$

$\Delta > 0$, il y a donc deux racines réelles :

$$x_1 = \frac{-(-2) - \sqrt{8}}{2 \times (-1)} = \frac{2 - 2\sqrt{2}}{-2} = -1 + \sqrt{2} \in [0\,;1] \text{ et}$$

$$x_2 = \frac{-(-2) + \sqrt{8}}{2 \times (-1)} = \frac{2 + 2\sqrt{2}}{-2} = -1 - \sqrt{2} \notin [0\,;1].$$

On en déduit le signe de $f'(x)$ sur $[0\,;1]$ ainsi que les variations de f.

x	0		$-1 + \sqrt{2}$		1
$-x^2 - 2x + 1$		+	0	−	
$(x + 1)^2$		+		+	
$f'(x)$		+	0	−	
$f(x)$		↗	$-2\sqrt{2} + 3$	↘	

$f\left(-1+\sqrt{2}\right) = -2\sqrt{2} + 3$ donc le maximum de f sur $[0\,;1]$ est $-2\sqrt{2} + 3$ atteint pour $x = -1 + \sqrt{2}$.

On en déduit que la longueur AC est maximale lorsque $AM = -1 + \sqrt{2}$.

La longueur de PC est $-2\sqrt{2} + 3$.

83 1. f est de la forme $\dfrac{u}{v}$ avec $u(x) = 2 - x$, $u'(x) = -1$, $v(x) = x^2 + 5$ et $v'(x) = 2x$.

On en déduit que f' est de la forme $\dfrac{u'v - uv'}{v^2}$ et on obtient :

$$f'(x) = \dfrac{(-1)\left(x^2 + 5\right) - (2 - x) \times 2x}{\left(x^2 + 5\right)^2}$$

$$= \dfrac{-x^2 - 5 - 4x + 2x^2}{\left(x^2 + 5\right)^2} = \dfrac{x^2 - 4x - 5}{\left(x^2 + 5\right)^2}$$

2. On étudie le signe de $f'(x)$ sur $\mathbb{R}$.

$(x^2 + 5)^2 \geqslant 0$, donc $f'(x)$ est du signe de $x^2 - 4x - 5$.

$\Delta = (-4)^2 - 4 \times 1 \times (-5) = 16 + 20 = 36$

$\Delta > 0$, il y a donc deux racines réelles $x_1 = \dfrac{-(-4) - \sqrt{36}}{2 \times 1}$

$= \dfrac{4 - 6}{2} = -1$ et $x_2 = \dfrac{-(-4) + \sqrt{36}}{2 \times 1} = \dfrac{4 + 6}{2} = 5$.

$a = 1 > 0$, donc $f'(x) \leqslant 0$ sur $[-1\,;5]$ et $f'(x) \geqslant 0$ sur $]-\infty\,;-1] \cup [5\,;+\infty[$.

3. Le signe de f' permet de connaître les variations de la fonction f.

x	$-\infty$		-1		5		$+\infty$
$f'(x)$		$+$	0	$-$	0	$+$	
$f(x)$		↗	$0{,}5$	↘	$-0{,}1$	↗	

88 1. Graphiquement, on voit que $\mathscr{C}_f$ est en dessous $\mathscr{C}_g$ sur $]-\infty\,;1]$ et que $\mathscr{C}_f$ est au-dessus de $\mathscr{C}_g$ sur $[1\,;+\infty[$.

2. a. h est dérivable sur $\mathbb{R}$ et $h(x) = 3x^2 - 2x + 2$.

b. On étudie le signe de $h'(x)$ sur $\mathbb{R}$.

$\Delta = (-2)^2 - 4 \times 3 \times 2 = 4 - 24 = -20$

$\Delta < 0$, donc il n'y a pas de racines réelles et $a = 3 > 0$, donc $h'(x) \geqslant 0$ sur $\mathbb{R}$.

On en déduit que h est décroissante sur $\mathbb{R}$.

c. $h(1) = 0$ et h est décroissante sur $\mathbb{R}$, donc h est positive sur $]-\infty\,;1]$ et négative sur $[1\,;+\infty[$.

3. $h(x) = f(x) - g(x)$ donc, d'après les résultats de la question 2, on a :

• sur $]-\infty\,;1]$, $h(x) \geqslant 0$, donc $f(x) - g(x) \geqslant 0$, donc $f(x) \geqslant g(x)$;

• sur $[1\,;+\infty[$, $h(x) \leqslant 0$, donc $f(x) - g(x) \leqslant 0$ donc $f(x) \leqslant g(x)$.

On retrouve ainsi les résultats de la question 1.

Chapitre 6

2 1. $f'(x) = 3\exp(x) - 2$

2. $g'(x) = 4x \times \exp(x) + (2x^2 + 1) \times \exp(x)$
$= (2x^2 + 4x + 1) \times \exp(x)$

3. $h'(x) = \dfrac{(\exp(x) \times (6 + 2x) - (2 + \exp(x)) \times 2}{(6 + 2x)^2}$

$= \dfrac{\exp(x) \times (4 + 2x) - 4}{(6 + 2x)^2}$

5 $\exp(2) = \exp(5) \times \exp(-3) \approx 140 \times 0{,}05 = 7$

$\exp(8) = \dfrac{\exp(5)}{\exp(-3)} \approx \dfrac{140}{0{,}05} = 2\,800$

$\exp(-2) \approx \dfrac{1}{7}$

$\exp(10) = \exp(5)^2 \approx 140^2 = 19\,600$

7 $A = \exp(2x - 3 + 4 - x) = \exp(x + 1)$
$B = \exp(2x - 2 + x + 2) = \exp(3x)$
$C = 3\exp(x)\exp(2x - 1) = 3\exp(x + 2x - 1)$
$\quad = 3\exp(3x - 1)$

14 1. $u_0 = e^2$; $u_1 = e^{2 - \frac{1}{3}} = e^{\frac{5}{3}}$;

$u_2 = e^{2 - \frac{2}{3}} = e^{\frac{4}{3}}$; $u_3 = e^{2 - 1} = e$.

La suite semble décroissante.

2. On a $u_n = e^2 \times \left(e^{-\frac{1}{3}}\right)^n$.

La suite est géométrique de raison $e^{-\frac{1}{3}}$.

3. La raison est positive et est inférieure à 1, donc la suite est décroissante.

16 1. $f'(x) = 1 + e^x$

2. $g'(x) = \dfrac{e^x \times x - e^x \times 1}{x^2} = \dfrac{(x - 1)e^x}{x^2}$

3. $h'(x) = 1e^x + xe^x = (1 + x)\,e^x$.

21 1. $e^{2x+1} = e^{3x+2} \Leftrightarrow 2x + 1 = 3x + 2 \Leftrightarrow x = -1$
$S = \{-1\}$

2. $e^{-x} = e^{2x+4} \Leftrightarrow -x = 2x + 4 \Leftrightarrow 3x = -4 \Leftrightarrow x = -\dfrac{4}{3}$

$S = \left\{-\dfrac{4}{3}\right\}$

3. $e^{-4x+1} = e^{x+1} \Leftrightarrow -4x + 1 = x + 1 \Leftrightarrow -5x = 0 \Leftrightarrow x = 0$
$S = \{0\}$

4. $e^{-x-1} - e^{2x+4} = 0 \Leftrightarrow e^{-x-1} = e^{2x+4} \Leftrightarrow -x - 1 = 2x + 4$

$\Leftrightarrow 3x = -5 \Leftrightarrow x = -\dfrac{5}{3}$

$S = \left\{-\dfrac{5}{3}\right\}$

30 1. $\dfrac{e^x}{e^{4x}} \geqslant 1 \Leftrightarrow e^{-3x} \geqslant 1 \Leftrightarrow -3x \geqslant 0 \Leftrightarrow x \leqslant 0$

$\mathscr{S} =]-\infty\,;\,0]$

2. $\dfrac{e^{x-2}}{e^{3x-6}} < 1 \Leftrightarrow e^{x-2-3x+6} < 1$

$\Leftrightarrow e^{-2x+4} < 1$

$\Leftrightarrow -2x + 4 < 0$

$\Leftrightarrow -2x < -4$

$\Leftrightarrow x > \dfrac{-4}{-2}$ car on divise chaque membre
par –2 qui est négatif.

$\Leftrightarrow x > 2$;

$\mathscr{S} =]2\,;\,+\infty[$

3. $\dfrac{e^{2x+1}}{(e^x)^3} \geqslant 0$

Pour tout réel x, $e^{2x+1} > 0$ et $(e^x)^3 > 0$, donc ce quotient est positif pour tout réel x.

$\mathscr{S} = \mathbb{R}$

4. $\dfrac{e^{-x-2}}{e^{3x} \times e^3} - 1 \leqslant 0 \Leftrightarrow \dfrac{e^{-x-2}}{e^{3x} \times e^3} \leqslant 1$

$\Leftrightarrow e^{-x-2-3x-3} \leqslant 1$

$\Leftrightarrow e^{-4x-5} \leqslant 1$

$\Leftrightarrow -4x - 5 \leqslant 0$

$\Leftrightarrow -4x \leqslant 5$

$\Leftrightarrow x \geqslant -\dfrac{5}{4}$ car on divise chaque

membre par –4 qui est négatif.

$\mathscr{S} = \left[-\dfrac{5}{4}\,;\,+\infty\right[$

35 1. $u(t) = 10 - 10e^{-\frac{t}{0,1}} = 10 - 10e^{-10t}$

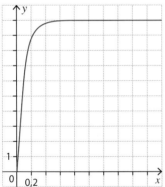

2. Le temps de charge est d'environ 0,3 seconde.

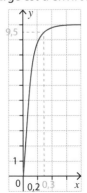

46 D'après les données de l'exercice, on a :
$f(0) = 1 \Leftrightarrow (a \times 0 + b)\,e^{-0} = 1 \Leftrightarrow b = 1$.

On a aussi $f'\left(\dfrac{1}{2}\right) = 0$.

On calcule $f'(x)$.
$f'(x) = ae^{-x} + (ax + 1)(-e^{-x})$
$= ae^{-x} - axe^{-x} - e^{-x} = (a - ax - 1)\,e^{-x}$

$f'\left(\dfrac{1}{2}\right) = 0 \Leftrightarrow \left(a - \dfrac{1}{2}a - 1\right)e^{-\frac{1}{2}} = 0$

$\Leftrightarrow \dfrac{1}{2}a - 1 = 0$ car $e^{-\frac{1}{2}} \neq 0$

$\Leftrightarrow a = 2$

On obtient donc $f(x) = (2x + 1)\,e^{-x}$.

57 1. L'équation réduite de la tangente au point d'abscisse a est $y = f'(a)(x - a) + f(a)$.
Or $f'(a) = e^a$ et $f(a) = e^a$.
On trouve donc $y = e^a\,(x - a) + e^a$
$= e^a x - ae^a + e^a = e^a\,x + e^a(1 - a)$.

2. Le point B a pour ordonnée 0.
On résout donc $e^a\,x + e^a\,(1 - a) = 0$.
$e^a\,x + e^a\,(1 - a) = 0 \Leftrightarrow e^a\,x = e^a(a - 1)$

$\Leftrightarrow x = \dfrac{e^a\,(a-1)}{e^a} = a - 1$

3. H a la même abscisse que A donc $BH = a - (a - 1) = 1$.
La distance BH est constante égale à 1.

68 1. Faux : en effet, $f'(x) = -e^{-x} + xe^{-x} = (x - 1)\,e^{-x}$.
$f'(x)$ est du signe de $x - 1$, car e^{-x} est toujours positif.
Or $x - 1$ change de signe en 1. Donc la fonction f n'est pas décroissante sur $\mathbb{R}$.

2. Faux : Pour tout réel a, e^a est un réel positif. Donc e^{-x} est un réel positif quelle que soit la valeur de x.

3. Vrai : $u_n = \dfrac{1}{2}e^{3n} = \dfrac{1}{2}(e^3)^n$ est une suite géométrique de raison e^3.

4. Faux : $-3 < 0$. Comme la fonction exponentielle est croissante sur $\mathbb{R}$, on a alors $e^{-3} < e^0$ donc $e^{-3} < 1$.

Chapitre 7

4 a. D est le projeté orthogonal de A sur la droite (DC), donc $\overrightarrow{CD} \cdot \overrightarrow{CA} = \overrightarrow{CD} \cdot \overrightarrow{CD} = a^2$.

b. $\overrightarrow{AD} \cdot \overrightarrow{CB} = -\overrightarrow{CB} \cdot \overrightarrow{CB} = -a^2$.

c. Les vecteurs $\overrightarrow{BD}$ et $\overrightarrow{AC}$ sont orthogonaux, donc $\overrightarrow{BD} \cdot \overrightarrow{AC} = 0$.

d. Soit I le milieu de $[AB]$, alors I est le projeté orthogonal de O sur la droite (AB), donc $\overrightarrow{OA} \cdot \overrightarrow{AB} = \overrightarrow{IB} \cdot \overrightarrow{AB}$
$= \frac{1}{2} \overrightarrow{AB} \cdot \overrightarrow{AB} = \frac{1}{2} a^2$

e. $\overrightarrow{OA} \cdot \overrightarrow{OC} = -\overrightarrow{OC} \cdot \overrightarrow{OC} = -OC^2 = -\frac{a^2}{2}$ car dans le triangle OBC rectangle en O, $OC^2 + OC^2 = BC^2 \Leftrightarrow 2OC^2 = a^2$.

f. A est le projeté orthogonal de B sur la droite (AD), donc $\overrightarrow{DA} \cdot \overrightarrow{BD} = \overrightarrow{DA} \cdot \overrightarrow{AD} = -a^2$.

6

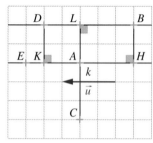

a. Soient E le point tel que $\overrightarrow{AE} = \vec{u}$ et H le projeté orthogonal de B sur (AE).
$\overrightarrow{AB} \cdot \vec{u} = -AH \times AE = -9$

b. Les vecteurs $\overrightarrow{AC}$ et $\vec{u}$ sont orthogonaux, donc $\overrightarrow{AC} \cdot \vec{u} = 0$.

c. Soit K le projeté orthogonal de D sur (AE).
$\overrightarrow{AD} \cdot \vec{u} = AK \times AE = 6$

d. Les vecteurs $\overrightarrow{DB}$ et $\vec{u}$ sont colinéaires de sens contraire, donc $\overrightarrow{DB} \cdot \vec{u} = -5 \times 3 = -15$.

e. Les vecteurs $\overrightarrow{DB}$ et $\overrightarrow{AC}$ sont orthogonaux, donc $\overrightarrow{DB} \cdot \overrightarrow{AC} = 0$.

f. Soit L le projeté orthogonal de C sur (DB).
$\overrightarrow{DB} \cdot \overrightarrow{CB} = \overrightarrow{DB} \cdot \overrightarrow{LB} = 5 \times 3 = 15$

12 **1.**

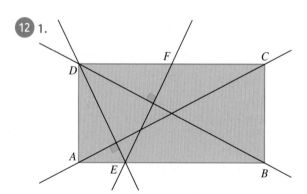

2. a. $\overrightarrow{AC} \cdot \overrightarrow{DE} = \overrightarrow{AC} \cdot (\overrightarrow{DA} + \overrightarrow{AE}) = \overrightarrow{AC} \cdot \overrightarrow{DA} + \overrightarrow{AC} \cdot \overrightarrow{AE}$
Or D est le projeté orthogonal de C sur la droite (AD), donc $\overrightarrow{AC} \cdot \overrightarrow{DA} = \overrightarrow{AD} \cdot \overrightarrow{DA} = -AD^2$.
Ainsi, $\overrightarrow{AC} \cdot \overrightarrow{DE} = -AD^2 + \overrightarrow{AC} \cdot \overrightarrow{AE}$.

b. Comme B est le projeté orthogonal de C sur la droite (AE), alors $\overrightarrow{AC} \cdot \overrightarrow{AE} = \overrightarrow{AB} \cdot \overrightarrow{AE} = AB \times AE$.
Donc $\overrightarrow{AC} \cdot \overrightarrow{DE} = -AD^2 - AB \times AE = -4 + 4 = 0$.
Ces vecteurs sont donc orthogonaux et les droites (AC) et (DE) sont perpendiculaires.

3. $\overrightarrow{EF} \cdot \overrightarrow{BD} = (\overrightarrow{EA} + \overrightarrow{AD} + \overrightarrow{DF}) \cdot \overrightarrow{BD}$
$\qquad = \overrightarrow{EA} \cdot \overrightarrow{BD} + \overrightarrow{AD} \cdot \overrightarrow{BD} + \overrightarrow{DF} \cdot \overrightarrow{BD}$
Comme A est le projeté orthogonal de D sur la droite (EA), alors $\overrightarrow{EA} \cdot \overrightarrow{BD} = \overrightarrow{EA} \cdot \overrightarrow{BA} = AB \times AE$.
Comme A est le projeté orthogonal de B sur la droite (AD), alors $\overrightarrow{AD} \cdot \overrightarrow{BD} = \overrightarrow{AD} \cdot \overrightarrow{AD} = AD^2$.
Comme C est le projeté orthogonal de B sur la droite (DC), alors $\overrightarrow{DF} \cdot \overrightarrow{BD} = \overrightarrow{DF} \cdot \overrightarrow{CD} = -DF \times CD$.
Ainsi $\overrightarrow{EF} \cdot \overrightarrow{BD} = 4 + 4 - 8 = 0$.
Ces vecteurs sont donc orthogonaux et les droites (EF) et (BD) sont perpendiculaires.

19 En utilisant la formule du produit scalaire avec les normes, on obtient :
$\overrightarrow{AB} \cdot \overrightarrow{BC} = \frac{1}{2} (\|\overrightarrow{AB} + \overrightarrow{BC}\|^2 - \|\overrightarrow{AB}\|^2 - \|\overrightarrow{BC}\|^2)$.
Or, d'après la relation de Chasles $\overrightarrow{AB} + \overrightarrow{BC} = \overrightarrow{AC}$ et comme $ABCD$ est un parallélogramme, alors $\overrightarrow{BC} = \overrightarrow{AD}$.
D'où $\overrightarrow{AB} \cdot \overrightarrow{BC} = \frac{1}{2} (AC^2 - AB^2 - AD^2)$.

21 **a.** $\overrightarrow{OA} \begin{pmatrix} -2 \\ 2 \end{pmatrix}$ et $\overrightarrow{OB} \begin{pmatrix} 1 \\ 3 \end{pmatrix}$, donc $\overrightarrow{OA} \cdot \overrightarrow{OB} = -2 + 6 = 4$.

b. $\vec{u} \begin{pmatrix} 2 \\ 5 \end{pmatrix}$ et $\vec{v} \begin{pmatrix} -1 \\ 3 \end{pmatrix}$, donc $\overrightarrow{OA} \cdot \overrightarrow{OB} = -2 + 15 = 13$.

c. $\overrightarrow{AB} \begin{pmatrix} 1 - (-2) \\ 3 - 2 \end{pmatrix} = \begin{pmatrix} 3 \\ 1 \end{pmatrix}$ et $\vec{u} \begin{pmatrix} 2 \\ 5 \end{pmatrix}$,
donc $\overrightarrow{AB} \cdot \vec{u} = 6 + 5 = 11$.

33 On utilise le théorème d'Al–Kashi :

1. $a^2 = b^2 + c^2 - 2bc \cos(\hat{A}) = 3^2 + 4^2 - 12 \cos(60°) = 19$, donc $a = \sqrt{19}$.

2. $b^2 = a^2 + c^2 - 2ac \cos(\hat{B}) = (2\sqrt{2})^2 + 5^2 - 10\sqrt{2}$
$\cos(45°) = 23$, donc $b = \sqrt{23}$.

3. $a^2 = 3^2 + 3^2 - 18 \cos(90°) = 18$, donc $a = 3\sqrt{2}$.

42 Soit I le milieu du segment $[AB]$.
D'après le théorème de la médiane, on a :

a. $\overrightarrow{MA} \cdot \overrightarrow{MB} = -9 \Leftrightarrow MI^2 - \frac{AB^2}{4} = -9$
$\qquad\qquad \Leftrightarrow MI^2 = -9 + \frac{6^2}{4} = 0 \Leftrightarrow MI = 0$
Cet ensemble est donc réduit au point I.

b. $\overrightarrow{MA} \cdot \overrightarrow{MB} = 16 \Leftrightarrow MI^2 - \frac{AB^2}{4} = 16$
$\qquad\qquad \Leftrightarrow MI^2 = 16 + \frac{6^2}{4} = 25 \Leftrightarrow MI = 5$
Cet ensemble est donc le cercle de centre I et de rayon 5.

c. $\overrightarrow{MA} \cdot \overrightarrow{MB} = -10 \Leftrightarrow MI^2 - \frac{AB^2}{4} = -10$
$\qquad\qquad \Leftrightarrow MI^2 = -10 + \frac{4^2}{4} = -6$
Cet ensemble est donc vide.

45 1. a. Soit H le projeté orthogonal de C sur la droite (AB), alors $\overrightarrow{AB} \cdot \overrightarrow{AC} = -AH \times AB = -4$.

b. $\overrightarrow{AB} \cdot \overrightarrow{AM} = -4 \Leftrightarrow \overrightarrow{AB} \cdot \overrightarrow{AM} = \overrightarrow{AB} \cdot \overrightarrow{AC}$

$\qquad \Leftrightarrow \overrightarrow{AB} \cdot (\overrightarrow{AM} - \overrightarrow{AC}) = 0 \Leftrightarrow \overrightarrow{AB} \cdot \overrightarrow{CM} = 0$

c. Cet ensemble est la droite perpendiculaire à (AB) passant par C.

2. a. Soit D le point tel que $\overrightarrow{AD} = \dfrac{3}{4} \overrightarrow{AB}$, alors $\overrightarrow{AB} \cdot \overrightarrow{AD} = AB \times AD = 12$.

b. $\overrightarrow{AB} \cdot \overrightarrow{AM} = 12 \Leftrightarrow \overrightarrow{AB} \cdot \overrightarrow{AM} = \overrightarrow{AB} \cdot \overrightarrow{AD}$

$\qquad \Leftrightarrow \overrightarrow{AB} \cdot (\overrightarrow{AM} - \overrightarrow{AD}) = 0 \Leftrightarrow \overrightarrow{AB} \cdot \overrightarrow{DM} = 0$

Cet ensemble est la droite perpendiculaire à (AB) passant par D.

53 1. $\overrightarrow{BA} \begin{pmatrix} 3 \\ 3 \end{pmatrix}$ et $\overrightarrow{BC} \begin{pmatrix} 6 \\ 2 \end{pmatrix}$

donc $\overrightarrow{BA} \cdot \overrightarrow{BC} = 3 \times 6 + 3 \times 2 = 24$.

2. a. $\overrightarrow{BA} \cdot \overrightarrow{BH} = \overrightarrow{BA} \cdot \overrightarrow{BC} = 24$

b. Les vecteurs $\overrightarrow{BA}$ et $\overrightarrow{BH}$ étant colinéaires, on a :
$$\overrightarrow{BA} \cdot \overrightarrow{BH} = BA \times BH = 24.$$
$BA = \sqrt{3^2 + 3^2} = 3\sqrt{2}$ d'où $BH = \dfrac{24}{3\sqrt{2}} = 4\sqrt{2}$.

71 1. $\overrightarrow{MB} + \overrightarrow{MC} = \overrightarrow{MI} + \overrightarrow{IB} + \overrightarrow{MI} + \overrightarrow{IC} = 2\overrightarrow{MI} + \overrightarrow{IB} + \overrightarrow{IC}$.

Comme I est le milieu du segment $[BC]$, alors $\overrightarrow{IB} = -\overrightarrow{IC}$ et $\overrightarrow{MB} + \overrightarrow{MC} = 2\overrightarrow{MI}$

2. $\overrightarrow{MA} \cdot (\overrightarrow{MB} + \overrightarrow{MC}) = 0 \Leftrightarrow \overrightarrow{MA} \cdot 2\overrightarrow{MI} = 0$

$\qquad \Leftrightarrow \overrightarrow{MA} \cdot \overrightarrow{MI} = 0 \Leftrightarrow M$ appartient au cercle de diamètre $[AI]$.

Comme le triangle ABI est rectangle en B, alors le cercle circonscrit au triangle ABI est le cercle de diamètre $[AI]$, c'est-à-dire l'ensemble des points M du plan tels que $\overrightarrow{MA} \cdot (\overrightarrow{MB} + \overrightarrow{MC}) = 0$.

74 1. Dans un repère orthonormé du plan, les coordonnées respectives de $\vec{u}$ et $\vec{v}$ sont $\begin{pmatrix} x \\ y \end{pmatrix}$ et $\begin{pmatrix} x' \\ y' \end{pmatrix}$, alors $\vec{u} \cdot \vec{v} = xx' + yy'$.

$\dfrac{1}{2} (\|\vec{u} + \vec{v}\|^2 - \|\vec{u}\|^2 - \|\vec{v}\|^2)$

$= \dfrac{1}{2} ((x + x')^2 + (y + y')^2 - (x^2 + y^2) - (x'^2 + y'^2))$

$= \dfrac{1}{2} (2xx' + 2yy') = \vec{u} \cdot \vec{v}$

2. En utilisant la formule précédente avec les vecteurs $\vec{u}$ et $-\vec{v}$, on obtient :

$-\vec{u} \cdot \vec{v} = \dfrac{1}{2} (\|\vec{u} - \vec{v}\|^2 - \|\vec{u}\|^2 - \|\vec{v}\|^2)$

$\qquad \Leftrightarrow \vec{u} \cdot \vec{v} = \dfrac{1}{2} (\|\vec{u}\|^2 + \|\vec{v}\|^2 - \|\vec{u} - \vec{v}\|^2)$

3. En utilisant la formule précédente avec $\vec{u} = \overrightarrow{AB}$ et $\vec{v} = \overrightarrow{AC}$, on obtient :

$\overrightarrow{AB} \cdot \overrightarrow{AC} = \dfrac{1}{2} (\|\overrightarrow{AB}\|^2 + \|\overrightarrow{AC}\|^2 - \|\overrightarrow{AB} - \overrightarrow{AC}\|^2)$

Comme $\overrightarrow{AB} - \overrightarrow{AC} = \overrightarrow{AB} + \overrightarrow{CA} = \overrightarrow{CB}$, alors $\overrightarrow{AB} \cdot \overrightarrow{AC} = \dfrac{1}{2}$ $(AB^2 + AC^2 - BC^2)$.

85 1. On conjecture que $\theta = 90°$.

2. a. $\overrightarrow{AI} \cdot \overrightarrow{BD} = (\overrightarrow{AB} + \overrightarrow{BI}) \cdot (\overrightarrow{BA} + \overrightarrow{AD})$
$= \overrightarrow{AB} \cdot \overrightarrow{BA} + \overrightarrow{AB} \cdot \overrightarrow{AD} + \overrightarrow{BI} \cdot \overrightarrow{BA} + \overrightarrow{BI} \cdot \overrightarrow{AD}$
$= -l^2 + 0 + 0 + \dfrac{1}{2} L^2$
$= -l^2 + \dfrac{1}{2} L^2$

b. $\theta = 90° \Leftrightarrow \overrightarrow{AI} \cdot \overrightarrow{BD} = 0 \Leftrightarrow -l^2 + \dfrac{1}{2} L^2 = 0$

$\Leftrightarrow \dfrac{l^2}{L^2} = 2 \Leftrightarrow \dfrac{l}{L} = \sqrt{2}$

3. Pour $l = 29{,}7$ et $L = 21$, alors $\dfrac{l^2}{L^2} \approx 2{,}0002$,

donc $\dfrac{l^2}{L^2} \neq 2 \Leftrightarrow \dfrac{l}{L} \neq \sqrt{2}$, donc $\theta \neq 90°$.

Ainsi, le logiciel ne met pas le symbole de l'angle droit car les droites ne sont pas perpendiculaires.

Chapitre 8

2 Un vecteur directeur de la droite $\mathcal{D}$ est $\vec{u} \begin{pmatrix} 2 \\ -1 \end{pmatrix}$. Par lecture graphique, on a :

$\vec{n_1} \begin{pmatrix} 1 \\ 2 \end{pmatrix}$ et $\vec{u} \cdot \vec{n_1} = 2 \times 1 + (-1) \times 2 = 2 - 2 = 0$.

Donc $\vec{n_1}$ est un vecteur normal à $\mathcal{D}$.

$\vec{n_2} \begin{pmatrix} 0 \\ -4 \end{pmatrix}$ et $\vec{u} \cdot \vec{n_2} = 2 \times 0 + (-1) \times (-4) = 0 + 4 = 4$.

Donc $\vec{n_2}$ n'est pas un vecteur normal à $\mathcal{D}$.

$\vec{n_3} \begin{pmatrix} 2 \\ 4 \end{pmatrix}$ et $\vec{u} \cdot \vec{n_3} = 2 \times 2 + (-1) \times 4 = 4 - 4 = 0$.

Donc $\vec{n_3}$ est un vecteur normal à $\mathcal{D}$.

$\vec{n_4} \begin{pmatrix} -1 \\ -1 \end{pmatrix}$ et $\vec{u} \cdot \vec{n_4} = 2 \times (-1) + (-1) \times (-1) = -2 + 1 = -1$.

Donc $\vec{n_4}$ n'est pas un vecteur normal à $\mathcal{D}$.

$\vec{n_5} \begin{pmatrix} 0 \\ 2 \end{pmatrix}$ et $\vec{u} \cdot \vec{n_5} = 2 \times 0 + (-1) \times 2 = 0 - 2 = -2$.

Donc $\vec{n_5}$ n'est pas un vecteur normal à $\mathcal{D}$.

$\vec{n_6} \begin{pmatrix} -1 \\ -2 \end{pmatrix}$ et $\vec{u} \cdot \vec{n_6} = 2 \times (-1) + (-1) \times (-2) = -2 + 2 = 0$.

Donc $\vec{n_6}$ est un vecteur normal à $\mathcal{D}$.

7 1. Un vecteur directeur de la droite $\mathcal{D}$ est $\vec{u} \begin{pmatrix} -3 \\ 5 \end{pmatrix}$ donc $-b = -3$, soit $b = 3$ et $a = 5$.

Un vecteur normal à $\mathcal{D}$ a donc pour coordonnées $\begin{pmatrix} 5 \\ 3 \end{pmatrix}$.

2. Un vecteur normal à $\mathcal{D}$ a pour coordonnées $\begin{pmatrix} a \\ b \end{pmatrix}$.

Par lecture des coefficients, $a = 3$ et $b = 2$.

Donc un vecteur normal à $\mathcal{D}$ a pour coordonnées $\begin{pmatrix} a \\ b \end{pmatrix}$ soit $\begin{pmatrix} 3 \\ 2 \end{pmatrix}$.

9 **1.** $\Delta : 8x - 9y + 26 = 0$

2. $\Delta : y + 4 = 0$

3. $\Delta : \dfrac{1}{2}x - \dfrac{1}{4}y - 3 = 0$

4. $\Delta : x - y - 7 = 0$

14 $\Delta : 2x + y = 0$ et $2 \times (-2) + 5 \neq 0$, donc E n'appartient pas à Δ.

20 **1.** $x = \dfrac{3}{10}$

2. $x = -\dfrac{1}{2}$

3. $x = -\dfrac{3}{2}$

4. $x = \dfrac{7}{12}$

5. $x = \dfrac{\sqrt{3}}{2}$

29 $y = -4x^2 + 4x - 1$

39 **1.** $x^2 + 3x + y^2 - 7y = 0$

2. $x^2 + 2x + y^2 - 4y - 8 = 0$

3. $x^2 + \dfrac{1 - \sqrt{2}}{2}x + y^2 - \dfrac{\sqrt{2} + \sqrt{3}}{2}y + \dfrac{\sqrt{6} - \sqrt{2}}{4} = 0$

49 **1.** Centre $A(3 ; 0)$ et rayon 5 unités de longueur.

2. Centre $A(3 ; 0)$ et rayon 5 unités de longueur.

3. Centre $A(5 ; -10)$ et rayon 11 unités de longueur.

4. Centre $A(-2 ; 4)$ et rayon 2 unités de longueur.

61 Une équation de la parabole est du type $y = ax^2 + bx + c$.

S appartient à la parabole, donc $0 + 0 + c = 4$, soit $c = 4$.

S est le sommet, donc $\dfrac{-b}{2a} = 0 \Leftrightarrow b = 0$.

Enfin A appartient à la parabole,

donc $a + c = 2 \Leftrightarrow a = -2$.

Donc une équation cartésienne de la parabole est $y = -2x^2 + 4$.

68 **1.** A appartient à (Ox), donc son ordonnée est nulle.

A appartient à d, donc $2x_A - 0 - \dfrac{1}{2} = 0 \Leftrightarrow x_A = \dfrac{1}{4}$.

Soit $A\left(\dfrac{1}{4} ; 0\right)$.

2. B appartient à (Ox), donc $B(1 ; 0)$.

3. Soit $H(x ; y)$ le projeté orthogonal de B sur d.

$\overrightarrow{BH}$ est orthogonal à tout vecteur directeur de d.

On a en particulier $(x - 1) \times 1 + y \times 2 = 0 \Leftrightarrow x + 2y - 1 = 0$.

On résout le système $\begin{cases} x + 2y - 1 = 0 \\ 2x - y - \dfrac{1}{2} = 0 \end{cases} \Leftrightarrow \begin{cases} x = \dfrac{2}{5} \\ y = \dfrac{3}{10} \end{cases}$

H est le milieu de $[BB']$, ce qui équivaut à :

$\dfrac{2}{5} = \dfrac{1}{2}(x_B + x_{B'}) \Leftrightarrow x_{B'} = -\dfrac{1}{5}$ et $\dfrac{3}{10} = \dfrac{1}{2}(y_B + y_{B'})$

$\Leftrightarrow y_{B'} = \dfrac{6}{10} = \dfrac{3}{5}$

4. Δ est la droite (AB').

$M(x ; y)$ appartient à $\Delta \Leftrightarrow \overrightarrow{AM}$ colinéaire à $\overrightarrow{AB'}$

$\Leftrightarrow \left(x - \dfrac{1}{4}\right) \times \dfrac{3}{5} - y \times \left(-\dfrac{9}{20}\right) = 0 \Leftrightarrow 12x + 9y - 3 = 0$

70 Soit $H(x ; y)$ le projeté orthogonal de A sur $\mathcal{D}$.

$\overrightarrow{AH}$ est orthogonal à tout vecteur directeur de $\mathcal{D}$.

On a en particulier :

$(x - 1) \times (-1) + (y - 2) \times 1 = 0 \Leftrightarrow -x + y - 1 = 0$.

On résout le système $\begin{cases} x + y - 7 = 0 \\ -x + y - 1 = 0 \end{cases} \Leftrightarrow \begin{cases} x = 3 \\ y = 4 \end{cases}$

Le cercle passe par A et H, donc son centre est le milieu I du segment $[AH]$.

On a alors $\begin{cases} x_1 = \dfrac{1}{2}(x_A + x_H) \\ y_1 = \dfrac{1}{2}(y_A + y_H) \end{cases} \Leftrightarrow \begin{cases} x_1 = 2 \\ y_1 = 3 \end{cases}$

Le rayon vaut $\dfrac{AH}{2}$, avec :

$AH = \sqrt{(3 - 1)^2 + (4 - 2)^2} = \sqrt{4 + 4} = 2\sqrt{2}$, soit $\sqrt{2}$ unités de longueur.

Une équation du cercle est donc $(x - 2)^2 + (y - 3)^2 = 2$.

79 $M(x ; y)$ appartient à la parabole et à la droite si et seulement si $\begin{cases} y = mx^2 - 2x + 4 \\ y = 2m \end{cases}$

$\Leftrightarrow \begin{cases} mx^2 - 2x + 4 - 2m = 0 \\ y = 2m \end{cases}$

On considère l'équation $mx^2 - 2x + 4 - 2m = 0$.

$\Delta = 8m - 12$.

• $\Delta < 0 \Leftrightarrow m < \dfrac{3}{2}$. L'équation n'admet pas de solution, donc il n'y a aucun point d'intersection entre la parabole et la droite.

• $\Delta = 0 \Leftrightarrow m = \dfrac{3}{2}$. L'équation admet une solution, donc il y a un point d'intersection entre la parabole et la droite.

• $\Delta > 0 \Leftrightarrow m > \dfrac{3}{2}$. L'équation admet deux solutions, donc il y a deux points d'intersection entre la parabole et la droite.

90 1. A appartient à $\mathscr{P}$ si et seulement si :
$$a \times 1^2 + b \times 1 + c = -1 \Leftrightarrow a + b + c = -1.$$
B appartient à $\mathscr{P}$ si et seulement si :
$$a \times (-1)^2 + b \times (-1) + c = 9 \Leftrightarrow a - b + c = 9.$$
C appartient à $\mathscr{P}$ si et seulement si :
$$a \times 3^2 + b \times 3 + c = 5 \Leftrightarrow 9a + 3b + c = 5.$$
D'où le système $\begin{cases} a + b + c = -1 \\ a - b + c = 9 \\ 9a + 3b + c = 5 \end{cases}$

2. On ajoute les lignes 1 et 2 du précédent système (L1 + L2).

3. On obtient le système équivalent suivant :
$$\begin{cases} 3a + 3b + 3c = -3 \\ 2a + 2c = 8 \\ 9a + 3b + c = 5 \end{cases}$$

4. On a soustrait la ligne 3 à la ligne 1 (L1 – L3).

5. et 6. $\begin{cases} 3a + 3b + 3c = -3 \\ 2a + 2c = 8 \\ -6a + 2c = -8 \end{cases} \Leftrightarrow \begin{cases} 3a + 3b + 3c = -3 \\ 2a + 2c = 8 \\ 8a = 16 \quad \text{(L2 – L3)} \end{cases}$

$\Leftrightarrow \begin{cases} 3a + 3b + 3c = -3 \\ c = 2 \\ a = 2 \end{cases} \Leftrightarrow \begin{cases} b = -5 \\ c = 2 \\ a = 2 \end{cases}$.

7. Une équation cartésienne de $\mathscr{P}$ est $y = 2x^2 - 5x + 2$.

97 1. $x^2 + y^2 + x + y = 0 \Leftrightarrow \left(x + \dfrac{1}{2}\right)^2 + \left(y + \dfrac{1}{2}\right)^2 = \dfrac{1}{4}$.

Cette équation est celle d'un cercle de centre $\left(-\dfrac{1}{2} ; -\dfrac{1}{2}\right)$.
Le milieu de $[CD]$ a ces mêmes coordonnées. Réponse **a**.

2. On reconnaît l'écriture de l'égalité $DM^2 = AM^2$.
Réponse **d**.

98 1. Un vecteur normal à $\mathscr{D}$ est $\vec{n}\begin{pmatrix} 3 \\ 2 \end{pmatrix}$, un vecteur normal à $\mathscr{D}'$ est $\vec{u}\begin{pmatrix} -4 \\ 6 \end{pmatrix} \cdot \vec{n} \cdot \vec{u} = 0$. Réponse **b**.

2. Réponse **c**.

3. Réponse **c**.

4. $\vec{u} \cdot \vec{v} = 0{,}5 \times 4 + (-8) \times (-0{,}2) = 2 + 1{,}6 \neq 0$.
$\vec{u}$ colinéaire à $\vec{v} \Leftrightarrow 0{,}5 \times (-0{,}2) - (-8) \times 4 = -0{,}1 + 32 \neq 0$.
Réponse **c**.

5. Réponse **c**.

5 1. Un nougat ayant été pris, il ne reste plus que 30 caramels et 19 nougats. La probabilité de choisir un caramel est alors $\dfrac{30}{49}$.

2. Un nougat ayant été pris, il ne reste plus que 30 caramels et 19 nougats. La probabilité de choisir un nougat est alors $\dfrac{18}{49}$.

7 1. $P(C \cap A) = \dfrac{20}{100} = \dfrac{1}{5}$

2. $P_C(A) = \dfrac{20}{30} = \dfrac{2}{3}$

13 1.

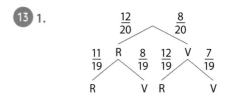

2. $P(V \cap R) + P(R \cap V) = \dfrac{8}{20} \times \dfrac{12}{19} + \dfrac{12}{20} \times \dfrac{8}{19} = \dfrac{48}{95}$

18 1.

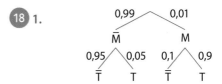

2. Les évènements M et $\overline{M}$ forment une partition de l'univers, alors, d'après la formule des probabilités totales on a :
$$P(T) = P(M \cap T) + P(\overline{M} \cap T)$$
$$= 0{,}01 \times 0{,}9 + 0{,}99 \times 0{,}05 = 0{,}0585$$

3. $P_{\overline{T}}(M) = \dfrac{P(\overline{T} \cap M)}{P(\overline{T})} = \dfrac{0{,}01 \times 0{,}1}{1 - 0{,}0585} = \dfrac{2}{1883} \approx 0{,}001$

27 1. $P(A) = \dfrac{4}{10} = \dfrac{2}{5}$; $P(B) = \dfrac{5}{10} = \dfrac{1}{2}$;

$P(A \cap B) = \dfrac{3}{10}$ et $\dfrac{2}{5} \times \dfrac{1}{2} = \dfrac{1}{5} \neq \dfrac{3}{10}$ donc les évènements ne sont pas indépendants.

2. $P(A) = \dfrac{2}{5}$; $P(C) = \dfrac{5}{10} = \dfrac{1}{2}$;

$P(A \cap C) = \dfrac{1}{10}$ et $\dfrac{2}{5} \times \dfrac{1}{2} = \dfrac{1}{5} \neq \dfrac{1}{10}$

donc les évènements ne sont pas indépendants.

3. On peut choisir l'évènement D : « Obtenir un a ».
On a $P(D) = \dfrac{2}{10} = \dfrac{1}{5}$.

$P(D \cap B) = \dfrac{1}{10} = P(D \cap C)$ et $\dfrac{1}{5} \times \dfrac{1}{2} = \dfrac{1}{10}$, donc l'évènement D est bien indépendant des évènements B et C.

31 On a $P(A) = 0,12 + 0,48 = 0,6$ et, d'après le tableau, $P(A \cap E) = 0,12$.

Les évènements A et E étant indépendants, on a $P(A \cap E) = P(A) \times P(E)$, d'où $P(E) = \dfrac{0,12}{0,6} = 0,2$.

Alors $P(\overline{A} \cap E) = 0,2 - 0,12 = 0,08$.

$P(\overline{E}) = 1 - P(E) = 0,8$ alors $P(\overline{A} \cap \overline{E}) = 0,8 - 0,48 = 0,32$.

41 On peut représenter la situation par un arbre pondéré. On note I l'évènement « Le client a acheté le billet par internet » et F l'évènement « Le client est une femme ».

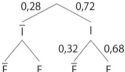

a. D'après l'énoncé, on a $P_F(I) = \dfrac{4}{5}$,

donc $\dfrac{P(F \cap I)}{P(F)} = \dfrac{4}{5} = 0,8$

et $P(F \cap I) = 0,72 \times 0,68 = 0,4896$,

alors $P(F) = \dfrac{0,4896}{0,8} = 0,612$.

b. $P_{\overline{F}}(I) = \dfrac{P(\overline{F} \cap I)}{P(\overline{F})} = \dfrac{0,72 \times 0,32}{1 - 0,612} = \dfrac{0,2304}{0,388} = \dfrac{288}{485} \approx 0,59$

43 **1.** Étant donné qu'il s'agit d'un tirage avec remise, les tirages sont indépendants.

2. On peut faire un tableau à double entrée contenant la somme et le produit des nombres.

Somme ; produit	1	2	3	4	5
1	2 ; 1	3 ; 2	4 ; 3	5 ; 4	6 ; 5
2	3 ; 2	4 ; 4	5 ; 6	6 ; 8	7 ; 10
3	4 ; 3	5 ; 6	6 ; 9	7 ; 12	8 ; 15
4	5 ; 4	6 ; 8	7 ; 12	8 ; 16	9 ; 20
5	6 ; 5	7 ; 10	8 ; 15	9 ; 20	10 ; 25

$P(P) = \dfrac{8}{25}$; $P(S) = \dfrac{12}{25}$; $P(P \cap S) = \dfrac{4}{25}$

et $\dfrac{8}{25} \times \dfrac{12}{25} = \dfrac{96}{625} \neq \dfrac{4}{25}$, donc les évènements ne sont pas indépendants.

50 **1. a.** $P(B) = 0,36$ **b.** $P(\overline{F}) = 0,48$

c. $P_F(S) = \dfrac{0,26}{0,49} = \dfrac{26}{49}$ **d.** $P_D(\overline{F}) = \dfrac{0,09}{0,15} = \dfrac{3}{5}$

e. $P(F \cap S) = 0,26$

f. $P(\overline{F} \cup D) = P(\overline{F}) + P(D) - P(\overline{F} \cap D)$
$= 0,48 + 0,15 - 0,09 = 0,54$

2. $P(F) = 0,52$; $P(B) = 0,36$; $P(F \cap B) = 0,20$.
$0,52 \times 0,36 = 0,1872 \neq 0,20$, donc les évènements ne sont pas indépendants.

59 **1. a.** Il s'agit d'un tirage avec remise, donc c'est une succession d'épreuves indépendantes et les probabilités sur les branches sont les mêmes à chaque étape.

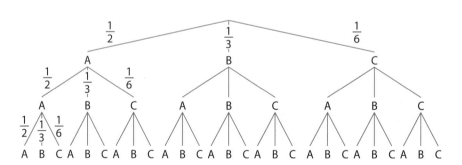

b. $P(BAC) = \dfrac{1}{3} \times \dfrac{1}{2} \times \dfrac{1}{6} = \dfrac{1}{36}$ **c.** $P(\overline{A}) = \left(\dfrac{1}{3}\right)^3 + \left(\dfrac{1}{3}\right)^2 \times \dfrac{1}{6} \times 3 + \dfrac{1}{3} \times \left(\dfrac{1}{6}\right)^2 \times 3 + \left(\dfrac{1}{6}\right)^3 = \dfrac{103}{216} \approx 0,48$

2. a.

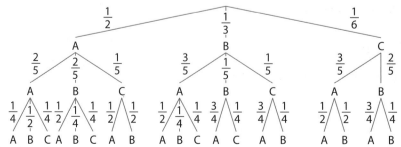

b. $P(BAC) = \dfrac{1}{3} \times \dfrac{3}{5} \times \dfrac{1}{4} = \dfrac{1}{20}$

c. $P(\overline{A}) = \frac{1}{3} \times \frac{1}{5} \times \frac{1}{4} + \frac{1}{3} \times \frac{1}{5} \times \frac{1}{4} + \frac{1}{6} \times \frac{2}{5} \times \frac{1}{4} = \frac{1}{20}$

3. Comme $\frac{1}{36} < \frac{1}{20}$, alors la probabilité d'obtenir les lettres B, A, C dans cet ordre est plus grande lors d'un tirage sans remise et c'est donc ce type de tirage qu'il faut choisir pour avoir le maximum de chances.

Chapitre 10

1 1. L'ensemble des valeurs prises par G est $\{-4 ; 5\}$.

2. Les issues réalisant l'évènement $\{G = -4\}$ sont 1, 2, 4 et 5.

3. Les issues réalisant l'évènement $\{G > 0\}$ sont 3 et 6.

3 $P(X \leqslant 7) = 1 - P(X = 10) = 1 - 0,04 = 0,96$
$P(X < 5) = P(X = -2) + P(X = 3) + P(X = 4)$
$= 0,24 + 0,12 + 0,2 = 0,56$

7 1.

Dé 2 \ Dé 1	1	2	3	4
1	2	3	4	5
2	3	4	5	6
3	4	5	6	7
4	5	6	7	8

2. Loi de probabilité de la variable aléatoire S.

s_i	2	3	4	5	6	7	8
$P(S = s_i)$	$\frac{1}{16}$	$\frac{2}{16}$	$\frac{3}{16}$	$\frac{4}{16}$	$\frac{3}{16}$	$\frac{2}{16}$	$\frac{1}{16}$

24 $E(X) = 0 \times \frac{21}{32} + 2 \times \frac{6}{32} + 4 \times \frac{5}{32} = 1$

$V(X) = \frac{21}{32} \times (0-1)^2 + \frac{6}{32}(2-1)^2 + \frac{5}{32}(4-1)^2 = 2,25$

$\sigma(X) = \sqrt{V(X)} = \sqrt{2,25} = 1,5$

36

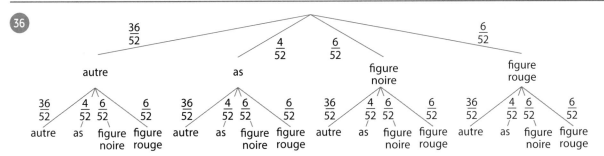

Soit X le gain algébrique d'un joueur. La loi de probabilité de X est donnée dans le tableau suivant.

x_i	6	5	8	2,50	4	7	1,50	10	4,50	−1
$P(X = x_i)$	$\frac{9}{676}$	$\frac{9}{338}$	$\frac{3}{169}$	$\frac{27}{169}$	$\frac{9}{676}$	$\frac{3}{169}$	$\frac{27}{169}$	$\frac{1}{169}$	$\frac{18}{169}$	$\frac{81}{169}$

On a donc :

$E(X) = 6 \times \frac{9}{676} + 5 \times \frac{9}{338} + 8 \times \frac{3}{169} + 2,50 \times \frac{27}{169} + 4 \times \frac{9}{676} + 7 \times \frac{3}{169} + 1,50 \times \frac{27}{169} + 10 \times \frac{1}{169}$

$+ 4,50 \times \frac{18}{169} - 1 \times \frac{81}{169} = \frac{16}{13} \approx 1,23$.

$E(X) > 0$, donc on a intérêt à jouer à ce jeu (favorable au joueur).

47 1. $P(T) = \frac{10\,500}{15\,000} = 0,7$

$P(\overline{T} \cap B) = P(\overline{T}) \times P_{\overline{T}}(B) = 0,3 \times \frac{450}{15\,000 - 10\,500} = 0,03$

$P(T \cap B) = P(T) \times P_T(B) = 0,7 \times 0,3 = 0,21$

2. $P(B) = P(T \cap B) + P(\overline{T} \cap B) = 0,21 + 0,03 = 0,24$

3. **a.** S peut prendre les valeurs 50, 20, 70 et 0.

b. Loi de probabilité de S

s_i	50	20	70	0
$P(S = s_i)$	0,49	0,03	0,21	0,27

c. $E(S) = 50 \times 0,49 + 20 \times 0,03 + 70 \times 0,21 + 0 \times 0,27$
$= 35,3$

Dans cette ville, les familles reçoivent en moyenne 35,30 €.

Préambule

Intentions majeures

La classe de première générale est conçue pour préparer au baccalauréat général, et au-delà à une poursuite d'études réussie et à l'insertion professionnelle. L'enseignement de spécialité de mathématiques de la classe de première générale est conçu à partir des intentions suivantes :

- permettre à chaque élève de consolider les acquis de la seconde, de développer son goût des mathématiques, d'en apprécier les démarches et les objets afin qu'il puisse faire l'expérience personnelle de l'efficacité des concepts mathématiques et de la simplification et la généralisation que permet la maîtrise de l'abstraction ;
- développer des interactions avec d'autres enseignements de spécialité ;
- préparer au choix des enseignements de la classe de terminale : notamment choix de l'enseignement de spécialité de mathématiques, éventuellement accompagné de l'enseignement optionnel de mathématiques expertes, ou choix de l'enseignement optionnel de mathématiques complémentaires.

Le programme de mathématiques définit un ensemble de connaissances et de compétences, réaliste et ambitieux, qui s'appuie sur le programme de seconde dans un souci de cohérence, en réactivant les notions déjà étudiées et y ajoutant un nombre raisonnable de nouvelles notions, à étudier de manière suffisamment approfondie.

> **Compétences mathématiques**
> Dans le prolongement des cycles précédents, on travaille les six grandes compétences :
> - **chercher**, expérimenter, en particulier à l'aide d'outils logiciels ;
> - **modéliser**, faire une simulation, valider ou invalider un modèle ;
> - **représenter**, choisir un cadre (numérique, algébrique, géométrique…), changer de registre ;
> - **raisonner**, démontrer, trouver des résultats partiels et les mettre en perspective ;
> - **calculer**, appliquer des techniques et mettre en œuvre des algorithmes ;
> - **communiquer** un résultat par oral ou par écrit, expliquer une démarche.

La résolution de problèmes est un cadre privilégié pour développer, mobiliser et combiner plusieurs de ces compétences. Cependant, pour prendre des initiatives, imaginer des pistes de solution et s'y engager sans s'égarer, l'élève doit disposer d'automatismes. Ceux-ci facilitent en effet le travail intellectuel en libérant l'esprit des soucis de mise en œuvre technique et élargissent le champ des démarches susceptibles d'être engagées. L'installation de ces réflexes est favorisée par la mise en place d'activités rituelles, notamment de calcul (mental ou réfléchi, numérique ou littéral). Elle est menée conjointement avec la résolution de problèmes motivants et substantiels, afin de stabiliser connaissances, méthodes et stratégies.

• Diversité de l'activité de l'élève

La diversité des activités mathématiques proposées doit permettre aux élèves de prendre conscience de la richesse et de la variété de la démarche mathématique et de la situer au sein de l'activité scientifique. Cette prise de conscience est un élément essentiel dans la définition de leur orientation.

Il importe donc que cette diversité se retrouve dans les travaux proposés à la classe. Parmi ceux-ci, les travaux écrits faits hors du temps scolaire permettent, à travers l'autonomie laissée à chacun, le développement des qualités d'initiative, tout en assurant la stabilisation des connaissances et des compétences. Ils doivent être conçus de façon à prendre en compte la diversité et l'hétérogénéité des élèves.

Le calcul est un outil essentiel pour la résolution de problèmes. Il importe de poursuivre l'entraînement des élèves dans ce domaine par la pratique régulière du calcul numérique et du calcul littéral, sous ses diverses formes : mentale, écrite, instrumentée.

• Utilisation de logiciels

L'utilisation de logiciels (calculatrice ou ordinateur), d'outils de visualisation et de représentation, de calcul (numérique ou formel), de simulation, de programmation développe la possibilité d'expérimenter, favorise l'interaction entre l'observation et la démonstration et change profondément la nature de l'enseignement.

L'utilisation régulière de ces outils peut intervenir selon trois modalités :

- par le professeur, en classe, avec un dispositif de visualisation collective adapté ;
- par les élèves, sous forme de travaux pratiques de mathématiques en classe, à l'occasion de la résolution d'exercices ou de problèmes ;
- dans le cadre du travail personnel des élèves hors du temps de classe (par exemple au CDI ou à un autre point d'accès au réseau local).

• Évaluation des élèves

Les élèves sont évalués en fonction des capacités attendues et selon des modes variés : devoirs surveillés avec ou sans calculatrice, devoirs en temps libre, rédaction de travaux de recherche individuels ou collectifs, travaux pratiques pouvant s'appuyer sur des logiciels, exposé oral d'une solution.

• Place de l'oral

Les étapes de verbalisation et de reformulation jouent un rôle majeur dans l'appropriation des notions mathématiques et la résolution des problèmes. Comme toutes les disciplines, les mathématiques contribuent au développement des compétences orales à travers notamment la pratique de l'argumentation. Celle-ci conduit à préciser sa pensée et à expliciter son raisonnement de manière à convaincre. Elle permet à chacun de faire évoluer sa pensée, jusqu'à la remettre en cause si nécessaire, pour accéder progressivement à la vérité par la preuve. Des situations variées se prêtent à la pratique de l'oral en mathématiques : la reformulation par l'élève d'un énoncé ou d'une démarche, les échanges interactifs lors de la construction du cours, les mises en commun après un temps de recherche, les corrections d'exercices, les travaux de groupe, les exposés individuels ou à plusieurs… L'oral mathématique mobilise à la fois le langage naturel et le langage symbolique dans ses différents registres (graphiques, formules, calcul). Si ces considérations sont valables pour tous les élèves, elles prennent un relief particulier pour ceux qui choisiront les mathématiques comme enseignement de spécialité en terminale et qui ont à préparer l'épreuve orale terminale du baccalauréat. Il convient que les travaux proposés aux élèves y contribuent dès la classe de première.

• Trace écrite

Disposer d'une trace de cours claire, explicite et structurée est une aide essentielle à l'apprentissage des mathématiques. Faisant suite aux étapes importantes de recherche, d'appropriation individuelle ou collective, de présentation commentée, la trace écrite récapitule de façon organisée les connaissances, les méthodes et les stratégies étudiées en classe. Explicitant les liens entre les différentes notions ainsi que leurs objectifs, éventuellement enrichie par des exemples ou des schémas, elle constitue pour l'élève une véritable référence vers laquelle il peut se tourner autant que de besoin, tout au long du cycle terminal. Sa consultation régulière (notamment au moment de la recherche d'exercices et de problèmes, sous la conduite du professeur ou en autonomie) favorise à la fois la mémorisation et le développement de compétences. Le professeur doit avoir le souci de la bonne qualité (mathématique et rédactionnelle) des traces écrites figurant au tableau et dans les cahiers d'élèves. En particulier, il est essentiel de bien distinguer le statut des énoncés (conjecture, définition, propriété – admise ou démontrée –, démonstration, théorème).

• Travail personnel des élèves

Si la classe est le lieu privilégié pour la mise en activité mathématique des élèves, les travaux hors du temps scolaire sont indispensables pour consolider les apprentissages. Fréquents, de longueur raisonnable et de nature variée, ces travaux sont essentiels à la formation des élèves. Individuels ou en groupe, évalués à l'écrit ou à l'oral, ces travaux sont conçus de façon à prendre en compte la diversité des élèves et permettent le développement des qualités d'initiative tout en assurant la stabilisation des connaissances et des compétences.

Quelques lignes directrices pour l'enseignement

Le professeur veille à créer dans la classe de mathématiques une atmosphère de travail favorable aux apprentissages, combinant bienveillance et exigence. Il faut développer chez chaque élève des attitudes positives à l'égard des mathématiques et sa capacité à résoudre des problèmes stimulants.

L'élève doit être incité à s'engager dans une recherche mathématique, individuellement ou en équipe, et à développer sa confiance en lui. Il cherche, essaie des pistes, prend le risque de se tromper. Il ne doit pas craindre l'erreur, car il sait qu'il peut en tirer profit grâce au professeur, qui l'aide à l'identifier, à l'analyser et la comprendre. Ce travail sur l'erreur participe à la construction de ses apprentissages.

Les problèmes proposés aux élèves peuvent être internes aux mathématiques, provenir de l'histoire des mathématiques, être issus des autres disciplines ou du monde réel, en prenant garde que la simple inclusion de références au monde réel ne suffit pas toujours à transformer un exercice de routine en un bon problème. Dans tous les cas, ils doivent être bien conçus et motivants, afin de développer les connaissances et compétences mathématiques du programme.

Le professeur doit veiller à établir un équilibre entre divers temps d'apprentissage :
• les temps de recherche, d'activité, de manipulation ;
• les temps de dialogue et d'échange, de verbalisation ;
• les temps de cours, où le professeur expose avec précision, présente certaines démonstrations et permet aux élèves d'accéder à l'abstraction ;
• les temps où sont présentés et discutés des exemples, pour vérifier la bonne compréhension de tous les élèves ;
• les exercices et problèmes, allant progressivement de l'application la plus directe au thème d'étude ;
• les rituels, afin de consolider les connaissances et les méthodes.

Organisation du programme

Le programme s'organise en cinq grandes parties : « Algèbre », « Analyse », « Géométrie », « Probabilités et statistiques » et « Algorithmique et programmation ». Ce découpage n'est pas un plan de cours et il est essentiel d'exploiter les possibilités d'interaction entre ces parties.

Démontrer est une composante fondamentale de l'activité mathématique. Le programme propose quelques démonstrations exemplaires, que les élèves découvrent selon des modalités variées : présentation par le professeur, élaboration par les élèves sous la direction du professeur, devoir à la maison…

Le programme propose un certain nombre d'approfondissements possibles, mais en aucun cas obligatoires. Ils permettent une différentiation pédagogique.

Il peut être judicieux d'éclairer le cours par des éléments de contextualisation d'ordre historique, épistémologique ou culturel. L'histoire peut aussi être envisagée comme une source féconde de problèmes clarifiant le sens de certaines notions. Les items « Histoire des mathématiques » identifient quelques possibilités en ce sens. Pour les étayer, le professeur pourra, s'il le désire, s'appuyer sur l'étude de textes historiques.

Algèbre

Objectifs

En classe de première, les suites sont présentées d'un point de vue principalement algébrique. L'objectif est que l'élève soit confronté à des systèmes discrets pour lesquels les suites numériques apparaissent comme modélisation adaptée. C'est aussi l'occasion d'aborder le concept de définition par récurrence.

L'élève rencontre différents modes de génération de suites :

- par une formule explicite $u_n = f(n)$;
- par une relation de récurrence $u_{n+1} = f(u_n)$;
- par des motifs géométriques ou combinatoires, par exemple suite de nombres figurés, suite décrivant le nombre d'éléments dans une configuration dépendant d'un entier naturel.

Les suites arithmétiques et géométriques sont formalisées. D'autres types simples peuvent être abordés, mais aucune connaissance spécifique à leur sujet n'est au programme.

Dans tous les cas, on peut s'intéresser au passage d'un mode de génération à un autre, et notamment à la recherche d'une formule explicite pour une suite définie d'une autre façon.

Les suites interviennent comme modélisations d'évolutions à temps discret rencontrées dans les autres disciplines : évolution ou actualisation d'un capital, évolution d'une population, décroissance radioactive. C'est l'occasion de réactiver le travail sur l'information chiffrée fait en classe de seconde, notamment sur le taux d'évolution. L'élève doit automatiser le fait qu'une évolution à taux fixe est modélisée par une suite géométrique et percevoir l'intérêt de considérer le rapport de deux termes consécutifs. Lors de l'étude ultérieure de la fonction exponentielle, on réactive le travail sur les suites géométriques en mettant en parallèle évolution géométrique à temps discret et évolution exponentielle à temps continu.

L'étude des suites est l'occasion d'une sensibilisation à l'idée de limite. Toute formalisation est exclue, mais sur des exemples, on s'attachera à en développer une intuition en s'appuyant sur des calculs numériques, des algorithmes de recherche de seuil.

L'étude des fonctions polynômes du second degré réactive les connaissances acquises en seconde (fonction carré, identités remarquables) qu'elle permet de consolider. Il est important de diversifier les registres (algébrique, graphique) et de mettre en valeur les interactions avec l'ensemble du programme : problèmes variés, notamment d'origine géométrique, se ramenant à une équation du second degré ou à l'étude d'une fonction polynôme du second degré (optimisation, variations).

On illustre avec les fonctions polynômes du second degré des notions générales sur les fonctions (taux de variation, calcul de la fonction dérivée, position du graphe de $x \mapsto f(x - m)$) et on fait le lien avec la variance en probabilités et statistique.

Les élèves doivent savoir qu'une fonction polynôme du second degré admet une forme canonique, et être capables de la déterminer dans des cas simples à l'aide de l'identité $x^2 + 2ax = (x + a)^2 - a^2$ (méthode de complétion du carré). Le calcul effectif de la forme canonique dans le cas général n'est pas un attendu du programme.

Les élèves sont entraînés à reconnaître et pratiquer la factorisation directe dans les cas qui s'y prêtent : racines apparentes, coefficient de x nul, racines entières détectées par calcul mental à partir de leur somme et de leur produit.

Histoire des mathématiques

Bien avant de faire l'objet d'une étude formalisée, les suites apparaissent dans deux types de situations :

- approximation de nombres réels (encadrement de π par Archimède, calcul de la racine carrée chez Héron d'Alexandrie) ;
- problèmes de comptage (les lapins de Fibonacci…).

Les problèmes décrits dans les livres de Fibonacci, ou chez les savants arabes qui le précèdent, se modélisent avec des suites. Oresme calcule des sommes de termes de suites géométriques au xive siècle.

On trouve chez Diophante, puis chez Al-Khwârizmî, des méthodes de résolutions d'équations du second degré. Le travail novateur d'Al-Khwârizmî reste en partie tributaire de la tradition (utilisation de considérations géométriques équivalentes à la forme canonique) et de l'état alors embryonnaire de la notation algébrique, ainsi que de l'absence des nombres négatifs. Les méthodes actuelles sont un aboutissement de ce long cheminement vers un formalisme efficace et concis.

1 Suites numériques, modèles discrets

Contenus

- Exemples de modes de génération d'une suite : explicite $u_n = f(n)$, par une relation de récurrence $u_{n+1} = f(u_n)$, par un algorithme, par des motifs géométriques. Notations : $u(n)$, u_n, $(u(n))$, (u_n).
- Suites arithmétiques : exemples, définition, calcul du terme général. Lien avec l'étude d'évolutions successives à accroissements constants. Lien avec les fonctions affines. Calcul de $1 + 2 + \ldots + n$.
- Suites géométriques : exemples, définition, calcul du terme général. Lien avec l'étude d'évolutions successives à taux constant. Lien avec la fonction exponentielle. Calcul de $1 + q + \ldots + q^n$.
- Sens de variation d'une suite.
- Sur des exemples, introduction intuitive de la notion de limite, finie ou infinie, d'une suite.

Capacités attendues

- Dans le cadre de l'étude d'une suite, utiliser le registre de la langue naturelle, le registre algébrique, le registre graphique, et passer de l'un à l'autre.
- Proposer, modéliser une situation permettant de générer une suite de nombres. Déterminer une relation explicite ou une relation de récurrence pour une suite définie par un motif géométrique, par une question de dénombrement.
- Calculer des termes d'une suite définie explicitement, par récurrence ou par un algorithme.
- Pour une suite arithmétique ou géométrique, calculer le terme général, la somme de termes consécutifs, déterminer le sens de variation.
- Modéliser un phénomène discret à croissance linéaire par une suite arithmétique, un phénomène discret à croissance exponentielle par une suite géométrique.
- Conjecturer, dans des cas simples, la limite éventuelle d'une suite.

Démonstrations

- Calcul du terme général d'une suite arithmétique, d'une suite géométrique.
- Calcul de $1 + 2 + \ldots + n$.
- Calcul de $1 + q + \ldots + q^n$.

❯ Exemples d'algorithme

- Calcul de termes d'une suite, de sommes de termes, de seuil.
- Calcul de factorielle.
- Liste des premiers termes d'une suite : suites de Syracuse, suite de Fibonacci.

Approfondissements possibles

- Tour de Hanoï.
- Somme des n premiers carrés, des n premiers cubes.
- Remboursement d'un emprunt par annuités constantes.

2 Équations, fonctions polynômes du second degré

Contenus

- Fonction polynôme du second degré donnée sous forme factorisée. Racines, signe, expression de la somme et du produit des racines.
- Forme canonique d'une fonction polynôme du second degré. Discriminant. Factorisation éventuelle. Résolution d'une équation du second degré. Signe.

Capacités attendues

- Étudier le signe d'une fonction polynôme du second degré donnée sous forme factorisée.
- Déterminer les fonctions polynômes du second degré s'annulant en deux nombres réels distincts.
- Factoriser une fonction polynôme du second degré, en diversifiant les stratégies : racine évidente, détection des racines par leur somme et leur produit, identité remarquable, application des formules générales.
- Choisir une forme adaptée (développée réduite, canonique, factorisée) d'une fonction polynôme du second degré dans le cadre de la résolution d'un problème (équation, inéquation, optimisation, variations).

Démonstration

- Résolution de l'équation du second degré.

Approfondissements possibles

- Factorisation d'un polynôme du troisième degré admettant une racine et résolution de l'équation associée.
- Factorisation de $x^n - 1$ par $x - 1$, de $x^n - a^n$ par $x - a$.
- Déterminer deux nombres réels connaissant leur somme s et leur produit p comme racines de la fonction polynôme $x \mapsto x^2 - sx + p$.

Analyse

Objectifs

Deux points fondamentaux du programme de première sont ici étudiés : le concept de dérivée, avec ses applications à l'étude des fonctions, et la fonction exponentielle.

L'étude de la dérivation distingue le point de vue local (nombre dérivé) et le point de vue global (fonction dérivée). Les fonctions étudiées sont toutes régulières et le nombre dérivé est introduit à partir de la perception intuitive de la limite du taux de variation. On n'en donne pas de définition formelle, mais on s'appuie sur :

- des représentations graphiques fournies par les outils logiciels (calculatrice, tableur, logiciel de géométrie dynamique) ;
- le calcul algébrique du taux de variation dans des cas qui s'y prêtent : fonctions du second degré, fonction inverse ;
- le calcul numérique d'expressions $f(a + h) - f(a)$, où h prend des valeurs proches de 0, faisant apparaître une approximation linéaire, par exemple avec $a = 1$ et f étant une des fonctions carré, inverse, racine carrée.

Il est intéressant d'exploiter ces divers registres dans l'étude d'un même nombre dérivé.

Taux de variation et nombre dérivé gagnent à être illustrés dans des contextes variés :

- en géométrie, ils représentent la pente d'une sécante et la pente d'une tangente ;
- en cinématique, on peut interpréter un taux de variation comme une vitesse moyenne et un nombre dérivé comme une vitesse instantanée ;
- dans un cadre économique, le nombre dérivé est relié au coût marginal.

Compte tenu de son importance en mathématiques et dans de nombreux champs disciplinaires, et de ses interactions avec le concept de dérivée, le programme prévoit l'étude de la fonction exponentielle. On donnera des exemples d'utilisation dans les autres disciplines (calculs d'intérêts, dilution d'une solution, décroissance radioactive). En liaison avec les suites géométriques, c'est aussi l'occasion de proposer des modélisations discrètes ou continues de phénomènes d'évolution.

Les fonctions trigonométriques font l'objet d'une première approche, d'un point de vue principalement graphique, en lien avec les autres disciplines scientifiques. C'est aussi l'occasion de rencontrer la notion de fonction périodique, également utile dans les sciences sociales (variations saisonnières).

En liaison avec les autres disciplines, on peut signaler et utiliser la notation $\frac{\Delta y}{\Delta x}$ pour un taux de variation et $\frac{dy}{dx}$ pour une dérivée ; si $y = f(x)$, on peut ainsi écrire $\frac{dy}{dx} = f(x)$, en adaptant selon le contexte : $x = f(t)$, $q = f(t)$…

Histoire des mathématiques

Le calcul différentiel s'est imposé par sa capacité à donner des solutions simples à des problèmes nombreux d'origines variées (cinématique, mécanique, géométrie, optimisation).

Le développement d'un calcul des variations chez Leibniz et Newton se fonde sur l'hypothèse que les phénomènes naturels évoluent linéairement quand on leur applique des petites variations. Leurs approches partent de notions intuitives mais floues d'infiniment petit. Ce n'est que très progressivement que les notions de limites et de différentielles, qui en fondent l'exposé actuel, ont été clarifiées au XIXᵉ siècle.

La notation exponentielle et les fonctions exponentielles apparaissent vers la fin du XVIIᵉ siècle, procédant d'une volonté de traiter des phénomènes de croissance comparables à ceux des intérêts composés. La modélisation de ces situations fait naturellement apparaître la caractérisation de la fonction exponentielle comme seule fonction vérifiant l'équation différentielle $y' = y$ et la condition initiale $y(0) = 1$.

La trigonométrie a été utilisée chez les Anciens dans des problèmes de natures diverses (géométrie, géographie, astronomie). Elle est à l'époque fondée sur la fonction corde, d'un maniement bien moins facile que les fonctions sinus et cosinus de la présentation actuelle.

1 Dérivation

Contenus

Point de vue local

- Taux de variation. Sécantes à la courbe représentative d'une fonction en un point donné.
- Nombre dérivé d'une fonction en un point, comme limite du taux de variation. Notation $f'(a)$.
- Tangente à la courbe représentative d'une fonction en un point, comme « limite des sécantes ». Pente. Équation : la tangente à la courbe représentative de f au point d'abscisse a est la droite d'équation :
$$y = f(a) + f'(a)(x - a).$$

Point de vue global

- Fonction dérivable sur un intervalle. Fonction dérivée.
- Fonction dérivée des fonctions carré, cube, inverse, racine carrée.
- Opérations sur les fonctions dérivables : somme, produit, inverse, quotient, fonction dérivée de $x \mapsto g(ax + b)$.
- Pour n dans $\mathbb{Z}$, fonction dérivée de la fonction $x \mapsto x^n$.
- Fonction valeur absolue : courbe représentative, étude de la dérivabilité en 0.

Capacités attendues

- Calculer un taux de variation, la pente d'une sécante.
- Interpréter le nombre dérivé en contexte : pente d'une tangente, vitesse instantanée, coût marginal…
- Déterminer graphiquement un nombre dérivé par la pente de la tangente. Construire la tangente en un point à une courbe représentative connaissant le nombre dérivé.
- Déterminer l'équation de la tangente en un point à la courbe représentative d'une fonction.
- À partir de la définition, calculer le nombre dérivé en un point ou la fonction dérivée de la fonction carré, de la fonction inverse.
- Dans des cas simples, calculer une fonction dérivée en utilisant les propriétés des opérations sur les fonctions dérivables.

Démonstrations

- Équation de la tangente en un point à une courbe représentative.
- La fonction racine carrée n'est pas dérivable en 0.
- Fonction dérivée de la fonction carrée, de la fonction inverse.
- Fonction dérivée d'un produit.

∨ Exemple d'algorithme

- Écrire la liste des coefficients directeurs des sécantes pour un pas donné.

2 Variations et courbes représentatives des fonctions

Contenus

- Lien entre le sens de variation d'une fonction dérivable sur un intervalle et signe de sa fonction dérivée ; caractérisation des fonctions constantes.
- Nombre dérivé en un extremum, tangente à la courbe représentative.

Capacités attendues

- Étudier les variations d'une fonction. Déterminer les extremums.
- Résoudre un problème d'optimisation.
- Exploiter les variations d'une fonction pour établir une inégalité. Étudier la position relative de deux courbes représentatives.
- Étudier, en lien avec la dérivation, une fonction polynôme du second degré : variations, extremum, allure selon le signe du coefficient de x^2.

▼ Exemple d'algorithme

- Méthode de Newton, en se limitant à des cas favorables.

3 Fonction exponentielle

Contenus

- Définition de la fonction exponentielle, comme unique fonction dérivable sur $\mathbb{R}$ vérifiant $f' = f$ et $f(0) = 1$. L'existence et l'unicité sont admises. Notation $\exp(x)$.
- Pour tous réels x et y, $\exp(x + y) = \exp(x) \exp(y)$ et $\exp(x) \exp(-x) = 1$. Nombre e. Notation e^x.
- Pour tout réel a, la suite (e^{na}) est une suite géométrique.
- Signe, sens de variation et courbe représentative de la fonction exponentielle.

Capacités attendues

- Transformer une expression en utilisant les propriétés algébriques de la fonction exponentielle.
- Pour une valeur numérique strictement positive de k, représenter graphiquement les fonctions $t \mapsto e^{-kt}$ et $t \mapsto e^{kt}$.
- Modéliser une situation par une croissance, une décroissance exponentielle (par exemple évolution d'un capital à taux fixe, décroissance radioactive).

▼ Exemple d'algorithme

- Construction de l'exponentielle par la méthode d'Euler. Détermination d'une valeur approchée de e à l'aide de la suite $\left(\left(1+\dfrac{1}{n}\right)^n\right)$.

Approfondissements possibles

- Unicité d'une fonction f dérivable sur $\mathbb{R}$ telle que $f' = f$ et $f(0) = 1$.
- Pour tous réels x et y, $\exp(x + y) = \exp(x) \exp(y)$.
- La fonction exponentielle est strictement positive et croissante.

4 Fonctions trigonométriques

Contenus

- Cercle trigonométrique. Longueur d'arc. Radian.
- Enroulement de la droite sur le cercle trigonométrique. Image d'un nombre réel.
- Cosinus et sinus d'un nombre réel. Lien avec le sinus et le cosinus dans un triangle rectangle. Valeurs remarquables.
- Fonctions cosinus et sinus. Parité, périodicité. Courbes représentatives.

Capacités attendues

- Placer un point sur le cercle trigonométrique.
- Lier la représentation graphique des fonctions cosinus et sinus et le cercle trigonométrique.
- Traduire graphiquement la parité et la périodicité des fonctions trigonométriques.
- Par lecture du cercle trigonométrique, déterminer, pour des valeurs remarquables de x, les cosinus et sinus d'angles associés à x.

Démonstration

- Calcul de $\left(\frac{\pi}{4}\right)$, $\cos\left(\frac{\pi}{3}\right)$, $\sin\left(\frac{\pi}{3}\right)$.

⌄ Exemple d'algorithme

- Approximation de π par la méthode d'Archimède.

Géométrie

Objectifs

L'étude de la géométrie plane menée au collège et en seconde a familiarisé les élèves à la géométrie de configuration, au calcul vectoriel et à la géométrie repérée.

En première, on poursuit l'étude de la géométrie plane en introduisant de nouveaux outils. L'enseignement est organisé autour des objectifs suivants :

- donner de nouveaux outils efficaces en vue de la résolution de problèmes géométriques, du point de vue métrique (produit scalaire) ;
- enrichir la géométrie repérée de manière à pouvoir traiter des problèmes faisant intervenir l'orthogonalité.

Les élèves doivent conserver une pratique du calcul vectoriel en géométrie non repérée.

Histoire des mathématiques

La notion de vecteur était implicite en mécanique depuis Galilée mais a mis longtemps à prendre sa forme actuelle. On observe un lien entre analyse et géométrie en étudiant la façon dont la notion de vecteur apparaît chez Leibniz au cours de ses recherches sur l'élaboration d'un calcul des variations. Le XIXe siècle voit l'élaboration conjointe de ce qui deviendra le produit scalaire et de la notion de travail en physique.

Le calcul vectoriel et le produit scalaire permettent une approche de la géométrie différente de celle des Anciens, sans doute puissante, avec l'avantage de combiner vision géométrique et calcul.

Les cercles font partie des plus vieux objets mathématiques. La caractérisation du cercle de diamètre AB comme ensemble des points M tels que le triangle AMB soit rectangle en M semble remonter à Thalès. Mais ce n'est qu'au XVIIe siècle que Descartes élabore la méthode des coordonnées et écrit l'équation d'un cercle en repère orthonormé.

1 Calcul vectoriel et produit scalaire

Contenus

- Produit scalaire à partir de la projection orthogonale et de la formule avec le cosinus. Caractérisation de l'orthogonalité.
- Bilinéarité, symétrie. En base orthonormée, expression du produit scalaire et de la norme, critère d'orthogonalité.
- Développement de $\|\vec{u} + \vec{v}\|^2$. Formule d'Al-Kashi.
- Transformation de l'expression $\overrightarrow{MA} \cdot \overrightarrow{MB}$.

Capacités attendues

- Utiliser le produit scalaire pour démontrer une orthogonalité, pour calculer un angle, une longueur dans le plan ou dans l'espace.
- En vue de la résolution d'un problème, calculer le produit scalaire de deux vecteurs en choisissant une méthode adaptée (en utilisant la projection orthogonale, à l'aide des coordonnées, à l'aide des normes et d'un angle, à l'aide de normes).
- Utiliser le produit scalaire pour résoudre un problème géométrique.

Démonstrations

- Formule d'Al-Kashi (démonstration avec le produit scalaire).
- Ensemble des points M tels que $\overrightarrow{MA} \cdot \overrightarrow{MB} = 0$ (démonstration avec le produit scalaire).

Approfondissements possibles

- Loi des sinus.
- Droite d'Euler d'un triangle.
- Les médianes d'un triangle concourent au centre de gravité.

2 Géométrie repérée

Dans cette section, le plan est rapporté à un repère orthonormé.

Contenus

- Vecteur normal à une droite. Le vecteur de coordonnées $(a\ ;\ b)$ est normal à la droite d'équation $ax + by + c = 0$. Le vecteur $\begin{pmatrix} -b \\ a \end{pmatrix}$ en est un vecteur directeur.
- Équation de cercle.
- Parabole représentative d'une fonction polynôme du second degré. Axe de symétrie, sommet.

Capacités attendues

- Déterminer une équation cartésienne d'une droite connaissant un point et un vecteur normal.
- Déterminer les coordonnées du projeté orthogonal d'un point sur une droite.
- Déterminer et utiliser l'équation d'un cercle donné par son centre et son rayon.
- Reconnaître une équation de cercle, déterminer centre et rayon.
- Déterminer l'axe de symétrie et le sommet d'une parabole d'équation $y = ax^2 + bx + c$.
- Utiliser un repère pour étudier une configuration.

Approfondissements possibles

- Recherche de l'ensemble des points équidistants de l'axe des abscisses et d'un point donné.
- Déterminer l'intersection d'un cercle ou d'une parabole d'équation $y = ax^2 + bx + c$ avec une droite parallèle à un axe.

Probabilités et statistiques

Objectifs

L'enseignement dispensé en classe de seconde a abordé le modèle probabiliste, dans le cas d'un univers fini. En première, on développe l'étude de ce modèle. L'enseignement s'organise autour des buts suivants :

- introduire la notion de probabilité conditionnelle, sous-jacente dans toute modélisation probabiliste, et mettre en évidence la problématique de l'inversion des conditionnements ;
- formaliser la notion d'indépendance ;
- introduire la notion de variable aléatoire, en lien étroit avec les applications des probabilités ;
- introduire les notions d'espérance, de variance et d'écart type d'une variable aléatoire.

Comme en seconde, on distingue nettement modèle et réalité. Ainsi, une hypothèse d'indépendance fait partie d'un modèle : elle peut être un point de départ théorique ou être la conséquence d'autres hypothèses théoriques. Lorsque le modèle est appliqué à une situation réelle (par exemple, lancer de deux dés physiques), l'indépendance fait partie de la modélisation et résulte de l'analyse de la situation physique.

Les notions de statistique descriptive vues en seconde sont articulées avec le cours de probabilités. Une population statistique peut être étudiée d'un point de vue probabiliste en considérant l'expérience aléatoire de tirage au sort avec équiprobabilité dans la population. Un lien est ainsi fait entre des notions statistiques (sous-population, proportion, moyenne, écart type) et les notions probabilistes analogues (évènement, probabilité, espérance, écart type). La notion de fréquence conditionnelle ne fait pas l'objet d'une étude, mais on donne des situations de calcul de probabilité conditionnelle à partir d'un tableau croisé d'effectifs. Les arbres pondérés sont introduits à partir des arbres de dénombrements vus en seconde.

Histoire des mathématiques

Les probabilités conditionnelles peuvent être l'objet d'un travail historique en anglais ; elles apparaissent en effet dans des travaux de Bayes et de Moivre, écrits en anglais au XVIIIe siècle, même si c'est Laplace qui en a élaboré la notion. Les questions traitées par ces auteurs peuvent parfois surprendre (exemple : quelle est la probabilité que le soleil se lève demain, sachant qu'il s'est levé depuis le commencement du monde ?) ; néanmoins, les probabilités conditionnelles sont omniprésentes dans la vie courante et leur utilisation inappropriée mène facilement à de fausses affirmations.

L'histoire des probabilités contribue à la réflexion sur la codification d'une théorie scientifique. On peut considérer que les origines du « calcul des probabilités » remontent au XVIIe siècle. Pascal, Huygens, Moivre, Bernoulli, Euler, d'Alembert appliquent les notions de variable aléatoire et d'espérance à des problèmes issus de questions liées aux jeux, aux assurances et à l'astronomie.

Ce n'est que vers 1930 que la description actuelle, en termes d'univers, s'est imposée. Elle permet une formalisation souple dans laquelle l'univers joue le rôle de « source d'aléas ».

La notion de variable aléatoire, présente sans définition précise depuis l'origine de la discipline, apparaît alors comme une fonction définie sur l'univers.

1 Probabilités conditionnelles et indépendance

Contenus

- Probabilité conditionnelle d'un évènement B sachant un évènement A de probabilité non nulle. Notation $P_A(B)$. Indépendance de deux évènements.
- Arbres pondérés et calcul de probabilités : règle du produit, de la somme.
- Partition de l'univers (systèmes complets d'évènements). Formule des probabilités totales.
- Succession de deux épreuves indépendantes. Représentation par un arbre ou un tableau.

Capacités attendues

- Construire un arbre pondéré ou un tableau en lien avec une situation donnée. Passer du registre de la langue naturelle au registre symbolique et inversement.
- Utiliser un arbre pondéré ou un tableau pour calculer une probabilité.
- Calculer des probabilités conditionnelles lorsque les évènements sont présentés sous forme de tableau croisé d'effectifs (tirage au sort avec équiprobabilité d'un individu dans une population).
- Dans des cas simples, calculer une probabilité à l'aide de la formule des probabilités totales.
- Distinguer en situation $P_A(B)$ et $P_B(A)$, par exemple dans des situations de type « faux positifs ».
- Représenter une répétition de deux épreuves indépendantes par un arbre ou un tableau.

❯ Exemple d'algorithme

- Méthode de Monte-Carlo : estimation de l'aire sous la parabole, estimation du nombre π.

Approfondissements possibles

- Exemples de succession de plusieurs épreuves indépendantes.
- Exemples de marches aléatoires.

2 Variables aléatoires réelles

Le programme ne considère que des univers finis et des variables aléatoires réelles.
L'objectif est simultanément de développer une intuition autour de l'idée de nombre dépendant du hasard et de formaliser la notion mathématique de variable aléatoire comme fonction numérique définie sur un univers, permettant d'affecter des probabilités aux valeurs possibles de la variable.

Contenus

- Variable aléatoire réelle : modélisation du résultat numérique d'une expérience aléatoire ; formalisation comme fonction définie sur l'univers et à valeurs réelles.
- Loi d'une variable aléatoire.
- Espérance, variance, écart type d'une variable aléatoire.

Capacités attendues

- Interpréter en situation et utiliser les notations $\{X = a\}$, $\{X \leqslant a\}$, $P(X = a)$, $P(X \leqslant a)$. Passer du registre de la langue naturelle au registre symbolique et inversement.
- Modéliser une situation à l'aide d'une variable aléatoire.
- Déterminer la loi de probabilité d'une variable aléatoire.
- Calculer une espérance, une variance, un écart type.
- Utiliser la notion d'espérance dans une résolution de problème (mise pour un jeu équitable…).

⌄ Exemples d'algorithmes

- Algorithme renvoyant l'espérance, la variance ou l'écart type d'une variable aléatoire.
- Fréquence d'apparition des lettres d'un texte donné, en français, en anglais.

Approfondissements possibles

- Formule de König-Huygens.
- Pour X variable aléatoire, étude de la fonction du second degré $x \mapsto E((X - x)^2)$.

Expérimentations

Le travail expérimental de simulation d'échantillons prolonge celui entrepris en seconde. L'objectif est de faire percevoir le principe de l'estimation de l'espérance d'une variable aléatoire, ou de la moyenne d'une variable statistique dans une population, par une moyenne observée sur un échantillon.

- Simuler une variable aléatoire avec Python.
- Lire, comprendre et écrire une fonction Python renvoyant la moyenne d'un échantillon de taille n d'une variable aléatoire.
- Étudier sur des exemples la distance entre la moyenne d'un échantillon simulé de taille n d'une variable aléatoire et l'espérance de cette variable aléatoire.
- Simuler, avec Python ou un tableur, N échantillons de taille n d'une variable aléatoire, d'espérance μ et d'écart type σ. Si m désigne la moyenne d'un échantillon, calculer la proportion des cas où l'écart entre m et μ est inférieur ou égal à $\dfrac{2\sigma}{\sqrt{n}}$.

Algorithmique et programmation

La démarche algorithmique est, depuis les origines, une composante essentielle de l'activité mathématique. Au collège, en mathématiques et en technologie, les élèves ont appris à écrire, mettre au point et exécuter un programme simple. La classe de seconde a permis de consolider les acquis du cycle 4 autour de deux idées essentielles :
- la notion de fonction ;
- la programmation comme production d'un texte dans un langage informatique.

L'enseignement de spécialité de mathématiques de classe de première vise la consolidation des notions de variable, d'instruction conditionnelle et de boucle ainsi que l'utilisation des fonctions. La seule notion nouvelle est celle de liste qui trouve naturellement sa place dans de nombreuses parties du programme et aide à la compréhension de notions mathématiques telles que les suites numériques, les tableaux de valeurs, les séries statistiques…

Comme en classe de seconde, les algorithmes peuvent être écrits en langage naturel ou utiliser le langage Python. Les notions relatives aux types de variables et à l'affectation sont consolidées. Comme en classe de seconde, on utilise le symbole « ← » pour désigner l'affection dans un algorithme écrit en langage naturel.

L'accent est mis sur la programmation modulaire qui permet de découper une tâche complexe en tâches plus simples.

Histoire des mathématiques

De nombreux textes témoignent d'une préoccupation algorithmique au long de l'Histoire. Lorsqu'un texte historique a une visée algorithmique, transformer les méthodes qu'il présente en un algorithme, voire en un programme, ou inversement, est l'occasion de travailler des changements de registre qui donnent du sens au formalisme mathématique.

Notion de liste

La génération des listes en compréhension et en extension est mise en lien avec la notion d'ensemble. Les conditions apparaissant dans les listes définies en compréhension permettent de travailler la logique. Afin d'éviter des confusions, on se limite aux listes sans présenter d'autres types de collections.

Capacités attendues

- Générer une liste (en extension, par ajouts successifs ou en compréhension).
- Manipuler des éléments d'une liste (ajouter, supprimer…) et leurs indices.
- Parcourir une liste.
- Itérer sur les éléments d'une liste.

Vocabulaire ensembliste et logique

L'apprentissage des notations mathématiques et de la logique est transversal à tous les chapitres du programme. Aussi, il importe d'y travailler d'abord dans des contextes où ils se présentent naturellement, puis de prévoir des temps où les concepts et types de raisonnement sont étudiés, après avoir été rencontrés plusieurs fois en situation. Les élèves doivent connaître les notions d'élément d'un ensemble, de sous-ensemble, d'appartenance et d'inclusion, de réunion, d'intersection et de complémentaire et savoir utiliser les symboles de base correspondants : $\in$, $\subset$, $\cap$, $\cup$ ainsi que la notation des ensembles de nombres et des intervalles. Ils rencontrent également la notion de couple et celle de produit cartésien de deux ensembles.

Pour le complémentaire d'un sous-ensemble A de E, on utilise la notation $\overline{A}$ des probabilités, ou la notation $E \setminus A$.

Les élèves apprennent en situation à :

- lire et écrire des propositions contenant les connecteurs logiques « et », « ou » ;
- mobiliser un contre-exemple pour montrer qu'une proposition est fausse ;
- formuler une implication, une équivalence logique, et à les mobiliser dans un raisonnement simple ;
- formuler la réciproque d'une implication ;
- employer les expressions « condition nécessaire », « condition suffisante » ;
- identifier le statut des égalités (identité, équation) et celui des lettres utilisées (variable, inconnue, paramètre) ;
- utiliser les quantificateurs (les symboles $\forall$ et $\exists$ ne sont pas exigibles) et repérer les quantifications implicites dans certaines propositions, particulièrement dans les propositions conditionnelles ;
- formuler la négation de propositions quantifiées.

Par ailleurs, les élèves produisent des raisonnements par disjonction des cas, par l'absurde, par contraposée, et en découvrent la structure.

Index

Crédits photographiques

p. 6 : Régis Domergue/Biosphoto ; p. 8 : Orbon Alija/Getty ; p. 9 : Denis Bringard/Biosphoto ; p. 20 : pikselstock/Shuuterstock ; p. 21 h : BortN66/Shutterstock ; p. 21 b : pikselstock/Shutterstock ; p. 28 : pikselstock/Shutterstock ; p. 32 : Popartic/Shutterstock ; p. 35 g : Laurent GRANDGUILLOT/REA ; p. 35 d : Design Pics/Photononstop ; p. 37 : Environmental Images/UIG/Photononstop ; p. 39 : iStock/Getty Images Plus ; p. 40 : Adam Gault/Caiaimages/Photononstop ; p. 42 : Natalia Mels/Shutterstock ; p. 44 : Ngukiaw/Shutterstock ; p. 46 : JL. Klein & ML. Hubert/Naturagency ; p. 47 : Didier MAILLAC/REA ; p. 69 : Pete Saloutos/Getty ; p. 70 : Lucas Vallecillos/AGE ; p. 73 : PixieMe/Shutterstock ; p. 74 : Angellodeco/Shutterstock ; p. 75 : Imagenavi/AGE ; p. 76 : Everyonephoto Studio/Shutterstock ; p. 77 : Collection particulière ; p. 78 : iStock/Getty Images Plus ; p. 104 : Werner Heiber/AGE ; p. 110 : Alamer/Iconotec/Photononstop ; p. 112 : GibsonPictures/Getty ; p. 113 : t_kimura/Getty ; p. 122 : Eric Audras/Onoky/Photononstop ; p. 127 : Ekaterina79/Getty ; p. 129 : CSP_SafakOguz/AGE ; p. 134 : Glenn Bartley/BIA/Minden Pictures/Biosphoto ; p. 135 : Paul-André Coumes/Biosphoto ; p. 136 : Mike Brinson/Getty ; p. 142 : Sharon Green/Flirt/Photononstop ; p. 144 : Patrick Llewelyn-Davies/Ojo Images/Photononstop ; p. 156 h : JUICE IMAGES/BSIP ; p. 156 b : RIEGER Bertrand/hemis.fr ; p. 167 : AntonioGuillem/AGE ; p. 170 : NICOLAS José/hemis.fr ; p. 174 : Thapana Apisariyakul/Shutterstock ; p. 176 : Minden/hemis.fr ; p. 196 : Julien Thomazo/Photononstop ; p. 198 : Marcos Welsh/AGE ; p. 199 : 5nikolas5/Shutterstock ; p. 200 g : Ian HANNING/REA ; p. 201 g : Dennis MacDonald/AGE ; p. 201 d : Westend 61/hemis.fr ; p. 202 : Eric Audras/Onoky/Photononstop ; p. 203 g : evgeny kondrashov/Shutterstock ; p. 203 d : Martin Diebel/AGE ; p. 206 g : Collection particulière ; p. 206 d : Bianchetti/Leemage/AFP ; p. 209 : Charlie Abad/Photononstop ; p. 225 : E.Perrin/Novapix/Leemage ; p. 229 : Viktor1/Shutterstock ; p. 232 : Fraser Hall/Getty ; p. 234 : Luckykot/Shutterstock ; p. 235 : Christian Zappel/AGE ; p. 236 : Ian HANNING/REA ; p. 240 : FabrikaSimf/Shutterstock ; p. 253 : Carlos Caetano/Shutterstock ; p. 257 : Thomas Dressler/imageBROKER/AGE ; p. 260 g : CULTURA/IMAGE SOURCE/BSIP ; p. 260 d : HAUSER Patrice/hemis.fr/Hemis/AFP ; p. 264 : al7/Shutterstock ; p. 267 : Photo12/Alamy ; p. 272 : Vira Mylyan-Monastyrska/Shutterstock ; p. 274 : Dulsita/AGE ; p. 275 : Pascal SITTLER/REA ; p. 292 : LWA-Dann Tardif/Flirt/Photononstop ; p. 293 : Hero Images/Getty ; p. 296 : PASCAL PAVANI/AFP ; p. 302 : Impact Photography/Shutterstock ; p. 305 : Mouse family/Shutterstock ; p. 306 : hiv360/Shutterstock ; p. 309 : Kirilldz/Shutterstock ; p. 318 : Santypan/Shutterstock ; p. 320 : Jon Feingersh/AGE ; p. 322 : Mint Images/AGE ; p. 324 : Joanna Dorota/Shutterstock ; p. 326 g : Dorling Kindersley/Getty ; p. 326 d : Ian HANNING/REA ; p. 328 : Viktor Fedorenko/Shutterstock ; p. 331 g : Daniel Thierry/Photononstop ; p. 331 d : Valentina Barreto/AGE ; p. 332 g : Christian Grau/Shutterstock ; p. 332 d : Vgajic/Getty ; p. 333 h : Oleg_P/Shutterstock ; p. 333 b : Bardocz Peter/Shutterstock ; p. 334 g : wavebreakmedia/Shutterstock ; p. 334 d : FooTToo/Shutterstock ; p. 337 : RIEGER Bertrand/hemis.fr.

Les copies d'écran sont issues des logiciels Excel, GeoGebra et de l'environnement EduPython.
Merci aux sociétés Casio et Texas Instruments pour la fourniture d'émulateurs de calculatrices.

Achevé d'imprimer en Italie par STIGE
Dépôt légal : Août 2019 - Collection n°65 - Édition 03
76/8750/9